JUSQU'AU BOUT
DE LA FOI

DU MÊME AUTEUR

Aux Éditions Gallimard

Une maison pour Monsieur Biswas, 1964 (réédition « L'imaginaire », 1985).
Miguel Street, 1967.
Un drapeau sur l'île, 1971.

Aux Éditions Albin Michel

Guerilleros, 1981.
Crépuscule sur l'Islam : voyage au pays des croyants, 1981.
A la courbe du fleuve, 1982.
Dis-moi qui tuer, 1983.
Sacrifices, 1984.
Mr. Stone, 1985 (réédition Point Seuil).

Chez Christian Bourgois Éditeur

Une virée dans le Sud, 1989.
L'Énigme de l'arrivée, 1991.
Les Hommes de paille, 1991.

Chez Plon

L'Inde. Un million de révoltes, 1992.
La Traversée du milieu, 1994.
Un chemin dans le monde, 1995.
La Perte de l'Eldorado, 1996.

Dans la collection 10/18

Le retour d'Eva Peron, n° 2005.
L'Illusion des ténèbres, n° 2006.
L'Inde brisée, n° 2014.
L'Énigme de l'arrivée, n° 2282.
Une virée dans le Sud, n° 2301.
Le Masseur mystique, n° 2468.
L'Inde : Un million de révoltes, n° 2521.
Miguel Street, n° 2530.
Sacrifices, n° 2577.
A la courbe du fleuve, n° 2616.
Dans un État libre (Dis-moi qui tuer), n° 2948.

V. S. NAIPAUL

JUSQU'AU BOUT
DE LA FOI

Excursions islamiques
chez les peuples convertis

Traduit de l'anglais par Philippe Delamare

FEUX CROISÉS
PLON

Titre original

Beyond Belief

Collection Feux Croisés
dirigée par Ivan Nabokov

ISBN Plon : 2-259-18399-9.
ISBN Édition originale : Little, Brown and Compagny, Londres, 0-316-64361-0.

Pour Nadira Khannun Alvi

Prologue

Ce livre, où il est question de personnes et non d'opinions, rassemble des histoires recueillies au cours d'un voyage de cinq mois dans quatre pays musulmans non arabes : l'Indonésie, l'Iran, le Pakistan et la Malaysia. Voilà pour le contexte et pour le thème.

L'islam est à l'origine une religion arabe. Tout musulman non arabe est un converti. Loin d'être simplement affaire de conscience ou de croyance personnelle, l'islam présente des exigences impérieuses. Le converti voit sa conception du monde se transformer : ses lieux saints se trouvent en terre arabe ; sa langue sacrée est l'arabe. Sa vision de l'histoire se modifie : il rejette la sienne ; il devient, bon gré mal gré, un fragment de l'histoire arabe. Le converti doit se détourner de tout ce qui lui appartient en propre. Au prix d'un bouleversement immense des sociétés, qui, même au bout d'un millier d'années, peut rester inaccompli : rupture sans cesse recommencée. Qui sont-ils ? Que sont-ils ? Les gens échafaudent des fantasmes. Et l'islam des pays convertis comporte une dimension névrotique et nihiliste. Ces pays peuvent aisément s'embraser.

Ce livre est une suite à *Crépuscule sur l'islam*, publié il y a dix-sept ans au terme d'un séjour dans les quatre mêmes pays. Lorsque j'ai commencé ce voyage en 1979, je ne connaissais presque rien de l'islam — c'est la meilleure manière d'entreprendre une telle aventure —, et ce premier ouvrage explorait la foi sous ses divers aspects et ce qui apparaissait comme son aptitude à la révolution. Si le thème de la conversion était toujours présent, je ne le voyais pas aussi clairement que durant ce second voyage.

Jusqu'au bout de la foi complète, poursuit ce récit précédent. Il procède également d'une manière différente. C'est moins un livre de voyage ; l'auteur est moins présent, moins investigateur. Découvreur d'individus, dénicheur d'histoires, il se tient à l'arrière-plan, s'en remet à son intuition. Ces histoires, qui naissent l'une de l'autre, s'ordonnent d'elles-mêmes pour définir chaque pays et ses forces motrices ; et les quatre parties de l'ouvrage forment un tout.

J'ai commencé ma carrière littéraire comme auteur de fiction, comme agenceur de récits. A ce moment-là, je croyais qu'il ne pouvait exister d'état plus élevé. Quand on me demanda — il y a près de quarante ans — de parcourir certains territoires coloniaux d'Amérique du Sud et des Antilles pour écrire un livre, je fus enchanté de faire le voyage — de prendre des petits avions vers des endroits inconnus, de remonter fleuves et rivières —, mais je ne savais trop comment j'allais rédiger l'ouvrage, comment j'allais organiser ce que je faisais. Cette première fois, je m'en tirai par l'autobiographie et le paysage. Il me fallut des années pour comprendre que le plus important dans le voyage, pour un écrivain, ce sont les gens parmi lesquels il se retrouve.

Aussi dans mes récits de voyage, dans mes explorations culturelles, l'écrivain-voyageur se met-il toujours plus en retrait ; les gens du pays s'avancent au premier plan ; et je redeviens ce que j'étais au début : un agenceur de récits. Au dix-neuvième siècle, la fiction faisait ce que d'autres formes littéraires — le poème, l'essai — ne pouvaient aisément réaliser : donner des informations sur une société en mutation, décrire des états mentaux. Je trouve étrange que la forme du voyage — si éloignée au départ de mes inclinations personnelles — me ramène à mon point de départ, à la recherche d'une histoire. Bien que le propos du livre perdrait tout objet si les récits étaient falsifiés ou forcés. Ces histoires présentent suffisamment de complexités en elles-mêmes. Tel est le sens du livre ; que le lecteur n'y cherche pas de « conclusions ».

On peut se demander si, dans n'importe quelle partie du livre, d'autres personnages ou d'autres récits auraient créé ou suggéré un pays différent. Je ne le crois pas : le train a de nombreux wagons et plusieurs classes, mais il traverse le même paysage. Les gens réagissent aux mêmes influences politiques, religieuses et culturelles. L'écrivain n'a qu'à écouter très attentivement et d'un cœur limpide ce qu'on lui dit, et à poser la question suivante, puis la suivante encore.

Il y a une autre manière d'envisager le thème de la conversion. On peut y voir une sorte de transition des croyances anciennes, des religions terriennes, du culte des souverains et des divinités locales, aux religions révélées — principalement le christianisme et l'islam —, aux préoccupations philosophiques, humanitaires et sociales plus vastes. Les hindous disent que l'hindouisme est moins coercitif et plus « spirituel » ; et ils ont raison. Mais c'est au christianisme que Gandhi a emprunté ses idées sociales.

Le passage du monde antique au christianisme relève désormais de l'histoire. Il n'est pas facile, à lire les textes, de concevoir de manière imaginative les longues disputes et les angoisses qu'il engendra. Tandis que dans certaines des cultures décrites dans ce livre la transition vers l'islam — et parfois vers le christianisme — se poursuit encore. C'est le drame supplémentaire à l'arrière-plan, tel un big bang culturel : le broiement inéluctable du monde ancien.

PREMIÈRE PARTIE

Indonésie

Le vol du N-250

CHAPITRE PREMIER

L'homme du moment

Imadouddine était maître de conférence en électrotechnique à l'Institut de technologie de Bandung. C'était également un prédicateur musulman. Un personnage inhabituel dans les années soixante et soixante-dix : homme de science, l'un des rares de l'Indonésie indépendante, et en même temps homme de Dieu zélé. Il attirait les étudiants en foule à la mosquée Salman dans l'enceinte de l'Institut.

Il inquiétait les autorités. Et lorsque, le dernier jour de 1979, j'allai lui rendre visite en fin d'après-midi, après quelques heures de voiture par la route enfumée et encombrée reliant Djakarta sur la côte au plateau plus frais où se situe Bandung, je découvris que c'était plus ou moins un proscrit. Récemment libéré de prison après y avoir passé quatorze mois comme prisonnier politique, il disposait encore de son petit logement de fonction à l'Institut de Bandung, mais il lui était interdit d'y enseigner. Et bien que, toujours intraitable, il donnât encore ses cours de « préparation mentale » à de petits groupes de jeunes gens de la classe moyenne — des cours de vacances, en réalité —, il s'apprêtait, à quarante-huit ans, à partir pour l'étranger.

Il allait y rester de nombreuses années. Puis sa chance tourna. Et cette fois-ci, lorsque je retournai en Indonésie plus de quinze ans après l'avoir rencontré à Bandung, je trouvai Imadouddine prospère et célèbre. Il avait une émission islamique le dimanche matin à la télévision, une Mercedes et un chauffeur, une maison convenable dans un quartier convenable de Djakarta, et il parlait de déménager dans un endroit un peu mieux. Le mélange même de science et d'islam qui l'avait rendu suspect aux autorités à la fin des années soixante-dix faisait désormais de lui quelqu'un de désirable, le modèle de l'homme nouveau indonésien, et l'avait porté sur les cimes, tout près de la source du pouvoir.

Il était devenu l'un des proches de Habibie, le ministre de la Recherche et de la Technologie ; et Habibie était plus proche que n'importe qui au gouvernement du président Suharto, qui dirigeait le pays depuis trente ans et était généralement présenté comme le père de la nation.

Habibie était un spécialiste de l'aviation — un prodige, disaient ses admirateurs. Sa grande idée était que, sous sa direction, l'Indonésie devrait construire ou du moins concevoir ses propres avions. L'idée derrière l'idée — comme je l'avais lu dans les journaux — était qu'un tel projet ne produirait pas simplement des avions mais fournirait à des milliers et des milliers de gens une formation technique avancée et diverse. En sortirait une révolution industrielle indonésienne. En dix-neuf ans, l'organisation aérospatiale de Habibie avait reçu pratiquement un milliard et demi de dollars — à en croire le *Wall Street Journal*. Un modèle d'avion avait été réalisé, le CN 235, en collaboration avec une société espagnole ; il ne s'était pas vendu. Cette fois, un appareil plus séduisant était sur point de voler, le N-250, une navette de cinquante places à turbopropulseurs, entièrement mise au point par l'organisation de Habibie.

Le vol inaugural devait avoir lieu pour le cinquantième anniversaire de l'indépendance de l'Indonésie, le 17 août. Depuis des semaines déjà, les rues de Djakarta et des autres villes étaient tendues des mêmes guir-landes d'ampoules colorées, pavoisées de drapeaux et de bannières. C'est sur cet arrière-plan de célébrations — sorte de cadeau de l'État au peuple —, que le *Jakarta Post*, tel un professeur s'adressant à de nou-veaux étudiants, présenta un jour à ses lecteurs chaque étape des essais : le N-250 roulant d'abord lentement sur la piste, pour vérifier sa manœuvrabilité au sol ; puis à vitesse moyenne pour tester les ailes, la queue et le système de freinage ; et enfin à grande vitesse, pour s'assu-rer qu'il pourrait voler cinq à six minutes juste au-dessus du sol.

Quatre jours avant le vol inaugural, un axe de génératrice (comprenne qui peut) se rompit alors que l'appareil roulait sur la piste à vitesse moyenne. Une pièce de rechange était néanmoins disponible, et, le jour fixé, le N-250 vola pendant une heure à 3 500 mètres d'alti-tude. Le *Jakarta Post* montra à la une le président Suharto en train d'ap-plaudir tandis que Habibie embrassait une Mme Suharto souriante. On annonça qu'un jet moyen courrier, le N-2130, serait réalisé pour mars 2004. Il en coûterait deux milliards de dollars. Et comme le projet devait se prolonger loin dans l'avenir, il serait confié au fils de Habibie, âgé de trente-deux ans, Ilham, qui avait reçu un début de formation chez Boeing.

Trois semaines plus tard, après le point culminant des célébrations du cinquantième anniversaire de l'indépendance — un grand feu d'artifice réalisé par les Français —, et dans une atmosphère de gloire nationale, Habibie proposa que le 10 août, le jour où avait décollé le N-250, fût décrété journée du Réveil technologique national. Il fit cette proposition lors de la douzième conférence de l'Unité islamique. Parce que Habibie avait une autre facette : fervent musulman et défenseur passionné de la foi, il était président d'une nouvelle organisation, agressivement bap-tisée Association des intellectuels musulmans. Et lorsqu'il déclara à la conférence de l'Unité islamique que la maîtrise de la science et de la technique devait s'accompagner d'une foi redoublée en Allah, il pou-vait se prévaloir d'une autorité à la fois religieuse et laïque.

S'il n'était pas absolument certain que la conception et la construction d'avions avec des pièces importées pût déboucher sur une percée technologique ou scientifique générale, il n'était pas davantage évident que l'islam eût été ennobli par le succès du N-250, et par les centaines de millions dépensés pour servir le talent ou l'intérêt particulier d'un seul homme.

Mais c'était précisément là que la foi d'Imadouddine — sa foi de scientifique et de croyant — avait coïncidé avec celle de Habibie, que les carrières des deux hommes s'étaient croisées et qu'Imadouddine avait été hissé par son nouveau protecteur jusqu'à l'empyrée de la faveur présidentielle.

Imadouddine, peu après son retour d'exil, avait été l'un des principaux initiateurs de l'Association des intellectuels musulmans. Il servait désormais son patron d'une manière particulière. Habibie, ou son ministère, avait envoyé un grand nombre de jeunes Indonésiens étudier à l'étranger, et Imadouddine — en sa double qualité de scientifique et de prédicateur — avait la responsabilité de leur rendre régulièrement visite dans leurs universités étrangères pour ranimer leur foi et leur loyalisme. En 1979, à sa sortie de prison, le gouvernement, craignant de voir surgir un quelconque mouvement populiste qu'il ne pourrait maîtriser, n'avait pas approuvé les cours de préparation mentale islamique qu'il donnait à Bandung. Aujourd'hui — par un renversement extraordinaire — ces mêmes séminaires d'Imadouddine, ou quelque chose de semblable, servaient au gouvernement à s'assurer le soutien de l'importante intelligentsia ou technocratie nouvelle que Habibie était en train de créer.

C'est à partir de sa liberté et de sa sécurité nouvelles, de sa proximité nouvelle du pouvoir, qui n'était pour lui que la preuve de la justesse de la foi qu'il avait toujours servie, qu'Imadouddine m'expliqua comment, au mauvais vieux temps de la persécution, il avait été arrêté une nuit par la police dans sa petite maison de l'Institut de technologie de Bandung, et jeté en prison pendant quatorze mois.

Il ne voulait pas en faire trop grand cas maintenant, mais il s'était montré provocant, s'était attiré des ennuis. Il s'était élevé contre un projet de mausolée familial du président Suharto, le père de la nation. Il était question de dorer certaine partie du monument, et Imadouddine laissait désormais entendre que c'était cette utilisation de l'or, plus que toute autre chose, qui avait choqué son puritanisme islamique.

Il prévoyait des ennuis, et les ennuis arrivèrent. Le 23 mai 1978, à minuit moins le quart, on sonna à la porte de sa petite maison. Il sortit sur le porche et vit trois hommes de la police secrète en civil. Il nota que l'un d'eux portait un pistolet. Il y avait beaucoup d'arrestations à cette époque.

L'un des hommes dit : « Nous venons de Djakarta. Nous aimerions vous y emmener pour avoir des informations.

— Quel genre d'informations ?

— Nous ne pouvons pas vous le dire. Vous devez venir avec nous immédiatement.

15

— Donnez-moi quelques minutes », demanda Imadouddine.

Et, étant ce qu'il était, Imadouddine pria un moment et se lava, tandis que sa femme lui préparait un petit sac pour la prison. Elle n'oublia pas son Coran.

Imadouddine eut tout de suite le sentiment qu'il ne devait pas accompagner ces hommes. Un musulman ne pouvait leur faire confiance. Il était, en effet, convaincu que la police secrète indonésienne était sous l'emprise des catholiques. Il téléphona au directeur de l'Institut de Bandung. « Laissez-moi leur parler », dit le directeur. Il leur parla, mais les policiers ne voulurent rien savoir. Il se précipita chez Imadouddine, mais lorsqu'il y arriva, ce dernier avait été emmené en taxi.

Les policiers quittèrent la maison avec Imadouddine vers minuit et demi, quarante-cinq minutes après avoir sonné à sa porte. Imadouddine s'assit à l'arrière du taxi entre deux des hommes ; le troisième s'installa devant. Ils arrivèrent au siège de la police secrète à Djakarta à quatre heures et demie du matin. Imadouddine, avec la sérénité du croyant, avait dormi pendant une partie du voyage. C'était l'heure des prières de l'aube quand ils arrivèrent, et ils permirent à Imadouddine de prier. Puis ils lui demandèrent d'attendre dans une sorte de salle d'attente. Ils lui apportèrent un petit déjeuner.

À huit heures, on le conduisit dans un bureau et un lieutenant-colonel en uniforme commença à l'interroger. Il n'y eut aucune insulte ni menace de violence. Maître de conférence à l'Institut de technologie de Bandung, Imadouddine était considéré comme un fonctionnaire de haut rang et devait être traité correctement.

Après le lieutenant-colonel, entra un homme en civil. L'homme se présenta. Imadouddine reconnut le nom d'un procureur.

« Etes-vous musulman ? demanda-t-il à Imadouddine.

— Je suis musulman.

— Est-ce pour cela que vous prenez ce pays pour un État islamique ? Croyez-vous que ce soit le cas ? »

C'était un homme instruit, un juriste, peut-être de cinq ans le cadet d'Imadouddine.

« Je ne sais pas quoi dire, répondit Imadouddine. Je n'ai jamais étudié le droit. Je suis ingénieur. Vous êtes juriste.

— Le gouvernement dépense énormément d'argent pour la construction de mosquées et de tant d'autres choses destinées aux musulmans. Il a bâti la Mosquée nationale. Mais il y a encore des musulmans qui voudraient transformer ce pays en État islamique. Etes-vous de ceux-là ?

— Et vous, dites-moi comment vous voyez ce pays.

— C'est un État laïque, pas un État religieux.

— Vous avez tort. Vous vous trompez complètement, riposta Imadouddine.

— Pourquoi donc ? Vous dites que vous êtes ingénieur et que vous ne connaissez rien au droit.

— Il y a des choses que je connais. Parce que j'ai étudié aux États-

16

Unis. Les États-Unis, voilà un pays que vous pouvez qualifier de laïque. Mais vous venez de me dire qu'ici le gouvernement dépense des sommes considérables pour construire des choses comme la Mosquée nationale. De quel genre de gouvernement s'agit-il donc ? »

Ils discutèrent deux heures durant, reprenant et développant les mêmes arguments. Puis Imadouddine fut emmené au quartier général de la police militaire. Là, on sortit son dossier, et on le conduisit avec son dossier à la prison.

Elle avait été construite par Sukarno, le premier président de l'Indonésie indépendante, pour ses ennemis politiques ; bien des gens célèbres y avaient été enfermés avant Imadouddine. C'était un enclos de six hectares, avec un double mur d'enceinte, des barbelés et d'autres équipements carcéraux. Les bâtiments étaient en béton.

On donna à Imadouddine une grande cellule, de six mètres carrés, avec une salle de bains musulmane spéciale. Il y avait huit cellules de ce genre dans la prison. Elles étaient destinées aux personnages de haut rang, et Imadouddine était considéré comme tel. Il savait qu'il allait y demeurer longtemps. Aussi, avec la confiance et l'ardeur de sa grande foi — et une curieuse simplicité : il aurait pu aussi aisément être inquisiteur que martyr —, il demanda un balai pour nettoyer la pièce. Elle lui paraissait sale : en homme religieux, il avait certaines exigences de propreté. Il récura jusqu'à la salle de bains. Toute autre considération mise à part, il en avait besoin pour ses ablutions rituelles avant ses cinq prières quotidiennes.

Il s'installa dans le train-train de la prison. Il y avait une petite mosquée au milieu de l'enceinte. Lorsqu'il s'y rendit pour la prière du vendredi, il rencontra le plus célèbre de ses codétenus : le Dr Subandrio, de la vieille garde indonésienne. Ce chirurgien de formation, un des compagnons politiques de Sukarno, avait été successivement vice-Premier ministre et ministre des Affaires étrangères sous la présidence de ce dernier.

Subandrio était en prison depuis 1965, pour avoir participé à la très grave conspiration communiste visant à assassiner les généraux et à s'emparer du pays. La répression du complot avait bouleversé l'équilibre politique national. Elle avait amené l'armée et le jeune Suharto au pouvoir ; et elle s'était accompagnée de tels massacres que le Parti communiste indonésien, l'une des formations politiques les plus importantes de l'archipel en 1965, avait été pratiquement détruit. Des centaines de milliers de personnes avaient été expédiées dans des camps de travail, puis privées d'une partie de leurs droits civiques. On n'avait pas laissé s'estomper le souvenir du complot de 1965 ; et c'est sur la perpétuation de cet arrière-plan de danger communiste latent que s'était institutionnalisé l'étrange paternalisme du régime militaire du président Suharto.

Subandrio avait été condamné à mort. Mais le jour de son exécution, dit-il à Imadouddine, la reine Élisabeth avait demandé sa grâce — Subandrio avait été le premier ambassadeur d'Indonésie en Grande-

Bretagne —, et le président Suharto avait commué la sentence en prison à vie.

Et, dans la geôle que Sukarno avait bâtie pour un autre genre de personnage politique, Subandrio survivait depuis lors, depuis treize années, tandis que le monde extérieur se transformait, que Subandrio et sa grande aventure devenaient du passé, et que lui-même s'éloignait toujours davantage de l'homme qu'il avait été. Lui qui s'était trouvé au centre de tant de choses dépendait désormais pour sa nourriture sociale des nouveaux arrivés dans la prison, de gens comme Imadouddine, manne humaine de par-delà la haute muraille double.

Les deux hommes se voyaient tous les jours. Dans leurs cellules respectives. Les détenus disposaient d'une certaine liberté avant huit heures du matin, puis dans l'après-midi, quand les gardiens regagnaient leur casernement. Les deux hommes ne se ressemblaient pas. Subandrio avait environ soixante-cinq ans, estimait Imadouddine ; lui-même avait quarante-sept ans. Pour décrire Subandrio, Imadouddine évoqua la bonne forme physique de son aîné, sa petite taille, sa formation de chirurgien, son origine javanaise. Ce dernier détail était important. Les Javanais ont la réputation d'un peuple féodal, aux manières courtoises, sachant l'art d'exprimer les choses délicates. Imadouddine venait du nord de Sumatra, province plus brutale à tous égards, et à l'islam bien plus puritain et agressif que celui des Javanais.

Imadouddine n'avait aucune sympathie pour la politique menée avant 1965 par Subandrio. Il m'avait dit en 1979 qu'il n'aurait pu être socialiste dans sa jeunesse, quelque généreux que les socialistes aient été pour lui, parce qu'il était « déjà » musulman. Il voulait dire, j'imagine, que tout ce que le socialisme offrait d'humain et de séduisant se trouvait aussi dans l'islam, et qu'il n'avait donc pas besoin d'emprunter la voie laïque au risque de sa foi.

Treize ans auparavant, Imadouddine et Subandrio eussent été dans des camps opposés. Mais la prison rendait les hommes égaux. Et Subandrio aussi avait changé. Il était devenu religieux. Il dit à Imadouddine lors de leur première rencontre qu'il voulait mieux connaître le Coran, et il lui demanda de l'aider. Ce n'était pas simplement courtoisie javanaise ou disette de contacts humains. La quête de Subandrio était sincère. Imadouddine devint ainsi son maître spirituel.

Tous les jours, ils parlaient également politique. Et en particulier de la politique dans la culture javanaise.

« Je lui ai appris à lire le Coran, me dit Imadouddine. Et j'ai appris de lui la culture javanaise.

— Qu'avez-vous appris ?

— L'importance du paternalisme. Pas au sens occidental, mais un mélange de féodalisme, de paternalisme et de népotisme. Il faut savoir ce que l'on doit dire et ne pas dire. Il faut connaître sa position dans la société. Qui n'a parfois rien à voir avec ses compétences. »

Subandrio finit également par connaître l'histoire d'Imadouddine, et il n'eut aucune peine à comprendre où celui-ci s'était fourvoyé. Résumant tout ce que son aîné lui avait dit en quatorze mois, Imadouddine lui prêta ces conseils : « En politique, il ne faut pas compter sur l'honnêteté et la moralité du début à la fin. L'enthousiasme et l'intelligence n'ont aucune importance. En politique, seule compte la victoire finale. Si donc vous inculquez votre idée à votre adversaire et qu'il la mette en pratique, c'est vous qui avez gagné. Et surtout, rappelez-vous qu'il ne faut jamais vous heurter aux Javanais. »

L'affrontement : Imadouddine reconnaissait que ç'avait été sa propre méthode politique. Ce temps perdu en prison était une partie du prix à payer pour cela ; de même que les nombreuses années d'exil qui allaient suivre. Toutes ces années-là, il n'oublia jamais les conseils de Subandrio ; et, de retour en Indonésie, sa période d'expiation terminée, il se mit à apprendre la manière javanaise d'évoluer dans une société ordonnée, la manière javanaise de formuler les choses délicates. Il comprit qu'il ne devait pas agir seul. Il se trouva un protecteur, Habibie ; il s'éleva rapidement ; et, comme par magie, des gens qu'il jugeait lointains et hostiles lui prodiguèrent bienveillance et faveur.

La veille du cinquantième anniversaire de l'indépendance, et six jours après le vol inaugural du N-250 autour de Bandung, le Dr Subandrio — alors âgé de presque quatre-vingt-deux ans — fut enfin libéré de prison. Il y avait passé trente ans, durée inimaginable, et seize bonnes années après l'élargissement d'Imadouddine.

Le président Suharto avait annoncé la nouvelle trois semaines plus tôt. Un reporter du *Jakarta Post* se rendit au pénitencier. Subandrio souffrait d'une hernie et d'hypertension. Le vieil homme souhaitait seulement ne pas mourir en détention, et (vestige de la bonne santé qui avait frappé Imadouddine seize ans auparavant) il tâchait de se maintenir en forme — avec le peu de liberté et de vie dont il disposait encore — grâce au yoga et à de longues promenades dans l'enceinte de la prison.

Le journaliste demanda à Subandrio s'il avait l'intention de se remettre à la politique après sa libération.

« C'est inutile », répondit-il. Il ne songeait plus qu'à son salut.

Le journaliste lui demanda ce qu'il pensait de sa libération.

Il n'en pensait rien. Il ne voulait rien dire tant qu'il n'était pas définitivement sorti de prison. « Je crains, dit-il, de laisser échapper quelque parole qui pourrait se retourner contre moi. »

Ainsi, presque à l'extrême fin de sa vie, prenant soin de ne parler que de la bienveillance de Dieu et de la générosité du président Suharto, Subandrio tenait compte du conseil javanais qu'il avait donné à Imadouddine seize ans auparavant.

Imadouddine qualifiait ses entreprises islamiques de noms modernes et bien peu islamiques. Par exemple, en 1979 à Bandung il donnait des cours de « préparation mentale » à des groupes d'adolescents de la classe moyenne. Selon l'un des jeux modernes qu'il leur proposait, ils devaient essayer par groupes de cinq de confectionner des carrés à partir de morceaux de papier diversement découpés qui leur étaient remis dans des enveloppes séparées. Il n'était possible d'y arriver que si les groupes s'unissaient pour échanger des pièces du puzzle. De cette très attrayante manière ils apprenaient la nécessité de coopérer, de persévérer, de se connaître mutuellement, de savoir se sentir à l'aise. Et comme, en l'occurrence, Imadouddine prêchait des convertis — sinon ces adolescents, dont certains venaient de Djakarta, n'auraient pas eu la permission de leurs parents de venir à Bandung pour ces réunions mixtes qui se prolongeaient tard dans la soirée —, tout le monde savait que ces vertus étaient islamiques ; et certains des jeunes gens les illustraient même par des citations du Coran.

Si ces exercices procédaient en 1979 de la préparation mentale, je pouvais, vu le succès et la gloire actuels d'Imadouddine, me faire une idée de ce que recouvrait la YAASIN, l'élégant acronyme indonésien qu'Imadouddine avait choisi pour la fondation qu'il dirigeait maintenant : *Yayassan Pembina Sari Insan*, la Fondation pour le développement et la gestion des ressources humaines. Les « ressources humaines » devaient signifier les gens ; leur développement impliquait qu'ils deviennent de pieux musulmans ; la gestion de ces pieuses personnes se ramenait sans doute à les détourner de leurs obédiences antérieures, quelles qu'elles fussent, pour les amener à suivre la ligne technico-politique d'Imadouddine et de Habibie.

Les bureaux de la fondation se trouvaient au rez-de-chaussée d'un petit immeuble à quelque distance du centre de Djakarta. Il n'était pas facile au visiteur de le trouver. Mais Imadouddine était un homme occupé, avec son émission de télévision hebdomadaire et son travail pour l'Association des intellectuels musulmans — outre que dans quelques jours il allait partir pendant deux mois aux États-Unis et au Canada pour dispenser sa formation mentale aux étudiants indonésiens de douze universités —, et ce bureau lui semblait le meilleur endroit où nous rencontrer.

Lorsqu'il vint m'accueillir dans le hall, je ne le reconnus absolument pas. Ce n'était pas uniquement dû au passage des ans. Son attitude avait changé. A Bandung, je lui avais trouvé le comportement, non sans séduction, d'un professeur d'université, d'un homme, entre le détachement et la confidence, rompu à traiter un sujet avec le sérieux ou la délicatesse nécessaire pour conquérir l'allégeance de gens qui n'étaient pas encore ses pairs. Il évoquait désormais l'homme d'affaires, sans veste mais très composé : chemise à rayures vertes, cravate, stylo dépassant de la poche de la chemise, pantalon beige et ceinture pour contenir l'embonpoint plus que naissant de l'âge mûr.

Dans un premier renfoncement, à droite en entrant, était disposée une estrade basse, recouverte de tapis bon marché et fripés ; au pied de celle-ci, des chaussures et des pantoufles étaient éparpillées. C'était là que les visiteurs, les employés ou les voisins d'Imadouddine priaient, tournés vers La Mecque. Ils étaient déjà deux ou trois qui, assis en silence, attendaient l'heure exacte de la prière ; dans ce cadre, ils faisaient un peu figure de trophées ou de diplômes professionnels, d'emblèmes de la vertu.

Comme nous passions devant eux sur la pointe des pieds, la femme diplomate qui m'accompagnait (et qui avait fourni la voiture pour ce difficile voyage) demanda si nous ne devrions pas nous aussi ôter nos chaussures avant d'aller plus loin. Imadouddine, avec la bonhomie du prédicateur, répondit que ce n'était pas nécessaire. Du ton de celui qui savait, grâce à son expérience du monde extérieur, qu'ôter nos chaussures nous serait pénible, et en laissant entendre qu'il nous comprenait à demi. Mais en même temps comme si ce qui nous était désagréable était pour lui un pur plaisir.

Venait ensuite le bureau de la secrétaire, avec l'écran scintillant d'un ordinateur, des étagères et des dossiers ; et enfin, au bout du couloir, le bureau d'Imadouddine, adossé au mur extérieur du bâtiment, avec, juste derrière, la rue flagellée de lumière et les fumées de la circulation. C'était un bureau qui semblait beaucoup servir. Sur la table au plateau recouvert d'une vitre, il y avait un portable terni, flanqué d'un côté d'un Coran fatigué, et de l'autre de brochures à l'aspect miteux — une pile d'une quarantaine de centimètres peut-être —, toutes à peu près du même format avec une couverture bleu électrique, qui avaient été publiées en Égypte et composaient peut-être un très long commentaire du Coran : assurément le pain quotidien d'Imadouddine.

Et c'est là, dans cette atmosphère de mosquée et de bureau, qu'Imadouddine commença à me raconter ses aventures depuis 1979, et les changements de sa manière de penser qui l'avaient mené de la persécution à Bandung, où on lui avait interdit d'enseigner l'électrotechnique, à sa réussite à Djakarta, avec sa fondation et ses idées sur les ressources humaines.

Bien qu'en 1979 il approchât de la cinquantaine, il faisait toujours partie de deux organisations d'étudiants musulmans, dans lesquelles il occupait d'importantes fonctions. Ces organisations étaient connues, dans un style aussi moderne qu'impressionnant, par leurs initiales : l'IFSO koweïtienne, l'International Islamic Federation of Student Organisations (Fédération islamique internationale des organisations étudiantes), et la WAMY saoudienne, la World Association of Muslim Youth (Association mondiale de la jeunesse musulmane). C'est par l'entremise de la WAMY qu'il obtint une bourse de la Fondation Fayçal. Il ne se servit pas de celle-ci pour aller dans un pays musulman, où, en bon défenseur de la foi, il eût pu trouver une certaine consolation. Il préféra se rendre au cœur des États-Unis, à l'université de l'État d'Iowa. Les États-Unis, encore et toujours ; dimension inavouée de l'univers du révolutionnaire moderne de n'importe quelle obédience : le pays du droit et du répit, avec lequel celui qui se proclame de l'autre bord — politique, culturel ou religieux — peut, à la fin de son parcours, faire la paix et s'abandonner à sa mansuétude.

C'est à Iowa State qu'Imadouddine accomplit sa grande rupture avec son passé. Abandonnant l'électrotechnique qu'il avait enseignée pendant seize ans, il trouva une nouvelle matière à étudier, l'ingénierie industrielle. Il était tout jeune quand il avait choisi l'électricité, expliqua-t-il. Cela faisait partie de l'incertitude de cet âge ; il avait alors l'idée la plus vague de la meilleure manière dont le pays pouvait être développé. A Iowa, il commença à voir plus clairement les choses.

« J'ai découvert à ce moment-là que mon pays a plus besoin de développer ses ressources humaines que de haute technologie. J'ai compris que le problème de l'Indonésie n'était pas la technique. On peut acheter celle-ci si on a l'argent. Mais on ne peut acheter des ressources humaines qui se dévouent au bien du pays. On ne peut demander aux Américains de venir ici travailler à notre place. En tant que secrétaire général de l'IFSO, j'ai beaucoup voyagé. Et un jour, en 1978, j'ai vu que les Saoudiens avaient fait construire un hôpital très moderne, l'hôpital du Roi Fayçal, mais tous les médecins, et jusqu'aux infirmières, étaient non arabes. Les médecins étaient américains, les infirmières philippines, indiennes et pakistanaises. L'Arabie Saoudite peut acheter des Awacs[1], mais les pilotes sont américains.

— Vous n'y aviez jamais pensé avant ?

— Pas vraiment. Mais je le pressentais. »

Si je me doutais bien que les termes à l'allure scientifique qu'employait Imadouddine avaient un tour religieux, je leur avais aussi donné une interprétation à demi scientifique. Je croyais qu'il parlait en homme de science et qu'il voulait dire, en gros, que la technique sans la science qui la sous-tend était inutile, et je me figurais qu'il prenait l'Arabie Saoudite comme exemple de dépendance technique. Mais ce qu'il ajouta immédiatement après me fit comprendre que j'étais passé à côté de la signification réelle de son raisonnement.

« Quand j'ai demandé la bourse à l'Arabie Saoudite, poursuivit-il, je songeais à abandonner l'électrotechnique. Il me semblait qu'il devait y avoir quelque chose de plus important que la technologie. »

J'avais dû perdre le fil. Voulait-il dire que pour développer la technique il fallait y renoncer ? Je revins mentalement en arrière tandis qu'il poursuivait son discours, et il me fallut quelques instants avant de saisir qu'il n'énonçait pas avec détachement les principes du progrès technique en Indonésie, mais parlait de manière plus personnelle, de sa carrière, des étapes qui l'avaient amené intuitivement à abandonner l'électrotechnique, à renoncer à la technologie pure, pour devenir un prédicateur et un missionnaire à plein temps ; et de la manière dont, au terme de cette apparente abdication professionnelle, il avait atteint les sommets : l'Association des intellectuels musulmans, Habibie, les splendeurs du N-250, et, indirectement, le président lui-même. Il n'y voyait nulle incohérence, aucun manque de logique. Tout était parfaitement clair. Un pays ne pouvait se développer que si ses ressources humaines se développaient : autrement dit si les gens devenaient pieux et bons.

---

1. Airborne Warning and Control System (système de contrôle et d'alerte aéroporté), avions radars de fabrication américaine (Boeing). (N.d.T.)

Mes questions n'avaient pas dû être toujours pertinentes. Il les considérait avec courtoisie, mais comme des interruptions ; et, en homme politique ou en prédicateur chevronné, il revenait toujours à son propos principal sans s'en laisser distraire.

« Avec la bourse saoudienne, je me suis réorienté vers l'ingénierie industrielle. Dans l'électrotechnique, on n'étudie que la technique. Il n'est jamais question des hommes. Sauf quand il s'agit de haut voltage ; là il faut bien sûr penser à la sécurité. Dans l'ingénierie industrielle, on combine le système industriel, le système humain et la gestion. C'est ce que j'ai appris dans l'Iowa. J'y ai rencontré un professeur très sympathique qui est expert en comportement humain ; je lui ai demandé d'être mon directeur d'études et il a très volontiers accepté. A partir de là, j'ai concentré mes efforts sur la démarche comportementale. »

Il n'avait eu aucune difficulté à abandonner son ancienne matière. « Un sujet ne m'intéresse que lorsque j'en apprends quelque chose. Dès que je sais tout à son propos, je m'en désintéresse. C'est l'une de mes faiblesses ou de mes mauvaises attitudes. Un exemple. Montrez-moi n'importe quel moteur ou machine électrique. Je peux vous en expliquer le fonctionnement. Un moteur à induction est un moteur à induction. Peu importe d'où il vient. Je peux absolument tout vous en dire. Mais quand je retrouve mes deux enfants, chacun a son propre comportement personnel. On ne peut les traiter comme des machines. Les êtres humains me paraissent toujours énigmatiques, toujours intéressants. »

À l'extérieur, la lumière éclatante virait au jaune, transformant en or la poussière et la fumée : l'après-midi brûlant tournant maintenant au crépuscule, la circulation aussi frénétique que jamais, mouvementée mais (comme une fontaine vue de loin) constante. Sur cet arrière-plan, venant certainement du renfoncement aux tapis fripés au bout du couloir, des raclements hésitants se muèrent en timide psalmodie.

Imadouddine l'entendit : cela se vit dans ses yeux. Mais, avec la même courtoisie qui lui avait fait nous dire tout à l'heure qu'il n'était pas nécessaire que nous ôtions nos chaussures dans le couloir, il sembla n'avoir rien remarqué. Il n'interrompit pas son récit.

Ses études de génie industriel à Iowa State s'achevèrent au bout de quatre ans. Il reçut alors d'Indonésie une lettre de quelques amis qui lui conseillaient de ne pas rentrer immédiatement. Il montra la lettre au service américain de l'immigration — il était tenu de quitter les États-Unis aussitôt après obtenu son diplôme —, lequel prolongea son permis de séjour. Il montra également la lettre à son professeur. Celui-ci savait que la bourse saoudienne d'Imadouddine avait pris fin en même temps que ses études, et il lui proposa un poste d'enseignant. Imadouddine donna des cours à l'université de l'Iowa pendant deux ans.

« Tout le monde a été très gentil avec vous », fis-je remarquer.

Je voulais souligner le comportement des gens de l'Iowa — des incroyants. Je crois qu'Imadouddine comprit mon intention. Il dit avec un sourire malicieux : « Dieu m'aime beaucoup. »

La psalmodie du couloir se fit plus assurée. Il n'était plus possible de l'ignorer. Je voyais bien qu'Imadouddine voulait être là-bas, avec les gens qui chantaient et priaient. Un moment encore, néanmoins, il ne bougea pas et poursuivit son histoire.

En 1986, un ami indonésien bien placé, un ministre en fait, intercéda pour lui auprès du gouvernement. Il s'engagea personnellement à ce qu'Imadouddine ne nuise d'aucune manière à l'État. Et c'est ainsi qu'après six ans d'exil Imadouddine obtint l'autorisation de revenir chez lui. Il se rendit à Bandung. Il croyait avoir encore son poste de maître de conférence à l'Institut de technologie, mais lorsqu'il se présenta au doyen, celui-ci lui dit qu'il avait été renvoyé. S'il n'en fit pas lui-même la remarque, Imadouddine avait donc eu raison d'abandonner l'électrotechnique.

Les litanies remplissaient à présent le couloir. Avec insistance. Arrachant Imadouddine à son évocation du temps passé. Rien ne pouvait plus le retenir. Il se leva brusquement de son siège, dit d'un ton affairé qu'il serait de nouveau à nous dans quelques minutes, et sortit se joindre à la psalmodie.

La pièce eut soudain l'air orpheline. Sans Imadouddine — sa simplicité et sa franchise étonnantes, son amour du discours, son humour —, tout son attirail missionnaire paraissait oppressant : comme surgi du néant. Seul quelqu'un comme lui pouvait donner sens et vie aux brochures égyptiennes bleu électrique sur le bureau vitré.

Lorsqu'il revint, il avait perdu son impatience. Les prières, l'apaisement de l'habitude, l'avaient préparé à la partie la plus heureuse de son histoire. Celle qui concernait la réussite — encore présente — qui avait succédé à près d'une décennie de prison, d'exil et d'abandon.

La réussite avait suivi sa venue à Djakarta, la capitale, après l'humiliation de Bandung. A Djakarta, il était plus proche qu'il ne l'avait jamais été des sources du pouvoir. Et, pour la première fois, il pouvait agir selon les principes de la diplomatie javanaise que lui avait révélés en prison le Dr Subandrio, huit à neuf ans auparavant. C'étaient des principes simples mais fondamentaux : connaître sa place dans la société et sa relation envers les autorités ; savoir ce qui pouvait ou ne pouvait être dit ; comprendre l'art de la déférence.

« C'est à partir de 1987 que j'ai commencé à avoir un rôle actif dans la vie de Djakarta. J'ai appris très vite.

— Qu'avez-vous appris ?

— La géopolitique de l'Indonésie. Les règles du jeu que joue Suharto. »

Malgré tout son nouveau tact, il trébucha néanmoins gravement. Ce fut lors de sa deuxième année à Djakarta. Il cherchait en tâtonnant comment mettre en œuvre son idée des ressources humaines.

« J'ai commencé à réunir quelques amis pour fonder une nouvelle organisation qui s'appellerait l'Association des intellectuels musulmans, ou quelque chose de ce genre. Nous nous retrouvions dans un petit hôtel de Djogjakarta. C'était en janvier 1989. Quatre policiers sont venus disperser la réunion. Mon nom était encore considéré comme suspect. Et Suharto subissait encore l'influence de la police secrète. »

La police secrète, me dirait-il par la suite, était sous l'emprise des catholiques, qu'inquiétait le mouvement musulman. L'incident lui révéla que, si elle était complètement contrôlée, la société n'était pas toujours facile à déchiffrer. Elle était pleine d'embûches semblables. Il comprit qu'il avait tort de croire — comme son éducation sumatrienne et sa formation américaine l'y encourageaient — qu'il pouvait agir seul. Il lui fallait un protecteur.

« J'ai étudié la situation politique de plus près. J'ai lu des articles sur le professeur Habibie, qui avait fait la couverture de deux magazines, et j'ai essayé d'en savoir davantage sur lui. J'ai demandé à mon ami [peut-être le ministre dont l'intervention lui avait permis de revenir en Indonésie] de nous présenter. Et Habibie m'a accepté en 1990.

— Que s'est-il passé exactement ?

— J'ai envoyé la lettre d'un étudiant au professeur Habibie. Puis je me suis rendu à son bureau, accompagné de trois étudiants dont j'avais fait mes "pilotes". Je l'ai rencontré le 23 août 1990. »

C'est-à-dire une année entière après que la police avait dispersé la réunion d'intellectuels dans l'hôtel de Djogjakarta. Habibie accepta d'être le président de la nouvelle association.

« Pourquoi avez-vous choisi Habibie ?

— Parce qu'il est très proche de Suharto, et que rien ne peut se faire en Indonésie sans son approbation. Habibie m'a dit de rédiger une proposition, qui devait être avalisée par au moins vingt titulaires de doctorat de tout le pays. Je suis donc reparti et pendant quinze jours j'ai bûché sur mon ordinateur. J'ai trouvé quarante-neuf personnes pour signer la lettre. Des universitaires pour la plupart. Habibie a montré la lettre à Suharto le 2 septembre 1990, et celui-ci a immédiatement donné son accord. En disant à Habibie : "C'est la première fois que les intellectuels musulmans s'unissent. Je veux que vous preniez la tête de ces intellectuels pour construire le pays." Bien entendu, cette lettre deviendra un document national. »

C'est à ce moment-là que la carrière d'Imadouddine a décollé. « En revenant de la réunion avec Suharto, Habibie nomma un comité chargé de préparer une conférence, et l'Association des intellectuels musulmans fut créée au début de décembre 1990, Suharto s'engageant à inaugurer personnellement la conférence. » Vint ensuite une nouvelle indication du pardon présidentiel. « Lorsque Suharto a prié Habibie de trouver un nom au journal de l'ICMI, ce dernier s'est adressé à moi. Je lui ai proposé trois titres : *Res Publica*, *Republik* et *Republika*. Suharto a choisi *Republika*. Après cela, j'ai commencé à voler de mes propres ailes. Je peux parler où je veux, alors que, quand je suis revenu en 1986, je n'avais pas le droit de donner la moindre conférence publique. Les choses ont donc complètement changé en Indonésie. Mais il y a naturellement des opposants : les non-islamiques, les catholiques.

— Pourquoi Suharto a-t-il changé d'avis ?

25

« — Je ne sais pas. C'est un mystère pour moi. Peut-être Dieu l'a-t-il amené à changer d'avis. En 1989 il a fait le pèlerinage à La Mecque, le *hadj*. Il s'appelle maintenant Hadji Mohamad Suharto. Avant il n'avait pas de prénom. Il était Suharto tout court. » Et Imadouddine est devenu un homme très occupé. « En 1991, j'ai reçu une mission de Habibie. Il m'a fait venir un jour et m'a dit : "J'aimerais que vous ne fassiez qu'une seule chose. Formez ces gens. Qu'ils deviennent de pieux musulmans."

— Vous avez donc abandonné le génie industriel ?

— Complètement. Depuis 1991 je me rends chaque année en Europe, aux États-Unis, en Australie, juste pour rencontrer les étudiants. Surtout ceux qui ont reçu des bourses de Habibie. Je les forme à devenir de bons musulmans, de bons Indonésiens. La semaine prochaine, comme je vous l'ai dit, je pars pour le Canada et les États-Unis. Je vais y passer deux mois et visiter douze campus. »

L'objectif politique — ou géopolitique — de son travail apparaissait clairement. Les étudiants dépendaient déjà de Habibie et du gouvernement. La préparation mentale qu'Imadouddine allait leur dispenser dans leurs universités les lierait encore plus étroitement.

« Lorsqu'ils deviendront de pieux musulmans et de bons dirigeants de l'Indonésie, disait-il des étudiants à l'étranger, ils ne penseront pas à faire la révolution mais à accélérer l'évolution. » Cela ressemblait à un slogan mûrement réfléchi : paroles à inculquer dans le cadre du programme — le développement —, mais à des esprits quelque peu entravés. « Nous devons rattraper notre retard pour devenir l'un des nouveaux pays industriels à l'horizon de 2020. »

Ainsi, partis du point selon lequel en Indonésie il y avait quelque chose de plus important que la technologie, nous étions revenus en zigzaguant — *via* l'idée des ressources humaines, qui était l'idée religieuse — à la nécessité du progrès technique. Un progrès d'un genre particulier, l'esprit étant sous la tutelle de la religion.

Ce zigzag avait suivi le parcours de la propre carrière d'Imadouddine, depuis ses ennuis à Bandung jusqu'à son rôle clef dans le programme de Habibie. Et dans son esprit, il n'y avait aucune contradiction. La chose la plus importante au monde était la foi, et son premier devoir était de la servir. En 1979, il avait dû exprimer son opposition au gouvernement. La situation était aujourd'hui différente. Le gouvernement était au service de la foi ; rien ne l'empêchait donc de servir le gouvernement. La foi était vaste ; il pouvait l'adapter aux besoins de l'État. Ce n'était pas lui qui s'était rapproché du gouvernement, mais le gouvernement qui était venu à lui.

« J'avais le sentiment en 1979 que la religion était menacée. La police secrète, à cette époque, était dominée par les catholiques, qui redoutaient que l'islam ne se développe dans le pays. Ils font ce qu'on appelle en psychologie une projection. Ils croient que parce qu'ils sont une minorité ils seront traités comme ils ont traité les musulmans dans d'autres pays. Mais maintenant mes amis sont au gouvernement. C'est la volonté de Dieu. »

C'était avec aisance qu'il pratiquait désormais la déférence à la javanaise. Il disait de Habibie, son protecteur : « C'est un génie. Il a obtenu et sa maîtrise et son doctorat — en génie aéronautique — avec les plus hautes mentions possibles en Allemagne, à Aix-la-Chapelle. C'est un homme honnête. Il n'a jamais manqué une prière. Cinq fois par jour. Et il jeûne aussi deux fois par semaine, le lundi et le jeudi. Le fils de Habibie est encore plus intelligent que son père. Il a fait ses études à Munich. » Et Imadouddine avait également fini par comprendre, avec une crainte toute révérentielle, la position de père de la nation de Suharto. Lorsque Habibie lui avait montré la première lettre d'Imadouddine proposant la création de l'Association des intellectuels musulmans, le président, parcourant du regard les quarante-neuf signatures, s'était arrêté sur le nom d'Imadouddine et avait dit avec équanimité : « Il est allé en prison. » Habibie avait rapporté ces paroles à Imadouddine, qui en fut abasourdi.

« Un simple nom, me dit-il. Quand on pense aux centaines de milliers qui sont allés en prison dans ce pays... »

Et maintenant il avait une vision mirobolante de l'avenir de la foi dans son pays.

« Je crois ce que m'a dit feu Fazel-ur-Rehman, qui s'est éteint en 1980. C'était l'un des membres de l'Académie islamique nationale du Pakistan. Il était professeur d'études islamiques à l'université de Chicago et je l'ai invité à donner une conférence à l'université de l'Iowa. » Intéressant, cet aperçu des allées et venues protégées de missionnaires musulmans en terre étrangère. « Je suis allé l'accueillir à l'aéroport. Il m'a donné l'accolade et m'a dit : "J'ai lu nombre de vos articles et de vos livres et je suis très heureux de faire aujourd'hui votre connaissance. Vous êtes indonésien. Je suis convaincu que les musulmans de langue malaise prendront la tête de la renaissance de l'islam au vingt et unième siècle." J'ai pris son sac, et en le conduisant vers la voiture je lui ai demandé pourquoi il croyait cela. "Je suis sérieux, dit-il. Vous dirigerez la renaissance. Pour trois raisons. Premièrement, les musulmans d'expression malaise sont devenus majoritaires dans le monde islamique, et vous êtes le seul peuple musulman à demeurer uni. Nous autres Pakistanais n'y sommes pas parvenus. Quant au monde arabe, il est divisé en quinze États. Vous ne comptez que des sunnites, pas de chiites. Deuxièmement, vous disposez d'une organisation islamique, la Muhammadiyah, avec pour slogan : le Coran et la sunna." Parce que Fazel-ur-Rehman croyait fermement que seul le Coran pouvait répondre aux questions modernes. "Troisièmement, en Indonésie, la situation des femmes est exactement ce qu'elle était du temps du Prophète, selon le véritable enseignement de l'islam."

— Quelles sont les questions modernes que le Coran peut résoudre ? demandai-je à Imadouddine.

— Les relations humaines : le sentiment de l'égalité, l'affranchissement de la misère et de la peur. Ce sont les deux choses dont les gens ont besoin, et c'est la mission fondamentale du prophète Muhammad. »

Il m'avait dit en 1979 qu'il n'aurait pas pu être socialiste quand il était jeune parce qu'il était « déjà » musulman. On aurait pu dire alors que la piété ne fournissait pas les institutions. Mais on ne pouvait plus dire maintenant que la foi ne libérait pas à elle seule de la misère et de la peur, puisque la foi que proposait Imadouddine s'ancrait dans le programme technique de Habibie, dont le vol du N-250 proclamait la gloire.

« La science est inhérente à l'enseignement islamique. Si nous sommes en retard, c'est parce que nous avons été colonisés par les Espagnols, les Anglais, les Hollandais. Pourquoi Dieu a-t-il créé les hommes ? Pour qu'ils rendent le monde prospère. Et pour rendre le monde prospère nous devons maîtriser la science. La première révélation faite au Prophète a été : "Lis." »

Rien de nouveau en apparence. Mais quand j'ai un peu mieux connu la politique indonésienne, j'ai compris que c'était sur ce terrain qu'Imadouddine livrait le combat à l'ennemi, et menait au nom du gouvernement une lutte pour le pouvoir aux immenses enjeux.

Avec l'Indonésie, nous nous trouvons presque à la limite du monde musulman. Pendant un millier d'années, jusqu'en 1400, elle fit partie culturellement et religieusement de la sphère d'influence indienne : animiste, bouddhiste, hindoue. L'islam y est arrivé peu avant l'Europe, et n'était pas la force dominante qu'il représentait dans d'autres régions converties. Ces deux derniers siècles, dans un système colonial, l'islam était même sur la défensive, religion d'un peuple assujetti. Il n'avait pas entièrement pris possession de l'âme du peuple. C'était encore une religion missionnaire. Il avait survécu souterrainement pendant la colonisation, dans de simples pensionnats de village, peut-être selon un modèle issu des monastères bouddhistes.

Posséder ou contrôler ces écoles signifiait détenir le pouvoir. Et j'ai commencé à comprendre qu'Imadouddine et l'Association des intellectuels musulmans — avec leur accent sur la science et la technique et leur rejet des anciennes manières rituelles — ne visaient à rien de moins. Achever la conquête de cette région du monde par l'islam et conduire l'archipel vers son destin de guide de la renaissance islamique au vingt et unième siècle : telle était leur prodigieuse ambition.

« Autrefois, dit Imadouddine, on lisait le Coran sans en comprendre le sens. On ne s'intéressait qu'à la prononciation correcte et à une certaine mélodie enchantée. Nous sommes en train de changer cela. Aujourd'hui, j'ai la possibilité d'enseigner par le biais de la télé. »

Quand nous sortîmes un peu plus tard du bureau et repassâmes devant le renfoncement aux tapis fripés, désormais vide, la femme d'Imadouddine l'attendait : gracieuse et souriante beauté javanaise. Qu'il eût conquis l'amour d'une telle dame plaidait en faveur d'Imadouddine. C'était elle qui avait préparé son sac pour la prison dix-sept ans auparavant, et elle me rappela que j'étais venu dans leur maison de Bandung le dernier jour de 1979.

J'allai à la salle de bains. A la suite des ablutions rituelles dans un petit bassin de ciment, l'endroit était inutilisable, sauf à ôter ses chaussures et à retrousser son pantalon.

Lorsque j'en revins, un homme de haute taille en costume gris, d'un certain âge, se tenait auprès de la femme d'Imadouddine. Dès qu'il vit ce dernier, il s'avança vers lui et esquissa le geste de lui baiser la main droite. Imadouddine le retint d'un signe.

L'homme au complet gris était un diplomate indonésien. Il avait rencontré Imadouddine quand celui-ci était venu en Allemagne donner ses cours de préparation mentale aux étudiants. Il regarda Imadouddine d'un œil souriant et me dit en anglais : « Il est lui-même. Il ne craint que Dieu. »

Et je savais ce qu'il voulait dire. Et nous nous tûmes un instant, en souriant : Imadouddine, sa femme et l'homme au complet gris.

Imadouddine m'expliqua plus tard que c'était la coutume des musulmans traditionnels de baiser la main d'un maître. Le diplomate considérait Imadouddine comme son maître. Chaque fois qu'il le rencontrait, il essayait de lui baiser la main. « Mais je ne le laisse jamais faire. »

CHAPITRE 2

L'histoire

L'homme qu'Imadouddine et l'Association des intellectuels musulmans avaient, plus que tout autre, dans leur collimateur s'appelait M. Wahid.

M. Wahid se souciait peu des idées de Habibie sur la religion et la politique, et il était l'un des rares Indonésiens à pouvoir le proclamer haut et fort. C'était le président du Nahdlatoul Oulama, le NU[1], organisation fondée sur les internats villageois islamiques d'Indonésie et qui passait pour compter trente millions de membres. Trente millions de gens qui s'opposaient à la préparation mentale et à l'Association des intellectuels musulmans : voilà qui rendait M. Wahid formidable. Et M. Wahid n'était pas un homme ordinaire. Il venait d'une famille de notables, ce qui comptait en Indonésie, et surtout à Java. L'histoire de sa famille se confondait avec celle des pensionnats villageois de Java depuis plus d'un siècle, depuis la sombre époque coloniale, lorsque Java avait été réduite par les Hollandais à l'état de plantation et que ces pensionnats islamiques étaient l'un des rares endroits à procurer un peu d'intimité et de dignité personnelle aux gens du pays. Et le père de M. Wahid avait joué un rôle important dans les affaires religieuses et politiques au moment de l'indépendance.

Le *Jakarta Post*, en pesant soigneusement ses mots, avait écrit que M. Wahid était un personnage controversé et énigmatique. Une histoire se cachait derrière cette formule. Imadouddine croyait que ce devait être Dieu, pas moins, qui avait rendu le président Suharto plus croyant ces dernières années, qui l'avait envoyé en pèlerinage à La Mecque, et lui avait fait soutenir les idées technico-politico-religieuses de Habibie. Ce n'était pas l'avis de M. Wahid. Lui estimait que la politique et la religion devaient rester séparées, et il s'était permis un jour l'impensable : il avait critiqué le président Suharto devant un journaliste étranger. Seul quelqu'un d'aussi puissant et indépendant que M. Wahid pouvait y survivre. Il avait, chose remarquable, été réélu président du NU. Mais depuis, cela faisait huit mois qu'il n'avait pas été reçu une seule fois par le président Suharto, et l'on savait maintenant qu'il était dans sa ligne de mire.

C'était sans doute à cause de cette odeur de sang que les gens me

---

1. Initiales anglaises consacrées (Nahdlatul Ulama). (*N.d.T.*)

disaient que je devrais essayer de rencontrer M. Wahid. Un journaliste étranger l'avait qualifié de « vieux clerc aveugle aux trente millions de disciples », faisant de lui un personnage de bande dessinée et le confondant avec quelqu'un d'autre d'un autre pays. M. Wahid avait une mauvaise vue mais n'était pas aveugle ; il n'avait que cinquante-deux ou cinquante-trois ans ; et ce n'était pas un religieux.

Seize ans auparavant, on était tout aussi désireux de me faire rencontrer M. Wahid, mais pour une autre raison.

En 1979, M. Wahid et ses *pesantren*, les pensionnats islamiques, passaient pour être à l'avant-garde du mouvement musulman moderne. Les pesantren s'enorgueillissaient en outre à l'époque d'avoir reçu la visite du pédagogue Ivan Illich, qui les avait proclamés bons exemples de la « déscolarisation » qu'il recommandait. La déscolarisation n'était peut-être pas la meilleure idée à proposer à des villageois à peine scolarisés. Mais, à cause de l'admiration d'Illich, les pesantren d'Indonésie semblaient une nouvelle illustration des voies inattendues que pouvait proposer l'Asie, après les ténèbres du colonialisme. Aussi l'un de leurs admirateurs, jeune homme d'affaires de Djakarta, m'organisa une visite de pesantren autour de la ville de Djogjakarta. L'un d'eux était celui même de M. Wahid ; il avait été fondé par la famille de ce dernier.

Ç'avait été deux jours épuisants : il avait d'abord fallu les trouver, parmi tant d'écoles surpeuplées au bord de petites routes encombrées : généralement silencieux et endormis à l'entrée, puis soudain — même le soir — aussi grouillants de vie batailleuse qu'un élevage intensif de truites à l'heure du repas : foules de garçonnets et de jeunes gens moqueurs — certains décontractés, ne portant qu'un sarong — qui s'empressaient d'abandonner leurs travaux manuels pour me suivre, tandis que certains scandaient « Illich ! Illich ! »

Avec ce genre de distraction, je ne savais pas trop ce que je voyais et je suis sûr d'être passé à côté de plein de choses. Mais déscolarisation ne paraissait pas un terme inapproprié. Je ne voyais pas l'intérêt de regrouper ainsi de jeunes villageois pour leur inculquer des techniques artisanales qu'ils apprendraient de toute manière. Et le côté religieux me rendait perplexe : les textes très simples, les classes surchargées, l'enseignement par cœur et le pseudo-travail personnel ensuite. La nuit, dans les cours surpeuplées, je vis des élèves assis dans l'obscurité devant des livres ouverts qu'ils faisaient semblant de lire.

Ce n'était pas le genre d'école où j'aurais aimé aller, confiai-je au jeune Indonésien qui était venu avec moi de Djakarta pour me servir de guide et d'interprète. Intelligent, instruit et amical, il s'était toujours montré plutôt complice dans toutes nos aventures. Cette fois, dépouillant toute courtoisie, il manifesta franchement son irritation. Comme bien d'autres Indonésiens, en apprenant ce que j'avais dit des pesantren.

À la fin de ces deux jours, je rencontrai M. Wahid chez lui, dans son pesantren. Je pris des notes sur cet entretien mais curieusement, jusqu'à ce que je relise ce que j'avais écrit, je n'avais conservé aucun souvenir de l'homme ou des circonstances. Peut-être était-ce la fatigue des deux jours, ou la brièveté de l'entrevue : M. Wahid, très pris comme toujours par les affaires des pesantren, partait ce soir-là pour Djakarta et n'avait guère de temps à me consacrer. A moins que ce ne fût en raison de la très faible lumière dans le salon de M. Wahid : il était très fatigant d'essayer de le distinguer dans la pénombre et j'ai dû y renoncer, me contenter de l'écouter, et je n'ai pas conservé d'image de lui.

Ce qu'il me dit expliqua une bonne partie de mes impressions sur les pesantren. Avant l'islam, c'étaient des monastères bouddhistes, pris en charge par les villageois et leur rappelant en échange les vérités éternelles. A l'arrivée de l'islam, ils étaient restés des lieux spirituels, des centres soufis. A l'époque hollandaise, ils étaient devenus des écoles islamiques, qui par la suite avaient tenté de se moderniser. Ici, comme ailleurs en Indonésie, où l'islam était comparativement récent, les diverses couches historiques étaient encore nettement visibles. Mais — c'était mon avis, pas celui de M. Wahid — les pesantren avaient aggloméré toutes ces idées distinctes pour créer le genre de méli-mélo que j'avais vu.

Pendant que nous parlions, une psalmodie s'entendait dehors : un cours d'arabe. M. Wahid et moi finîmes par sortir pour y jeter un coup d'œil. La litanie venait de la véranda d'une maison minuscule au bout du jardin. Il faisait sombre ; je distinguais à peine le professeur et sa classe. Le professeur était l'un des hommes les plus savants du voisinage, dit M. Wahid. Le pesantren avait construit la petite maison pour lui ; les villageois le nourrissaient ; et il recevait, en outre, un traitement de cinq cents roupies par mois, environ quatre-vingts cents à l'époque. Ainsi, tout musulman qu'il était, psalmodiant sans relâche sa leçon de droit arabe, il descendait — en tant que sage et paratonnerre spirituel, vivant de la mansuétude des gens qu'il servait — des moines des monastères bouddhistes.

Ses quatre-vingts cents d'émoluments m'excitaient immensément et, lorsque M. Wahid l'appela et qu'il se tint humblement devant nous dans la pénombre, très petit, pieux et courbé, avec des lunettes aux verres très épais, je ne pus chasser cette idée des quatre-vingts cents et me demandai comment ils étaient donnés et à quels intervalles.

M. Wahid fit son éloge en sa présence et dit qu'il avait trente ans et connaissait une bonne partie du Coran par cœur. Je répondis que c'était merveilleux de connaître le Coran par cœur. « La moitié, corrigea M. Wahid. La moitié. » Et, considérant l'homme courbé devant nous qui n'avait pas grand-chose d'autre à faire, je dis avec une certaine sévérité que c'était insuffisant. L'homme aux quatre-vingts cents arrondit encore un peu plus ses épaules, acceptant pieusement et transmuant en mérites religieux toutes les réprimandes que nous pouvions lui adresser. Et je crois qu'il était prêt à se ployer un peu plus et un peu plus encore, jusqu'à ressembler à un être dont la tête poussait en dessous des épaules.

C'est lui, plus que M. Wahid, qui a survécu dans mon souvenir de cette soirée.

L'homme d'affaires de Djakarta qui m'avait envoyé visiter les pesantren en 1979 s'appelait Adi Sasono. Lui qui à l'époque soutenait M. Wahid avait pris ses distances et était désormais dans l'autre camp, celui de l'Association des intellectuels musulmans. Il occupait un poste important au sein de l'Association, et disposait d'un vaste bureau, avec tout l'attirail contemporain, dans les étages supérieurs d'un grand immeuble du centre de Djakarta.

Il tint à me dire, lorsque je lui rendis visite, que malgré les apparences il était resté fidèle à ses anciennes idées sur la promotion des villages ; c'était M. Wahid qui était resté en arrière. Autrefois satisfaisantes, les écoles pesantren ne l'étaient plus.

Au siècle dernier, à l'époque hollandaise, les pesantren donnaient aux villageois un sentiment de dignité, et leurs responsables, les *kiyai*, étaient des sortes de dirigeants locaux non officiels qui pouvaient assurer une certaine protection aux villageois. Les choses avaient changé ; l'ancien système ne correspondait pas au monde moderne. Le pesantren appartenait à son kiyai ; sa direction ou ses droits de propriété se transmettaient de père en fils ; si bien que, quelles que soient les vertus de certains kiyai, il y avait toujours un danger d'« élitisme » ou de « féodalisme religieux ».

« Cette méthode traditionnelle de mobilisation des gens ne peut être maintenue à long terme, expliqua Adi. Nous avons besoin d'un système plus responsable et d'un mode de décision collectif national. » En 1979, il avait rejoint le mouvement des pesantren pour promouvoir l'éducation moderne — en complément de l'enseignement religieux traditionnel — et le développement rural. Il considérait maintenant que l'Association des intellectuels musulmans — l'ICMI selon son acronyme indonésien (prononcé itchmi) — était mieux à même de réaliser cette tâche. « Nous préparons les gens à prendre leurs propres décisions de manière plus indépendante, surtout pour répondre au défi de l'arrivée du grand capital dans les zones rurales. Le kiyai — un seul homme et un homme à privilèges — ne peut être le garant de la vie des gens. Tandis que l'ICMI s'intéresse plus au développement des ressources humaines et au développement économique des gens. »

Après avoir tourné autour du pot, Adi y arrivait enfin : à l'idée missionnaire d'Imadouddine sur le développement et la gestion des ressources humaines.

Il n'avait rien dit de la déscolarisation et d'Ivan Illich — c'étaient la modernité et la ligne éducationnelle d'hier. Dans son analyse actuelle, les huttes et les cours caquetantes du pesantren étaient aussi rustiques et limitées qu'elles pouvaient le paraître à un visiteur neutre. Et toute une nouvelle série de mots ou d'idées dûment approuvés — élitisme, féodalisme religieux, responsabilité, prise de décision collective, mobili-

33

sation des gens et, naturellement, ressources humaines — servait à fustiger, au figuré, ce pauvre vieux M. Wahid.

De même — mais pour moi seulement — la silhouette surgie du souvenir : la petite silhouette courbée, à calotte et vêtements blancs, dans la pénombre aveuglante de l'arrière-cour ou du jardin de M. Wahid, l'homme aux quatre-vingts cents par mois (ou plutôt aux vingt-cinq cents, au taux de change actuel), arraché à sa très sombre véranda et à son cours psalmodique de droit islamique pour venir devant nous et, humblement, tête baissée, accepter mon reproche de ne connaître que la moitié du Coran à trente ans, alors qu'il avait si peu de choses à faire, et que le village lui avait construit son étroite maisonnette et le nourrissait selon ses modestes besoins : successeur improbable, dans l'Indonésie à demi convertie, des soufis de l'islam primitif et, avant eux, des moines de l'époque bouddhiste.

L'islam et l'Europe étaient arrivés ici presque en même temps en impérialistes concurrents, et à eux deux avaient détruit le long passé bouddhiste-hindouiste. Après avoir dévasté l'Inde même, l'islam avait poursuivi son avancée jusqu'à cette partie de la sphère d'influence indienne, y transformant la lumière religieuse et culturelle du sous-continent en la lueur d'une étoile morte. Mais l'Europe avait dominé si rapidement la région que l'islam avait eu à son tour le sentiment d'être une culture colonisée. L'histoire familiale que portait dans sa tête un homme cultivé et conscient comme M. Wahid — histoire que le souvenir familial réel ne datait que d'un siècle un quart — était en même temps une histoire de colonialisme européen et de reconquête de l'islam.

La première fois que nous nous rencontrâmes lors de ce séjour-ci, M. Wahid n'évoqua qu'en passant son histoire familiale. Ce qu'il dit me fit une telle impression que j'eus envie d'en savoir davantage. J'allai donc le voir de nouveau.

Nous nous retrouvâmes au siège du NU, au rez-de-chaussée d'un immeuble simple et désuet, sur un grand axe, avec, devant, un espace dégagé pour les voitures. Les pièces — très différentes des bureaux d'Adi Sasono — ressemblaient aux salles d'attente d'une gare : pleines de ces meubles lourds, sombres et ternis.

Je demandai à m'asseoir sur un siège haut et au dossier droit pour pouvoir écrire. Tous étaient très bas dans le bureau de M. Wahid. Un assistant dit que dans une autre pièce il y avait des chaises à ma convenance, mais des gens l'occupaient, qui bavardaient. M. Wahid, en homme que ces bavards importunaient depuis trop longtemps, donna ordre de les chasser. Et ils furent chassés si soudainement que des anneaux de fumée de cigarette tiède flottaient encore à mi-hauteur quand nous entrâmes. C'étaient des cigarettes indonésiennes au clou de girofle. La fumée était lourde d'huile de girofle, et la pièce en était si pleine qu'à la suite de cet après-midi avec M. Wahid, l'odeur continua d'imprégner mes mains et mes cheveux des jours durant, malgré les bains, comme un anesthésique après une opération ; et de tout mon séjour en Indonésie elle ne lâcha jamais ma veste.

Rien n'avait subsisté de M. Wahid dans mon souvenir de 1979. Et je fus surpris cette fois de constater qu'il n'avait que cinquante et un ou cinquante-deux ans ; si bien qu'en 1979, déjà célèbre et jouissant d'une grande autorité, il n'avait pas quarante ans. C'était un petit homme grassouillet, d'environ 1,60 mètre. Comme tout le monde le disait, il n'avait pas de bons yeux, mais à en juger par son physique et son apparence générale il devait avoir d'autres problèmes encore, cardiaques ou respiratoires. Il portait une tenue décontractée, avec une chemise à col ouvert. Nul ne l'aurait remarqué dans une foule indonésienne. Pourtant, dès qu'il commença à parler, et dans un bon anglais, coulant et expressif, l'homme de qualité transparut aussitôt : des générations d'assurance et de bonnes manières.

« Mon grand-père, dit M. Wahid, est né en 1869, dans l'est de Java, dans une région de plantations de canne à sucre appelée Djombang. Il était d'une famille de paysans qui suivaient une tradition soufie. A Java, cela faisait des siècles que les soufis dirigeaient les pesantren. Mes ancêtres avaient le leur depuis deux cents ans, depuis six ou sept générations avant mon grand-père.

« Mon arrière-grand-père venait du centre de Java. Il avait étudié dans un pesantren de Djombang et devint le gendre de son maître. Vers 1830, lorsque l'on commença à planter la canne à sucre dans la région. Cette période vit aussi les débuts de la navigation à vapeur *via* le Proche-Orient. Avec des conséquences importantes pour le hadj, le pèlerinage à La Mecque, lequel devint plus facile. Certaines familles musulmanes en profitèrent également pour s'enrichir grâce aux cultures commerciales. Cette nouvelle classe riche put envoyer ses enfants étudier à La Mecque par les lignes de paquebots. Ce fut une coïncidence, mais l'histoire est souvent le fruit d'événements sans rapport.

« Mon arrière-grand-père put envoyer mon grand-père à La Mecque dans le dernier quart du siècle dernier. Vers 1890 ; il devait avoir vingt et un ans. Il y resta cinq ou six ans peut-être. Grâce aux lignes de paquebots, on pouvait faire parvenir de l'argent aux étudiants. A son retour, mon grand-père fonda son propre pesantren. C'était en 1898.

« On raconte qu'il commença avec seulement dix élèves. A l'époque, créer un séminaire passait pour un défi aux valeurs dominantes. Autour des plantations de canne à sucre la vie religieuse était absente. La raffinerie tenait les gens sous sa dépendance en leur assurant un argent facile pour le jeu, la boisson, la prostitution — toutes choses que réprouve l'islam. Les premiers mois, les dix élèves devaient dormir la nuit au milieu du sanctuaire. Ses murs de nattes de bambou étaient transpercés de lances et de toutes sortes d'armes acérées lancées de l'extérieur.

« Sans doute mon grand-père se laissait-il aller à des critiques trop vigoureuses. Il avait choisi la région des plantations tout à fait délibérément. Peut-être avec une intuition spirituelle de l'avenir. Il souhaitait clairement transformer toute la communauté, la conduire sur la voie islamique. En 1947, à la fin de sa vie, mon grand-père avait un pesantren de quatre mille élèves sur un domaine de huit hectares ; au début, il ne disposait que de quatre arpents. La communuauté est aujourd'hui complètement transformée. Il y a toujours une raffinerie de sucre, mais tout le monde a abandonné l'ancien mode de vie pour suivre les préceptes musulmans.

« Mon grand-père s'est marié à de nombreuses reprises. Il s'était déjà marié avant de partir pour La Mecque. Tous ses mariages se sont conclus par le divorce ou la mort de la femme. C'est vers le début du siècle qu'il a épousé une femme de la noblesse. C'est-à-dire de la lignée des rois de Java, qui régnaient à Solo. Nous partageons ce lignage avec la femme du président Suharto. La noblesse était déjà un peu laïcisée, occidentalisée. Cette nouvelle femme de mon grand-père était si fière de ses nobles origines qu'elle disait souvent, racontait ma mère : "Je veux que mes enfants aient une autre éducation. Je ne veux pas qu'ils vivent la vie paysanne de mon mari."

« C'est pour cela qu'elle se chargea personnellement de l'orientation de mon père et de ses jeunes frères — tous les onze. Elle fit venir d'ailleurs des précepteurs qui enseignaient des matières inconnues dans le pesantren : les mathématiques et le hollandais, la culture générale. Mon père suivit même un cours de dactylographie. Les gens s'interrogeaient à ce propos, parce que la communauté musulmane se servait encore des caractères arabes pour la langue locale. Plus tard, quand il se lança dans la vie publique, mon père s'installait sur le siège arrière de la voiture pour taper à la machine pendant ses déplacements. En même temps que ces matières modernes, mon père devait suivre dans le pesantren les cours de son père et de ses oncles. Et ma grand-mère fit venir un cheikh d'al-Azhar, au Caire, pour instruire mon père et ses jeunes frères pendant sept ans. On n'avait jamais vu ça à Java. Les Kurdes assuraient une éducation musulmane très traditionnelle. Les Égyptiens, avec Al-Afghani, avaient réformé toute la tradition de l'éducation religieuse à al-Azhar. Aussi mon père profita-t-il des deux types d'enseignement. Il fut élevé comme un membre d'une famille royale. Voilà pourquoi il parlait un arabe impeccable et connaissait très bien la littérature arabe. Il était également abonné aux prestigieuses revues du Proche-Orient. »

Le père de M. Wahid se rendit lui aussi à La Mecque. En 1931. Il avait quinze ans et y resta deux ans. C'est à son retour — son éducation scolaire dûment achevée, bien que M. Wahid n'ait pas donné cette précision — qu'il entreprit de compléter le programme de son pesantren, dans le sens de l'éducation plurielle qu'il avait lui-même reçue. Il ajouta la géographie et l'histoire moderne. Il ajouta aussi, souligna M. Wahid, l'idée *d'école* : c'est-à-dire que le maître faisait faire des « exercices » à ses élèves.

« Avant, il n'y avait rien de tel. C'était très courtois. Pas de questions.

Tout le monde se contentait d'écouter le professeur. En introduisant le système scolaire dans le pesantren, mon père a engagé une série de changements cumulatifs. Il y avait eu auparavant des changements de moindre ampleur mais aux conséquences non moins importantes. En 1923, mon grand-père maternel avait ainsi fondé un nouveau pesantren pour filles. Maintenant, ils sont partout très communs. »

Les pesantren étaient essentiellement des pensionnats religieux. Par leur nature même, ils ne pouvaient guère s'élever au-dessus du niveau de la population. Les améliorations dont parlait M. Wahid semblaient modestes : la dactylographie, la géographie, l'histoire moderne. Mais peut-être ne l'étaient-elles pas à l'époque. Peut-être, comme le disait M. Wahid, avaient-elles des effets cumulatifs.

Je l'interrogeai sur la dimension traditionnelle de l'enseignement des pesantren. Il me raconta ses expériences de la fin des années quarante, bien des années après les réformes de son père.

« Quand j'eus huit ans, après avoir terminé la lecture du Coran, je dus mémoriser un livre de grammaire, *Al-Ajroumiyah*. Il comptait une quinzaine de pages. Tous les matins, mon professeur me demandait d'apprendre une ligne ou deux. Puis il m'interrogeait. Le soir, il me fallait lire un autre livre. Un recueil très élémentaire de préceptes religieux : comment faire les ablutions, comment réciter les prières correctes. »

C'était exactement ce que j'avais vu en 1979 — trente ans plus tard — en fin de soirée dans les pesantren : des garçons qui s'illusionnaient avec un opuscule de lois religieuses qu'ils connaissaient sans doute déjà par cœur, certains même assis dans l'obscurité devant des livres ouverts qu'ils faisaient semblant de lire.

Peut-être que l'enseignement religieux devait s'accompagner de ce rabâchage, de cet isolement, de ce bourrage et de cet abrutissement de l'esprit, de ce genre de souffrance. Peut-être en sortait-il une sorte de respect de soi-même, voire une notion de l'étude qui — dans le vide culturel général — n'auraient sinon jamais existé. Parce que, de cette éducation religieuse, malgré toute sa fausse érudition et sa fausse piété, et sa souffrance réelle, naquit aussi un éveil politique.

C'était l'autre aspect de l'histoire familiale de M. Wahid, qui s'entre-tissait avec celle de la réussite et de la réforme du pesantren.

« En 1908, un commerçant qui avait fait le pèlerinage à La Mecque créa à Solo une association locale appelée Sarekat Dagung Islam. Quatre ans après, elle se transformait en une organisation nationale baptisée Sarekat Islam, laquelle ne se limitait pas au commerce.

« Mon grand-père avait un cousin de dix ans son cadet, Wahab Has-boullah, dont l'éducation lui avait été confiée. Wahab partit ensuite pour La Mecque avec un ami, Bisri. Ils étaient à La Mecque depuis quatre ans lorsqu'ils entendirent parler de Sarekat Islam, et Wahab proposa d'en ouvrir une antenne à La Mecque. C'était en 1913, un an après la fondation de Sarekat Islam. Bisri ne se joignit pas à lui, parce qu'il n'avait pas l'autorisation de mon grand-père, qui était également son maître. Bisri devint mon grand-père maternel. Wahab était mon grand-oncle maternel. Lorsqu'il revint de La Mecque, en 1917, il s'établit à Surabaya. En 1919 Sarekat Islam se scinda. Un Hollandais persuada deux membres de l'organisation de créer le Sarekat Islam rouge. En 1924, il y eut un congrès en Arabie Saoudite pour élire le nouveau calife des musulmans. Wahab entra au comité de Surabaya. »

C'est en 1926 que se révéla Sukarno et que la vie politique nationale commença à se transformer, mais le père et le grand-père de M. Wahid conservèrent leur importance dans le mouvement religieux.

« En 1935, inquiets de la menace japonaise, les Hollandais proposè-rent qu'une milice locale assurât la défense de l'Indonésie ou de l'em-pire. Et mon grand-père convoqua un congrès pour débattre de cette question : les vrais musulmans ont-ils l'obligation de défendre un pays gouverné par des non-musulmans ? Et une majorité écrasante répondit que oui, parce que, en 1935, sous la tutelle hollandaise, les musulmans d'Indonésie avaient la liberté de mettre en application les préceptes de leur religion. Cela signifie à mon avis que mon grand-père considérait l'islam comme une force morale, non comme une force politique exer-cée par l'État. »

C'était, pourrait-on ajouter, un débat moral colonial, entre gens qui ne disposaient d'aucun pouvoir, assez comparable à celui qui se déroula en Inde quand la guerre éclata. Et il se trouve que la milice dans laquelle servit le père de M. Wahid fut celle qu'établirent les Japo-nais, après qu'ils s'emparèrent de l'Indonésie en 1942.

« Les Japonais créèrent deux sortes de milices, les musulmanes et les nationalistes. Mon père fut le fondateur de la milice Hezbollah en 1944. Les Japonais recrutèrent les jeunes gens des pesantren et des écoles religieuses. Après avoir reçu une formation militaire, le frère cadet de mon père fut nommé chef de bataillon. Comme son quartier général était installé au beau milieu du pesantren, la famille tout entière s'inté-ressa aux affaires nationales. On discutait de la guerre japonaise, des événements en Allemagne, du mouvement indépendantiste.

« En 1944-1945, les Japonais instituèrent un comité chargé de préparer l'indépendance de l'Indonésie. Il était présidé par Sukarno, et mon père en faisait partie. Avec huit autres membres du comité, il forma le noyau du groupe qui rédigea les cinq principes du nouvel État, les *pantchasila*. C'est ainsi qu'il devint l'un des pères fondateurs du pays. Et quand la guerre d'indépendance éclata, mon père y participa donc directement. Il devint d'abord ministre, puis conseiller politique du commandant des forces armées, le général Sudirman.

« Mon père entra dans la clandestinité quand les Hollandais lancèrent leur agression. On m'évacua chez mon grand-père maternel. Et, plu-sieurs fois par semaine, mon père y faisait une apparition ; il se cachait dans la maison, sans sortir, pour soigner ses plaies, qui étaient dues au diabète et non à des balles. Il fallait alors que j'aille à la pêche aux grenouilles : on les faisait frire pour en tirer une huile dont on enduisait ses blessures. Dix à quinze grenouilles, deux à trois fois par semaine. Après avoir oint ses plaies, il retournait se cacher dans les villages alentour.

« Quand les Hollandais concédèrent la souveraineté à notre État, mon père fut nommé ministre des Affaires religieuses. Il conserva ce poste pendant trois ans. Du temps des Japonais, il y avait eu un bureau des Affaires religieuses, qui avait été confié à mon grand-père, mais que mon père dirigeait de fait en tant que directeur général. Ce bureau fut l'embryon du département des Affaires religieuses. »

Et ainsi, comme si souvent dans les récits de cette époque, si on oubliait les brutalités des occupants japonais, on ne pouvait que saluer l'intelligence et la promptitude — et les conséquences durables — de leur réorganisation d'une région aussi vaste que diverse.

M. Wahid, tout enfant qu'il était, commença à vivre au cœur de la politique nationale.

« Quand j'avais neuf ans, mon père m'emmena à une grande manifestation au stade Ikada. Sukarno devait y prendre la parole. » Ce devait être en 1950. « Le stade avait été bâti par les Japonais pour nous amadouer. C'est là que se trouve aujourd'hui le monument national. » Et c'est le parc où, devant un million de spectateurs, le gouvernement français devait organiser son grand feu d'artifice pour le cinquantième anniversaire de l'indépendance de l'Indonésie. « Quelque soixante mille personnes étaient venues entendre Sukarno. Il m'est apparu comme un géant. Il a prononcé ce discours enflammé contre les impérialistes, en demandant au public de s'unir dans ce combat, dans cette lutte. Et les gens ont réagi d'une manière tellement émotionnelle. Je me suis senti si transporté par le mouvement des gens qui participaient à cette extase que je me suis mis à crier moi aussi, à sauter. Mon père m'a calmé. Il m'a dit : "Assieds-toi. Ne saute pas." Peut-être ne voulait-il pas que je me fatigue ; sinon, il aurait dû me porter jusqu'à la voiture. »

Je voulus en savoir davantage sur l'apparence physique de Sukarno.

« Une belle allure. Un visage sans beauté, mais qui dénotait une volonté d'acier, une sorte de force. Pour être franc avec vous, son visage était dur. Il exprimait l'autorité, la force de la volonté. C'est pourquoi il était charismatique. Surtout quand il levait les mains et qu'il criait. Vous pouviez voir ses yeux alors, pleins de vie, comme s'il foudroyait les impérialistes. Comme mon père était ministre, nous étions assis non loin de lui, au premier rang. Sukarno se tenait face à nous.

« Mon père est mort en 1953. Il avait trente-neuf ans. Il avait démissionné du ministère en 1952 parce que notre organisation avait été exclue du seul parti islamique de l'époque. Mon père s'est retiré du gouvernement pour former le nouveau parti, le NU, en 1952. Il s'occupait très activement de créer des sections locales. C'est lors d'un de ces voyages — j'étais sur le siège de devant et lui derrière — que nous avons eu cet accident dans lequel mon père a été grièvement blessé. Il est mort le lendemain. Il est tombé par la portière et la voiture l'a heurté en dérapant.

« Ma mère est arrivée à Bandung pendant la nuit, et un certain nombre de dignitaires ont accompagné son corbillard à Djakarta. Ce que j'ai vu m'a profondément impressionné. Tout le long des cent quatre-vingts kilomètres du parcours, des gens étaient rangés pour attendre sa dépouille, pour lui faire leurs adieux. Des milliers sont venus à la maison, pendant la nuit. Le lendemain matin, Sukarno est arrivé. Puis le corps a été conduit à l'aéroport et transporté à Surabaya. Là, nous avons été accueillis par cette énorme foule, des dizaines de milliers de personnes, qui pleuraient, lui disaient adieu. Avec mon oncle — un général de division — qui précédait le corbillard à motocyclette, nous avons traversé la foule, trois ou quatre rangs de part et d'autre de la route sur quatre-vingts kilomètres, jusqu'au cimetière familial de Djombang.

« En voyant tous ces gens qui pleuraient et lui disaient adieu, je me suis dit : y a-t-il quelque chose de plus grand dans la vie que d'être aimé par tant de monde ? J'étais un enfant quand Gandhi est mort. Plus tard, j'ai vu des photos de l'enterrement de Gandhi. Cela m'a rappelé les funérailles de mon père. Et cela rend mes orientations plus aiguës. »

Telle était l'histoire familiale que me raconta M. Wahid, pendant une bonne partie d'un chaud après-midi, dans une pièce au rez-de-chaussée de son quartier général du NU à Djakarta, parmi l'odeur écœurante de fumée de cigarette au girofle refroidie, tandis que la circulation grondait et fumait dehors, sur l'avenue à deux voies juste après la cour-parking, devant l'immeuble. L'histoire de cette famille — parfois condensée à ma demande et parfois un peu télescopée — contenait, couche par couche, l'histoire indonésienne des cent vingt-cinq dernières années. C'était l'histoire qui avait dicté le cours de la vie de M. Wahid. C'était l'histoire qui fondait encore ses actions et ses attitudes.

Il avait hérité la direction du parti de son père, le NU. Et en 1984, il lui avait fait abandonner la politique.

« Nous nous sommes rendu compte à quel point le lien direct entre l'islam et la politique était funeste — comme au Pakistan, en Iran, au Soudan, en Arabie Saoudite —, parce que alors les gens considèrent partout l'islam comme une religion qui recourt à la violence, ce qui à notre avis n'est pas le cas. A notre avis, l'islam est une force morale qui agit au travers de l'éthique et de la moralité. Ce n'est pas uniquement mon opinion personnelle, mais la décision collective des oulémas formés par mon grand-père. Nous avons eu une âpre discussion à ce propos en 1983 avec un docteur en droit constitutionnel.

« En 1991 a été fondé le Forum pour la démocratie. Celui-ci rejette totalement la politique islamique — l'islam politique que professent, par exemple, M. Suharto et le professeur Habibie. La rivalité entre les centres politiques de notre pays dans les années quatre-vingt-dix traduit le besoin du président d'obtenir de la société le soutien le plus large possible. Et donc aussi celui des mouvements islamiques. Pour obtenir ce soutien, l'identification de la politique nationale avec l'islam est nécessaire. Mon grand-père, par la décision de 1935 [la décision du congrès selon laquelle il était juste pour les musulmans de défendre contre les Japonais une Indonésie gouvernée par les Hollandais], voyait la nécessité de distinguer entre les fonctions de la religion et celles de la politique. En décidant de prendre la voie de l'islamisation, le ministre Habibie indique qu'il considère la politique comme une partie intégrante de l'islam. Cela me heurte personnellement, parce que mon père a participé à la rédaction de la Constitution qui accorde l'égalité à tous les citoyens. Les gens devraient pratiquer l'islam en suivant leur conscience, et non par peur. Habibie et ses amis créent chez les non-musulmans et les musulmans non pratiquants la peur de révéler leur identité. C'est le premier pas vers la tyrannie. »

M. Wahid était véhément à ce propos. Il y revenait sans cesse et semblait toujours attendre que je note ses paroles. Je tentai de le faire parler plus directement de Habibie. Je voulais un portrait, une conversation quelconque, une anecdote. Ce ne fut pas facile.

« Habibie est venu me voir à l'hôpital et m'a demandé de rejoindre l'ICMI, son Association des intellectuels musulmans. »

Le détail à propos de l'hôpital me plut : il semblait confirmer mon impression sur la santé de M. Wahid. Mais je ne pus en savoir davantage.

« Voilà ce que j'ai répondu : "Plutôt que de rallier votre groupe respectable, permettez-moi de me tenir à l'écart des intellectuels de carrefour." »

C'est ce que je pris en note. Je ne savais pas trop ce que cela voulait dire. Mais je décidai par la suite que M. Wahid parlait avec une extrême ironie depuis son lit d'hôpital, et que le groupe respectable de Habibie et les intellectuels de carrefour ne faisaient qu'un. Nul doute qu'Imadouddine, le prédicateur, l'homme de la télévision, l'instigateur de l'ICMI, faisait partie de ces intellectuels de carrefour, bien que M. Wahid n'ait pas mentionné son nom de tout l'après-midi.

De même qu'Adi Sasono, un de ses anciens partisans. Mais cela ne m'apparut clairement que plus tard, après que je les eus tous vus et que j'entrepris de relire mes notes.

Adi avait dit, peu avant la fin de notre entrevue dans son beau bureau : « M. Wahid voyage trop. C'est un conférencier et un intellectuel plutôt qu'un kiyai. » Un kiyai, un directeur de pesantren de village : c'était la manière d'Adi de ternir la réputation de M. Wahid et de le rabaisser d'un ou deux échelons. « Un kiyai, normalement, se tient dans un village, dans son pesantren, et les villageois viennent lui poser des questions. Il est toujours avec les gens. »

Adi présidait le conseil d'établissement du CIDES, acronyme d'une importante « cellule de réflexion » de l'ICMI, le Centre d'information et d'études sur le développement. Voilà qui expliquait la splendeur de ses bureaux. L'élégante brochure grand format du CIDES que me remit Adi s'ouvrait par un avant-propos de sa main, dont voici le premier paragraphe :

« La naissance de l'Association des intellectuels musulmans indonésiens (ICMI), il y a trois ans, a établi plus solidement la conscience collective qu'a notre nation de l'importance des ressources humaines comme atout renouvelable majeur du développement. Cette conscience devrait se manifester par de grands efforts fondés sur une morale du développement qui souligne le caractère central de la dimension humaine, tant dans les idées que dans les pratiques du développement. Cette perspective signifie également qu'une participation consciente et active de la nation tout entière est une valeur absolument fondamentale [...] »

On retrouvait là, remarquablement développée, l'idée missionnaire des ressources humaines d'Imadouddine, dans des enveloppes successives de mots aux résonances modernes. Ces mots évoquant les grandes entreprises et l'Université ne formaient là qu'un emballage. Ce que renfermait la caisse, c'était la grande idée d'Imadouddine : le destin des musulmans d'expression malaise, son désir d'achever un processus de conversion que l'Europe avait enrayé pendant deux ou trois cents ans, pour hisser enfin l'étendard de l'islam sur cette frontière extrême-orientale de la foi.

CHAPITRE 3

Un converti

Il habitait près du cimetière des Héros, Djalan Masdjid Barou, rue de la Nouvelle-Mosquée. C'était là qu'il souhaitait que je vienne le voir, à dix heures du matin, deux jours après notre première rencontre. Je voulais en savoir un peu plus sur son passé — ses origines familiales, son milieu sumatrien —, et c'était le seul moment qu'il pouvait m'accorder, parce qu'il allait partir d'un jour à l'autre vers les États-Unis et le Canada pour sa mission de préparation mentale.

Lorsqu'il m'avait donné son adresse dans le bureau de sa fondation, je me doutais que j'aurais du mal à trouver la rue de la Nouvelle-Mosquée. Il avait noté quelques indications sur sa carte qui, dit-il, aideraient le chauffeur de taxi. Elles ne furent d'aucune aide. Le taxi de l'hôtel se trompa de chemin pendant des kilomètres, roulant à contre-courant de la circulation matinale qui entrait dans la ville, en partie parce qu'il croyait qu'il suffisait d'aller dans la direction générale du cimetière des Héros, et en partie pour le plaisir d'une longue course rapide sur une route épargnée par les encombrements qui étouffent Djakarta.

Ensuite, par une sorte de châtiment, nous dûmes revenir au pas dans l'embouteillage que nous avions ignoré à l'aller, puis — en demandant sans cesse notre chemin, tandis que l'heure du rendez-vous approchait et passait — nous faufiler entre les axes. Nous serpentâmes le long de ruelles étroites et zigzagantes, à demi pavées, la lumière du matin alternant sans cesse avec des taches d'ombre, parmi de petites maisons neuves au milieu de menus lopins, semés parfois d'arbustes en fleurs ; nous croisions des enfants, des charrettes de nourriture dans certains des angles ombragés les plus reculés du chemin, et çà et là des tas de feuilles humides et poussiéreuses : la richesse et la mondialisation que proclamaient les gratte-ciel de Djakarta réduites ici à une sorte de menue monnaie locale.

Nous atteignîmes enfin la rue de la Nouvelle-Mosquée, et nous tournâmes et retournâmes jusqu'à ce que nous arrivions au numéro indiqué sur la carte d'Imadouddine. Je payai la somme énorme qu'annonçait le compteur, et le chauffeur m'abandonna aussitôt, craignant peut-être que je ne décide de contester son prix. Il était environ dix heures et demie.

Personne ne sortit de la maison, petite et remarquablement bien tenue. Sur la gauche, une large allée menait à un grand garage intégré à porte coulissante, que le petit terrain avait peine à contenir. Sur la droite, une bande de gazon très étroite débouchait sur les tommettes rouges et luisantes d'un porche de plain-pied. Je m'y avançai : « Bonjour », lançai-je. Personne ne vint. La porte étant ouverte, j'entrai dans le salon. C'était une pièce basse, fraîche et sombre en comparaison du porche inondé de lumière. J'appelai de nouveau. Une servante en robe brune se pencha hors de la cuisine sur la gauche, me regarda furtivement, avec une sorte de crainte, puis se rejeta en arrière sans un mot.

Je dis à la pièce vide : « Monsieur Imadouddine ! Monsieur Imadouddine ! »

Une autre servante sortit timidement de la cuisine. Comme si elle voulait seulement voir ce que l'autre avait vu, elle me jeta un regard effrayé et, elle aussi, disparut dans un renfoncement derrière la cuisine.

J'appelai : « Monsieur Imadouddine ! Bonjour Monsieur Imadouddine ! »

La maison resta silencieuse. Il m'avait demandé de venir à dix heures. J'avais une demi-heure de retard, mais il aurait dû être encore chez lui. Une grande calligraphie arabe sur un mur ressemblait beaucoup au maître de céans — excursion étrangère chez les croyants : un cadeau peut-être, un souvenir —, mais je commençais à me demander si j'étais à la bonne adresse. Et à me demander aussi comment, ne parlant pas la langue et sans carte, je pourrais retrouver mon chemin jusqu'à une grande rue où circuleraient des taxis.

Le silence me dissuada d'appeler de nouveau. Puis je me dis que je ne devrais pas m'aventurer trop librement dans la pièce. Je demeurai où j'étais, et attendis en regardant autour de moi.

Le sol dallé était recouvert de belles nattes de roseau. Le plafond bas, en lattes d'une sorte de bagasse, était taché par endroits, là où la pluie s'était infiltrée. Dans le coin salle à manger, il y avait un micro-onde à côté de photographies de groupes. Les piliers du salon s'ornaient de deux ou trois petites études de fleurs et, curieusement, d'une gravure représentant un bateau à voile. Çà et là, des bibelots rapportés de voyages à l'étranger, souvenirs touristiques, révélaient un aspect plus aimable d'Imadouddine (ou de sa femme), sans rapport avec la préparation mentale, à supposer naturellement qu'il s'agît bien de leur maison et que ces souvenirs soient vraiment personnels (et ne perpétuent pas, plutôt, la mémoire de quelque pieux donateur) : un certain nombre de japonaiseries ; une tour Eiffel ; au-dessus du distributeur d'eau glacée dans un coin, une assiette en faïence de Delft : vue simple, romantique et aux contours indécis d'une route hollandaise sinueuse, avec une ferme et une église ; contre un pilier, un minuscule érable rouge poussait dans un plat blanc, au centre d'un napperon aux franges argentées, le tout reposant — comme fortuitement — sur un porte-revues. La fenêtre au fond de la pièce sombre laissait voir un petit jardin ensoleillé, clos par un mur de pierres qui butait sur le toit de tuiles rouges de la maison voisine : ici, l'espace était vraiment restreint.

Je considérais ces détails un par un, comme si je les confiais à ma mémoire, tandis qu'avec une partie presque distincte de mon esprit je me demandais combien de temps je devrais m'attarder, à violer la maison, et comment, le moment éventuellement venu, je parviendrais à échapper au piège bizarre dans lequel j'étais apparemment tombé.

Soudain, au bout de dix minutes ou peut-être quinze, une porte s'ouvrit sur la gauche et Imadouddine surgit, incongrûment négligé dans un sarong tombant jusqu'aux chevilles et une chemise vert foncé.

« Pardonnez-moi, j'ai des ennuis », dit-il d'un ton soucieux.

Peut-être des problèmes avec sa salle de bains, pensai-je ; puis un homme de grande taille et au teint foncé apparut derrière lui. Ses yeux papillotaient, sa peau luisait ; il portait aussi un sarong mais paraissait moins débraillé qu'Imadouddine. Le bas de son sarong se balançait élégamment au rythme de son pas lent et imposant. Il portait une calotte musulmane, noire et plate, et une chemise-gilet d'un bleu glauque, de la poche de laquelle dépassait un stylo.

« Je me fais masser », dit Imadouddine.

Voilà qui expliquait la peau luisante de l'homme à la calotte noire.

La pièce dont ils sortaient devait être à côté du garage et donner sur la petite pelouse et l'allée. Ils m'avaient certainement entendu arriver et appeler.

« On vieillit, vous savez », ajouta Imadouddine.

Comme si l'âge et les douleurs de son dos, que le masseur venait fréquemment soulager, étaient une explication suffisante. Et de fait, la visite du masseur était entourée d'un certain protocole. Ce furent en effet des adieux très cérémonieux que, quelques minutes après, lui firent Imadouddine et sa femme.

Quand il se fut habillé, fermement et étroitement ceinturé, pantalonné et chemisé, redevenu familier, nous nous assîmes pour parler à la table de la salle à manger, entre le micro-onde et les photographies de groupes d'un côté, le distributeur d'eau glacée et l'assiette en faïence hollandaise de l'autre. Les servantes, l'une en robe rouge, l'autre en robe brune, s'étaient remises de leur peur et s'affairaient de nouveau dans la maison et la cuisine.

Il me parut stupéfiant, tant leurs positions étaient aujourd'hui opposées, de voir à quel point ses antécédents ressemblaient à ceux de M. Wahid. Sauf qu'Imadouddine venait de Sumatra. Du sultanat de Langsa, région plus vaste, dit-il, que les Pays-Bas, à la frontière de l'Atjeh, que les Hollandais n'avaient conquis qu'en 1909, un bon siècle après Java. C'était sans doute cette différence qui avait donné à Imadouddine ce tempérament plein de franchise qu'il attribuait à ses origines sumatriennes.

Voici l'histoire que j'ai reconstituée. A Langsa — vers la fin du siècle dernier, Imadouddine ne donna pas de dates — il y avait un muezzin, un homme qui appelait les fidèles à la prière. Le muezzin mourut avant la naissance de son fils. Sa veuve se remaria, et lorsque le fils du muezzin eut six ans, son beau-père l'envoya chez le mufti du sultan de

Langsa, un savant musulman. Et le jeune garçon, selon les coutumes traditionnelles, était à la fois serviteur et élève du mufti. Le garçon était très intelligent et le mufti l'aimait beaucoup.

Dix ans s'écoulèrent. Le secrétaire du sultan, qui était une sorte de vizir de son maître, et le second personnage du pays, chercha un précepteur qui pût enseigner le Coran à sa petite-fille. Il en parla au sultan ; le sultan en parla au mufti ; et le mufti envoya son serviteur et élève, le fils de l'ancien muezzin, alors âgé de dix-sept ans, éduquer la petite-fille du secrétaire. Le jeune homme ne lui donna naturellement pas de cours particuliers ; ç'eût été inconvenant ; il l'instruisit en compagnie de quelques amis de la famille. C'était un excellent professeur et la petite-fille du secrétaire s'éprit de lui. Ils finirent par se marier — on ne me précisa pas la date et je ne pensai pas à la demander. Imadouddine était leur fils ; il naquit en 1931.

À ce moment-là le fils de l'ancien muezzin, le père d'Imadouddine, était entré dans la carrière au Langsa. En 1918, quand les voyages redevinrent sûrs après la Grande Guerre, le mufti persuada le sultan d'envoyer le jeune homme étudier l'arabe à La Mecque pendant deux ans. Ensuite il passa quatre ans au Caire, à l'université islamique d'al-Azhar. Jusque-là, il avait reçu la même éducation que le grand-père et le père de M. Wahid. Et ils continuèrent de suivre des voies similaires : lorsqu'il revint d'al-Azhar à Sumatra, en 1924, le fils de l'ancien muezzin devint le directeur d'une école réputée que le sultan avait fondée.

C'est seulement lorsque le directeur de l'école dut éduquer son propre fils Imadouddine que le modèle de formation divergea. A l'âge de six ans, Imadouddine fut retiré par son père de l'école malaise où il avait passé un an et — bizarrement, compte tenu de son évolution religieuse ultérieure — envoyé pendant cinq ans dans une « école hollandaise ». Ces écoles hollandaises, dit Imadouddine, étaient généralement fermées aux enfants de familles religieuses parce que les Hollandais n'aimaient guère que les musulmans s'instruisent. Imadouddine ne put fréquenter l'école hollandaise de Langsa que parce que celle-ci appartenait au sultan.

En 1942 arrivèrent les Japonais. Leur domination fut brutale. Ils réquisitionnèrent la nourriture. L'école fut quasiment fermée. Pour survivre, Imadouddine et son père durent pêcher, cultiver la terre et faire pousser leur propre riz. Bien qu'ils aient dans une certaine mesure organisé les Indonésiens pour ce qui deviendrait leur guerre d'indépendance contre les Hollandais, Imadouddine conserva de cette époque une haine et une crainte des Japonais.

Cette crainte et cette haine n'avaient guère transpiré du récit fait par M. Wahid de l'occupation nipponne. Sa famille avait traité avec les Japonais à un niveau plus élevé, quasi politique. Le père de M. Wahid avait fondé la milice Hezbollah en 1944 ; son frère cadet avait reçu un entraînement militaire des Japonais, qui l'avaient nommé chef de bataillon ; le quartier général du Hezbollah se trouvait dans le pesantren même de Djombang. Dans la lointaine Sumatra, Imadouddine n'était qu'un fantassin de quatorze ans dans la même milice.

Un jour de 1946, il faisait défiler son escouade de miliciens dans la rue lorsque son ancien professeur de l'école hollandaise l'arrêta. (Ces derniers temps, le dimanche matin, peut-être pour préparer les fêtes du cinquantième anniversaire de l'indépendance, on pouvait voir dans les rues de Djakarta des petites troupes semi-militaires comme celle-là, dans des uniformes variés et colorés : groupes de dix, peut-être, défilant sur la route, balançant les bras d'un côté à l'autre, le chef à l'écart du groupe, mais balançant les bras comme les autres, en rythmant la marche à coups de sifflet.) C'est alors qu'il défilait ainsi avec son escouade, un jour de 1946, qu'Imadouddine fut hélé par son ancien professeur.

« Pourquoi fais-tu ça ? lui demanda le professeur.

— Parce que nous voulons l'indépendance.

— Et après l'indépendance, qu'est-ce que tu feras ? Le sais-tu ?

— Je ne sais pas.

— Comment allez-vous construire ce pays si vous n'avez pas de médecins, d'ingénieurs ? Tu devrais retourner étudier à l'école. Je sais qu'un nouveau lycée va s'ouvrir dans une ville près d'ici. Je veux que tu ailles à ce lycée. »

Imadouddine suivit le conseil de son ancien maître. Il obtint la permission de s'inscrire dans le nouveau lycée. Ce fut le grand tournant de sa vie. Il s'attela à ses études secondaires avec l'intelligence et l'application que son père avait consacrées aux études religieuses. Il devint le premier de sa classe, le premier de l'école et, finalement, dans les circonstances particulières de la guerre d'indépendance contre les Hollandais, le premier du pays.

En 1948, les Hollandais occupèrent le Langsa. Ils recherchèrent le père d'Imadouddine (comme ils recherchaient le père diabétique de M. Wahid à Djombang), aussi la famille s'enfuit-elle à bord de cinq canots par le détroit de Malacca jusqu'à Atjeh. Il devait exister une sorte de soutien familial élargi, ou communautaire, car Imadouddine put poursuivre ses études, d'abord à Atjeh jusqu'à la fin de la guerre d'indépendance, puis dans la ville plus importante de Medan. En 1953, à vingt-deux ans, il fut admis à l'Institut de technologie de Bandung. Ainsi, malgré les immenses bouleversements de l'occupation japonaise et de la guerre d'indépendance, Imadouddine avait été un si bon élève qu'il n'avait perdu que quatre ans. A trente ans, il devint maître assistant à Bandung ; l'année suivante, il partit aux États-Unis pour préparer un doctorat.

C'était une prodigieuse carrière pour un homme né en 1931 dans une bourgade des Indes orientales hollandaises ; et que ne devait guère imaginer le garçon de quatorze ans qui défilait avec sa petite troupe de miliciens à Langsa, en 1946. Pourtant, le nouveau savoir que le petit garçon puis le jeune homme avait acquis avait toujours été maintenu à sa place. Il semblait n'y avoir jamais eu la moindre dislocation culturelle ou spirituelle chez Imadouddine. Il était toujours resté le petit-fils du muezzin du sultan, qui appelait les fidèles à la prière cinq fois par jour au siècle dernier ; et le fils du favori du mufti, qui avait fait ses études supérieures à La Mecque et à al-Azhar.

Alors que M. Wahid, malgré son éducation au pesantren et sa piété familiale de pesantren, était devenu plus internationaliste et libéral, Imadouddine était resté fidèle à la guerre sainte.

À la table de la salle à manger — tandis que les deux jeunes servantes voletaient entre le salon et la petite cuisine — Imadouddine donnait des signes d'agitation. Après la fuite de sa famille dans cinq canots par le détroit de Malacca, son récit s'était télescopé et était devenu moins détaillé. Son visage s'obscurcissait ; il avait l'air aussi préoccupé qu'en sortant de la salle de massage.

« Combien de temps vous faut-il encore ? » demanda-t-il.

Une demi-heure, peut-être une heure, répondis-je.

« Il y a un homme de l'Oklahoma qui veut devenir musulman, expliqua-t-il. Il va se convertir aujourd'hui. C'est un ingénieur en électricité. Je l'ai rencontré une fois ou deux. Il va épouser une jeune Indonésienne. Ce n'est pas moi qui ai fait son instruction religieuse, mais je connais la famille de la jeune fille. Il m'attend à la mosquée. J'aurais dû l'y retrouver à onze heures et demie. »

Il était midi moins le quart, nous n'avions pas une minute à perdre. C'est en partant que j'appris d'Imadouddine ou de Mme Imadouddine, toujours aussi sereine et ravissante, qu'ils allaient bientôt déménager.

Nous sommes partis dans la Mercedes. Le chauffeur, Mohammad Ali, était déjà à son poste, au volant, et, en servantes accomplies, les deux jeunes filles (l'une en robe marron uni et l'autre en robe rouge), sans presque qu'un mot soit dit, sortirent à petits pas pressés de la maison sombre et basse dans la lumière éclatante du minuscule jardin pour faire coulisser la lourde porte du garage, ouvrir le portail et attendre que Mohammad Ali eût manœuvré la grosse limousine. La voiture, et la cérémonie qu'imposait sa taille, rapetissait encore la maison et l'étroite allée. Imadouddine éclatait désormais dans cet endroit.

En moins de temps qu'il n'en faut pour le dire, nous atteignîmes une grande avenue et dépassâmes le cimetière des Héros. Imadouddine avait raison : sa maison eût été facile à trouver si le taxi avait pris le bon itinéraire. Mais cela ne m'aurait servi à rien, puisque le masseur aurait de toute façon été là.

Nous longeâmes une rangée de boutiques aux marchandises presque étalées sur la chaussée : magasins de meubles, marchands de roues d'automobiles. Comme s'il devait expliquer tout ce que nous voyions, maintenant qu'il était si près du pouvoir, Imadouddine dit que les échoppes n'auraient pas dû être là, mais qu'il était difficile de leur faire respecter les réglementations.

Une minute ou deux plus tard — on eût dit que les boutiques sauvages avaient orienté ses pensées vers les évictions —, il dit : « Le palais du sultan à Langsa a été brûlé pendant la guerre contre les Hollandais. Pas par les Hollandais. C'était la politique de... de Sukarno... » Il ne trouvait pas le mot.

« La politique de la terre brûlée de Sukarno ? » suggérai-je.

C'étaient les mots qu'il cherchait. Et de nouveau je m'émerveillai des événements extraordinaires qu'Imadouddine — d'à peine un an plus vieux que moi — avait vécus. Des événements extraordinaires — mais il en parlait avec aisance, et sans la moindre affectation : ils semblaient l'avoir à peine marqué. « Il est *lui-même* », avait dit son disciple diplomate. Une plénitude se dégageait d'Imadouddine, une étrange innocence qui paraissait l'avoir protégé depuis toujours.

Il dit qu'il avait reçu Adi Sasono ce matin-là dans son émission de télévision religieuse. Ils avaient parlé de l'importance de l'anniversaire de l'indépendance que l'on était en train de célébrer, et de son rapport avec l'islam. C'était en effet très important, dit-il. « L'islam est pour la liberté. Il est anticolonialiste. »

Naguère le gouvernement se méfiait de la foi, et Imadouddine était alors un rebelle. Maintenant, bien que son chef et ses formes politiques n'aient pas changé, le gouvernement se disait au service de la foi, et Imadouddine n'avait aucun mal à mettre la foi au service de l'État. La foi était vaste ; Imadouddine était savant ; il ne se faisait pas violence.

L'homme de l'Oklahoma attendait dans la mosquée Sounda Kelapa à Menteng. Menteng, bien qu'envahi par la circulation et la pollution, était le quartier diplomatique et élégant de Djakarta, et la mosquée Sounda Kelapa accueillait le gratin.

Le nom — celui de l'ancien royaume hindou de l'endroit — était inscrit sur le mur de la mosquée en grandes lettres ornées. La vaste cour ouverte, aveuglante de lumière, était dallée de blocs de ciment. Il était midi passé, et Imadouddine dit, comme si c'était un coup de chance, une grâce inattendue récompensant son retard, que c'était l'heure de la prière de midi. Il commencerait par la prière et procéderait ensuite à la conversion. Rien qui pût gêner l'homme de l'Oklahoma et ses invités ; nul doute qu'ils feraient la prière, eux aussi.

Si le salut pouvait être comparé à un banquet, la prière était pour Imadouddine — tant il s'y rendait avec enthousiasme et plaisir — comme un savoureux en-cas apéritif pris cinq fois par jour, une sorte de casse-croûte paradisiaque sur le pouce, qui ne rassasiait jamais, qui aiguisait toujours l'appétit. Aussi, boutonné et ceinturé, un épais portefeuille gonflant sa poche arrière, complètement à l'aise et chez lui dans l'immensité de la mosquée principale, Imadouddine, ses ablutions terminées, d'une démarche légèrement penchée qui me fit penser à son dos et au masseur, se dirigea à pas feutrés vers le devant où les hommes étaient alignés, face au mur, tantôt debout, tantôt accroupis, tantôt inclinés. Loin derrière, treize ou quatorze femmes, en voile blanc et longue robe, formaient une ligne à part.

Parmi les hommes, l'Américain se remarquait, même de dos, par sa carrure plus large, sa taille élevée et sa corpulence moyenne, et par la calotte musulmane, noire et plate, qu'il portait, comme le masseur d'Imadouddine.

Plus tard, quand, la prière terminée, les gens eurent quitté la grande salle et que l'homme de l'Oklahoma se fut assis en plein soleil sur les marches de ciment pour remettre ses chaussettes, Imadouddine s'approcha de lui et dit — avec une jovialité excessive, peut-être parce que j'étais présent : « C'est étonnant ce que vous avez changé. Vous n'avez pas l'air d'un Américain. Vous ressemblez déjà à un Indonésien. »

L'homme de l'Oklahoma, en ajustant une chaussette, et sans quitter son pied des yeux, répondit d'une voix qui ne portait pas loin : « Encore blanc. »

Après la jovialité d'Imadouddine, les mots avaient un ton ambigu. Les paroles d'un converti zélé sur la défensive, à moins qu'elles n'aient voulu signifier à Imadouddine qu'il ne devait pas aller trop loin. Pour la première fois, je vis Imadouddine un instant désorienté. Son sourire se prolongea un petit peu trop longtemps avant qu'il ne dît : « Pas cuit. » Comme s'il prolongeait la jovialité et le jeu racial ; mais, sans insister davantage, il laissa l'homme de l'Oklahoma à ses chaussettes et à ses chaussures.

La cérémonie de la conversion devait avoir lieu dans une pièce du bas. Celle-ci était petite, basse et climatisée, avec des murs revêtus de marbre gris. Le marbre évoquait désagréablement un mausolée, et la pièce paraissait froide après la lumière aveuglante et la chaleur réfractée de la grande cour et des marches en plein soleil. Elle était meublée comme une sorte de salle de conférence. Pour les personnages principaux de la cérémonie, il y avait une estrade haute avec des bancs ou des banquettes de bois massif, de part et d'autre d'une table aux allures d'autel, équipée de micros ; pour les témoins, en contrebas, des rangées de pupitres d'école.

La future épouse — pour laquelle l'homme de l'Oklahoma se convertissait — était la nièce d'un homme d'affaires doublé d'un poète connu. Ici l'on respecte beaucoup la poésie, activité d'amateur pour l'essentiel, et les gens réunis dans la salle de marbre reflétaient ce mélange de culture et d'aisance. Les murmures se turent. Le sifflement des climatiseurs, toujours présent, mais soudain dominant, fit l'effet d'une fanfare pour la cérémonie.

Quand les piétinements eurent cessé, Imadouddine, les lunettes suspendues avec chic à son cou, apparut comme la figure centrale de l'estrade, sur le banc de derrière, contre le mur de marbre gris, sous une élégante plaque de cuivre aux caractères arabes noirs. Il était assis entre deux hommes — qui commencèrent à psalmodier le Coran, sur fond de sifflement du climatiseur — et faisait face à l'homme de l'Oklahoma et à sa future épouse de l'autre côté de la table.

Eux, le couple, nous tournaient le dos, ainsi que leurs témoins, de part et d'autre. La mariée, d'une petitesse tout indonésienne, paraissait impatiente et vaporeuse dans sa robe jaune et son voile rougeâtre.

L'homme de l'Oklahoma, cou blanc sous sa calotte noire, était plus large, plus impassible. Son pantalon bleu avait l'air américain ; sa chemise verte de batik — peut-être un cadeau ou un achat récent — ne suggérait pas, sur lui, la frivolité.

Quand la déclamation cessa, Imadouddine, en souriant à l'homme de l'Oklahoma, lui dit en anglais : « Nous accueillons votre retour dans l'islam. Retour dans l'islam, parce nous croyons que tout le monde naît musulman, sans péché. Vous revenez dans l'islam parce que vous avez ouvert votre cœur à la vérité. En vous soumettant en tout à la volonté de Dieu. Islam signifie soumission. »

Puis ce fut au tour de l'Américain de faire sa déclaration. Il commença par dire qu'il parlait en conscience et sans contrainte. Il paraissait timide. Il n'avait pas particulièrement l'accent du Sud, et pour un homme de sa carrure avait une voix légère qui ne domina jamais le sifflement des climatiseurs. Peut-être parce qu'il nous tournait le dos, et peut-être aussi parce qu'il n'avait pas la maîtrise du micro d'Imadouddine. Il fit sa déclaration de conversion d'abord en arabe — autre raison de sa timidité ? — puis en anglais : « Je témoigne qu'il n'est d'autre Dieu qu'Allah et que Mohammad est son dernier prophète. »

« Ah », dit Imadouddine avec un peu de son enjouement de conférencier. Comme si ce qui venait d'être dit n'avait pas, après tout, été si difficile. En souriant, et toujours avec enjouement, il demanda à l'Américain : « Vous voulez changer de nom ? »

L'homme de l'Oklahoma n'eut pas le temps de répondre. Des voix féminines s'écrièrent en anglais de la salle : « Oui, oui. » Et : « Mieux. » Et : « Bien mieux. »

Comme un imprésario, Imadouddine demanda : « Le nom de Mohammad vous plaît ? »

Le nom plut à l'homme de l'Oklahoma.

« Et Adam ? »

Le nom plut, ainsi que celui de Khalid.

« Mohammad Adam Khalid, dit Imadouddine, vous voilà donc re-né, tel un nouvel Adam. J'espère que vous serez heureux de ce nouveau nom. »

La partie principale de la cérémonie désormais achevée, la famille de la future épouse prit les choses en main. Elle avait demandé le changement de nom et elle était heureuse. M. Khalid, l'homme de l'Oklahoma, descendit de l'estrade et ce furent des embrassades et des accolades générales. Les femmes de l'assemblée, jusque-là réservées, de se mettre en avant. Cette partie de la cérémonie leur revenait. Il y eut une explosion de joyeux bavardage, longtemps retenu. Les flashes crépitèrent, tandis que les jeunes filles s'emparaient des cartons de nourriture, fournis par un traiteur et empilés jusqu'alors sur une commode contre un mur, pour les présenter aux invités.

Imadouddine avait paru proposer ses nouveaux noms l'un après l'autre à M. Mohammad Adam Kalid, comme si chacun avait exigé une inspiration distincte. Mais ce n'était qu'un truc de prédicateur ou de présentateur de télévision. Quand je l'interrogeai à ce propos, Imadouddine me répondit que les noms de M. Khalid avaient été choisis par la future épouse. La jeune fille tremblante, impatiente, en jaune et rouge, savait donc dès le début ce qui allait arriver au solide Américain assis à côté d'elle sur le banc.

J'appris cela, l'histoire des noms, le dimanche matin chez Imadouddine. Son voyage de préparation mentale aux États-Unis et au Canada avait été retardé, et je pus lui rendre une nouvelle visite. Pas de problème de taxis cette fois-ci. Il envoya la Mercedes et Mohammad Ali à l'hôtel. Il n'était pas absolument certain que Mohammad Ali — chauffeur encore un peu novice et timide — saurait comment et où prendre des gens à l'hôtel. Mais Mohammad Ali n'eut que cinq minutes de retard. La Mercedes sentait le désodorisant, comme un taxi new-yorkais ; et les cassettes aux pochettes voyantes auraient pu être de la musique arabe.

Reconnaissables et rassurants cette fois-ci : les petits groupes, aux uniformes colorés, qui défilaient en balançant les bras d'un côté à l'autre ; les boutiques de meubles et de roues qui débordaient presque sur l'artère ; le cimetière des Héros ; l'allée, la petite maison, le grand garage à la porte coulissante, la pièce sombre, la petite tour Eiffel et les autres souvenirs, le petit jardin ensoleillé à l'arrière, bordé d'une rocaille contre le mur de la maison voisine au toit de tuiles rouges ; les servantes. L'une d'elles, en corsage rouge, m'offrit des fruits et des jus de fruits. Imadouddine ne se trouvait pas dans la pièce, il était peut-être avec le masseur cette fois encore. Mais Mme Imadouddine entra m'accueillir, et, après avoir virevolté légèrement sur les nattes unies de roseau couvrant le sol dallé, elle ressortit. Pour revenir quelques instants plus tard me demander si les fruits me plaisaient et me dire que son mari « se préparait ». Il surgit, de nouveau dans son sarong, de la pièce de devant, le pas vif, les yeux baissés, sans presque rien dire, réservant ses paroles pour quand il serait habillé.

Il parla de la conversion de M. Khalid d'une manière banalement missionnaire. Il semblait n'avoir aucune autre idée de la merveille de l'occasion, aucune idée des extraordinaires mouvements de peuples que cette conversion pouvait receler. Imadouddine avait vécu des années aux États-Unis. Il n'ignorait pas qu'il y avait de nombreux États dans l'Union américaine. Il aurait pu savoir que l'Oklahoma était un État relativement récent et qu'il avait été créé par le mouvement irrépressible vers l'ouest, en territoire indien, à la fin du dix-neuvième siècle. En même temps que les mouvements expansionnistes similaires en Argentine, en Afrique, en Asie : à l'époque, en fait, où les Hollandais, à leur grignoteuse manière, livraient une longue guerre à l'Atjeh, à Sumatra ; et au moment, peut-être, où le grand-père muezzin d'Imadouddine appelait les fidèles à la prière dans le Langsa voisin.

La conversion dans la mosquée de Menteng d'un jeune homme de l'Oklahoma était pleine de filiations et d'ironies historiques. Mais les voir exigeait une autre vision du monde. La perspective missionnaire d'Imadouddine était plus simple. Tout le monde naissait musulman, sans péché, avait-il dit lors de la cérémonie. Il s'ensuivait — bien qu'il ne l'ait pas précisé — que dans l'univers extérieur à l'islam chacun était dans l'erreur, et peut-être pas tout à fait réel tant qu'il n'avait pas trouvé son moi musulman.

Le père d'Imadouddine, le favori du mufti, avait fait ses études supérieures à La Mecque puis à al-Azhar au Caire, toujours dans une petite bulle d'érudition islamique, toujours spirituellement isolé des cataclysmes de l'époque. Imadouddine avait voyagé bien au-delà de La Mecque et du Caire, jusqu'au monde extérieur ; et pas en quête d'érudition religieuse. Il y était allé pour le savoir technique et scientifique qui serait son gagne-pain, et ensuite pour le repos, la sécurité et l'asile lorsque les choses étaient devenues trop dangereuses pour lui au pays. Et pourtant, spirituellement, Imadouddine vivait dans la même bulle que son père. Rien dans sa vision du monde n'admettait les implications de l'asile et du droit et du savoir qu'il avait trouvés dans ses voyages. Le monde extérieur semblait simplement là, territoire neutre, quelque chose de « trouvé », ouvert à tous, à utiliser en cas de besoin.

Ainsi Imadouddine avait-il pu en 1980 utiliser sa bourse saoudienne pour aller non dans un pays musulman, mais aux États-Unis, à l'université d'Iowa, pour y bénéficier plus tard d'une sorte d'asile. Il avait pu, pendant ce séjour, recevoir une vision du grand destin islamique des musulmans de langue malaise par le fanatique intégriste pakistanais Fazel-ur-Rehman, lequel jouissait, bizarrement, de la liberté d'enseigner à l'université de Chicago, et dormait toutes les nuits bien à l'abri, sous la protection des lois, et très loin des troubles qu'il souhaitait chez eux à ses compatriotes. Ce genre de liberté et de protection était ce qu'un musulman persécuté chez lui pouvait attendre du monde neutre en dehors de l'islam, et Imadouddine semblait n'y voir aucune anomalie. Dans sa vision du monde — malgré les souvenirs de pays étrangers dans son salon frais et bas —, rien ne semblait dû à l'univers extérieur à l'islam.

Il expliqua, avec une de ces analogies de prédicateur et de scientifique qui lui venaient aisément : « Le Coran est un système de valeurs. C'est comme une voiture. Une voiture est un système. Si l'on n'a que les pneus et les roues on n'a pas de voiture. L'islam est un système. Il faut le prendre en entier. Ou y renoncer. On ne peut pas être à demi musulman ou au tiers musulman. Il faut devenir musulman à fond ou pas du tout. »

Rien, par conséquent, n'affectait la foi ; toute forme de nouveau savoir pouvait être mise au service de la religion. Quand il rentra des États-Unis en 1986 avec son deuxième diplôme, il pouvait, dit-il, utiliser les techniques de l'analyse des systèmes de pouvoir pour ses séminaires de préparation mentale. Et maintenant qu'elle était celle de l'État, la foi avait en Indonésie des nécessités politiques particulières.

Il fallait, par exemple, s'occuper de M. Wahid, aux trente millions d'adeptes musulmans des pesantren. Et tandis que Adi Sasono fustigeait M. Wahid avec des mots aux allures modernes comme « élitisme » et « féodalisme religieux », Imadouddine pouvait utiliser les besoins technologiques de l'époque (et sa propre formation technique) pour enfoncer plus profondément ce pauvre vieux M. Wahid — et sa « déscolarisation ». Imadouddine ne mentionna jamais devant moi le nom de M. Wahid (tout comme M. Wahid, lorsqu'il m'avait parlé, n'avait jamais prononcé le nom d'Imadouddine). Mais on voyait clairement qui visait Imadouddine lorsqu'il répéta chez lui ce qu'il avait dit dans son bureau : que tout le propos de la création était de rendre prospère la terre entière.

« C'est écrit dans le Coran, dit-il. Quand Adam a été créé, le premier savoir que lui a donné Dieu est la science. »

C'était donc pour le service de la foi qu'il était allé dans l'Iowa. Quand il était rentré et qu'il avait rallié Habibie et le N-250, il servait la foi.

« Les hommes politiques vont devoir comprendre que — grâce à cet avion — c'est avec la science et la technologie que nous conquérons notre position. »

Il faisait apparaître les hommes politiques — pauvre M. Wahid — comme des dirigeants sans légitimité.

Telle était la perfection du « système de valeurs » de son islam. Système curieusement circulaire. C'était — en adaptant son analogie de prédicateur — plutôt un moulin de discipline[1] très souple et aisé qu'une voiture : il l'occupait et ne menait nulle part. Même si on lui faisait remarquer que des gens de l'Iowa avaient été bons pour lui quand il était dans l'embarras, il préférait éviter de les mentionner. Leur bonté n'était qu'un hommage de plus à sa foi : Dieu ne l'aimait-il pas beaucoup ?

Au terme de notre entretien, ce dimanche matin, je l'interrogeai de nouveau sur ses prises de position à la fin des années soixante-dix et sur les ennuis qu'elles lui avaient alors valu avec le gouvernement.

« Ne critiquez jamais Suharto, dit-il, développant ce qu'il avait appris en 1978 et 1979 en prison de l'ancien ministre des Affaires étrangères Subandrio. C'est un Javanais. Les jeunes ne devraient jamais critiquer les anciens, surtout les gens importants. » Pour Imadouddine — pas si jeune en 1977 : quarante-six ans ; le président Suharto en avait cinquante-six —, c'était aller contre sa nature. « J'ai été formé à la hollandaise puis à l'américaine, méthodes qui acceptent la critique. Et je suis

---

1. Le moulin de discipline, ou *treadmill*, supplice encore en vigueur au dix-neuvième siècle dans les prison anglaises (puisque Wilde le subit), est une roue immense dont la circonférence est divisée en palettes aboutissant à des cellules étroites où se tiennent, sans se voir, les condamnés. Ces palettes forment les marches fuyantes d'un escalier ; le condamné, suspendu des deux mains à des anneaux placés au-dessus de sa tête, doit se laisser retomber et peser de tout son poids sur les palettes. (*N.d.T.*)

né à Sumatra : je peux discuter avec mon père. J'ai dû apprendre la manière javanaise. »

La manière sumatrienne, qu'adoptait tout naturellement Imadouddine, était le mode religieux direct, intégriste. Ç'avait été historiquement, estimait Imadouddine, une des forces de Sumatra.

Il m'avait dit auparavant : « Les Hollandais, quand ils sont arrivés, ont pu conquérir Java avec une relative facilité. Mais ils n'ont pu soumettre l'Atjeh et les Célèbes, parce que les populations y étaient très religieuses. »

M. Wahid avait parlé des nouveaux navires à vapeur qui, dès les années 1830, avaient rendu La Mecque plus accessible au pèlerinage et aux études. C'était à partir de là que s'étaient développées, dans la colonie de Java, les nouvelles écoles islamiques de village, comme celle que dirigeait le grand-père de M. Wahid.

Dans les royaumes ou sultanats indépendants de Sumatra, au contraire, ces voyages à La Mecque avaient eu des effets plus violents. Tout comme, cent cinquante ou cent soixante ans plus tard, les étudiants coloniaux, souvent les premiers de leur famille à partir faire des études universitaires à l'étranger, reviendraient avec des idées révolutionnaires d'emprunt ; de même, ces étudiants et pèlerins sumatriens à La Mecque, influencés par l'intégrisme wahhabite, et un peu vains de leur nouveau savoir, allaient rentrer bien décidés à faire de la foi à Sumatra l'égale de la foi wahhabite à La Mecque. Ils étaient déterminés à effacer les erreurs locales, toutes les coutumes, cérémonies et adorations terrestres qui portaient la souillure des cultes antérieurs : animisme, hindouisme, bouddhisme. S'ensuivirent des guerres de religion pendant une bonne partie du siècle ; c'était ce qui avait amené les Hollandais à intervenir, d'abord pour apporter leur médiation ou leur aide, puis pour gouverner le pays.

Telle était la foi missionnaire qu'avait héritée Imadouddine. Java, plus que Sumatra, abondait en monuments du passé païen. Mais hors ou avant la foi rien que l'on pût accepter, pas même un grand monument bouddhiste comme Borobudur, l'une des merveilles du monde. L'une des critiques a dressées par Imadouddine au gouvernement en 1979 était que l'ambassade d'Indonésie à Canberra ressemblait à une construction hindoue. Quant à Borobudur, que la communauté internationale s'en occupe.

Je l'interrogeai à ce propos. Il répondit — en homme dont la position exigeait maintenant plus de diplomatie — que je l'avais mal compris. Ce qu'il avait dit, ou voulu dire, c'était que l'argent qui pouvait nourrir des « musulmans affamés » ne devait pas être consacré à Borobudur.

Malgré l'intention d'apaisement diplomatique, la vieille implacabilité sumatrienne affleurait. Pour les nouveaux intégristes indonésiens, c'est d'abord contre leur propre passé, contre tout ce qui les relie à leur propre terre, qu'il faut mener la guerre.

CHAPITRE 4

Un lieu sacré

Quelques semaines après, vers la fin de mon séjour en Indonésie, je me rendis à Sumatra. Pas le Sumatra d'Imadouddine, celui de l'Atjeh et du Langsa dans le Nord, mais les hautes terres du Minangkabau, à l'ouest. Je suivais une nouvelle piste. A Djakarta, j'avais rencontré une femme haut fonctionnaire qui avait passé presque toute son enfance dans ces hautes terres. Pendant un après-midi entier, dans son bureau inondé de soleil, dans une tour ronde moderne dominant une avenue grondante, elle m'avait parlé si lyriquement de son pays, et avec des yeux si étincelants de souvenirs, que l'envie m'était venue d'aller voir par moi-même.

Et là je découvris — ce que j'aurais dû savoir — que ce pays du Minangkabau avait été la scène des guerres intégristes wahhabites du premier tiers du dix-neuvième siècle. Comme si, avec ou sans Imadouddine, la passion religieuse était le thème inéluctable de Sumatra.

C'est un pays de hauts volcans verts, cordillère après cordillère, et de larges plaines entre les chaînes de montagnes. Où il y a des habitations, il y a des arbres et de l'ombre. Ailleurs les plaines sont nues, réservées aux champs de riz. Le riz est la principale culture. Il n'a pas ici de saison fixe. Aussi, dans les plaines, comme en une sorte de récit pictural simultané, se conjuguent toutes les étapes de la culture du riz. Boue bêchée ou retournée avant le repiquage ; parcelles de semis d'un vert tendre et brillant dans un coin de paddy inondé ; jeunes plants repiqués en rangées ; épouvantails (ou lanières de plastique flottant sur des piquets) dans les champs denses en train de mûrir (denses sauf aux endroits où les rats sont venus) ; groupes de moissonneurs et de batteurs, les moissonneurs avec leurs longs couteaux incurvés, les batteurs battant des bottes de tiges de riz coupées sur des paniers au-dessus desquels sont fixés de hauts tamis — et qui ressemblent à de petits bateaux à voile — pour recueillir le grain battu. Partout dans la plaine fument de petits feux de paille de riz, qui donnent l'échelle du très large et très plat pays, filets de fumée blanc-brun de feux de paille isolés, s'aplanissant à une certaine hauteur au milieu du ciel pour se rejoindre en un banc de fumée immobile.

Aucune idée visuelle ne m'avait été donnée par la femme qui avait passé son enfance ici. Mais je m'attendais à la beauté. Ce que je n'avais pas prévu, c'était l'antiquité que suggéraient ces plaines cultivées. Il avait fallu bien des générations pour réaliser l'organisation sociale dont témoignaient ces travaux de la plaine. J'eus l'impression que le pays remontait loin, très loin dans le passé, bien au-delà des débuts au septième siècle du royaume hindou de Shrividjaya au nom sanscrit, et était peut-être aussi ancien que le riz lui-même. Quelques semaines auparavant, à Londres, j'avais regardé attentivement une grande exposition de Poussin. Et peut-être pour cette raison, je trouvai dans ces vues de montagnes et de plaines quelque chose des paysages de Poussin : la même largeur et la même profondeur picturales, la même évocation du monde antique. Et j'y trouvais ce que William Hazlitt, au début du dix-neuvième siècle, était ravi de découvrir dans les paysages de Poussin : les « formes éternelles » — plutôt que la forme signifiante — du monde créé, sans « accidents » visuels.

Le deuxième jour, on m'amena dans l'après-midi à Pariangan : une grande combe dans le terrain volcanique, avec une source chaude. C'est là, dit-on, que le peuple Minangkabau est sorti de la terre. Voir l'endroit suffisait pour ressentir son caractère sacré ; nul besoin de connaître quoi que ce soit de son histoire ou de son mythe. Le lieu avait toujours dû être un lieu sacré ; il avait toujours dû exercer une emprise sur l'imagination humaine. Une vieille pierre avec une vieille inscription dans une écriture indienne parlait de ce pouvoir. Il était facile, encore aujourd'hui, d'oublier les accidents visuels — la banalité — des canalisations de maçonnerie brisées qui dévalaient de la route jusqu'aux cabanons de ciment brut abritant les bains : un pour les hommes et les garçons, un pour les femmes et les filles. Il était même possible d'ignorer la grosse mosquée neuve badigeonnée de rouge un peu à l'écart. L'esprit restait rivé sur la merveille du site et sur la merveille de l'eau qui remontait de la terre en bouillonnements chauds depuis des siècles.

Numen inest : les mots latins convenaient parfaitement : le dieu ou l'esprit du lieu était présent, plus qu'il ne l'avait été pour moi à Paphos à Chypre, où Vénus, dit-on, a surgi de la mer. A l'époque de Tacite (au premier siècle), la magie de la petite crique — aujourd'hui — quelconque aurait été préservée par les temples et les rites décrits dans les *Histoires*, le mystère souligné par la forme sous laquelle Vénus était adorée à Paphos — un cône de roc coupé au sommet — alors qu'ailleurs, loin du lieu de sa naissance, elle était déjà dotée de sa séduisante figure féminine. A Pariangan, m'apprit-on, les visiteurs se saluaient du mot « *Sembahyang* », « Vénère le dieu. » La plupart des visiteurs étaient musulmans, et ils devaient savoir dans un coin de leur esprit que c'était une situation idolâtre. Sans doute savaient-ils aussi que l'intention religieuse de la grosse mosquée rouge n'était pas d'honorer ou de proclamer la sainteté de l'endroit, mais d'en triompher. Les lieux sacrés de la foi musulmane étaient liés au Prophète ou à ses successeurs immédiats. Ils se trouvaient dans un autre pays. Il ne pouvait pas y avoir de lieu sacré ici. Cela faisait partie de la loi.

J'ai vécu mes dix-huit premières années à deux océans de là, de l'autre côté du globe, dans le Nouveau Monde, sur une île à l'embouchure de l'un des grands fleuves sud-américains. L'île n'a pas de lieux sacrés ; et c'est presque quarante ans après l'avoir quittée que j'ai identifié ce manque.

Tout jeune déjà, j'y sentais une incomplétude, un vide, et il me semblait que le monde réel était ailleurs. J'avais le sentiment que le climat avait consumé l'histoire et toute possibilité. Ce sentiment avait peut-être trait à la petitesse de l'île, dont nous disions tous qu'elle n'était qu'un point sur la mappemonde. Peut-être s'expliquait-il par la pauvreté générale, et par l'effondrement du système de famille élargie qui était venu d'Inde avec nous. A moins qu'il ne fût dû à la misérable situation de l'Inde même ; et à la conscience simultanée que nous, les Indiens, nous étions des immigrés dont le passé s'interrompait abruptement par un père ou un grand-père.

Plus tard, des années après mon départ — la connaissance des choses ne venant jamais tout d'un coup, mais par couches successives —, je crus que l'endroit était profane parce que personne n'avait écrit à son propos. Et plus tard encore, je considérai que la colonie agricole, une plantation en fait, n'honorait ni le pays ni ses habitants. Mais c'est bien après, en Inde, à Bombay, dans un quartier industriel surpeuplé — mais qui regorgeait encore de lieux sacrés inattendus, un rocher, un arbre — que je compris, malgré toutes les similitudes de climat, de végétation, de croyances officielles, de pauvreté et de cohue, que des gens qui vivaient si intimement avec l'idée que leur terre était sacrée étaient différents de nous.

Il avait eu des lieux sacrés dans l'île, et dans toutes les autres îles au nord. Sur la minuscule Saint Kitts, par exemple, on trouvait — cachés par les champs de canne à sucre — des rochers avec de grossières incisions précolombiennes. Mais les peuples aborigènes qui connaissaient les lieux sacrés avaient été détruits sur notre île, et à leur place il y avait — dans la colonie de plantation — des gens comme nous, dont les lieux sacrés se trouvaient sur d'autres continents.

C'est trop tard que je me rappelai avec un pincement au cœur une histoire que j'avais entendue enfant, et dont j'avais lu par la suite une autre version (dans *Enfin*, de Charles Kingsley, 1871). De temps à autre, des groupes d'Indiens aborigènes du continent (où subsistaient encore des restes des tribus) traversaient le golfe en canot, se rendaient à certains endroits dans les bois des collines du sud, effectuaient certains rites ou faisaient des offrandes, puis, avec certain fruit qu'ils avaient cueilli, repartaient chez eux de l'autre côté du golfe. C'était tout ce que j'avais entendu dire. Je n'étais pas d'âge à vouloir en demander davantage ou à essayer d'en découvrir plus ; et l'histoire inachevée, inexpliquée, est maintenant comme un fragment de rêve, écho fugitif d'une autre forme de conscience.

Peut-être est-ce cette absence du sentiment du sacré — qui dépasse l'idée d'« environnement » — qui est la malédiction du Nouveau Monde, et en particulier de l'Argentine et de pays ravagés comme le

Brésil. Et peut-être est-ce ce sentiment du sacré — plus que l'histoire et le passé — que nous autres du Nouveau Monde partons redécouvrir dans l'Ancien Monde.

Il est donc étrange, pour quelqu'un ayant mes antécédents, que dans les pays convertis à l'islam — Iran, Pakistan, Indonésie — l'intégrisme déchaîne sa fureur contre le passé, contre l'histoire, pour nourrir le rêve impossible de faire surgir la vraie foi d'une vacance spirituelle.

Dewi Fortuna Anwar, qui m'avait envoyé à Sumatra, était une jolie jeune femme bardée de diplômes que plusieurs personnes m'avaient recommandé de voir. Elle avait des responsabilités considérables en Indonésie, et à un double titre. Elle travaillait pour l'Institut indonésien des sciences, et plus précisément pour le Centre d'études politiques et régionales. En Indonésie tout ce qui a la moindre importance est connu par ses initiales ou son acronyme, et le centre de Dewi est appelé PPW-LIPI. Non contente de diriger la division des Affaires régionales et internationales du PPW-LIPI, et à ce titre de se rendre à de nombreuses conférences internationales, Dewi était également directrice de recherche au CIDES, le Centre d'études d'information et de développement. Le CIDES était lié à l'ICMI, l'Association des intellectuels musulmans d'Imadouddine et de Habibie, et Adi Sasono en présidait le conseil d'administration.

Elle était donc très occupée, et au cours du déjeuner organisé par la femme diplomate qui m'avait conduit chez Imadouddine, Dewi avait parlé sur un ton officiel, et non sans patriotisme, d'importants projets de recherches engagés par le LIPI. Ce fut seulement vers la fin, peut-être avec le café, qu'elle se mit à parler de Sumatra et de son enfance, des tabous de son clan qu'elle avait appris et continuait à respecter. Tout ce qu'elle raconta de son enfance sumatrienne était neuf et vivant, parfois inattendu. Propos personnels et sincères après le discours officiel sur les conférences internationales et la recherche. Curieux d'en savoir davantage, j'obtins de la revoir un après-midi dans son bureau du PPW-LIPI.

L'immeuble du LIPI, tour moderne impressionnante vue de l'autoroute, révéla à l'intérieur la ternissure bureaucratique des lieux que personne n'imprègne d'une vie personnelle. Le bureau de Dewi se trouvait au onzième étage. La salle d'attente, segment du plan circulaire, évoquait un morceau de gâteau au nez coupé, dont un petit arc de mur extérieur formait une sorte de croûte latérale. Il y avait des marionnettes indonésiennes de bois sur ce mur, ainsi que l'image d'un temple en batik multicolore froissé ; des arcs et des flèches sur un autre mur. Le bureau de Dewi, au-delà du couloir, était du mauvais côté de la tour ronde pour un entretien l'après-midi ; le soleil cognait ; il aurait fallu un store.

Dewi était d'une famille d'universitaires. Son père — récemment décédé — était professeur. Il avait fait ses études supérieures à Columbia et à l'École d'études orientales et africaines de Londres. Sa mère enseignait l'histoire à l'université de Sumatra.

Quand Dewi était enfant, la famille habitait Bandung. Elle avait trois ans et demi — son père était absent, il étudiait en Écosse — lorsque des parents de Sumatra vinrent leur rendre visite. L'un d'eux lui dit : « Mais tu devrais voir ce que tu as à Sumatra. » Prise d'un désir passionné de voir ce qu'elle avait à Sumatra, Dewi retourna avec ces parents dans ce qu'elle savait, si petite fût-elle, être le pays de ses ancêtres.

Il y avait une demeure familiale à Sumatra, une des fabuleuses maisons traditionnelles du Minangkabau aux toits cornus. Mais, abandonnée depuis vingt ans et plus, elle était vide, et certains parlaient d'esprits. Dewi évitait même de s'en approcher. Elle s'installa chez l'oncle maternel de sa mère, qui n'habitait pas dans une maison traditionnelle.

« C'était un *ouléma* », dit Dewi. Un maître religieux musulman. « A Java on les appelle kiyai, et ouléma dans l'ouest de Sumatra. J'ai vécu un an chez lui. Il possédait une petite mosquée dans laquelle il habitait, nommée *surau* parce que ce n'était pas une mosquée publique. Ses élèves venaient étudier chez lui. Et sa plus jeune femme vivait avec lui. La chose était inhabituelle, mais comme c'était un homme important — et que sa femme était en fait une de ses anciennes élèves — il n'était pas allé vivre chez elle. Bien que la polygamie fût très fréquente à cette époque-là, elle était la seule épouse avec laquelle il cohabitait. Avant, il avait une ou deux femmes en même temps, et il regagnait toujours son surau après leur avoir rendu visite. A l'époque où j'y étais, il vivait avec sa plus jeune épouse et c'est elle qui m'a élevée. »

Dewi me dit tout cela à sa manière franche et lyrique. Et il était intéressant qu'au moment où son père étudiait en Écosse (et affrontait probablement les plaisanteries sur les musulmans et leurs allées et venues entre quatre épouses), sa très jeune fille découvrait et acceptait, au travers d'un vieux parent dévot et adoré, exactement la même idée, mais en tant qu'aspect d'un monde ancien et magnifique.

« Quand mon père est rentré d'Écosse, je suis retournée à Bandung. Pendant deux ans. Et lorsque des parents de Sumatra sont venus nous voir à Bandung, j'ai décidé de leur demander de me remmener avec eux. J'avais cinq ans et demi.

— Vous rappelez-vous pourquoi vous aimiez tant cet endroit ?

— C'était un très bel endroit. De grands espaces libres. Et nous étions quelqu'un. Quand nous sommes là-bas, on nous marque du respect. Et personne ne me faisait concurrence. Mon grand-oncle était simplement fou de moi. Il était très sévère, mais se montrait très tendre avec moi. Et sa femme aussi. Elle me protégeait de la colère de mon grand-oncle. J'ai eu beaucoup de chance, parce que mon grand-oncle voulait que soit perpétué le nom familial. L'ouest de Sumatra est contradictoire : à la fois très islamique et matrilinéaire. Et j'étais la fille de ma mère, qui était la dernière femme de la lignée. Voilà pourquoi j'étais très précieuse pour ma famille. On comptait sur moi pour reprendre le flambeau.

« Mon grand-oncle s'est chargé de mon éducation. Bien qu'il fût un ouléma, très conservateur, absolument orthodoxe, il ne voulait pas que je sois privée d'instruction moderne. Il ne voulait pas que ma mère ou mon père puissent le lui reprocher. Voilà pourquoi il disait qu'il n'avait pas souhaité mon retour à Sumatra. Mais en fait, moi, je voulais porter ce voile et aller à l'école du village — dans les écoles de village religieuses, on devait porter un sarong et un voile sur la tête.

— Vous trouviez que le sarong et le voile étaient de jolis vêtements ?

— Je ne les voyais pas sous cet angle. Je les jugeais appropriés. Mais mon grand-oncle a mis le holà. Il disait que ces écoles de village enseignaient mal l'islam et offraient un programme moderne médiocre. Je suis allée à l'école normale, et il m'enseignait lui-même l'islam à la maison. J'ai donc appris le Coran et toutes sortes d'histoires des hadiths, les traditions complémentaires, qu'il me lisait.

« Un dimanche, pendant les vacances, il m'emmena aussi visiter nos terres familiales, pour que je sache où elles se trouvaient et qui les travaillaient. Les champs de riz sont éparpillés partout. Et les cocoteraies aussi. L'essentiel de l'eau et des terres arables se trouve dans le bas de la vallée ; les gens habitent en haut de la vallée et doivent marcher des kilomètres pour rejoindre leurs champs de riz. Ma branche de la famille dispose de plus de terres que les autres. C'est parce que les femmes n'ont pas eu trop d'enfants. Si un clan devient très important, la terre est divisée entre de nombreuses personnes. Elle n'est pas aliénable mais doit être répartie entre les usagers, les héritiers. Quand l'un d'eux meurt, sa parcelle revient à sa parente la plus proche.

« Ainsi, tout en parcourant nos terres, j'apprenais nos liens de parenté. Parce que les gens qui travaillent nos terres sont pour la plupart des parents. Et il est important de connaître les bornes. Ainsi acquérait-on une vision d'ensemble du réseau villageois. »

De cinq ans et demi à quinze ans, Dewi vécut à Sumatra. Son père vint la voir une fois — elle avait environ huit ans — et sa mère lui rendit visite avec des amis deux ans après. A partir de douze ans, Dewi alla passer à Bandung les vacances du mois de ramadan. Son village fut donc l'univers de son enfance.

« Vivre au village était une expérience totale. Il ne s'agissait pas simplement d'aller à l'école ou d'apprendre le Coran, de faire la connaissance de sa famille ou de découvrir ses terres. C'était apprendre la manière de voir des villageois, ainsi que leurs croyances idiosyncrasiques, pas toujours rationnelles et néanmoins très importantes. C'est à ses risques et périls qu'on les ignore ou les rejette.

« Il se trouve que ma famille appartient à un clan — Pitapang — qui est célèbre pour ses divers tabous. Célèbre dans le village. Les gens disent : "Les Pitapang ne peuvent faire ci. Les Pitapang ne peuvent faire ça." Des tas de gens d'autres clans ne se rendent pas compte combien de choses nous n'avons pas le droit de faire. »

Mon oreille se mit à me jouer des tours, « Pitapang » se muant parfois en « Peter Pan ».

« On croit que Pitapang est l'un des clans les plus anciens. Les Pita-pang ancestraux s'installèrent probablement dans la région lorsqu'elle n'était que jungle ou forêt vierge. Dans la tradition préislamique, on croyait que toutes ces forêts, ces sources et ces rivières étaient occupées par des esprits. Les humains qui venaient défricher la terre devaient passer un contrat avec les habitants originels, les esprits. Les ancêtres devaient donc obéir à un code de conduite. Conçu essentiellement pour assurer l'équilibre de l'environnement. »

Bien que cette notion d'équilibre et d'« environnement » fût une idée postérieure, empruntée, née d'une autre forme de savoir et de logique, et n'eût pas la force des rites terrestres dont parlait Dewi. C'est d'ailleurs ce qu'elle sembla reconnaître elle-même presque aussitôt.

« Dans la conduite de notre vie quotidienne il y a d'autres facteurs qu'il nous faut considérer. Nous devons toujours demander la permission quand nous coupons un grand arbre, ou que nous canalisons une source ou construisons une maison. Nous devons accomplir certains rites, certaines cérémonies, pour apaiser les esprits gardiens. »

Cette idée des villageois sur les esprits des arbres et des sources paraissait idolâtre à son grand-oncle, l'ouléma conservateur. Lui qui estimait déjà que l'islam était mal enseigné dans les écoles religieuses de village et qui s'était personnellement chargé de l'instruction religieuse de sa petite-nièce.

« Mon grand-oncle ne voulait pas suivre ces pratiques non isla-miques. Il les connaissait et croyait probablement à quelques-unes, mais la plupart du temps il estimait que faire des offrandes à des esprits était contraire à l'islam. Le clan et certains des anciens du village étaient convaincus que, si un membre du clan Pitapang transgressait un tabou, un autre membre en subirait généralement les conséquences : un enfant tombe malade, ou quelque chose de désagréable survient. Mon grand-oncle ne prêtait guère attention aux tabous. J'étais donc souvent malade, et sa femme et ses amis de dire : "Ah, ton grand-oncle a dû encore faire quelque chose." Comme lorsqu'ils se sont servis des poutres du grenier à riz pour construire une latrine. »

Dépendance d'une maison principale, le grenier à riz devait avoir lui aussi un toit cornu, miniature sur pilotis, plus large au sommet qu'à la base, peut-être avec des pignons décorés, murs en panneaux de bambous tressés selon divers motifs, et une échelle en guise d'escalier. Le riz, nourriture de base, objet de toutes sortes d'hommages et de rites de fertilité anciens, devait toujours être traité avec respect ; se servir des poutres d'un grenier à riz, si vieux ou délabré qu'il fût, pour construire une latrine télescopait deux idées contraires et représentait une grave désacralisation.

« J'étais malade depuis deux jours, dit Dewi. On m'a donné des remèdes du village. Mon *datuk*, mon grand-oncle, connaissait aussi les médications villageoises ; il avait très peu confiance en la médecine et refusait d'aller chez le docteur. La plupart des villageois croyaient qu'il avait le pouvoir de parler avec certains des esprits gardiens. Aussi, lorsque les enfants tombaient malades, des tas de gens venaient le consulter.

« Après qu'on eut demandé si mon grand-oncle avait fait "quelque chose" ces derniers jours, ma grand-tante se dit qu'il n'avait peut-être pas été très opportun de construire la latrine avec les poutres du grenier. Alors, elle et un jeune homme prirent une grande hache et descendirent à la latrine, et ils prétendirent avoir vu une créature ressemblant à un singe noir sauter à l'eau lorsqu'ils commencèrent à couper la passerelle en bois menant à la latrine.

— Dans quelle eau a sauté le singe ? demandai-je à Dewi.

— Un étang à poissons. Après cela, je me suis sentie mieux. Les gens racontaient que pendant que je délirais, j'ai dit toutes sortes de choses.

« Il y a beaucoup de choses que j'hésiterais à faire, même depuis que je suis partie. Par exemple, si je retournais au village, je ne plongerais jamais directement dans l'eau une marmite sortant du four. C'est considéré comme tabou. L'explication logique, c'est que la suie risquerait de salir l'eau.

« De même, dans les viviers, pour protéger les poissons nous devons mettre différents objets dans l'eau, en particulier des bambous taillés. » De grands bambous aux pointes acérées : obstacle caché, infligeant des blessures redoutables. « Peut-être contre les braconniers. Et il arrive, quand on vide les étangs, que des gens extraient les bambous et les posent négligemment contre le mur d'une maison. Pour un Pitapang, c'est transgresser un tabou, et nous ne devons jamais le faire. On m'a appris que si nous faisions ça le soir, les esprits se mettraient en colère et que la maison commencerait à trembler.

« Au village, ces tabous sont l'équivalent des feux de signalisation en ville — des choses auxquelles on doit obéir. »

La plupart de ces tabous ne s'appliquaient qu'au clan des Pitapang. Voilà pourquoi Dewi croyait que les Pitapang étaient l'un des clans les plus anciens, et qu'au tout début, lorsque les champs de riz furent arrachés à la jungle, c'étaient eux qui avaient passé les premiers accords avec les esprits gardiens des arbres et des sources. Maintenant encore, ces contrats devaient être respectés.

Au moment du mariage de Dewi, par exemple, il se passa des choses étranges dans la demeure ancestrale. La maison, dans le style traditionnel du Minangkabau, avec un toit cornu, était à l'abandon depuis trente ans. Les villageois disaient que des esprits la hantaient, et, enfant, Dewi n'avait jamais aimé s'en approcher. Mais la coutume exigeait que l'une des grandes réceptions du mariage se passât dans la maison ancestrale de Dewi. On ouvrit donc la maison et l'on entama les préparatifs de la grande fête. Des choses étranges commencèrent à se produire. Les meubles se déplaçaient de manière inexplicable et la nourriture disparaissait. Un cousin du grand-oncle maternel qui avait élevé Dewi — un cousin, pas l'ouléma qui se serait lavé les mains de toute cette affaire — dit alors : « Oh, peut-être avons-nous oublié les offrandes aux esprits ? » Ils avaient oublié. Comme les esprits ne vivent pas dans les clairières mais dans les grands arbres ou dans les sources, on jeta de la viande dans les fourrés à une cinquantaine de mètres de la demeure. Cela suffit à apaiser les esprits. Il n'y eut plus le moindre ennui ensuite.

On croyait dans le village qu'au commencement, il y avait trois clans. Les Pitapang étaient l'un d'eux. Les trois clans descendaient de trois cousins ; ils ne se mariaient pas entre eux. C'étaient les trois clans qui respectaient les tabous originels. Et les Pitapang avaient un don supplémentaire : ils étaient faiseurs de pluie. « J'ai remarqué, dit Dewi, que chaque fois que j'ai une grande fête, ce jour-là il pleut. Ne serait-ce qu'une heure ou une demi-heure. Je me suis mariée en avril. Une saison sèche. Le premier jour, la réception a eu lieu chez mon mari.

— Il appartient à l'un des clans ?

— A un clan différent, mais du même village.

— Mariage arrangé ?

— Choix personnel. Chez mon mari, il y avait des problèmes d'eau. La maison se trouve sur les hauteurs, et dépend entièrement de la pluie pour alimenter sa citerne. Ils doivent donc faire très attention à l'eau. Le premier jour du mariage, le réservoir était complètement à sec. Le lendemain, la fête devait se passer dans notre demeure ancestrale. » Elle n'avait pas servi depuis des années et était en mauvais état. « A trois heures du matin, le grand jour, la pluie s'est mise à tomber, à torrents, et tout le monde a été trempé dans la maison. La cuisine extérieure était complètement inondée. Mais le matin il faisait un soleil radieux, et tout a été parfait jusqu'à onze heures. Le marié est arrivé, et les invités. Quand tout le monde a été installé dans la maison il a recommencé à pleuvoir à verse pendant à peu près une heure. Ce genre de chose arrive à tous les mariages.

« Certains croient à tort que quand nous quittons le village, cette association des Pitapang avec la pluie disparaît. Il n'en est rien. Une de mes tantes a marié sa fille cadette à Djakarta. Aussi, craignant qu'il ne pleuve, elle a pris la peine d'aller voir un sorcier, un *dukun* célèbre pour ses exorcismes, à Banten dans l'ouest de Java. Le dukun a promis qu'il ne pleuvrait pas le grand jour. Et ma tante lui a donné de l'argent pour qu'il fasse les offrandes qui empêcheraient la pluie ce jour-là. Ici, c'est très habituel. Lors de la réception pour la fête nationale de Singapour, ils avaient un dukun pour être sûrs qu'il ne pleuvrait pas. A la réunion de l'APEC [une des conférences internationales auxquelles participait Dewi], on a fait venir des tas de sorciers.

« Ma mère et moi nous ne croyions pas que le dukun de Banten fût assez fort pour venir à bout de la tradition Pitapong de pluie pendant un mariage familial. Mon oncle, le mari de ma tante, vient d'une autre région de Sumatra ; il ne croyait pas un mot de nos croyances Pitapong. Il a déclaré : "Il ne va pas pleuvoir." Il n'a donc pas installé de tente sur la pelouse. Il a fait dresser joliment toutes les tables. Ils y ont passé la journée. Et à trois ou quatre heures du matin, le jour du mariage, le ciel s'est mis à déverser des trombes d'eau, et toutes les jolies tables ont été dévastées. Il croyait trop au dukun de Banten. Ça nous a beaucoup amusées, sur le coup, ma mère et moi. »

La pureté religieuse ou culturelle est un fantasme d'intégriste. Seules peut-être des communautés tribales isolées peuvent avoir une idée forte et simple de ce qu'elles sont. Nous sommes pour la plupart culturellement mêlés, à des degrés divers, et chacun vit sa complexité à sa manière propre. Certains se débrouillent instinctivement. D'autres, comme Dewi, peuvent en même temps être conscients d'eux-mêmes. Elle appréciait tous les nombreux fils de son passé. Elle disait : « Ma vie est riche parce que mes différents univers convergent. »

Lorsque, au bout de dix ans, elle quitta son village de Sumatra, ce fut pour se rendre en Angleterre, avec ses universitaires de parents. Elle avait très peu vécu avec ses parents ; mais elle découvrit qu'elle n'avait pas de conflit avec eux. Pas de problèmes de générations. Les années passées au village l'avaient rendue religieuse et conservatrice ; elle trouva ses parents trop libres, et parfois trop courtes et trop collantes les jupes de sa mère. Son attitude politique changerait, mais ses valeurs personnelles resteraient conservatrices ; bien que, en raison des traditions matrilinéaires du Minangkabau, ce conservatisme lui donnât une fierté féminine qui n'était pas strictement islamique.

À bien des égards, par conséquent, son amour des coutumes de son village l'exposait au vieux conflit intégriste de la région. Comme si la sanglante guerre religieuse du siècle dernier (qui avait détruit la famille royale du Minangkabau et son palais, et précipité la domination des Hollandais) n'avait rien réglé. C'était à quelque chose de ce genre, ou à un thème voisin, que devait penser Dewi — peut-être y avait-il même eu récemment quelques séminaires ou conférences universitaires sur la société « plurielle » : il y a pléthore de ces conférences en Indonésie, où elles représentent une sorte de succédané inoffensif à la liberté de la presse — car, sans aucun encouragement de ma part, elle poursuivit par une déclaration presque solennelle sur la vraie foi et les anciennes coutumes.

« Dans les relations entre les hommes et Dieu, on doit adhérer à la forme pure de l'islam, pas à la forme syncrétique. On ne peut pas être un bon musulman et observer des pratiques et des croyances polythéistes ou animistes. Mais quand il s'agit d'organiser les relations entre l'homme et ses voisins — comment vivre en société —, chaque groupe a des besoins et des usages différents. Je ne crois pas qu'une religion universelle ou une idéologie nationale devrait essayer d'abolir des pratiques coutumières tant que celles-ci ne violent pas les dogmes fondamentaux. »

C'était une reformulation de ce qu'elle avait dit du compromis entre l'islam et l'*adat*, les usages traditionnels, conclu à la fin du conflit religieux acharné du siècle dernier.

« L'islam a été placé au sommet, législation suprême à laquelle déférait l'adat. Comme dit le dicton : "L'adat repose sur la *charia* [la loi islamique], et la charia sur le Kitab [le Livre, le Coran]." Les pratiques violant explicitement l'islam étaient interdites — l'alcool, le jeu, les combats de coqs, épouser plus de quatre femmes. Mais d'autres aspects sont considérés comme acceptables, parce qu'il n'y a rien dans le Coran ou dans les paroles du Prophète contre le système matrilinéaire. »

Pourtant, bien que tout fût clair dans l'esprit de Dewi, les relations entre les hommes et Dieu ne se distinguaient pas toujours de celles entre voisins. Il y aurait toujours des ambiguïtés, même sur la situation des femmes, et ces ambiguïtés de la foi dans l'ouest de Sumatra attendaient de nouveau un déchaînement intégriste.

J'ai passé tout l'après-midi dans le bureau de Dewi. Quand j'en suis sorti, les bureaux du LIPI fermaient et la bureaucratique tour ronde, dont on eût dit que les détenus s'évadaient en masse, semblait plus impersonnelle que jamais. Sur l'avenue juste en face, j'ai hélé un taxi. Rien de plus simple ; mais le taxi était une ruine, vitres ouvertes et sans climatisation, et c'était l'heure de pointe. La circulation est toujours mauvaise à Djakarta aux heures de pointe ; mais c'était bien pire que d'habitude, parce plusieurs rues du centre, près du palais présidentiel, avaient été barrées ce jour-là pour préparer les cérémonies du RI50 — l'abréviation officielle du cinquantième anniversaire de l'indépendance indonésienne. De longues minutes, dans un embouteillage total, l'air chaud frémissant de gaz d'échappement et du scintillement des carrosseries, j'ai fixé l'arrière d'une camionnette :

Venez !
Ne vous laissez pas surprendre par
la MORT sans Jésus

Il y avait des autocollants comme celui-ci sur beaucoup de voitures et de camionnettes à Djakarta : le besoin religieux, le besoin de consolation par-delà ce que les hommes pouvaient offrir ; pour les évangélisateurs, le pays à demi converti était une proie toute désignée. Le jeune chauffeur de taxi, Sumatrien aux traits aigus, voyant en moi un Indien, dit en anglais que l'Inde était un très bon pays, plein de mystiques. Notre langage commun étant insuffisant pour développer ce sujet difficile, nous en restâmes là. Enfoncé dans son siège à demi effondré, les genoux largement ouverts, il agitait d'agacement ses jambes minces gainées de kaki et, pour passer le temps, se mit à m'apprendre l'indonésien. Après un long après-midi passionnant, la journée s'éteignait sur l'autoroute dans les vapeurs d'essence et l'air vibrant de chaleur ; une migraine s'installa.

C'est sous le charme de l'enchantement de Dewi que, de passage à Sumatra, je me suis rendu dans son village. Et, naturellement, tout était plus petit que je ne l'avais imaginé : ce que m'avait transmis Dewi à Djakarta, c'était l'enchantement qu'elle avait éprouvé petite fille.

La mère de Dewi prit quelques jours de congé de l'université de Padang pour me montrer les lieux sacrés. L'accompagnait un professeur invité, ami de la famille, qui avait fait beaucoup de recherches sur les coutumes locales. Il me dit qu'il avait demandé un jour à Dewi, quand elle était petite, ce qu'elle souhaitait faire lorsqu'elle serait grande. Elle voulait être ouléma, un théologien musulman. Seuls les hommes pouvaient devenir oulémas ; la réponse n'exprimait pas seulement l'admiration de Dewi pour son datuk, mais aussi la fierté de femme du Minangkabau qui lui était venue en même temps.

La demeure familiale où nous allâmes n'était pas celle où Dewi avait vécu enfant. C'était la maison de sa belle-mère, d'ailleurs parente éloignée de Dewi. Un bungalow moderne. Jalousies vitrées ; lourds fauteuils sculptés dans le style bourgeois indonésien ; un grand ornement de plastique sur une table latérale : un cocotier avec plein de noix, d'un dessin simple, et aux couleurs fondamentales ; deux rangées de bouches d'aération en ciment en haut du mur, l'ouverture en losange disposée verticalement dans la rangée supérieure et horizontalement dans l'inférieure ; une scène du *Mahabharata* sur un mur (hommage au passé hindou ou à l'adat), et sur le mur d'en face un manuscrit arabe. C'était moderne, bourgeois et banal.

Mais peut-être pas banal du tout pour la petite fille de Dewi, que sa mère avait envoyée vivre dans le village, comme elle l'avait fait à son âge ; et pour qui cette maison et la riche végétation protectrice à l'extérieur — cocotiers, bambous, bananiers, ramboutans, sapotilliers — pouvaient s'enrichir d'associations paradisiaques. Elle était rentrée de l'école pendant notre visite ; et voici que, ayant à peine changé de robe, un petit livre à la main et avec tous les signes de la satisfaction, elle repartait, cette fois pour sa leçon d'instruction religieuse.

Le ramboutan excepté, la végétation aurait pu être celle des Antilles. Mais, aux Antilles, le cocotier, le bambou et le bananier étaient d'importation ancienne, de cette partie du monde et du Pacifique. Tandis qu'ici le sapotillier (le chico d'Inde) avait été importé d'Amérique du Sud. On était parvenu de manières différentes à la similarité de la végétation. Celle des Antilles évoquait les plantations esclavagistes et aujourd'hui l'industrie touristique. Ce paysage demeurait la terre sacrée d'un clan antique.

Le surau, ou mosquée privée du grand-oncle maternel de Dewi — où, en raison de sa grande autorité et contrairement à la coutume, il avait vécu avec sa plus jeune épouse —, se trouvait dans une cocoteraie qui semblait à l'abandon.

La main-d'œuvre était rare ; les gens préféraient aller à la ville et à l'usine ; il n'y avait pratiquement plus personne pour curer les étangs et les canaux. Dans ce climat, où tout poussait vite, le chaos s'installait rapidement et non sans beauté. Des branches mortes de cocotier pendaient comme des plumes géantes du cœur pourrissant des arbres ; des lianes escaladaient les troncs de cocotiers et les abattaient en travers d'arroyos ou de mares frangées de fougères ; puis les troncs effondrés se ouataient de mousses, couche après couche, sur lesquelles les herbes folles ne tardaient pas à prendre pied. La jacinthe d'eau africaine, parasite tropical universel d'un vert et d'un lilas éclatants, étouffait les eaux libres, les transformant en marais. Et dans la pénombre de l'ancienne plantation, tout, y compris le ciel, se reflétait dans le peu d'eau claire qui subsistait.

Le surau était en ruine ; il n'allait plus résister bien longtemps. Il était étonnamment petit, en bois et en tôle ondulée. Le bois avait pris des teintes grises en pourrissant, et la tôle noircie était arrachée par endroits. Son architecture, bien qu'il fût dépourvu de toit cornu, l'apparentait à la maison traditionnelle du Minangkabau ; et, même délabré, le bâtiment principal (il y avait deux dépendances plus sobres) conservait son élégance. Le rez-de-chaussée était entièrement entouré d'une véranda couverte, dont le toit formait comme une frise de tôle ondulée. Plus petit, l'étage surgissant de cette frise était couronné d'un toit pyramidal abrupt, dont les lignes légèrement incurvées projetaient un épi élancé. L'énergie architecturale du bâtiment était presque toute concentrée dans ce toit, lequel exprimait parfaitement l'objet du surau, bien qu'il ne présentât aucun signe islamique patent : ni croissant ni croissant étoilé. L'usage de ces emblèmes était comparativement nouveau en Indonésie. Les mosquées pouvaient ressembler à n'importe quel édifice ; bien qu'aujourd'hui, dans la nouvelle atmosphère islamique, et pour islamiser les bâtiments ordinaires, il y eût des boutiques à Java qui exposaient devant leur porte des piles argentées de dômes et de croissants de tailles diverses (exactement comme d'autres échoppes proposaient des meubles ou des roues d'automobiles).

La demeure ancestrale au toit cornu de Dewi — là encore, plus petite que celle que j'avais imaginée — avait été réparée et meublée. Mais je n'aurais pas aimé y passer la nuit. Je me serais senti emprisonné dans la maison longue. Il m'aurait fallu une véranda, ou un autre espace autour de moi, ou un espace agencé différemment. C'était une habitation pour des gens qui vivaient autant dehors que dedans, et y étaient autant chez eux. Ce n'était pas un endroit pour les étrangers.

Près de là buissonnaient les bosquets où, pendant les préparatifs du mariage de Dewi, on avait jeté de la viande pour apaiser les esprits négligés de la forêt et des sources avec lesquels le clan avait passé contrat des centaines d'années auparavant, quand il avait abattu la forêt. Juste au-delà de l'ombrage s'étendaient les champs de riz (bordés maintenant de cocoteraies) pour lesquels ce contrat avait été conclu : pas nettoyés par endroits, avec un enchevêtrement de plantes aquatiques, et des taches béantes aux endroits où se clairsemait le riz mûrissant, là où les rats étaient allés. Comme à tant d'autres égards maintenant, le manque de main-d'œuvre se voyait.

J'ai demandé à la mère de Dewi quel âge elle donnait aux champs de riz. L'âge d'un champ de riz, répondit-elle, se jugeait à l'épaisseur de la boue. Ces champs avaient environ un millier d'années. On enfonçait dans cette boue jusqu'aux aisselles. Le professeur qui l'accompagnait leur donnait plutôt deux mille ans. Difficile à concevoir : ce champ, cette culture particulière, remontait au temps d'Auguste. (Et sur la route sinueuse de montagne entre Solok et Padang, une réserve naturelle montrait à quoi devait ressembler la végétation primaire : dense, l'air ancien, terne, d'un gris vert sombre, sans la fraîcheur ou la légèreté des plantes et des arbres cultivés.)

Et pourtant, on savait très peu de chose de cette immense histoire. Pas de documents, pas de textes ; seulement des inscriptions, et peu nombreuses celles-là. L'écriture était venue de l'Inde, avec la religion. Et tout le passé hindou et bouddhiste avait été englouti. Sans écriture, sans littérature, le passé se dévorait constamment. Les souvenirs ne pouvaient remonter qu'aux grands-parents ou aux arrière-grands-parents. Impossible de jauger le passage du temps ; un siècle était comme mille ans. Et tout ce qui subsistait ici de deux mille ans de grande organisation sociale, de culture, c'étaient les tabous et les rites de la terre dont Dewi m'avait parlé. Sa mère m'en apprit davantage. Par exemple, avant la moisson, on allait dans le champ mûr couper sept tiges de riz que l'on accrochait sur sa maison. Ensuite seulement on pouvait commencer la récolte. Personne ne savait pourquoi. Le mobile originel avait disparu au fil des siècles.

Le renversement des religions anciennes — religions liées à la terre, aux animaux et aux divinités d'une tribu ou d'un endroit particulier — par les religions révélées est l'un des thèmes obsédants de l'histoire. Même lorsqu'il y a des textes, comme dans le monde romain chrétien antique, le basculement est difficile à suivre. On n'aperçoit que des indications. Sans doute les religions terrestres sont-elles limitées : elles offrent tout aux dieux et très peu aux hommes. Si elles peuvent séduire aujourd'hui, c'est principalement pour des raisons esthétiques modernes ; et encore est-il difficile d'imaginer une vie qu'elles baigneraient entièrement. Les idées des religions révélées — le bouddhisme (si on peut l'inclure), le christianisme, l'islam — sont plus vastes, plus humaines, plus proches de ce que les hommes jugent être leur souffrance, et plus liées à une conception morale du monde. Il se pourrait aussi que les grandes conversions, de nations ou de cultures, comme en Indonésie, surviennent lorsque les gens n'ont aucune notion d'eux-mêmes, et nul moyen de comprendre ou de recouvrer leur passé.

Ce que l'intégrisme islamique a de cruel, c'est qu'il n'accorde qu'à un seul peuple — les Arabes, le peuple originel du Prophète — un passé, et des lieux sacrés, des pèlerinages et des cultes terrestres. Ces lieux sacrés arabes doivent être les lieux sacrés de tous les peuples convertis. A charge pour ces derniers de se dépouiller de leur propre histoire. Des peuples convertis n'est exigée que la foi la plus pure (si une telle chose est accessible) : l'islam, la soumission. De toutes les formes d'impérialisme, c'est la plus intransigeante.

CHAPITRE 5

Le kampung

Mariman et Fourqan étaient tous deux chercheurs au CIDES. Mariman avait vingt-trois ans, Fourqan à peu près le même âge ; et nul doute qu'ils savaient que grâce au CIDES ils prenaient un bon départ dans la capitale. Mariman, en fait, était déjà une sorte de célébrité. Adi Sasono me l'avait présenté comme un exemple de réussite du CIDES, et j'avais demandé à le rencontrer.

Aussi, sur les instances d'Adi, Mariman était-il venu à l'hôtel, avec Fourqan comme interprète. Mariman ne parlait pas anglais.

Nous nous rendîmes au kintamani, le kiosque (prétendument de style javanais) dans les jardins de l'hôtel, entre les courts de tennis et la vaste piscine. A l'heure du déjeuner, il y avait au kintamani une sorte de buffet-barbecue ; s'y ajoutait le soir un spectacle culturel local à la mode des grands hôtels. L'après-midi offrait un intervalle neutre : sièges vides, le soleil s'imposant du côté de la piscine, l'ombre des arbres de l'autre, avec un souffle de vent.

Fourqan — dont le nom de famille, Alfarouqiy, était aussi arabe que le prénom — venait de Sumatra. Mariman était javanais.

« Nous sommes différents, dit Fourqan. Nous autres de Sumatra, nous sommes des voyageurs — fût-ce jusqu'au bout du monde. Voilà pourquoi nous n'avons jamais le mal du pays. Au contraire de Mariman. Les Javanais ont ce proverbe : "Qu'il y ait à manger ou non, nous devons vivre ensemble." Ça veut dire que les Javanais doivent vivre à Java. Ils croient que Java est bien mieux qu'ailleurs. Mais maintenant, avec l'éducation, ils parviennent à en partir. »

Et Mariman avait une autre raison d'avoir le mal du pays : ses parents étaient divorcés, précisa Fourqan. Je notai cela comme un détail de sa biographie parmi d'autres. C'est seulement plus tard, après le départ de Fourqan et de Mariman, que certaines questions se présentèrent à moi, et ce fut une lourde tâche que d'obtenir des réponses à longue distance : joindre Fourqan au téléphone au CIDES, lui poser les questions, puis attendre qu'il me communique les réponses de Mariman. C'est donc seulement plus tard que j'appris que Mariman était l'un des dix-sept enfants des deux familles de son père, lesquelles habitaient le même village, mais séparément. Et ce n'est que beaucoup plus tard dans ce voyage que je compris que le modèle musulman du mariage multiple et du divorce facile ne relevait pas simplement de la libido masculine : il aboutissait à la destruction des familles. A une sorte de société à demi orpheline. Un père abandonnant une famille pour en commencer une deuxième ou une troisième : cette histoire revenait sans cesse. Voilà ce qu'il y avait derrière le mal du pays de Mariman. Mais sur le moment je ne pensai pas à en demander davantage, et je n'ai jamais su quand le père de Mariman avait répudié sa mère et quel âge avait alors Mariman.

Pendant son enfance au *kampung* (ou village), Mariman s'occupait des moutons et des buffles des autres. Il était payé en nature : agneaux, bufflons. Quand il eut vingt-deux moutons, il en vendit quelques-uns pour aller à l'école. D'abord deux, l'un quarante-deux mille roupies, vingt dollars, et l'autre cinquante mille, vingt-quatre dollars. Il les céda au marchand de bestiaux à qui son père avait affaire ; son père faisait le commerce des buffles.

« Pourquoi voulait-il aller à l'école ?

— Pour approfondir sa connaissance de l'islam. »

Ce devait être l'influence paternelle. Le père de Mariman était allé au pesantren du village. Il serrait des livres dans un placard. Toujours fermé, mais on savait que les livres étaient là. Le père était un homme instruit qui lisait et écrivait l'arabe, et le parlait même un peu.

« Mariman est quelqu'un d'inhabituel à Java parce que son père l'a instruit dans la religion, dit Fourqan. Son père lui a appris à prier quand il avait dix ans. Le commerce des buffles lui a rapporté assez d'argent pour faire le pèlerinage. C'était en 1985. [Mariman avait alors treize ans.] Il était très fier que son père aille à La Mecque. Celui-ci en est revenu avec la calotte blanche du hadji. Avant cela il portait une calotte noire. C'était la première personne du village à faire le hadj. Aujourd'hui, il y a trois hadjis au village.

— Le pèlerinage est le devoir suprême », dit Mariman, comme s'il commentait la traduction de Fourqan.

Sur ce fond de livres et de piété, Mariman fut admis en 1990, à dix-huit ans, à l'université musulmane de Malang, dans l'est de Java.

Être admis était une chose. Assurer son existence en était une autre. Et bien qu'il ne l'ait pas dit, ce dut être à cette époque que son père et sa mère divorcèrent. Mariman avait besoin de vingt-cinq mille roupies par mois, environ douze dollars, pour ses dépenses générales, et, pour la nourriture, de dix kilos de riz. Il rentra chez lui au kampung chercher le riz ; et sa mère lui donna les vingt-cinq mille roupies. Elle tenait une petite échoppe ou un éventaire de village où elle vendait des légumes, de menus en-cas pour les enfants, et des choses comme du savon et des friandises.

Par souci d'économie, il loua une chambre loin de l'université : quatre-vingt-dix mille roupies par an, environ quarante-quatre dollars, ou quelque quatre-vingts cents par semaine. Dans cette chambre il faisait cuire son riz ; et il achetait des légumes cuits à des marchands ambulants. Il mangeait rarement de la viande ou du poisson, et se rendait à pied à l'université. Il dépensait donc pour vivre moins de dix mille roupies par mois, quatre dollars quatre-vingts, environ seize cents par jour. Il parvenait ainsi à épargner quinze mille des vingt-cinq mille roupies que lui envoyait chaque mois sa mère. La troisième année, il put s'acheter des livres.

Ces sommes minuscules, avec lesquelles un homme pouvait néanmoins vivre, me fascinaient (lui aussi d'ailleurs, et Fourqan de même). C'était un sport en soi, une version des plaisirs de Lilliput. (On trouve des détails similaires dans les souvenirs de jeunesse de William Chambers, l'éditeur écossais du dix-neuvième siècle.)

À vingt et un an, en 1993, Mariman se mit à écrire. Extraordinaire, pour quelqu'un qui avait commencé dans la vie comme pâtre ; mais l'ambition, l'idée du possible, lui venait sûrement de son père désormais absent, l'homme instruit avec des livres dans un placard fermé. Mariman écrivait des articles économiques que publiait *Pelita*, un quotidien de Djakarta. Chaque article publié lui était payé cinquante mille roupies, presque dix dollars. Ces importants versements ébranlèrent son équilibre délicat de sommes minuscules, firent de lui un homme nouveau. Il commença à se dire qu'il avait un avenir. Conviction qui se renforça lorsque l'université Muhammadiya de Malang lui offrit un poste d'assistant. Il demanda l'avis de son père et de sa mère. C'étaient de petites gens, mais qui savaient acheter et vendre. Sa mère faisait cela tous les jours, à son petit éventaire, et son père était marchand de buffles. Ils trouvèrent le salaire trop faible, et Mariman rejeta la proposition. Il décida alors de quitter le kampung pour venir à Djakarta.

Djakarta était à l'autre extrémité de la longue île de Java. Le voyage coûtait cinquante mille roupies. Un article dans *Pelita* régla la question. Il avait des vêtements. Et un logement : la sœur de sa mère acceptait de l'héberger. Elle disposait d'une maison de trois pièces dans un bidonville du sud de Djakarta. Mariman avait un peu peur de se retrouver dans la capitale, parce que pour la première fois de sa vie il n'avait pas de proches parents à portée de la main. Mais les conditions de vie ne le gênaient pas. Il fallait pomper l'eau pour la salle de bains et la cuisine. Il vécut ainsi, dans la petite maison du sud de Djakarta, pendant sept mois, de novembre 1994 à la fin de juin 1995 — il y avait à peine six semaines de cela, mais déjà (une journée est très longue pour un jeune homme) cette existence lui paraissait très lointaine, et Mariman ne croyait pas qu'il pourrait vivre de nouveau dans ces conditions-là. Et bien qu'il ne l'ait pas dit, c'est certainement alors qu'il est devenu chercheur au CIDES.

« Le village lui manque-t-il ? demandai-je à Fourqan.

— Oui. Sa mère lui manque. Il aimerait retrouver l'atmosphère du kampung à Djakarta, mais c'est impossible.

— Que veut-il dire par l'atmosphère du kampung ?

— Le respect pour les aînés, prier ensemble à la mosquée. Mais il n'a plus peur de Djakarta aujourd'hui. Il essaie de recréer l'atmosphère du kampung dans son voisinage. Et il a une petite amie. Il projette de se marier aussitôt que possible. »

Mais Mariman commençait à peine sa carrière.

Je demandai à Fourqan : « A-t-il l'impression que sa vie s'est si complètement transformée ces sept derniers mois ?

— Il a l'impression d'avoir fait un grand bond intellectuellement. Mais il est devenu consommateur. »

Déjà cette piété, cette sagesse apprise.

« Que veut-il dire par là ?

— Il subit l'influence du consumérisme de la grande ville.

— Il porte une belle chemise et une jolie cravate vive. C'est cela qu'il entend par consumérisme ? »

La chemise était soigneusement choisie : blanche, le col boutonné, la chemise et la large cravate rayée reposant à plat sur sa poitrine presque plate. Un stylo agrafé à la poche. Un pantalon beige et une ceinture, qui soulignait sa taille étroite. Et des lunettes cerclées d'or. Tout disait la dépense, la réflexion ; jamais de sa vie, peut-être, il n'avait été vêtu avec autant de soin.

« Quand il était jeune, dit Fourqan, il portait des vêtements très simples et se sentait quand même à l'aise. »

Je percevais une certaine tension chez Mariman. Il avait conscience des vêtements qu'il portait, et peut-être le rendaient-ils nerveux. Peut-être le faisaient-ils s'inquiéter de l'orgueil et de la vanité de l'éphémère, et éveillaient-ils en lui, presque religieusement, quelque idée islamo-javanaise sur la chute plus dure que recèlent la chance et la réussite.

« Maintenant, dit Fourqan, il est fier d'être bien habillé, mais il ne croit pas que ce soit très important. »

Je demandai à voir la carte du CIDES de Mariman. C'était la carte standard (Fourqan en avait une, ainsi que Dewi Fortuna Anwar) avec CIDES écrit en grand dans le coin inférieur gauche. Le nom de Mariman était imprimé en petits caractères soulignés dans le coin supérieur droit :

Mariman Darto
Chercheur

C'était une partie du changement qui lui était advenu, mais ça ne lui montait pas à la tête. Il n'oubliait pas son kampung.

« Il n'y a personne comme lui dans son kampung aujourd'hui, dit Fourqan. Mais il parle aux gens. Et beaucoup sont fiers de lui, parce qu'il est resté humble, bien qu'il vive à Djakarta. Il retourne au village deux fois par an. S'il y a un événement au kampung, il y va. Il ne rate aucune prière. Les prières lui paraissent importantes, surtout en étant si loin de sa mère et de son père. Ce sentiment religieux fait de lui quelqu'un de très spécial dans son village. Certains de ses amis ont perdu leur respect d'homme et se sont mis à boire à la ville. La plupart de ces gens ont une faible éducation. Sa religion lui donne le sentiment d'être différent de ses amis.

— Que va-t-il se passer au village, à son avis ?

73

— Il a pour ambition de transformer le village et les disparités par l'éducation. Aujourd'hui son kampung change à cause de lui, de son prestige. »

En cela, comme par l'éducation, il était un prolongement de son père, le marchand de buffles, qui avait été le premier du village à faire le pèlerinage à La Mecque.

« Les gens suivent-ils son exemple religieux ?

— Nombre de ses amis, répondit Fourqan, estiment que la clef de sa réussite est son éducation et non sa religion. »

Je fus frappé par cette franchise : manifestement, Mariman s'appartenait encore.

Fourqan ajouta : « Mais après l'éducation, ils retournent à la religion.

— Fait-il une différence entre l'éducation et la religion ?

— Oui. Mais avec l'éducation, il peut aussi montrer comment agit une personne religieuse.

— Qu'est-ce que cela veut dire ?

— Il peut être un meilleur croyant

— Alors il partage les idées du professeur Habibie sur la religion et la technique ?

— Il a lu dans un magazine que Habibie jeûne deux fois par semaine, le lundi et le jeudi. Habibie peut donc conjuguer la réussite et l'esprit religieux.

— L'esprit religieux est nécessaire à la réussite ? »

La réponse fut indirecte, mais peut-être Fourqan n'avait-il pas compris la question.

« Beaucoup de gens au village jeûnent deux fois par semaine, mais quand ils vont au lycée, ils cessent de jeûner et deviennent mauvais. Ils abandonnent même le jeûne du ramadan. Alors lui, Mariman, représente une innovation.

— Deviennent mauvais ? Comment cela ?

— Ils travaillent dur à l'usine, ils croient qu'ils ne sont pas assez forts pour jeûner. »

La conversation tournait en rond. Peut-être que la personne en tiers, l'interprète, était une contrainte ; à moins que nous ne soyons vraiment arrivés au bout de ce qu'il y avait de frappant et d'original dans l'histoire de Mariman.

« Continue-t-il d'étudier sérieusement ?

— Il continue.

— Qu'aimerait-il devenir ?

— Un expert en économie.

— Il considère l'islam comme une source de force durable pour les gens ?

— Il est sûr que l'islam peut être une source de courage dans l'avenir. Il essaie donc de favoriser l'éducation des villageois. C'est l'idée qu'il s'efforce de propager dans le kampung.

— Un kiyai moderne ? » Un directeur de pesantren.

Mariman comprit le mot et éclata de rire. Il dit en anglais : « *Thank you, thank you.* »

Plus tard, je me rappelai avoir oublié de lui demander quelque chose. J'appelai Adi Sasono sur son téléphone portable, et lui, tout occupé qu'il était, transmit la question.

« Et qu'est-il arrivé aux moutons qu'il n'avait pas vendus ? Il en avait vingt-deux, et il en avait cédé deux pour aller à l'école. »

Deux jours après, sur un poste bruyant du CIDES, Fourqan me répondait : « Il les a donnés à son frère. Mais il ne veut pas que son frère continue dans cette voie. »

La richesse nouvelle était grande, et, à l'honneur du gouvernement, se propageait largement vers le bas. Une forte bourgeoisie nouvelle s'était créée, et les grands ensembles qui se construisaient à son intention dans les faubourgs de Djakarta surgissaient si nombreux, si vastes et si soudains, que certaines routes de campagne ressemblaient sur des kilomètres à des décors de cinéma, les vieilles rues villageoises — impression générale de bâtiments bas, de toits de tôle ondulée goudronnée et d'arbres fruitiers — subsistant intactes devant les nouveaux alignements sévères et sans arbres de béton ocre, de verre et de tuiles rouges. Si bien que deux formes de vie semblaient se dérouler en même temps au même endroit, prolongeant l'idée qui m'était venue le premier jour : que l'histoire existait ici en couches, qu'elle s'était tant accélérée ces cinquante dernières années — l'occupation japonaise, la guerre contre les Hollandais, les événements de 1965 et désormais l'immense richesse manifeste — que la plupart des gens, dans les nouveaux lotissements comme dans les rues villageoises à l'ancienne, n'étaient séparés que par deux ou trois générations du kampung ou de la simplicité agraire.

Dans les anthologies de la littérature indonésienne que je consultai pendant mon séjour, cette proximité du village revenait comme le sentiment irrésolu d'une perte. Celle-ci s'exprimait en histoires simples. Le vieux paysan descend de l'autocar dans la grande ville ; il apporte un cadeau pour un parent, originaire du village mais aujourd'hui général célèbre ou fonctionnaire important. Bouche bée devant les spectacles de la ville, le paysan peut se faire bousculer et insulter par les passants affairés. Divers souvenirs remontent à son esprit tandis qu'il s'achemine vers la personnalité. Plus il se rapproche, plus il est abasourdi par l'appareil du pouvoir. Le général ou le fonctionnaire est accueillant ou glacé — selon les inclinations politiques ou sentimentales de l'auteur ; mais à la fin, le paysan sait que c'en est terminé du passé.

La grande littérature, contrairement aux œuvres de polémique, ne peut naître que dans des sociétés offrant de vraies possibilités humaines ; et en Indonésie, au lieu de cela, on a un peuple pastoral qui a perdu son histoire ; qui a vécu des événements prodigieux, souvent tragiques, mais n'a pas les moyens — l'éducation, le langage et surtout la liberté — d'y réfléchir.

Abstractions : ainsi cet extrait d'un éditorial de l'*Indonesia Times* : « Le matérialisme imprègne encore la société indonésienne. Certains chefs religieux du pays estiment que l'émergence d'une basse moralité est le résultat de l'adoption sans discernement des valeurs occidentales [...] La meilleure manière de lutter contre le matérialisme et l'individualisme croissants est d'intensifier le contrôle inné de soi-même tout en instillant des enseignements moraux. Il faudrait intensifier l'éthique religieuse afin de contrer le matérialisme [...] » Et ainsi de suite, cette idée unique (un peu comme celle de Mariman) étant ressassée pendant neuf paragraphes.

Abstractions : le thème des festivités du RI50, présenté par le *Jakarta Post*, rapportant ou résumant un discours d'Emil Salim, président du comité des fêtes. Cela commence comme le programme d'une symphonie de Beethoven. « Sous le thème "Exprimer notre révérence et notre gratitude pour l'indépendance en exaltant les racines de la population de notre république", les commémorations prévues entrent dans trois catégories. » La première catégorie comprendra les programmes reflétant les cinq principes de l'idéologie de l'État : croyance en Dieu, unité nationale, consensus par délibération, humanisme, justice sociale. Pour illustrer le principe de la croyance en Dieu, le Conseil indonésien des oulémas engagera les musulmans à « effectuer un prosternement d'action de grâces après les prières du vendredi ». Le (ou les) principe de l'humanisme et de la justice sociale se traduira à la manière indonésienne : par un congrès national sur les droits de l'homme. Mais pas de congrès pour le principe démocratique : les hommes d'affaires français de Djakarta s'en chargeraient en organisant un spectacle de laser. Un somptueux défilé de bateaux à voile évoquera l'unité nationale. Et la solidarité sociale ? Impossible de l'oublier. On ne sait trop où elle se range dans la complexité — aujourd'hui — quasi bouddhiste des cinq principes et des trois catégories ; mais on la célébrera ainsi : Emil Salim demandera aux entrepreneurs de « restituer quelque chose à la communauté en réduisant leurs marges bénéficiaires pour offrir au public des soldes géants. Et il ne faudrait pas que cette réduction s'applique à des marchandises usagées ou défectueuses... »

Un peuple simple engagé dans de grands événements. Et dans une occasion comme le RI50 bien des mots seront employés mais peu auront un sens ; puisque la réalité, que tout le monde comprend, n'a pas besoin de mots. La religion, la consolation recommandée par l'éditorial de l'*Indonesia Times*, s'ajoutant à la simplicité — comme, trente ans auparavant, à une époque plus pauvre et plus sombre, le communisme.

J'ai parlé des abstractions du langage à Goenawan Mohamad. Homme de lettres universel, à l'indonésienne, pratiquant toutes les formes, Goenawan est surtout connu comme essayiste. Ses compatriotes admirent non seulement son savoir, l'indépendance de sa pensée et l'élégance de son esprit, mais aussi son maniement de la langue indonésienne.

Il naquit en 1940 dans un petit kampung de pêcheurs. En 1946, son père fut tué au cours de la guerre contre les Hollandais (mais Goenawan ne leur en garde pas rancune). C'est sa mère, qui ne savait ni lire ni écrire, qui éleva les enfants. Elle vivait du commerce des œufs, qu'elle achetait dans le centre de Java pour les vendre à Djakarta. La jeunesse orpheline de Goenawan ressemblait à celle de Mariman (bien que pour des raisons différentes et en des temps beaucoup plus troublés) ; et, comme pour Mariman, la famille ne se limitait pas à la pauvreté et à la lutte. Celle de Goenawan sortait manifestement de l'ordinaire : ses deux sœurs étaient devenues enseignantes ; un de ses frères médecin ; et lui-même, par son travail de journaliste et d'écrivain, assurait très largement son indépendance matérielle.

Il s'était tenu à l'écart des communistes dans les années cinquante et le début des années soixante, comme il se tenait aujourd'hui à l'écart des religieux. Loin d'être une simple singularité politique ou personnelle, cette indépendance reposait sur sa qualité et son amour-propre d'écrivain. La bonne littérature ou celle qui a une valeur dépasse la compétence technique ; elle procède d'une certaine intégrité morale. L'auteur qui s'aligne sur une grande cause publique comme le communisme ou l'islam, aux tabous déclarés, est très vite contraint à la falsification. L'écrivain qui ment trahit sa vocation ; seul celui de deuxième ordre s'y résout. Dans un pays comme l'Indonésie, la grande tragédie, la corruption durable des générations perdues de l'après-guerre, communistes autrefois et aujourd'hui intégristes, est cette sorte de médiocrité.

« Je ne crois pas que les Indonésiens instruits parlent la moindre langue qui puisse servir à exprimer et développer leur pensée, dit Goenawan. A l'époque de Soekarno, le langage était orienté vers un usage totalitaire, et sous le régime de Suharto il s'est bureaucratisé. J'écrivais des poèmes dans les années soixante et j'ai découvert que tout le langage avait de grandes connotations abstraites — nation, peuple, révolution, socialisme, justice. Je me sentais si seul. Quand je m'asseyais dans la vieille galerie, je voyais des oiseaux, des moineaux. J'avais oublié cette chose, le petit détail fugitif. Tout s'inscrit là-dedans. Même certaines idées libérales d'adoption. Comme l'économie de marché. Tout cela est mort, n'est pas né de l'expérience, du sol, de la rue. »

Les traditions locales survivantes n'étaient pas assez fortes pour faire face à ces idées d'emprunt. « Les gens subissent des changements très rapides. Ainsi, il n'y a pas de vie *citadine*. Les gens ont le cerveau, les craintes, les traumatismes, les attitudes de leur passé. Ils essaient de revenir en arrière pour trouver une communauté. Voilà pourquoi la religion est si importante — le nombre de jeunes qui vont à la mosquée, à l'église ! Les anciennes traditions locales — pas islamiques ou chrétiennes — ont été érodées.

« Mon beau-frère devait épouser une Javanaise. La famille voulait un mariage javanais. Mais il n'avait aucune idée de ce dont il s'agissait. Alors qu'a-t-il fait ? Il s'est adressé à un conseiller spécialisé. Il y a aujourd'hui un tas de ces conseillers en mariage, qui gagnent beaucoup d'argent. Les traditions subsistent comme un beau souvenir.

« Ma femme avait un oncle qui avait reçu une certaine éducation. Il parlait hollandais. Il était officier dans l'armée juste après la révolution, dans les années cinquante. Il lisait l'anglais. Il lisait le hollandais. Mais ce qu'il présentait comme sa pensée était un salmigondis embrouillé. Par exemple : il y a trois, quatre ou cinq ans nous avons eu une éclipse totale du soleil et les gens sont allés la voir à Borobudur [la pyramide bouddhiste du septième siècle]. Borobudur sous une éclipse solaire totale. Et cet oncle — je l'appelle mon oncle — m'a raconté que les gens s'étaient rendus à Borobudur pour chercher un livre qui contient le secret de la vie. Vous vous rendez compte ! Et il y a tant de choses comme ça.

« Cet oncle n'était pas précisément préparé. Il n'a jamais eu la moindre pensée critique. La démocratie ne consiste pas à voter. C'est un débat, une qualité de vie intellectuelle. Le rétrécissement mental n'est pas orchestré par Habibie ou n'importe qui d'autre, mais par ce nouvel afflux d'étudiants aux origines provinciales qui veulent des certitudes en cette époque de confusion. Le régime ne propose pas d'idées. Il n'y a donc pas de débat. Les idées tombent dans les casiers prédéterminés, et y restent, à l'état brut. »

CHAPITRE 6

Sous la lave

Je me rendis dans la vieille ville royale de Djogjakarta, dans le sud de Java, pour voir Linus, un poète que j'avais rencontré en 1979. Il avait alors vingt-sept ou vingt-huit ans ; et bien que, à ma connaissance, il n'eût encore rien publié d'important, il était assez connu. La culture et l'esprit de l'ancienne Java étaient, disait-on, ses sources d'inspiration, et il vivait dans un village non loin de Djogja.

L'un des premiers à avoir encouragé Linus était Oumar Kayam, universitaire, écrivain et prodigieux pilier de colloques et de conférences ; et c'était Oumar Kayam (il ne s'agissait pas d'un pseudonyme, son père l'avait baptisé ainsi) qui m'avait emmené un jour dans le village de Linus. Nous étions allés chez lui et avions rencontré sa mère et d'autres personnes ; puis, le reste de la matinée, Linus nous avait promenés dans le village en nous présentant à l'un et à l'autre.

Linus s'était montré déférent envers Oumar, d'une vingtaine d'années son aîné, et j'avais eu l'impression qu'il était sur le point d'entamer sa carrière poétique. Ce n'était pas tout à fait le cas. J'appris cette fois à Djakarta qu'à l'époque de notre rencontre Linus avait déjà composé un très long poème narratif, « La Confession de Pariyem ». Et j'allais également apprendre, de Linus lui-même, qu'Oumar, qui lisait le poème à mesure qu'il était écrit, s'inquiétait de sa longueur. A un moment il avait dit : « Assez. C'est assez long comme ça. Ça prend l'allure d'un ancien poème javanais du dix-neuvième siècle. » Comme tant d'autres écrivains en quête d'encouragements, Linus avait préféré suivre sa propre intuition et avait continué. A peu près un an après notre rencontre dans son village, il avait publié son poème. Celui-ci avait eu beaucoup de succès ; il s'en était vendu vingt mille exemplaires ; c'était encore aujourd'hui son œuvre la plus connue.

Dans une anthologie en anglais, *Menagerie*, j'en lus un extrait en traduction, que Linus et Oumar devaient avoir à l'esprit tandis que nous nous promenions dans le village. Le poème — qui avait pour héroïne une villageoise et pour cadre un village qui ressemblait peut-être à celui où nous nous trouvions — chantait sur le mode de l'élégie les usages et le calendrier particulier de l'ancienne Java. Même la bonne et soigneuse version anglaise (de Jennifer Lindsay) révélait — en dehors des inévitables passages érotiques — à quel point le sentiment élégiaque de Linus, et toutes les singularités culturelles qu'il impliquait, était difficile à comprendre en dehors de son cadre. Seuls des mots javanais pouvaient décrire certaines réalités javanaises, et ils étaient seuls à pouvoir exprimer les émotions javanaises :

> Mon père faisait partie d'une troupe de *ketoprak* à Tempel.
> Il revenait à la maison une fois par semaine.
> Et le *gamelan*, pétulant
> Tonitruant, rapide,
> Jouait dans le mode *slendro-sanga*,
> Signe que le *gara-gara* avait commencé.
> Et la lune s'inclinait vers l'ouest,
> Signe que l'aube était proche.

Un climat différent, un emploi du temps différent, des associations différentes entre la musique, le théâtre, le moment et le paysage : tout cela transparaissait de la description d'une chose aussi connue que le théâtre d'ombres javanais. Nul doute que certains domaines complexes du sentiment, de la croyance et du rite étaient intraduisibles, que seul le javanais pouvait les transmettre aux Javanais. Et c'était peut-être pour une raison semblable que dans l'ouest de Sumatra une culture du riz aussi riche, complète et organisée que celle-ci — et sans nul besoin d'archives — n'avait, au bout de mille ou deux mille ans, laissé aucune trace en dehors des tabous et des noms de clans. Une fois le monde ancien perdu, il était impossible d'en reconstituer les émotions spécifiques.

En 1979, Java m'avait donné — peut-être de manière trop romantique — l'impression d'être unique en son genre, et d'être en même temps une civilisation complète. Le village de Linus avait nourri cette idée pastorale ; et au fil des ans, l'imagination avait enrichi les détails : les champs de riz arrivant jusqu'aux maisons, la végétation du village dont chaque élément avait sa raison d'être, les autels de la déesse du riz, l'élégante mère de Linus. Dans mon souvenir, elle était restée telle que je l'avais vue ce matin-là : revenant dans ses plus beaux atours d'une course à la ville, femme de haute civilisation, échangeant de longues politesses avec Oumar Kayam dans le vieux langage de la cour (selon Oumar), parlant la tête rejetée en arrière, déplorant dans un flot de paroles joliment modulées l'oisiveté de Linus, refusant de prendre sa poésie au sérieux, puisqu'elle considérait (dans son univers parfait) que toute poésie était déjà écrite et que de nouveaux poèmes étaient une absurdité.

C'était cette matinée pastorale que je souhaitais revivre. Et voilà que j'appris que Linus venait d'avoir des ennuis avec les musulmans de Djogja. Ils dénonçaient un article qu'il avait écrit et réclamaient sa peau. Linus signait *Linus Souryadi AG*, et cet AG n'était pas une décoration locale, comme il semblait, mais l'abréviation d'Agostinus, qui était sa manière de proclamer qu'il était catholique romain. Je savais sans doute cela en 1979, mais n'aurais pu alors l'apprécier à sa juste valeur ni en comprendre le contexte : la rivalité entre les deux grandes religions révélées pour conquérir l'âme du pays colonisé, à demi converti, qui avait perdu contact avec ses croyances propres, avec son intégrité personnelle.

L'affaire Linus avait fait sensation ; l'armée avait dû lui offrir sa protection. Et si les choses s'étaient calmées depuis, je savais que la terre avait tremblé dans l'Éden.

Linus n'avait pas le téléphone, mais dans sa réponse à ma lettre il disait que deux de ses amis de Djogja en avaient un et prendraient un message. J'appelai l'un des amis ; et quand j'arrivai à l'hôtel Meliá, un message de Linus — imprimé à partir d'un ordinateur — m'attendait : il viendrait me chercher le lendemain matin après neuf heures. Cet « après » était inquiétant ; il se présenta à deux heures de l'après-midi.

Il portait un ensemble en jean bleu clair. A quarante-quatre ans, il était plus large et plus robuste que dans mon souvenir, et pas aussi grand : difficile de retrouver le jeune homme mince en pantalon kaki et chemise blanche qui, dans la maison, écoutait attentivement quand sa mère ou Oumar parlait, et qui, respectueusement, lorsque nous sortîmes nous promener, nous présenta son village, ses usages et ses habitants.

Il était venu en moto (voilà qui expliquait l'ensemble en jean), et avait eu une panne. Il dit que le message que l'hôtel avait élégamment imprimé à mon intention n'était pas de lui mais de son frère cadet. Il n'aurait jamais su que j'étais là s'il n'avait pas, tout à fait par hasard, rencontré celui-ci dans la rue quelques instants auparavant.

Une voiture de l'hôtel nous conduisit dans son village. En songeant aux récents ennuis de Linus, il me sembla voir en traversant la ville des signes de la récente agressivité musulmane : dans la nouvelle école islamique, avec ces petites filles dont le voile blanc soulignait l'apparence mongoloïde, les privait d'individualité et les faisait ressembler, en groupe, à de petits bancs de têtards à la grosse tête blanchie ; chez les nombreux marchands de matériaux de construction qui exposaient devant leur boutique des dômes couleur d'argent ou de fer-blanc surmontés du croissant étoilé ; et dans l'énorme panneau au-dessus d'un immeuble qui annonçait en anglais, en épaisses lettres rouges : MOS-LEM FOOD. Linus m'expliqua plus tard que ces mots anglais devaient signifier que la nourriture venait de pays arabes ou étrangers.

En dehors de la ville, la route ne changeait guère. Les villages se succédaient, et sur une certaine distance les constructions se pressaient de part et d'autre de la voie. Les champs, la campagne pure, devaient être derrière. Mais de plus en plus, même sur la grand-route, la campagne gagnait ; et en voyant cela, le paysage rustique minutieusement cultivé, surpeuplé, de Java resurgit dans ma mémoire. Le moindre lopin de terre était utilisé. Dans leurs digues, les petits champs de riz, de tabac, de piments ou de maïs s'étendaient à perte de vue, séparés par des bananiers et des maniocs aux tiges noueuses, festonnées de jeunes feuilles pourpres.

Dans la pastorale de mon souvenir, la maison familiale de Linus se situait à la lisière des champs sous l'ombrage des arbres. Il n'en était rien : la maison, basse, aux murs de ciment, s'élevait, presque sans ombrage, au bord de la grand-route, qui semblait traverser une bourgade plutôt qu'un village. Sur des kilomètres — renforçant l'effet citadin — la route avait été décorée pour le RI50 de drapeaux indonésiens rouge et blanc et de bannières colorées plus rudimentaires (telles des feuilles dressées de bananiers) sur des perches de bambou, inclinées vers la chaussée pour former ce qui ressemblait à des rangées d'arcs gothiques brisés : ornements, me dit Linus, qui n'avaient pas été payés par le gouvernement de Djakarta mais par la municipalité.

Le village de ma pastorale n'avait pas disparu. Ma mémoire avait simplement amalgamé celui où Linus avait sa maison avec un autre village, où Oumar et moi avions été emmenés lors de notre promenade pour voir une grande demeure javanaise traditionnelle qui appartenait à l'un des nombreux parents de Linus.

La cour devant la maison de Linus était plate, dure et nue. Pour qu'on puisse y faire sécher le paddy, expliqua Linus ; ou y dresser une tente en bambou pour une fête. Des deux côtés de la cour nue poussaient des arbres ou des plantes utiles : caféiers, cocotiers, *chicos* d'Amérique du Sud ou sapotilliers, un goyavier (autre importation sud-américaine, que certains appellent l'herbe brésilienne) — tout poussait bien dans le sol volcanique. Sur un troisième côté de la cour nue, et uniquement pour l'ornement, une tache irrégulière d'herbe de Manille, serrée et élastique comme le velours d'un tapis épais, était bordée d'hortensias et de grands zinnias, ainsi que d'un agrément abandonné : un bassin abîmé, à l'apparence souillée.

Nous entrâmes dans la pièce de devant, qui faisait toute la largeur de la maison. Sol de ciment très lisse, plafond de nattes, aujourd'hui noircies. A droite se trouvaient des fauteuils bas et poussiéreux, à gauche la pièce était coupée par une cloison, contre laquelle s'adossaient une petite table recouverte de toile cirée et deux chaises de cuisine. Sur le mur de devant, à l'abri de la violente lumière extérieure, étaient affichés une photographie du prince Charles, avec la copie imprimée d'une lettre qu'il avait écrite sur l'Indonésie (à l'occasion d'un festival des arts indonésiens du spectacle qui s'était tenu à Londres) ; ainsi que les certificats et diplômes sanctionnant les cours spéciaux que Linus avait pu suivre dans des universités étrangères : la toute petite monnaie de la bienveillance diplomatique qui, dans des pays comme l'Indonésie, assure à des gens comme Linus un peu d'aventure, de voyage, de délassement.

Une vieille femme très petite, en corsage et sarong d'un brun grisâtre, sortit de la pièce de derrière, pour être présentée, comme l'exigeait la politesse. C'était la mère de Linus, ratatinée et effacée par l'âge. La femme que je conservais dans ma mémoire depuis seize ans était dans ses plus beaux atours et revenait de faire les courses, les cheveux soigneusement peignés, aplatis et raides, le visage aux pommettes saillantes chaleureux, brun et rejeté en arrière, les yeux étincelant de courtoisie envers Oumar et de reproches à l'égard de Linus. Le corsage et le sarong brunâtre de cette petite femme, un peu courbée, s'accordaient avec son teint, qu'ils ternissaient. C'étaient sans doute ses vêtements de travail. L'après-midi était avancé et bientôt, quand il ferait plus frais (autre distribution du temps), elle se rendrait au champ de riz. En 1979, je ne l'avais pas imaginée faire ce genre de travail.

Elle parla peu, d'une voix discrète, et ne s'attarda pas avec nous. Puis, comme s'il y avait la queue, quelqu'un d'autre commença à sortir de la pièce de derrière. J'entendis des mots bizarrement déformés par la colère et les larmes, qui s'enflèrent en un son strident et profond ; avant même de voir qui était ainsi hors de soi, presque à en hurler, je sus que c'était la sœur handicapée de Linus. J'avais oublié, gommé de ma pastorale, cette ombre dans la vie de Linus. Mais soudain ce fut comme si je ne l'avais jamais vraiment oubliée, mais seulement rangée très à l'écart, et aussitôt tout me revint : la jeune femme silencieuse aux gestes incohérents qui était sortie d'une pièce latérale sombre en traînant ses pieds empantouflés, pour s'asseoir sur un siège dans le coin en nous regardant bien en face, nous les hôtes, gens nouveaux, attablés devant des platées d'épis de maïs fumants, l'hospitalité villageoise, l'abondance paysanne : elle nous considérait d'un œil furibond, larmoyant, mais qui quêtait l'attention, sa bouche tordue grande ouverte et baveuse. On eût dit une adolescente, mais elle avait vingt-cinq ans. Quand nous sortîmes de la maison, Oumar Kayam me dit qu'on lui avait fait, enfant, une piqûre mal dosée qui avait endommagé son système nerveux.

La femme qui entra en pestant dans la pièce de devant avait maintenant quarante et un ans. Ce n'était pas à Linus qu'elle en avait, mais à moi. Elle semblait tonner, tonner contre moi, essayant de parler sans que les mots puissent sortir, et pleurant entre ces efforts, la bave dégoulinant des lèvres et de la bouche tordue ; on eût dit les gestes d'un professeur d'élocution à l'ancienne. Linus, la tête légèrement inclinée, la laissa rager. Il écoutait ; il savait ce qu'elle essayait de dire. Ses yeux débordaient de souffrance et de tendresse.

Quand elle eut fini et qu'elle eut quitté la pièce, il me raconta ce qui était arrivé. Il y avait eu une cérémonie chrétienne de bénédiction de la maison chez un de leurs frères aînés, combinée avec la célébration du cinquantième anniversaire de l'indépendance indonésienne. Le prêtre distribua la communion à la fin mais, ne sachant comment offrir le vin et l'hostie à la sœur de Linus, il la laissa de côté. Elle était rentrée furieuse et se plaignait à tous ceux qui venaient à la maison. Quand il lui arrivait des choses pareilles, dit Linus, ils avaient des problèmes terribles avec elle pendant trois jours.

Même sans le spectacle de la mère et de la sœur, j'aurais senti qu'une

lumière s'était éteinte dans la maison. Et voilà que j'appris — indirectement, sans qu'il fût question de tragédie — que le père de Linus était
mort deux ans auparavant et que la famille était maintenant très
pauvre. Le père de Linus était le chef du village. A Java, où tout était
extrêmement organisé, c'était un poste officiel. (On dit que les Japonais
sont responsables de cette organisation quasi militaire de Java, mais
l'occupation japonaise n'a duré que trois ans et demi. Peut-être que le
servage en vigueur dans les anciens royaumes javanais puis la colonisation agricole hollandaise avaient toujours exigé une organisation
étroite.) Le père de Linus était devenu chef du village grâce à ses relations familiales. Un chef de village recevait un hectare et demi de terres
pendant son mandat ; mais la règle voulait que ces champs fussent rendus à l'État mille jours après sa mort.

Voilà pourquoi la mère de Linus était désormais pauvre et la maison
si morose ; et pourquoi ces temps-ci, dit Linus, sa mère maudissait son
grand-père. Cet aïeul, après avoir eu trois enfants (dont le père de la
mère de Linus), avait pris une deuxième épouse dont il avait eu deux
enfants. La première famille s'était donc retrouvée appauvrie. D'autant
que, par la suite, le grand-père avait divisé ses biens d'une manière
inégale.

Pas plus tard que la veille, dit Linus, sa mère s'était encore répandue
en injures contre son grand-père et il avait dû se montrer ferme avec
elle : « Pas de larmes, s'il te plaît. N'aie pas ce genre de pensées. Songe
plutôt à tes enfants qui sont allés à l'université. Mieux vaut regarder
vers l'avenir. »

En fait, c'était à cause de la prédication chrétienne contre la polygamie qui leur avait causé des souffrances personnelles, que le père et la
mère de Linus — en 1938 seulement — s'étaient convertis au christianisme. Ils n'étaient pas musulmans auparavant, mais javanistes,
adeptes d'une religion locale mélangeant des restes d'hindouisme, de
bouddhisme et d'animisme. Tous deux avaient fréquenté des écoles
chrétiennes ; c'était là qu'ils avaient découvert le christianisme. Leur
conversion n'avait pas marqué une rupture avec le passé.

« Ici, même quand nous devenons chrétiens, nous conservons nos
coutumes anciennes. Porter des fleurs au cimetière, prier les esprits de
nos ancêtres. Quand quelqu'un meurt, encore aujourd'hui dans notre
communauté chrétienne, nous avons des rites mélangés. Cérémonies
trois jours après le décès, puis sept jours, quarante jours, cent jours, un
an, deux ans, mille jours après. » A cause de son père, Linus avait ces
cérémonies mortuaires présentes à l'esprit.

« Le christianisme est important, dit-il, parce qu'il apprend à aimer
les autres comme on s'aime soi-même. Il nous enseigne à devenir plus
tendres, pas sauvages ou agressifs. Dans le javanisme, nous avons aussi
cette notion de retenue. Il est donc facile pour les Javanais d'embrasser
l'enseignement du Christ. »

Sur le mur intérieur de ciment, au-dessus de la porte centrale par
laquelle la mère et la sœur de Linus étaient sorties de la pièce arrière,

pendait une grande croix brune qui surmontait une grotesque marionnette de cuir. C'était la représentation standardisée du clown Semar du théâtre d'ombres, personnage, dit Linus, de l'une ou l'autre des deux épopées hindoues javanisées, le *Ramayana* ou le *Mahabharata* : « un dieu transformé en homme, qui est toujours du côté des bons ».

En 1979, il y avait déjà une marionnette de cuir, mais je ne me rappelais pas Semar. C'était une autre figure. Mais je ne pouvais dire laquelle et je ne le demandai pas à Linus. C'est seulement en travaillant à ce chapitre que je vérifiai, et découvris que l'effigie mascotte sur le mur, la divinité adjointe de la maison, au-dessus des fentes de ventilation horizontales et en dessous de la Croix, était le Krishna noir. Pas le Krishna espiègle de l'Inde, qui vole le beurre fraîchement baratté de la fermière et cache les vêtements des laitières pendant qu'elles se baignent dans la rivière ; le Krishna noir de Java, représentation de la sagesse. Ce Krishna-là eût été un protecteur suffisant pour un homme commençant une carrière de poète. Maintenant, dans une période de chagrin et de dénuement plus profonds, Semar — le dieu-homme qui aidait les bons — était une divinité plus appropriée.

Linus avait cloué la silhouette par le haut du corps, si bien que bras et jambes avaient toute liberté de bouger.

« J'essaie de comprendre ma culture, dit-il. Le genre de mythe qui y subsiste. »

Et pour Linus, une bonne partie du mythe de sa culture était préservé par le *wayang koulit*, le théâtre d'ombres. Son amour du wayang touchait à la révérence. Peut-être en avait-il hérité de son père, qui, outre ses responsabilités officielles de chef de village, enseignait la danse javanaise et montait un spectacle de danse une fois l'an pour la fête nationale. Avant d'aller à l'école, Linus regardait le wayang tous les jours : chaque jour il y avait une représentation de marionnettes au village. Et même quand il commença à aller à l'école, il continua d'aller au wayang presque quotidiennement. En rentrant de l'école il mangeait et prenait une douche et, vers huit ou neuf heures, se rendait à un spectacle nocturne. Les *dalangs* — les marionnettistes, les conteurs — les plus chevronnés se chargeaient du spectacle pendant la nuit jusqu'à cinq heures du matin, tandis que la séance de la journée, qui commençait vers dix ou onze heures, revenait aux plus jeunes.

« Il arrivait que les gens s'endorment et se réveillent plus tard. Ce n'est pas comme un spectacle occidental. On invitait les dalangs aux mariages, aux circoncisions ou à certaines cérémonies javanaises pour célébrer le nettoyage des rues, du village ; ainsi qu'aux fêtes de la déesse du riz. »

Ainsi, comme dans le passage de « La Confession de Pariyem » que j'avais lu, le wayang — couplé à des manières différentes d'utiliser le jour et la nuit, à des modes de vie différents et à de très vieux rites locaux — déclenchait des émotions auxquelles l'étranger avait difficilement accès. Ce monde ancien de sentiments était cher à Linus, et il lui semblait qu'il était désormais en train de se perdre. Les gens (même la mère de Linus) regardaient la télévision davantage. Et le village était plus pauvre, et les dalangs plus coûteux. Autrefois, une famille pouvait inviter un dalang en vendant quatre cents kilos de riz. Aujourd'hui, le cachet minimum, pour un simple dalang de village, s'élevait à un million de roupies, quelque quatre cent vingt-cinq dollars. Les dalangs de cour plus raffinés de Djogjakarta et de Solo pouvaient réclamer deux à quatre fois cette somme.

Linus vivait donc avec l'idée de décadence, d'un monde précieux en voie de dissolution. Ses récents ennuis avec les jeunes musulmans de Djogjakarta semblaient faire partie de cette incertitude nouvelle.

« J'écris une brève chronique culturelle pour le journal local. J'étais chargé cette année de la section de littérature javanaise et indonésienne au festival d'art de Djogja. Dans l'un de mes articles, je tentais de présenter la musique javanaise encore vivante dans notre société mais qui n'est plus populaire aujourd'hui. Dans le gamelan, il y a un instrument qu'on appelle le sitar et un groupe qu'on appelle *sitaran*. On invite ce sitaran lors des cérémonies de mariage et de circoncision. J'essayais de comprendre la coutume de la circoncision. J'ai appris dans l'Ancien Testament que c'est le prophète Moussa[1] qui a introduit cette coutume, et Moussa est juif. Juif en indonésien se dit "Jahoudi", et la circoncision *jahoudi-sasi*. Je voulais simplement faire une remarque historico-culturelle. Dans la perspective du festival. Et je ne me référais pas seulement à la coutume musulmane, parce que, ici, les chrétiens pratiquent aussi la circoncision. Aujourd'hui, ce n'est plus simplement une affaire religieuse mais une précaution d'hygiène.

« Je suis allé au journal, au bureau, le jeudi après-midi, deux jours après, pour toucher l'argent de mon article. Soixante-quinze mille roupies [environ trente-cinq dollars]. Et les journalistes m'ont dit que de jeunes musulmans venaient d'apporter un tract au journal. Le tract disait : "A mort Linus. Linus se moque des musulmans." Ils essayaient de soulever les étudiants.

— Ne vous attendiez-vous pas à une réaction de ce genre ?

— J'ai été surpris. Je croyais que si quelqu'un n'était pas d'accord, il demanderait à répondre dans le journal à ce que j'avais écrit. Peut-être qu'ils ont une crise d'identité. Ce sont des jeunes qui n'ont pas fini leurs études à l'université.

« Je suis rentré chez moi, et le lendemain matin des soldats sont arrivés avec un capitaine et ils ont dit : "Linus, qu'est-ce que tu as fait ? Tu t'es moqué des musulmans ?" J'ai répondu "Non". Le capitaine avait un exemplaire du journal. Il a dit qu'il ne voyait aucune référence aux musulmans. Puis il a ajouté : "Maintenant nous allons tous aller à Djogja. Et suivez-moi, s'il vous plaît." Et nous nous sommes rendus au quatrième échelon du commandement local. »

C'était sa manière d'indiquer à quel point l'armée avait pris l'affaire

---

1. Moïse en arabe et pour les musulmans. (*N.d.T.*)

au sérieux. Sur une serviette en papier rose — nous étions assis l'un en face de l'autre à la table de cuisine auprès de la cloison, sur laquelle était fixée une étagère pleine de souvenirs et de bibelots — il esquissa un croquis pour expliquer la structure du commandement militaire local.

Cet intérêt pour l'organisation de l'armée me déconcerta. A tort. La famille de Linus, et elle comptait de nombreuses branches, avait une certaine importance locale — autre raison de la rancœur de sa mère devant le sort de sa maison. Le père de Linus avait été un haut responsable du village ; le père de sa mère (le fils du polygame) avait été secrétaire du gouvernement local, et Linus lui-même avait voulu pendant toute son enfance — même quand il allait jour et nuit au wayang du village — devenir plus tard général. Il parlait de l'armée indonésienne avec une sorte d'amour ; elle incarnait encore pour lui la défense de l'État.

« A Djogja, j'ai vu un lieutenant-colonel dans son bureau. Il m'a dit que si je ne me sentais pas en sécurité chez moi je devrais rester au mess de la caserne. Je lui ai répondu que je ne pouvais laisser seule ma mère veuve. Et pendant une semaine il a envoyé un ou deux hommes dormir ici la nuit. »

Bien que Linus assurât que la nouvelle agressivité musulmane n'avait l'appui que d'une poignée de gens, cette attitude l'irritait manifestement, comme quelque chose qui allait à l'encontre des usages de Java. En 1979, la mosquée du village était un simple bâtiment de bois, comme l'église catholique. Aujourd'hui elle était en ciment, et si elle n'était pas couronnée d'un dôme — tels ces bulbes d'argent entassés comme autant d'encombrants colifichets devant certaines boutiques — elle avait des haut-parleurs sur le toit ; et Linus doutait que dans l'Arabie ancienne on aurait toléré des haut-parleurs sur les mosquées. Des femmes commençaient à s'emmitoufler et à se voiler, et Linus trouvait étrange, dans un pays tropical, de voir des gens porter des vêtements de ce genre.

Ce qui l'affligeait le plus, c'était le changement de rôle du *coum*. Dans les villages, le coum était un personnage singulier, avec des responsabilités particulières. Il était musulman, mais accomplissait nombre d'anciennes pratiques javanistes. C'était lui qu'on faisait venir pour laver et enterrer les morts. C'était lui aussi qui en certaines occasions rituelles dirigeait la prière de la communauté musulmane. On pouvait voir en ce coum un ancien paria hindou, ayant les devoirs funéraires des intouchables. Et — de même que les premiers chrétiens avaient utilisé la croix, le châtiment romain séculaire des vulgaires criminels, comme le symbole le plus émouvant de la souffrance et de la rédemption humaine — on voyait ici comment les premiers musulmans, en quête d'adeptes, avaient pu utiliser ce hors caste pour porter un coup brutal à la foi ancienne · le laveur et enseveliseur des morts allait diriger la prière de la communauté de la foi nouvelle : l'intouchable, d'un seul bond, escaladait la pyramide des castes pour devenir l'équivalent d'un prêtre.

J'avais rencontré l'ancien coum en 1979, petit vieillard noueux à la voix rieuse et aux yeux brillants, les cheveux aplatis par son chapeau, qui aimait à raconter ses souvenirs des guerres. Il était mort l'année précédente, me dit Linus.

« Il adorait regarder le théâtre de marionnettes, qui est un mélange d'hindouisme et de culture javanaise. Son fils le remplace, mais on lui demande rarement de diriger la prière. En raison de leur changement d'orientation, les musulmans ont moins de rites — la commémoration des morts à la manière javanaise, le partage de nourriture dans le *kendouri*, le repas rituel. Ils n'ont observé cette coutume qu'à la mort de l'ancien coum.

« Quand mon père est mort, nous avons demandé au fils du coum de prier avec nous. Le prêtre chrétien dirigeait les prières, tandis que le coum et d'autres non-chrétiens devaient prier pour mon père à leur manière. Ainsi s'expriment la tolérance et l'équilibre des relations dans le village. »

Les pensées de Linus revenaient donc constamment à cette mort dans sa famille et, thème presque parallèle, à la rupture de l'équilibre dans son univers.

Sans le moindre changement d'expression ou de ton, il ajouta : « A deux ou trois mètres en dessous de nous, il y a plein de temples hindous, bouddhistes ou hindo-bouddhistes, ensevelis par les éruptions du Merapi il y a mille ans et aussi il y a deux mille cinquante ans. » Le Merapi, le volcan en activité de la région, source de la lave qui enrichissait le sol et émergeait du lit des rivières en gros blocs noirs. « Voilà du travail pour ceux qui veulent étudier la culture et la religion de Java, parce que derrière ces phénomènes, on peut saisir l'esprit des Javanais d'aujourd'hui. »

La végétation de Java mêle les arbres et les fleurs de l'Ancien Monde et du Nouveau. Elle ressemble à celle de Trinidad, du Venezuela et de quelques-unes des îles. Je devais même voir un jour — sur la route très passagère qui relie Djogjakarta et Prambanam, aux tours à demi restaurées du grand temple hindou du dixième siècle — un gigantesque *immortel* entièrement dépouillé de feuilles et en pleine floraison : fleurs rouges et jaunes à la forme d'oiseaux, gorgées de cendres volcaniques, qui tombaient sans cesse sur la route, comme je les avais vues tomber à Trinidad dans les plantations, où cet arbre importé d'Amérique centrale sert d'ombrage aux cacaoyers. Difficile de se débarrasser des vieilles associations, mais je devais sentir avec Linus, comme je l'avais senti dans l'ouest de Sumatra, qu'il y avait des choses différentes dans ce sol, d'autres émanations.

La mère de Linus était à un enterrement quand Linus me ramena le lendemain matin. Et, quelques instants plus tard sa sœur fit son apparition dans la pièce de derrière. Elle s'assit presque solennellement dans un siège au dossier droit devant la télévision. Je pouvais l'apercevoir de la table où j'étais installé avec Linus auprès de la cloison. Elle ne me prêtait aucune attention. Elle semblait reposée ; elle était calme. La veille elle s'était plainte du prêtre, et elle n'avait rien d'autre à me dire.

« Ma sœur fait la cuisine, dit Linus. Si ma mère se met aux fourneaux, ça ne lui plaît pas et elle se prépare à manger. Mais elle n'a pas une bonne appréciation des choses. Elle utilisera trop de riz, par exemple. Elle sait aussi accommoder les légumes, les œufs sur le plat. Elle se les achète elle-même. » Il disait cela avec plaisir, fierté et délicatesse. « Elle tient absolument à ce que les gens ne la traitent pas différemment. Nous avons beaucoup souffert pendant le mariage de ma grande sœur. "Pourquoi ne suis-je pas mariée ?" demandait-elle. Nous ne répondions rien. Nous ne pouvions rien faire pour elle. Nous secouions la tête pour dire : "Non, nous ne pouvons rien faire." » Et, revivant ce moment, il hocha lentement la tête ; la souffrance se lisait dans ses yeux. « Mais elle pleure. Elle s'achète des vêtements neufs et se plaint auprès d'inconnus.

— Comment votre mère se débrouille-t-elle ?

— Ma mère dit souvent aux autres : "Je ne sais pas pourquoi Dieu m'a fait présent d'une fille invalide." » Invalide, c'était le mot que Linus employait pour sa sœur. Il ne se permettait rien de plus fort. « Ma mère a de gros ennuis avec elle. Parfois ma sœur l'attaque. Cette saison, après la récolte, nous avons acheté beaucoup de riz, pour le revendre plus tard. Et ma sœur a dit à ma mère : "Ne le vends pas." Peut-être croyait-elle qu'il ne fallait pas vendre le riz. Nous avons dû lui expliquer que nous y étions obligés pour acheter d'autres choses. »

Son visage était grave ; la tendresse l'embellissait.

Je lui demandai : « Avez-vous écrit quelque chose sur elle ?

— J'ai essayé d'écrire un poème. Mais le moment n'est pas encore venu. Je n'ai écrit des poèmes que sur une autre sœur, le huitième enfant, qui est morte en 1983. »

Il franchit la porte sous la Croix et Semar pour aller chercher le livre. L'étagère sur la cloison n'exposait que des images hindoues très simples parmi divers objets chrétiens et des bibelots et souvenirs encore plus rudimentaires. La sœur, toujours calme, continuait de regarder la télévision.

La plaquette qu'il rapporta s'ornait en couverture d'un lotus blanc sur une feuille verte. Il était dédié à la sœur morte. Tous les poèmes avaient été composés en six semaines en 1987, quatre ans après sa mort. Il y en avait un que Linus aimait particulièrement, et une anthologie de poésie indonésienne qu'il me donna en contenait la dernière strophe :

> Retour de la terre à la terre,
> Retour des ombres aux ombres,
> Tel un éclair de chaleur fulgurant vers le ciel
> Ton âme s'élève et ton corps abandonne

Assal boumi balik boumi
Assal bayang balik bayang
Bagaikan tatit koumedap
Atman oncat dari badan

L'émotion était évidente. Dans le deuxième vers il y avait une allusion indirecte, émouvante au wayang, l'obsession de Linus ; et les deux derniers vers me rappelèrent la mort de Didon dans l'*Énéide* : « *[...] omnis et una / Dilapsus calor atque in ventos vita recessit*[1]. »

Dans la maison, ce poème était comme une possession intime de Linus. Sa mère n'avait pas lu un seul de ses vers. Elle l'avait encouragé, ou du moins ne l'avait pas dissuadé, quand il voulait faire carrière dans l'armée. Il était allé assez loin dans cette voie puisqu'il avait été admis à l'École militaire indonésienne de Sukabumi. Mais au bout de quinze jours — et après avoir rêvé toute son enfance et son adolescence de devenir général — il décida qu'il n'était pas fait pour la vie militaire, et il quitta l'école. C'était ensuite que la vocation poétique lui était venue, vocation que sa mère n'avait jamais cessé de considérer comme absurde.

Et Linus avait découvert peu à peu les difficultés de la vie poétique et littéraire. Après le grand succès initial de « La Confession de Pariyem », les choses s'étaient ralenties pour lui. Une anthologie de la poésie indonésienne en quatre volumes — gros travail et ouvrage célèbre qui s'était vendu à trois mille exemplaires — ne lui avait rapporté que cinq cents dollars. En outre, articles et anthologies attiraient l'inimitié ; les poètes n'aiment pas être critiqués ou laissés de côté. « Les gens sont jaloux de moi, dit Linus. C'était la jalousie qui animait ces jeunes agitateurs musulmans. »

Le moins dur n'était pas le besoin de continuer qu'a l'écrivain, d'aller au-delà du premier élan, l'élan qui l'a engagé dans la carrière, pour extraire des matériaux dont il ignorait tout en commençant. Aujourd'hui, néanmoins, les choses recommençaient à bouger : Linus venait tout juste d'entreprendre un nouveau livre, qui connaîtrait peut-être une plus grande réussite que « La Confession de Pariyem ». Ce nouvel ouvrage allait « refléter » l'histoire javanaise.

Linus était catholique, fils de convertis. Dans une large mesure, donc, son camp était tout choisi dans la ligne de partage religieuse de Java, dans la rivalité entre les deux religions révélées. Pour lui, toutes les émanations mélangées du passé, sous la lave, l'hindouisme, le bouddhisme et l'animisme qui composaient ensemble la « retenue » javaniste, se fondaient tout naturellement dans le christianisme, avec son message d'amour et de charité.

« Il est facile pour les Javanais d'embrasser l'enseignement du Christ.

---

1. IV, 784/785 : « [...] d'un seul coup toute la chaleur s'est dissipée, et la vie s'en est allée dans les vents. » Traduction de Maurice Rat, Garnier, 1965. (*N.d.T.*)

Et peut-être le javanisme a-t-il un peu de l'esprit du bouddhisme. Siddharta enseignait l'amour. » Siddharta, le Bouddha.

Et sans changer de ton, Linus ajouta : « Je crois que l'esprit de Siddharta vient souvent nous enseigner, nous enseigner de vivre dans la sagesse. Il se manifeste dans un petit groupe de mes amis. Lorsque nous nous réunissons, la nuit généralement, l'esprit de Siddharta vient parfois nous instruire, et nous l'interrogeons sur nos problèmes. Il lui arrive d'écrire sur la paume de mon ami Landoung, qui est poète et traducteur. Je n'arrive pas à le lire, mais une autre amie — elle travaille comme guide à Djogja — parvient à déchiffrer ces messages. Landoung sent que quelqu'un écrit dans sa main : *tuk, tuk, tuk,* quelque chose comme ça. Et à la fin la personne qui écrit signe : *Bien à vous, Siddharta.* Et mon amie sait lire ce que Siddharta a écrit.

— Est-ce que vous vous souvenez d'un message ?

— Oui. Par exemple : "Je n'enseigne pas les *deva*, les nombreux dieux de l'hindouisme. Je n'enseigne pas la réincarnation. On peut arriver au nirvana, même si l'on vit en ce monde."

— En quelle année était-ce ?

— Vers 1993. » L'année, peut-être, de la mort de son père.

« Quand Landoung a-t-il découvert ce don ?

— Vers 1990, je crois. Une fois Landoung m'a dit qu'il ne croyait pas avoir ce don de recevoir ainsi des messages de Dieu ou de Siddharta ou de l'esprit vrai. Et la nuit même, Siddharta est venu et a dit : "Quand tu reçois un don de Dieu, ne le rejette pas !"

— Quand avez-vous ces réunions ?

— C'est un sentiment spontané chez chacun de nous. Mais parfois nous ne pouvons nous retrouver tous ensemble. Parfois Landoung sent qu'il y a un message dans sa paume...

— Même quand il travaille ?

— Oui. Alors il l'arrête en disant : "Attendez, attendez, attendez. Je suis occupé aujourd'hui. Peut-être ce soir." Et nous allons le faire lire à la dame.

— Ces messages sont brefs ?

— Tantôt brefs, tantôt longs. Si Siddharta vient, cela veut dire qu'il veut que nous méditions et discutions son enseignement.

— Recevez-vous des messages dans un moment de crise ?

— Il nous a parlé de Jésus-Christ. Il vient de manière mystérieuse. Nous ne pouvons pas le prévoir.

— Donne-t-il des conseils pratiques ?

— Quand j'étais malade, Siddharta a dit à Landoung, par l'entremise de sa paume, que je devais chercher une certaine feuille dans le village. Puis il fallait que je la fasse infuser dans l'eau bouillante et que je boive le mélange. Ça a marché.

— Votre mère est-elle au courant ? »

C'était comme pour la poésie de Linus. « Je ne lui en ai jamais parlé. Son expérience du monde des esprits est trop étroite. Elle serait surprise. Elle ne croirait pas mes explications. »

Dans sa révélation la plus importante, Siddharta leur avait dit qu'il était l'un des prophètes — ce qui voulait dire (bien que Linus ne l'ait pas précisé) que Siddharta, le Bouddha, faisait partie de la lignée de prophètes qui (selon les musulmans) s'est arrêtée avec Mahomet : ce personnage indo-javanais était par conséquent en relation avec les deux religions révélées qui se disputent l'Indonésie.

Voici ce que Siddharta avait écrit dans la main de Landoung : « Après que j'eus médité cinquante-quatre ans au bord d'un petit lac, j'entendis une voix : "Regarde l'étoile brillante dans le ciel." Et dans le ciel je vis un homme aux vêtements bleus, éclatants, et il portait un seau, et dans le seau il y avait un bébé, et l'homme aux vêtements d'un bleu éclatant se présenta comme Adam, et le bébé se présenta comme Jésus. Puis je vis écrire dans le ciel : *C'est l'homme que je t'ai promis*. Siddharta dit à Landoung : "Je ne sais pas qui m'a donné instruction de regarder vers le ciel." » Quand Linus entendit cela, il dit directement à Siddharta par le truchement de l'amie qui traduisait : « C'était Jean-Baptiste. » Et Siddharta répondit : « Longtemps je me suis interrogé sur cette personne. C'est seulement aujourd'hui que j'apprends son nom. » Ainsi Linus commença-t-il à penser qu'il était en contact avec Siddharta.

Je demandai à Linus : « Quand a commencé ce groupe mystique ?

— Il est né comme ça. A la fin des années quatre-vingt-dix. »

Nous étions assis à la table recouverte de toile cirée, à côté de la cloison et de l'étagère murale chargée de bibelots et d'images. J'avais une vue partielle sur la pièce latérale sombre. Peu auparavant, la sœur de Linus avait quitté son siège devant la télévision. Parut alors la mère de Linus, petite, à pas presque silencieux. Elle était rentrée de l'enterrement au village et portait ses vêtements d'intérieur, qui auraient tout aussi bien pu être ses vêtements de travail ; plus tard, quand le soleil serait plus bas, elle irait repiquer des jeunes plants dans son champ de riz. Elle s'assit dans le fauteuil devant le poste de télévision — la lumière bleue tremblotant sur son visage, le son réglé très bas — pour regarder une *telenovela* sud-américaine très lente, aux couleurs éclatantes, forcées. C'était un feuilleton qu'elle suivait, dit Linus ; et il était étrange de penser que cette forme commerciale inférieure (conçue pour répondre aux attentes si particulières de l'Amérique latine) sautait par-dessus l'hémisphère, par-dessus les cultures, pour s'adresser directement à cette vieille femme affligée, enfermée dans son univers javanais.

Du vivant de son mari, le chef du village, la maison à la large façade sur la grand-route était l'une des six demeures importantes de l'endroit. Désormais, sans lui qui en était la lumière et le centre, on eût dit, métaphoriquement, que choses et gens étaient recouverts de poussière : le sofa défraîchi disposé bas sur le sol de ciment, le nattage noirci du plafond et les souvenirs appartenant à Linus — dans un coin, sur un mur — d'un festival des arts du spectacle à Londres, cinq ans auparavant.

Mais la maison recelait un trésor : la collection de kriss anciens que Linus abritait dans sa chambre, dagues locales à la forme serpentine,

couche après couche de métaux différents. Ces kriss, forgés spécialement pour leurs possesseurs, avaient une signification spirituelle, expliqua Linus. La poignée, ou la lame et le fourreau présentaient un
symbolisme sexuel évident, inspiré des emblèmes du lingam et du yoni
de l'hindouisme javanais. Il avait une soixantaine de ces kriss, dont il
faisait la collection depuis 1982 (l'année avant la mort de sa sœur, sœur
sur la mort de laquelle il avait écrit des poèmes, dans un élan de six
semaines en 1987). Les kriss étaient pour la plupart des treizième, quatorzième et quinzième siècles. Certains, dit-il, remontaient aux sixième
et septième siècles. Je crus qu'il voulait dire seizième et dix-septième,
mais il confirma.

Les kriss étaient dans sa chambre, et nous allâmes les voir quand sa
mère (pareille, sans le savoir, à un dragon gardant un trésor mystique),
sa telenovella terminée, fut partie travailler au champ. Il faisait sombre
dans la chambre, et la pénombre concourait à l'intimité des pièces de
derrière. Les kriss se trouvaient dans une vieille armoire marron. Ceux
munis d'un fourreau étaient debout dans les coins du grand meuble.
Ceux à la lame nue étaient couchés et dissimulés sur une étagère du
haut. C'étaient des objets effrayants, aux lames dentelées et acérées, aux
différentes feuilles ou couches de métal apparentes, certains apparemment rouillés. Ils faisaient penser à la sœur invalide de Linus (qui se
reposait peut-être maintenant dans sa propre chambre sombre) et à ses
fureurs de trois jours ; et pour finir ils mettaient les nerfs en pelote.

Linus avait dû dépenser une belle somme pour ces kriss au fil des
années. Mais il ne répondit pas quand je le lui demandai. Il dit qu'en
ces affaires, comme en d'autres questions spirituelles, il était conseillé
par un sage de soixante-cinq ans, lui aussi chrétien javaniste, du village
voisin. Les kriss émettaient des vibrations d'énergie ; il était donc possible de se laisser guider vers eux « en étudiant le pendule ». Leur existence lui était aussi révélée en rêves.

Voyant que je ne suivais pas, il dit : « Tous les animaux de ce monde
ont un pouvoir magique, très fort chez certains. Quand l'animal meurt,
cette magie ne meurt pas, mais se détache et va demeurer dans le ciel.

— Où dans le ciel ?

— Je ne sais pas à quel niveau du ciel. Et quand le fabricant de kriss
fait un kriss, il jeûne et prie, afin que la bénédiction du dieu contenu
dans le pouvoir magique des animaux descende dans le processus de
fabrication. »

Linus, là encore avec l'aide de son conseiller, avait aussi une collection de pierres magiques. On pouvait les trouver n'importe où ; il en
avait même ramassé une aux États-Unis. Dans la disposition de leurs
couleurs on apercevait — à ce que je compris — les âmes ou la magie
d'animaux.

Il dit, avec un gloussement, « Parfois on peut voir une belle femme ».

Le village était très densément construit. Des voisins enveloppaient
un côté de la cour de Linus, derrière le bassin brisé et le massif de

fleurs. Entre la cour et le petit verger de *salak* qui appartenait à la famille de Linus, il y avait deux autres voisins. Une famille de métayers, une veuve et deux de ses cinq enfants, habitait une pauvre hutte rafistolée, faite de bric et de broc. Plus loin une famille d'agriculteurs mieux établis occupait une maison fatiguée mais plus traditionnelle, avec une cuisine et une buanderie séparée par-derrière, et sa propre cour. Des poulets — noirs, hauts sur pattes et maigres : les poulets de Java — grattaient la poussière. Dans un enclos au bout de la cour ombragée, deux bœufs blancs se reposaient après le labeur de la journée, la peau lâche sur les os, l'air curieusement fragiles et petits pour le pénible labour dans la profonde boue volcanique des champs de riz. Les bœufs sentaient mauvais, dit Linus, mais pas aussi mauvais que les buffles. Non loin de là, dans un coin de cour à l'ombre de jeunes bambous, deux buffles noirs, la peau maculée de terre et de fange, attachés à de grands et solides poteaux, étaient couchés sur une litière d'herbe sèche.

La rue principale du village était un chemin de terre, étroit et tortueux, exhibant tantôt des traces de balai, tantôt des taches humides : chacun devait nettoyer la chaussée devant sa cour et le faisait à sa manière propre. Terrains bâtis, vergers ou potagers. Ces menus lopins étaient parfois entourés de murs de lave, aux blocs admirablement taillés et ajustés. Matériau local, comme le bambou, la lave était bien employée. Le village était plein d'ombrages. Nulle sensation d'ouverture. Les gens ne voulaient pas d'ouverture dans un village.

Avec le sol volcanique et la chaleur humide, tout poussait vite, ici et dans les champs de riz de la plaine. Impossible d'oublier la lave du mont Merapi : l'obsession de Linus pour les mondes enfouis sous les pieds se comprenait. Parmi les libéralités du Merapi et du sol volcanique figure le fruit du *salak* particulier à la région. Sur la route principale des panneaux artisanaux annonçaient *Salak Pondoh*. Le petit verger de la famille de Linus se composait de jeunes salak — sortes de palmiers, mais au tronc épineux, aux épines couvertes d'un enchevêtrement de toiles d'araignées. Une parcelle de salak adultes, appartenant à d'autres personnes, était protégée par un vieux mur de blocs de lave, surmonté de fils de fer et de treillis de palmes. Dans cet endroit où il y avait si peu d'espace, où voisins (et étrangers) se pressaient de toutes parts, les produits de la terre étaient précieux.

Mais ce n'était plus un village purement agricole. Les cinq demeures principales appartenaient à des gens qui faisaient un autre travail, à la ville, et parfois très inhabituel. L'homme juste de l'autre côté de la grand-route était un fonctionnaire de troisième classe : c'était un oncle de Linus, par une lointaine belle-mère (peut-être la deuxième épouse qui avait été indirectement responsable de l'appauvrissement de la mère de Linus). Il y avait un compilateur d'un dictionnaire indonésien ; puis un autre oncle de Linus qui était sculpteur ; une tante, javaniste et mystique, qui avait de très nombreux adeptes, dit Linus, et qui vivait parfois à la ville ; et il y avait un musulman, professeur de lycée à la retraite, qui avait fait le pèlerinage à La Mecque. Un ouvrier d'usine prenant grand soin de sa jolie maison, magnifiquement peinte, avec, devant, des bonsaïs japonais et d'autres plantes, sans aucune protection ; mais c'était « seulement par ostentation », dit Linus, voulant dire par là que l'homme n'était pas aussi riche que les autres. Sans oublier un autre parent de Linus — lequel habitait près du simple bâtiment de bois abritant la chapelle catholique —, un professeur d'éducation physique qui allait travailler tous les jours à Djogja.

Le village avait changé, et la situation de la famille de Linus aussi. Mais il fallait honorer les anciens engagements du village, les anciennes fidélités ; même s'ils appauvrissaient la mère de Linus toujours davantage.

La voisine métayère, veuve et très pauvre, avait cinq enfants. Deux étaient domestiques à Djakarta. L'aîné et le plus jeune, qui vivaient avec elle, travaillaient comme ouvriers agricoles dans les rizières et ailleurs. Le cinquième était maçon.

« Le maçon est venu il y a trois mois nous demander de nous acheter un petit bout de terrain, pour se construire une maison. » La pauvre hutte exiguë dans laquelle vivait la famille était sur les terres du sculpteur. « Le maçon a dit : "Si vous ne nous donnez pas de terrain, où pourrions-nous aller ?" Alors ma mère nous a rappelé que quand mon père était enfant, la femme qui s'occupait de lui était la grand-mère de cette famille. "Nous devons nous souvenir de cette histoire de votre père." Nous allons donc vendre le terrain, cent mètres carrés. Nous avons mille mètres carrés de jardin. Cette relation avec notre voisin est plus humaine. Nous avons passé un accord écrit. C'est nouveau : jusqu'à présent tout était oral. »

Ils avaient trois champs de riz, en tout un peu moins d'un demi-hectare. Il fallait travailler en coopération. Cela expliquait les petites rizières grouillantes, pleines d'activité, de l'autre côté de la grand-route, au bout du chemin de terre derrière les grandes demeures et les drapeaux et les ornements pour l'anniversaire de l'indépendance, le RI50. Dès que la voiture s'engagea sur cette route, je reconnus le pays que j'avais vu en 1979 avec Linus et Oumar Kayam : c'était le village de Linus tel que je l'avais emporté dans ma tête et transformé au fil des ans en vision pastorale d'une civilisation complète. Cette fois-ci, en août, par une fin d'après-midi, il était plus poussiéreux et plus sévère, Java des chapeaux de paille et des travailleurs nombreux, la fertilité se dévorant elle-même.

Pour huit kilos moissonnés, dit Linus, un aide recevait un kilo en salaire ; s'il appartenait à la famille il recevait la moitié de ce qu'il récoltait. Et le village était plein de parents de Linus.

Il y avait d'autres obligations. « Quand il y a des mariages au village, nous devons faire un cadeau de dix mille roupies [un peu moins de cinq dollars]. C'est la coutume des villageois. Sans doute, depuis la mort de mon père, n'avons-nous plus beaucoup d'invitations, mais nous en recevons encore. Cent kilos de riz peuvent rapporter quarante-cinq mille roupies. Notre terre nous donne entre vingt et vingt-cinq quintaux. C'est-à-dire, deux mille à deux mille cinq cents kilos. » Cinq cents dollars, tout au plus.

Linus me dit plus tard — sans encouragement de ma part, et comme si c'était quelque chose à quoi il avait dû réfléchir : « Je pourrais devenir cultivateur de riz si je le décidais, mais je crois que j'aurais du mal à consacrer toute mon énergie aux rizières. »

Et trop de choses avaient changé. La vie du village avait changé. C'en était fini de la musique, du théâtre d'ombres toute la nuit, aux personnages et aux récits bien connus. Même le riz avait changé. « L'ancien riz traditionnel était plein de saveur et de goût. » Il porta les doigts à son nez. « Le nouveau riz philippin — on ne peut pas le manger le soir si on l'a fait cuire le matin. »

Quelque part dans ces champs, sa mère était en train de travailler. A la maison, sa sœur invalide achevait sa journée.

Nous retournâmes à Djogja.

« Le village est en crise, dit Linus. Le processus urbain se produit ici aussi. Ils divisent déjà les rizières pour leurs enfants, et les champs deviennent très étroits. Nombre de jeunes Javanais n'ont pas de rizière. Ils cherchent un travail en ville. Ma mère est la dernière génération à vivre et à travailler au village. Ceux de la jeune génération qui restent au village pour cultiver les rizières sont généralement sans éducation. Les gens instruits qui travaillent dans les villes et habitent les villages deviennent des banlieusards. »

Et la culture du riz était devenue un enfer ; le cycle s'était trop accéléré. L'ancien riz mettait quatre mois et demi à mûrir, le nouveau trois mois.

« Maintenant, après le coucher du soleil, le paysan est fatigué et veut seulement regarder la télé. Au village il n'y a plus assez d'instruments de gamelan. Ils n'ont plus assez d'argent pour en acheter. Leur argent sert aux études de leurs enfants et à la santé. »

Il me téléphona tard le soir à l'hôtel. Je lui avais demandé ce dernier entretien avant mon retour à Djakarta.

Il avait oublié de me dire quelque chose. Il avait reçu récemment un important message de Siddharta. Un de ces messages tapotés — *tuk, tuk, tuk* — sur la paume de son ami Landung, et déchiffrés ensuite par la dame du cercle mystique. La vie sur terre n'était qu'un processus, avait dit Siddharta. Le vrai processus, la vraie vie, commençait après la mort. « Processus », Linus ne pouvait rien trouver de mieux : le mot employé par Siddharta était difficile à traduire. Peut-être un de ces mots javanais que Linus utilisait volontiers dans ses poèmes, mots qui limitaient son public, mais qu'il préférait pour leur précision et leur charge émotionnelle.

De retour à Djakarta, je trouvai une lettre que Linus m'avait envoyée plus de deux semaines auparavant. Je ne l'aurais pas comprise (en partie à cause de la langue) si je ne l'avais pas rencontré. Elle parlait des tensions qu'il vivait, et aussi de son maître spirituel, un homme de soixante-cinq ans du village voisin, mystique javanais-chrétien-réformiste. Cela donnait un tour nouveau à ce qu'il m'avait dit.

Son rêve de Siddharta et de la mort fit son chemin en moi pendant la nuit, et le matin je m'éveillai avec une compréhension limpide — presque comme s'il s'agissait de quelque chose de personnel — de la souffrance dans laquelle vivait Linus, souffrance familiale, souffrance d'écrivain, souffrance pour toutes les choses de Java et de son village qu'il voyait balayées. Je comprenais en même temps que — contrairement à Mariman Darto, le jeune musulman, qui avait trouvé dans le CIDES une sorte de soutien en dehors de son kampung, quelque illusoire fût-il — Linus ne saurait vivre que dans son village et dans sa maison. C'était le seul endroit où il pût trouver toutes les choses et toutes les relations qui donnaient saveur et sens à son existence.

CHAPITRE 7

Oh mama ! Oh papa !

Lukman Oumar était né en 1933 à Padang, dans l'ouest de Sumatra, dans une famille de paysans pauvres. C'était le dernier de six enfants. Déjà dure, la vie le devint bien davantage encore en 1942 avec l'occupation japonaise. Plus de cinquante ans après, Lukman se rappelait qu'en 1943, avec d'autres garçons de son âge, il avait dû transporter des pierres depuis la rivière pour l'aéroport que les Japonais construisaient à Tabing, à quelques kilomètres au nord de Padang.

Quelques années plus tard — peut-être à la fin de la guerre, mais ce n'était pas très clair — le père de Lukman quitta les siens pour aller défricher un bout de forêt et le transformer, à la manière immémoriale de Sumatra, en champ de riz. Le père ne revint pas ; et, bien que rien ne fût précisé, il est probable qu'il fonda une nouvelle famille : en Indonésie, comme dans d'autres pays musulmans, c'était une histoire habituelle. Si l'aventure avait la sanction de la religion, les deux familles en subissaient à jamais les conséquences. Ainsi se constituait une société de demi-orphelins, dans un enchaînement de privations et de rancœurs : un enfant abandonné abandonnant souvent ses enfants à son tour.

La mère de Lukman entreprit alors de gagner sa vie en confectionnant et en vendant des confiseries indonésiennes. Non content de l'aider à les préparer et à les disposer, Lukman colportait les sucreries dans le village le matin avant de partir à l'école. Il aurait pu aller à l'école hollandaise — il avait réussi l'examen d'entrée sur les instances d'un instituteur du primaire — mais sa mère s'y était opposée. Elle voulait qu'il fît des études islamiques. A l'école musulmane, une moitié de son temps était consacré à la religion et l'autre à l'enseignement général.

En 1955, à vingt-deux ans (pour donner un contexte et une référence, environ deux ans après qu'Imadouddine fut entré à l'Institut de technologie de Bandung), Lukman Oumar partit pour Djakarta. La famille — c'est-à-dire diverses branches de la famille élargie — ne voulait pas qu'il quittât Padang. Selon la coutume du Minangkabau, c'est le mari qui est acheté par sa femme, et non la femme par le mari ; et bien que Lukman ne l'ait pas précisé, il est possible que les siens aient espéré tirer quelque chose de son mariage. Sa mère, en revanche, souhaitait qu'il allât poursuivre ses études dans la capitale. Elle mit en gage ses certificats de propriété foncière pour payer le voyage ; elle avait hérité un peu de terre et une rizière de ses parents.

À Djakarta, Lukman Oumar descendit chez un parent. Pendant un mois, tirant parti de son talent de camelot, il vendit des cacahuètes. Avec l'argent ainsi gagné, il se rendit à Djogjakarta. Il habitait des chambres très bon marché, entre cent et cent vingt-cinq roupies par mois, moins d'un dollar ; et il déménageait très souvent. Il présenta l'examen d'entrée à l'université Muhammadiya, l'université islamique indonésienne, et obtint de si bonnes notes qu'on lui offrit une bourse.

À l'université, une occasion commerciale se présenta à lui : les étudiants avaient besoin de notes de cours. Aussi, avec l'aide de quelques professeurs entreprit-il de publier des polycopiés. Il ne tarda pas à vendre des livres et du papier, à négocier des marchandises en dépôt. De là naquirent une agence d'entreposage et une société de distribution de livres. Ainsi se lança-t-il dans les affaires, sans capitaux. Il baptisa son agence Ananda Agency (*ananda* signifiant « fils bien-aimé ») et la plaça sous le patronage de sa mère. L'entreprise se développa très rapidement. Il put bientôt, avec l'aide de Dieu, dit-il, louer une maison qui lui servait également de bureaux ; puis il se construisit une habitation. C'était une chance que son affaire prospérât de la sorte : il faisait désormais vivre à Padang vingt-cinq personnes de la famille de sa mère.

Devenu éditeur en son nom propre, il commença en 1973 à préparer un bimensuel féminin — son ambition éditoriale traduisant désormais les changements à l'œuvre en Indonésie dans les domaines de l'économie et de l'éducation. Il le baptisa *Kartini*, du nom de la princesse javanaise — née en 1880 et morte en couches en 1904 — qui, dans les circonstances très défavorables du Java colonial, s'était prononcée pour les droits et l'instruction des femmes. Le premier numéro de *Kartini* parut vers la fin de 1974, avec un succès immédiat.

Lukman Oumar attribuait cette réussite à la bénédiction divine. Mais elle était aussi due à son instinct d'homme de presse, à sa sagacité, à sa confiance en ses émotions personnelles. Tout comme les hommes politiques et les écrivains ont leur manière particulière de conjurer les démons de leur jeunesse, Lukman Oumar trouva dans *Kartini* le moyen parfait de transmuer et de sublimer les souffrances de ses débuts dans la vie. C'était un magazine populaire — personne ne s'était encore intéressé ainsi à ce public — et connu pour s'adresser aux émotions. Ce mélange en avait fait le magazine le plus vendu d'Indonésie : distribué à cent soixante mille exemplaires, il paraissait désormais trois fois par mois. Son sentimentalisme n'avait rien d'artificiel, n'était nullement l'œuvre de spécialistes ; Lukman Oumar n'avait qu'à regarder en lui-même, au fond de son cœur, pour savoir ce qui séduirait les lectrices.

Une des pages les plus appréciées de *Kartini* était le courrier du cœur. Il s'intitulait, en anglais, « *Oh Mama ! Oh Papa !* » L'idée devait venir de Lukman Oumar, parce que, lors de notre entretien, il me dit, par le truchement d'un interprète, que pour lui ces mots anglais étaient comme un cri du cœur. La rubrique avait l'originalité de simplement raconter une histoire. Nul chroniqueur pour commenter ou donner des conseils : les lectrices s'en chargeaient toutes seules. Le procédé était aussi simple et commode qu'efficace. Il ne s'agissait pas d'exhiber gratuitement des difficultés personnelles, mais de leur donner de l'importance — le titre « émotionnel » de la page le garantissait — et de les faire partager à un groupe : pas de sage intervenant d'un point de vue supérieur.

Plus subtile (et plus indonésienne) était la rubrique intitulée *Seletes Embun*, « Une goutte de rosée ». Formule mystérieuse, mais Dita, la journaliste qui me traduisit des passages de *Kartini*, m'expliqua prosaïquement que l'expression était symbolique et comprise comme telle. Rosée pouvait signifier larmes, beauté, ou encore bonté ; chaque lectrice l'interprétait à sa manière.

La « goutte de rosée » que nous regardâmes s'appelait « Dans la chaleur ardente du soleil ». La narratrice est une jeune fille gâtée, la dernière de sept enfants. Elle ne supporte aucune difficulté ; elle est terrifiée chaque fois qu'elle doit quitter la maison pour aller quelque part ; elle déteste prendre la moindre décision.

« Vous ne croyez pas que cette fille exagère ? » demandai-je à Dita.

« C'est quelqu'un qui n'a aucune confiance en soi, me répondit très sérieusement Dita. Je connais beaucoup de gens comme ça. » Une de ses amies, d'une famille excessivement protectrice, était comme la fille de l'histoire : il fallait que les autres prennent toutes les décisions à sa place.

Dans l'histoire, la narratrice est particulièrement tourmentée par la chaleur du jour. C'est l'une des raisons pour lesquelles elle a peur de faire quelque chose ou de sortir. Elle a peur d'être épuisée. Le soleil lui donne mal à la tête, la rend même malade. Aller quelque part en ville suppose de s'aventurer en plein soleil pour chercher un taxi-scooter. Et quand elle en trouve un, il est bourré et les gens la bousculent. Parfois, quand elle doit aller loin, il lui arrive de prendre trois taxis-scooters différents, et elle a l'impression d'être la personne la plus malheureuse au monde.

Elle va (bravant tous les dangers) passer quelque temps chez sa sœur. Le premier jour, au beau milieu de l'après-midi, alors que le soleil est le plus chaud, elle voit un vieil homme dans le jardin, qui coupe l'herbe avec un long couteau recourbé — c'est une citadine, et tellement protégée que (si peu croyable que ce soit) elle n'a jamais vu personne moissonner le riz et ne sait pas que le vieillard se sert d'une très banale faucille. Aussi, telle une enfant, elle observe fascinée le vieil homme, si ridé, dégoulinant de sueur, mais qui travaille sans relâche avec son long couteau sous le soleil de l'après-midi. A ses questions, sa sœur répond que le vieillard est jardinier le matin dans une grande entreprise puis vient travailler chez elle. Un jour, la jeune fille apporte son déjeuner au vieux jardinier. Elle parle avec lui, apprend qu'il a soixante ans, vit seul en ville, dans une pauvre chambre, tandis que sa femme et les quatre enfants adolescents pour lesquels il peine sont restés au village, loin de là.

« N'a-t-elle pas vu des gens comme le vieil homme auparavant ? demandai-je à Dita.

— C'est assez invraisemblable, répondit-elle à sa manière judicieuse et indulgente. On en voit, par exemple, du bus, qui réparent ou balayent la chaussée. On sait qu'ils habitent loin et qu'ils travaillent ici pour faire vivre leur famille. Je ne sais pas pourquoi cette lectrice n'a jamais remarqué ça avant. »

La narratrice est tourmentée à la pensée que le vieil homme non seulement doit travailler dur tous les jours en plein soleil, mais doit aussi vivre seul, loin de sa famille.

« La famille est tout pour nous », commenta Dita.

La narratrice comprend alors que la chaleur n'est pas grand-chose et qu'elle avait bien tort de se plaindre. C'est la conclusion de l'histoire, la morale, la goutte de rosée qui dans ce numéro de *Kartini* vient compenser la douleur qu'expriment les autres pages.

Ce récit m'avait semblé captiver Dita, mais elle s'en détacha aussitôt : « C'est une histoire très simple, dit-elle. *Femina* aurait plutôt cherché à savoir pourquoi la fille est si indécise, et si terrifiée de sortir. Ici, elle dit seulement que c'est à cause du soleil. »

Femina était le magazine bourgeois rival. Lukman Oumar, tout de sévérité professionnelle, n'en avait pas fait mention. Alors que les gens de *Femina* l'avaient toujours, lui, à l'esprit. Ils étaient pourtant, dirent-ils, le tout premier magazine féminin d'Indonésie. Ils avaient commencé un an ou deux avant *Kartini*, et Lukman Oumar avait été l'un de leurs premiers distributeurs. Et eux aussi pouvaient être fiers de leur réussite. Le premier numéro — après six à huit mois de préparatifs — s'était vendu, à deux cent cinquante roupies, quelque vingt-cinq cents à l'époque, à quinze mille exemplaires ; le deuxième à vingt-cinq mille ; le troisième à trente-cinq mille. C'est lorsque les ventes atteignirent cinquante mille exemplaires que la concurrence, *Kartini*, était apparue. Lukman Oumar avait eu la perspicacité de ne pas essayer d'imiter la revue bourgeoise : se fiant à son instinct, il avait créé sa propre formule : un extraordinaire mélange de sensationnel, de religieux et d'émotionnel. Et maintenant, vingt ans après, les événements lui donnaient raison.

Mme Mirta, mince, élégante, à l'aise dans plusieurs langues, était l'une des deux fondatrices de *Femina*, et la fille du créateur humaniste de l'imprimerie qui possédait le magazine.

« Je dois vous dire que pour beaucoup de gens *Femina* est très occidentalisée. » Mais ce n'était pas son avis. « Ce que j'essayais d'offrir, quand nous avons débuté, c'était une manière plus pragmatique de regarder au fond des choses. C'était de donner aux gens des choix. Une perspective plus ouverte et qui ne repose pas sur le traditionalisme. »

Les choses étaient maintenant plus nébuleuses ; traditionalisme et pragmatisme évoquaient des associations différentes. Les changements survenus dans l'étroite société coloniale après vingt ans d'indépendance, l'élargissement du monde de chacun, avaient rendu un magazine féminin possible et semblaient ouvrir un chemin tout tracé. Mais, désormais, la religion, les tensions du pays à demi converti et la grande richesse nouvelle donnaient aux choses un tour rétrograde inattendu.

« Ce sont des gens simples qui ont de l'argent, expliqua Mme Mirta en décrivant le public potentiel de son magazine. Pas des nouveaux riches, à quelques exceptions près. La société de Djakarta a toujours les mêmes valeurs. Sa vision intellectuelle est la même. » Lukman Oumar savait parler à ce public. Diplômé de l'université musulmane, il le connaissait suffisamment bien pour publier un magazine religieux à succès. « Il est plus indonésien, les racines du peuple lui sont plus familières. Il a donc davantage de lectrices. Son approche n'est pas pragmatique mais plus émotionnelle. »

Le courrier du cœur de *Femina* s'intitulait *Dari Hati ke Hati*, « Cœur à cœur », et la rédaction y donnait des conseils sérieux. Contrairement à « Oh Mama ! Oh Papa ! », son équivalent dans *Kartini*. Les histoires que choisissait *Kartini*, souligna Mme Mirta, étaient « plus sensationnelles, pas du tout discrètes », du style « Ma belle-mère me brime ». (Je ne voyais pas très bien pourquoi cette récrimination était indiscrète, mais je ne demandai pas d'explication sur-le-champ et le moment passa. Peut-être que Mme Mirta, avec ses hautes exigences personnelles, estimait que les plaintes familiales, lorsqu'elles viraient à la complaisance, ne requéraient pas réellement de l'aide, étaient inacceptables.)

Elle feuilleta un numéro récent de *Kartini* : « Voici une star de cinéma qui part faire le hadj. »

Le pèlerinage à La Mecque : je n'avais jamais associé une obligation religieuse aussi importante à ce genre de traitement journalistique : reportage photo, charme, lunettes noires, voyage, compagnons, mode, les vêtements les plus légers et les plus blancs pour la grande chaleur, la religion pour finir — une version des *Contes de Cantorbéry*. En avait-il toujours été ainsi ? Je demandai à Mme Mirta si *Femina* publierait ce genre de reportage sur le pèlerinage. Oui, répondit-elle. Tout dépendait de l'acteur. Et je songeai par la suite, en relisant mes notes indonésiennes, que c'était sans doute un autre domaine que Lukman Oumar, plus en sécurité à l'égard de la religion, avait été le premier à explorer.

« En revanche, dit Mme Mirta, nous ne ferons pas ça. » Elle montrait un article sur un condamné à mort, avec photos de l'exécution et du cercueil. « Nous ne ferons pas ça. »

À un autre moment, elle sembla de nouveau rejoindre Lukman Oumar : « Notre magazine est surtout connu pour ses conseils culinaires et professionnels. Quand nous avons commencé, les gens disaient : "Vous présentez des rêves." Je trouvais les rêves importants : la vie ne devrait pas être morne. Mais maintenant tout est devenu clinquant parce que tout est clinquant. C'est l'aspect commercial occidental qui prime. » Commercial par opposition à culturel. « Nous dépendons maintenant de la publicité. Nous n'en accueillions pas au début. Le système économique indonésien n'était pas encore en place. »

Malgré tout ce qui était dit ou pouvait être dit des deux côtés, sur le pragmatisme et le sentimentalisme ou l'occidentalisation et le traditionalisme, ce qui distinguait les deux magazines n'était peut-être qu'une différence de générations, à un moment où l'histoire de l'Indonésie évoluait rapidement.

Le père de Mme Mirta, le fondateur de l'imprimerie qui possédait *Femina*, était né à Sumatra en 1908. L'époque coloniale était à son zénith : tout juste cinq ans après que les Hollandais avaient achevé leur conquête de Sumatra, et quatre ans après la mort de la Kartini historique, la princesse javanaise qui — tel Flavius Josèphe avec les Romains après la prise de Jérusalem au premier siècle, ou comme Garcilaso, le demi-Inca, avec les Espagnols du seizième siècle — avait cherché à faire la paix avec les Hollandais, c'est-à-dire avec les forces de l'histoire. Aux yeux de tout Indonésien né à ce moment-là, la domination coloniale devait représenter l'avenir. Et pourtant Lukman Oumar, né seulement vingt-cinq ans après, allait assister enfant, avec l'occupation japonaise, au renversement et au déracinement soudains du gouvernement colonial hollandais.

Le père de Mme Mirta, né dans une « puissante » famille musulmane (comme on me le dit à *Femina*), mais grandissant dans un monde colonial, se déclara « humaniste universel ». Lorsque ce monde commença à se désagréger, la mère de Lukman Oumar, très pauvre mais ayant un sens personnel de l'opportunité, voulut que son fils fréquentât une école musulmane plutôt que hollandaise. Les deux hommes avaient dû lutter au début de leur vie, mais les difficultés et les possibilités correspondaient à des époques différentes. Lukman Oumar, fils d'un paysan pauvre, pouvait raconter que les Japonais l'avaient fait transporter des pierres pour la construction d'un aéoport à Tabing, qu'il avait vendu les confiseries de sa mère à Padang, puis des cacahuètes à Djakarta. A *Femina*, on me dit que le père de Mme Mirta, fils d'un haut fonctionnaire de Sumatra, avait passé son enfance dans un kampung en lisière d'une forêt pleine de tigres, qu'il devait traverser à pied pour aller à l'école.

Plus tard, il se rendit dans la Djakarta coloniale, travailla à l'imprimerie du gouvernement, devint écrivain et savant, et épousa une fille de la noblesse sumatrienne. L'occupation japonaise bouleversa son univers, balaya toutes ses préconceptions coloniales. Il se retrouva à la tête d'une commission pour la modernisation de la langue indonésienne — les Japonais se révélant, plus que de simples occupants, les décolonisateurs les plus impitoyables et les plus intelligents.

Ainsi, tandis que Lukman Oumar et ses camarades d'une dizaine d'années faisaient des travaux forcés à Sumatra, le père de Mme Mirta, à trente-cinq ans, travaillait pour les Japonais à un niveau complètement différent — et il réformait la langue indonésienne avec une telle efficacité que le néerlandais, langue du pouvoir depuis deux siècles, fut en quelques années presque complètement éradiqué. Sukarno revendiquait un passé préhollandais, précolonial, et aujourd'hui, à Djakarta, le visiteur voit plus de sanscrit que de néerlandais sur les grands immeubles. On peut dire que pendant ces années de l'occupation japonaise, le père de Mme Mirta fit un travail qui, une trentaine d'années plus tard, rendrait possibles *Femina* aussi bien que *Kartini*.

Par la suite, l'indépendance venue, après qu'il eut créé son imprimerie, le père de Mme Mirta entra en conflit avec le président Sukarno. Et en 1963 l'imprimerie fut confisquée, ainsi que d'autres possessions familiales à Djakarta. Puis l'imprimerie lui fut restituée. On raconte à *Femina* que le frère de Mme Mirta, qui dirigeait l'entreprise, avait épousé une jeune fille de la noblesse javanaise. Sukarno connaissait sa famille ; un de ses frères avait été tué pendant la guerre contre les Hollandais. Rencontrant un jour la mère, Sukarno lui dit : « Que puis-je faire pour vous ? » « Rendez simplement l'imprimerie à mon gendre, répondit-elle. Afin que nous puissions acheter du lait à ma petite-fille. » Et c'est ainsi que l'entreprise fut restituée.

C'était le frère de Mme Mirta qui en 1972 eut l'idée d'un magazine féminin indonésien. L'imprimerie familiale, la première du pays à travailler en couleur, réalisait des couvertures de magazines ; aussi songea-t-il à publier sa propre revue. Il en parla à sa sœur, laquelle en parla à une amie qu'elle avait rencontrée au centre commercial.

Widarti était assistante de littérature indonésienne. Son travail ne lui laissait pas le temps de lire des livres nouveaux ou de s'intéresser à autre chose, et elle avait fini par considérer qu'elle transmettait à ses étudiant un savoir éculé. Son mari, Goenawan Mohamad, publiait un hebdomadaire d'informations générales qui avait un grand succès. Widarti se sentait donc très à l'écart des choses, et l'idée d'un magazine féminin la séduisit.

Widarti avait suivi le même parcours que Mme Mirta. Elle avait fréquenté l'une des meilleures écoles hollandaises de Djakarta. Les seuls Indonésiens à y être admis étaient les enfants de la noblesse, des gens très riches ou des hauts fonctionnaires, si bien que sur une classe de vingt-cinq élèves il n'y avait guère que cinq Indonésiens — comme le montraient les photographies de l'école. Widarti y avait été acceptée parce que son grand-père avait travaillé pour le gouvernement.

Mme Mirta et Widarti, pendant les mois où elles réfléchirent au nouveau magazine, décidèrent de traiter leurs lectrices en amies et en égales. Elles devaient partager le savoir qu'elles avaient eu le privilège d'acquérir, mais sans condescendance. Il fallait qu'elles obtiennent la confiance de leurs lectrices, qu'elles évitent les commérages et le sensationnel. Mais Widarti et Mme Mirta ne pouvaient oublier leurs origines ; et leur connaissance du monde fut l'un de points forts de la revue.

Widarti, pour expliquer le succès de *Femina*, me dit lors de notre première rencontre : « Nous avons meilleur goût. Nous savons nous habiller à l'occidentale mieux que les autres journaux. Quand nous publions une page de mode, tout doit être parfait. Même pour la décoration d'intérieur, nous savons que le moins est le mieux. Nous comprenons que nous vivons dans un pays tropical, et que nous n'avons pas besoin d'épais tapis persans ou de lourdes draperies. Les autres magazines imitent les revues occidentales à cent pour cent, ou ils ajoutent quelque chose qui ne convient pas. »

Je lui demandai un exemple.

« Dans les demeures bourgeoises de Djakarta, on trouve de ces sofas qui n'ont rien du simple divan : avec des sculptures non seulement très tarabiscotées, mais dorées. C'est trop. Et ces lustres ! Pour rivaliser de prestige. Nos concurrents ne sont pas au courant. Voyez-vous, Mirta et moi nous avons les mêmes origines, et nous sommes ouvertes à la civilisation occidentale, aux intérieurs occidentaux. Nous voyageons. Pour nous, ce n'est pas s'aventurer dans un autre monde. »

La volonté de ne pas traiter la lectrice avec condescendance, de ne pas lui « dicter » sa conduite, était néanmoins toujours présente. Jusque dans la page des conseils personnels, *Dari Hati ke Hati*, « Cœur à cœur ». Les deux responsables de la rubrique traitaient du même problème et étaient souvent en désaccord : c'était donc à la lectrice de décider. L'un des conseillers était un homme de quarante ans, un médecin, l'autre une dame de soixante-dix ans, qui avait inauguré la chronique. Femme d'un haut fonctionnaire de la police, elle était féministe (mais à l'indonésienne, précisa Widarti), et participait à nombre d'œuvres sociales. Son travail pour *Dari Hati ke Hati* l'avait rendue célèbre ; elle était tout le temps invitée à des séminaires. La religion, néanmoins, commençait maintenant à mitiger ses réponses, et elle se montrait parfois un peu trop disposée à laisser Allah régler les problèmes des lectrices. Elle habitait une élégante « résidence » dans la banlieue de Djakarta ; elle envoyait sa copie par fax ; cela faisait partie de son style.

Dita, la journaliste, me raconta l'un des problèmes qui avaient récemment divisé les conseillers de *Dari Hati ke Hati* : une veuve de vingt-trois ans devait-elle se marier avec un étudiant célibataire qui préférait attendre d'avoir obtenu son diplôme, ou un veuf de trente-cinq ans, père d'un enfant, et qui voulait l'épouser immédiatement ? La femme estimait que la veuve devait attendre le célibataire, l'homme qu'elle devait épouser le veuf. La question évoquait un épisode du théâtre d'ombres, sans réponse correcte unique, et correspondait parfaitement à *Dari Hati ke Hati* : chaque lectrice réagit selon son caractère, sa situation et son expérience (la chroniqueuse sachant en l'occurrence — mieux que son collègue masculin — qu'il n'est pas toujours facile pour une nouvelle épouse de vivre avec l'enfant d'une autre).

Cette rubrique était utile, dit Mme Mirta, parce que la plupart des Indonésiens avaient peur de s'affirmer. Ils avaient besoin de conseils et d'affermissement. Un problème récurrent était la difficulté de vivre avec les beaux-parents, ce que doivent faire les gens de Djakarta, souvent pendant des années, parce qu'ils n'ont pas assez d'argent pour avoir leur propre logement. Et Mme Mirta de me donner la traduction approximative et abrégée d'une lettre de ce genre :

« Je suis mariée depuis moins d'un an. Je travaille pour une grande entreprise, tandis que mon mari a sa propre affaire. Ma sœur aînée n'aime pas mon mari. Elle n'a pas voulu nous aider pour le mariage et il en va encore ainsi aujourd'hui. Un jour, l'inévitable s'est produit. Ma sœur a eu une grande dispute avec mon mari. Elle a très peur de son propre mari, et je n'ai pas non plus une bonne relation avec lui. Ma sœur laisse ses enfants chez nous tous les jours et ne rentre chez elle qu'après le retour du bureau de son mari. Comme mon mari ne s'entend pas avec elle, il ne rentre pas à la maison tant qu'elle n'est pas partie — et elle est chez nous tous les jours. Je ne sais pas quoi faire. J'aimerais que nous puissions nous installer dans notre propre foyer, mais nos économies ont servi à rénover la maison de mes parents. J'ai essayé de leur parler de ma sœur, mais ils m'ont répondu que tous les enfants sont les bienvenus à tout moment chez leurs grands-parents. »

L'élément féminin de *Dari Hati ke Hati* trouve la situation mauvaise. Le couple malheureux devrait quitter la maison, chercher une chambre ailleurs. Trouver de l'argent ; éventuellement vendre des bijoux ; déménager. Sinon les choses vont s'aggraver. Partir six mois, respirer un air nouveau ; et peut-être que la colère du mari contre la sœur se dissipera. « Si vous aimez votre mari, et que vous soyez prête à lui sacrifier vos bijoux, cela débouchera peut-être sur une bénédiction d'Allah, sur quelque chose qui n'est pas matériel. Et priez. Et peut-être qu'Allah réduira la friction entre votre mari et vous. »

« Voilà où elle en est aujourd'hui », commenta Mme Mirta, une vieille affection perçant sous la résignation.

L'élément masculin de *Dari Hati ke Hati* était beaucoup plus sévère : « J'aimerais savoir ce qui s'est réellement passé entre votre mari et votre sœur. Pourquoi tant de mystère ? Il a dû se produire quelque chose. Sinon, ils ne se haïraient pas tant. Vous devez élucider le problème, et vous êtes la seule personne qui puisse servir de médiateur. » Lorsque la véritable cause du conflit sera connue, tout le monde devra faire preuve de calme et de rationalité. « Et sacrifiez votre orgueil. Si votre mari dépend encore de vos parents, il a intérêt à se montrer plus prudent. » Mais le mari ferait mieux louer une maison, s'il travaillait plus dur et gagnait davantage.

Il y avait des désespoirs et des détresses plus graves — détresses à vif exprimées ou sublimées, sur le visage de pauvres jeunes filles, par le *hidjab* noir ou brun, le voile musulman. Comme si cette simple forme d'autorépression était la seule manière qui leur fût permise de faire face aux instincts et aux besoins qui ne pouvaient être satisfaits. Et, songeant au succès d'un magazine comme *Woman's Era* en Inde, je demandai s'il n'y avait pas, ici aussi, grand besoin d'une revue pour les femmes qui commençaient tout juste à s'affirmer.

Certainement, dit Widarti. Mais ni elle ni personne d'autre à *Femina* n'était en mesure de le faire ; ce n'était pas leur « mode de vie ». Si elles s'y essayaient, elles feraient montre de condescendance, et ce serait préjudiciable et mauvais. La seule solution serait de trouver quelqu'un d'instruit appartenant à ce niveau social ; mais ce serait difficile, parce qu'il faudrait lui demander de « revenir en arrière ».

« Je suis convaincue qu'on ne peut pas revenir en arrière. Dans tout l'archipel, il y a une sorte de parabole sur un fils qui voyage, devient riche et instruit, et lorsqu'il revient au village, il se sent en marge, irrite tout le monde. Et la mère lui dit quelque chose et le garçon est pétrifié. La morale de cette histoire, qu'on retrouve dans toutes les îles, c'est que l'enfant ne doit jamais froisser ses parents. » Widarti n'appliquait pas cette histoire à son cas personnel ; mais j'eus le sentiment qu'elle éclairait sa propre crainte — presque religieuse — de se montrer condescendante.

Si elles ne pouvaient lui tendre la main, l'autre monde venait désormais à leur rencontre. Lorsque *Femina* avait été fondé, aucune femme du personnel ne portait le voile ; il y en avait aujourd'hui cinq ou six, et ni Mme Mirta ni Widarti n'estimaient pouvoir dire : « C'est quelque chose que je ne veux pas vous voir porter. » Depuis la fin des années quatre-vingt, certains groupes musulmans s'étaient, en effet, mis à critiquer les magazines féminins comme *Femina*.

« Autrefois, dit Widarti, il n'y avait pas de prêche à la mosquée ou à la télévision. Seulement pendant le ramadan. Mais depuis la fin des années quatre-vingt, au début des années quatre-vingt-dix, cette activité musulmane n'a pas lieu seulement pendant le ramadan, mais de plus en plus souvent. Au début, ces sermons religieux ne se faisaient qu'une fois par semaine, le dimanche pour les chrétiens, le vendredi pour les musulmans. Maintenant c'est tous les matins que les musulmans ont droit à la prédication. »

Ces conférences matinales à la télévision étaient celles d'Imadouddine. Dans ce bureau moderne, bien éclairé, il y avait quelque chose d'étrange, et même d'un peu saisissant, à se voir ainsi rappeler l'homme et sa préparation mentale. C'était comme une remémoration d'un autre monde. Un hommage en tout cas au nouveau pouvoir d'Imadouddine.

« En face de nos bureaux il y a une mosquée, et le haut-parleur est de plus en plus tonitruant. Et je vois mon personnel devenir toujours plus religieux. Ils vont maintenant prier à la mosquée trois fois par jour, et nous ne pouvons rien faire contre. Ce matin, nous avons eu une discussion avec notre chef cuisinier dans la cuisine où nous essayons les recettes. A son retour du hadj, elle a changé de vêtements. Une garde-robe musulmane maintenant : le voile, la longue blouse, le châle dans lequel elle s'enveloppe même devant les flammes. C'est à sa sécurité que nous pensons. Parce que ses vêtements sont en polyester, très inflammables. Mais elle refuse d'en changer. » La cuisinière avait une trentaine d'années, et deux enfants. Avant le pèlerinage à La Mecque, elle s'habillait à l'occidentale.

Un groupe d'étudiants en colère avait récemment envahi le journal. « Ils protestaient contre une femme qui portait un maillot de bain blanc. Ils m'ont demandé d'écrire une lettre ouverte d'excuses. Ils étaient une trentaine, âgés d'une vingtaine d'années. Il y avait parmi eux quelques filles en *purdah*, d'autres qui portaient des jeans. Peut-être — c'est une supposition — aiment-ils ça, voir des filles en maillot de bain, mais ils savent que c'est interdit par la religion. Leur colère vient de ce qu'ils n'ont pas le droit, et nous oui. Nous avons la liberté qu'ils n'ont pas. »

Lukman Oumar, quant à lui, n'avait pas à se montrer condescendant pour attirer les femmes qui récusaient *Femina*. Ce monde extérieur était le sien. Il lui suffisait d'ouvrir son cœur et de regarder au fond de lui-même pour savoir ce qui leur parlerait immédiatement.

C'était un homme mince, de petite taille, au teint du fruit *langsat* — couleur de châtaigne d'eau ou de brique crue pâle —, la carnation la plus admirée des Indonésiens. Il me reçut dans ses bureaux, qui étaient très sombres — et, comme un fait exprès, le contraire du plan ouvert, aéré, blond-blanc, de l'immeuble de *Femina*. Nous nous installâmes cérémonieusement avec trois de ses cadres supérieurs à une table immense en bois sombre, au centre de laquelle étaient disposés les catalogues de son entreprise. Une de ses employées, une chrétienne, était également présente, pour lui servir d'interprète. L'arrangement était trop formel pour que l'entretien pût aller au-delà du formalisme. Et la climatisation était déréglée cet après-midi-là : elle soufflait de l'air chaud.

Il portait un costume saharien bleu foncé, à manches courtes. Il semblait sur ses gardes, l'expression neutre, fermée ; peut-être n'allait-il pas bien ce jour-là. Mais il y avait une telle atmosphère autour de lui, dans ce bureau, qu'il était difficile d'oublier que les cadres travaillaient pour lui, que l'immeuble lui appartenait, et que toute cette entreprise d'édition, c'était lui qui l'avait créée de rien.

Je voulais qu'il me parle de son passé ; mais j'eus vite l'impression que ce qu'il disait avait été dit bien des fois auparavant, et que dans ce décor trop gourmé il était impossible d'aller plus loin. Je sentais que les cadres connaissaient toutes ces histoires, les étapes de son ascension : l'occupation japonaise, le départ de son père, sa mère qui vendait des confiseries, qui mettait ses titres fonciers en gage pour payer le voyage de son fils à Djakarta, sa publication de cours polycopiés à l'université musulmane de Djogjakarta. C'étaient là les points visibles d'une vaste expérience submergée, toujours capables d'éveiller l'émotion, même en ce moment-ci, dans le bureau sombre et encombré, émotion qui courait tout droit de sa mère et de son enfance jusqu'à ses magazines et à ses lecteurs. Bien que nous ne puissions pas évoquer longuement le passé, parce le temps manquait : un peu moins d'une heure pour boucler l'entretien. Si je voulais en savoir davantage, je devais envoyer des questions écrites à la dame chrétienne.

Une récente réussite professionnelle l'intéressait davantage : l'État lui avait accordé une licence d'exportation de main-d'œuvre. J'avais lu deux jours auparavant dans le *Jakarta Post* que trente-quatre de ces nouvelles licences avaient été attribuées, si bien qu'il en existait désormais quatre-vingt-six en Indonésie. Certains anciens exportateurs s'étaient élevés contre les nouveaux permis ; le marché de l'exportation de main-d'œuvre était saturé, disaient-ils. Il y avait également eu quelques paroles sévères du ministre du Travail : le gouvernement ne voulait plus entendre parler de travailleurs indonésiens maltraités par des employeurs étrangers, comme cette servante torturée qu'avait récemment évoquée la presse. Les exportateurs de main-d'œuvre devaient « gérer convenablement la manière dont ils envoient les travailleurs indonésiens à l'étranger ».

Je dis à Lukman Oumar que je trouvais étrange qu'un patron de presse comme lui se tourne vers l'exportation de main-d'œuvre. L'entreprise avait des implications déplaisantes, et j'aurais imaginé que les échos de sa propre enfance la lui auraient fait paraître trop douloureuse.

Il répondit, selon la version de son interprète, qu'il n'y avait vraiment rien d'étrange à cela. La situation des gens qui n'arrivaient pas à trouver du travail le touchait. Il agissait dans leur intérêt et ce n'était pas facile. Ils étaient en concurrence avec les travailleurs de l'Inde et du Bangladesh, et dans ces pays-là c'était le gouvernement qui organisait l'exportation de main-d'œuvre.

La veille de mon départ d'Indonésie, je reçus par fax les réponses du bureau de Lukman Oumar aux questions que je lui avais fait parvenir. Sa mère, disait-il, n'avait pas quitté son village de Sumatra. La terre et la rizière qu'elle avait héritées de ses ancêtres (et dont elle avait gagé les certificats de propriété en 1955 pour payer le voyage de son fils cadet à Djakarta) avaient été transmises aux trois frères et sœurs de Lukman Oumar ; ceux-ci vivaient toujours au village et avaient besoin de ces terres pour vivre. La mère de Lukman Oumar était parfois venue passer quelque temps chez lui à Djakarta après qu'il s'était marié, mais jamais plus de deux mois. Elle était morte à l'âge de cent deux ans. Si les chiffres étaient exacts, sa mère avait quarante-six ans quand il était né. Il avait construit à Padang un « cimetière » pour elle, sa mère et son frère. Il indiquait l'adresse complète du cimetière : c'était important pour lui.

On eût dit que toute sa vie Lukman Oumar s'était efforcé de réparer l'abandon de sa mère par son père, parti défricher un coin de forêt pour aménager une rizière et fonder une deuxième famille. Et peut-être qu'en dehors de son aspect lucratif, la licence d'exportation de main-d'œuvre avait pour lui une signification personnelle. Elle bouclait un cercle, donnait à Lukman Oumar la possibilité d'améliorer la vie de gens aussi nécessiteux que sa mère et lui l'avaient été.

CHAPITRE 8

Fantômes

Nous convînmes par la suite que je l'appellerais Boudi (prénom indonésien commun, dérivé certainement du Bouddha) ; mais il commença par être une voix dans l'ombre. C'était juste après la tombée de la nuit, et il était sur le siège arrière du minibus de l'hôtel Meliá venu nous chercher à l'aéroport de Djogjakarta. Il parlait bien anglais. Il n'était venu à Djogja que pour la nuit, dit-il. Une de ses amies se mariait ce soir-là. C'était la fille de la reine du poulet frit indonésien, et la réception après la cérémonie se prolongerait jusqu'à quatre heures du matin dans la grande salle de l'université locale. Puis, après avoir dormi un peu, il reprendrait l'avion pour la capitale. Il était dans les ordinateurs, et avait travaillé treize ans pour une grande société internationale.

Il racontait son histoire au fil de la circulation et des feux de la petite ville, se contentant de parler à ma nuque, nullement gêné que je ne me retourne pas. C'était le début de la soirée, et les chapelets d'ampoules colorées, très faibles, tendues pour le RI50, masquaient les formes des immeubles et estompaient l'animation des rues.

Il avait maintenant sa propre société et son associé était le proche parent d'un homme très important. Grâce à cet associé ils obtenaient de gros contrats publics. Ils employaient trente personnes et comptaient devenir l'un des leaders des logiciels ; ils n'allaient pas tout laisser aux Indiens et aux Philippins. L'associé avait accès auprès du président et d'autres éminents personnages ; en Indonésie c'était indispensable. Sans doute la famille de son associé n'était-elle pas aussi considérable que celle du grand ministre Habibie, le constructeur de l'avion, et qui avait des intérêts dans bien d'autres domaines ; mais elle était suffisamment puissante.

Quand — pour avoir une idée de la manière dont on voyait les choses dans ce milieu — je l'interrogeai sur les Habibie, sa voix changea. C'étaient des gens plus que comblés. Sur un tout autre plan, incroyablement favorisés, avec qui il était impossible de rivaliser. Le frère de Habibie était ambassadeur à Londres ; trois sœurs avaient une très grosse situation dans les affaires ; et il y avait tous les neveux, qui débordaient d'énergie et prospéraient dans d'innombrables secteurs. L'idéal en Indonésie était d'organiser ses affaires afin d'étendre sa protection jusqu'à la septième génération : si quelqu'un (hormis naturellement le président) pouvait y prétendre, c'était Habibie et les siens.

Je m'étonnai de n'avoir jamais entendu parler des Habibie avant de venir en Indonésie, si c'était une famille aussi dominante.

« N'employez surtout pas ce mot, dit-il. Vous avez dû lire certains des discours de notre président. Personne ne doit être trop dominant en Indonésie. »

Était-il ironique ? Je n'en étais pas sûr. L'ironie procède de l'anglais, imprègne les paroles les plus simples ; mais l'anglais était pour lui une langue étrangère, pour s'entretenir avec des étrangers, et sans doute tout à fait stérilisée, sans tonalité.

Il m'expliqua, quand je le lui demandai, comment la réussite lui avait souri. Il avait eu la bonne fortune, dit-il, d'échouer à l'examen d'entrée à l'Institut de technologie de Bandung, l'ITB. (Et, là encore, ce qui semblait ironique était peut-être tout à fait sérieux.) Il avait voulu, comme tant d'autres jeunes gens, faire l'ITB et se spécialiser en électrotechnique. C'était ainsi qu'Imadouddine avait commencé sa carrière (après l'occupation japonaise et la guerre d'indépendance) ; et nombreux étaient les Indonésiens qui, en des temps moins troublés, avaient voulu en faire autant : comme si, parce que l'ITB avait été la première grande école de ce genre dans le pays, ce plan de carrière était définitivement tracé pour les générations suivantes.

Il avait raté deux fois le concours, deux années de suite, à son grand désespoir ; son oncle lui avait alors suggéré, très simplement, de renoncer à l'électrotechnique et de faire autre chose. Il était donc entré dans un institut privé de technologie de l'information. Et bien qu'il ignorât tout des ordinateurs à ce moment-là, les choses s'étaient arrangées pour lui. Et la religion lui avait été d'un grand secours. En fait, son affaire avait commencé à très bien marcher — elle avait obtenu quelques gros contrats publics — après qu'il avait fait le hadj.

Je sus à ce moment-là qu'il avait parlé tout du long sans la moindre ironie. Bien que cette conception de la religion et du pèlerinage, chez un homme qui considérait sa réussite avec tant de désinvolture, me semblait-il, fût aussi inattendue que le reportage photo dans *Kartini* sur le pèlerinage chic de l'acteur chic. C'était son très religieux associé, comme tant d'hommes d'affaires florissants en Indonésie, musulmans et chrétiens, indonésiens et chinois, qui avait amené Boudi à prendre la religion au sérieux.

L'associé avait un jeune maître spirituel qui s'était soudain révélé et était connu de nombre de gens prospères et importants. Il lui présenta Boudi, et ce fut ce maître qui l'envoya à La Mecque. Il avait dit à Boudi que lorsqu'il verrait la Kaaba, il ne devait pas simplement demander pardon de ses mauvaises actions, mais consciemment les rejeter pour toujours. C'était ce qu'il avait fait. Et désormais, avec sa réussite croissante en informatique, il s'y tenait. En fait, il était maintenant plus religieux que son associé. Il priait cinq fois par jour. Il ne mangeait pas de bœuf dans les hôtels ou les restaurants parce que leur viande venait d'Australie, en général, et que les animaux n'y étaient pas tués à la manière musulmane. Son associé ne faisait pas attention à la viande.

111

Tout cela fut dit dans l'obscurité derrière ma tête, tandis que nous roulions dans les rues faiblement illuminées de la ville. Et c'est seulement dans le verre, le marbre et les lumières éclatantes du hall trop décoré du nouveau Meliá — cascades et fontaines jouaient bruyamment dans la rocaille du patio, une Chinoise à demi cachée dans la mezzanine chantait (comme pour elle-même et sa pianiste) des airs d'opérettes célèbres, un orchestre de gamelan avec une chanteuse d'un certain âge (les cheveux tirés en arrière et une joue gonflée par sa chique de tabac) attendait dans un coin en bas de commencer à jouer —, c'est seulement là que je pus voir Boudi convenablement.

D'une taille légèrement supérieure à la moyenne, solidement bâti, peut-être commençait-il à s'empâter sous la chemise de batik. Yeux bruns souriants, joues rondes et pâles, une moustache et d'épais cheveux noirs et raides. Si ses confidences à un inconnu avaient quelque chose de mystérieux (mais peut-être que non : un inconnu avait toutes les chances de disparaître), il était aussi à l'aise avec l'argent et la réussite que je l'avais imaginé. Il semblait illustrer ce qu'enseignait Imadouddine, et ce vers quoi Habibie engageait le pays : la concordance de l'islam et de la technique. Ce riche mariage pour assister auquel il avait fait un long voyage, cette fête de gens qui, m'avait-il dit, étaient d'origine modeste : il paraissait vivre à fond les séductions de la richesse et tout ce qu'il y avait de nouveau dans le pays.

Mais tout ce qu'il m'avait dit, toutes les impressions qu'il m'avait faites allaient se modifier à bien des égards lors de nos rencontres suivantes. Il n'était pas aussi désinvolte que je l'avais cru. La réception à l'université se poursuivit jusqu'à quatre heures du matin sans lui ; il ne s'attarda pas. Il ne maîtrisait pas la nouvelle société ; il en était l'un des orphelins ou demi-orphelins. Tout ce que j'avais vu de lui représentait une série de menus triomphes : aborder l'étranger, parler en anglais, se tenir correctement dans le hall du Meliá. Désespérément ambitieux, il ne disposait de pratiquement aucune protection ; on pouvait l'écraser très facilement. Il avait toujours conscience de ce danger et portait en lui les images d'anciennes humiliations.

À Djakarta j'étais basé à l'hôtel Borobudur, et il se trouvait que Boudi y travaillait dans une chambre cette semaine-là. Son entreprise était associée avec une société européenne pour un gros projet, et deux employés de celle-ci étaient venus à Djakarta (et descendus au Borobudur) pour s'entretenir avec lui. Le projet final, dit Boudi, allait coûter soixante millions de dollars ; rien que le rapport — qu'ils venaient de commencer à préparer — reviendrait à six millions. Le vendredi, jour de repos, après les prières de midi dans la grande et moderniste mosquée Istiqlal en face de l'hôtel (appels à la prière chevrotants puissamment amplifiés cinq fois par jour), Boudi revint déjeuner. Nous nous installâmes le long de la verrière qui donnait sur les jardins épanouis de l'hôtel — grands arbres ombreux, courts de tennis ouverts et couverts, vaste piscine, pavillon de barbecue, piste de jogging tout autour.

Il était d'humeur loquace, mais pas toujours facile à suivre. Il emmagasinait ses expériences en segments ou dossiers différents. Lorsque, pour conserver l'analogie informatique, il ouvrait un dossier, il le traitait comme tel : il commençait par le moment présent et revenait ensuite en arrière. Lorsqu'il maniait deux ou trois dossiers en même temps, la chronologie se brouillait. S'il en percevait assurément toutes les articulations, il était incapable d'en fournir une présentation claire. Peut-être, tout simplement, ne lui avait-on encore jamais demandé de le faire. Aussi, au cours de nos nombreux entretiens, était-il toujours en train de compléter, et de modifier, ce qu'il avait dit auparavant. Un récit finit néanmoins par se constituer ; et même lors de ce déjeuner au Borobudur, c'étaient les os dispersés de la même histoire.

Vers trente-cinq ans, le père de Boudi, taraudé par une profonde envie de se mettre à son compte, démissionna d'un excellent emploi dans une compagnie pétrolière étrangère en Indonésie (il était l'Indonésien le plus élevé dans la hiérarchie) pour monter sa propre entreprise. Il avait l'idée extraordinaire — extraordinaire pour un pétrolier — de dessiner et fabriquer des meubles. Il fit faillite. Cela se passait à Surabaya, dans l'est de Java. La famille dut vendre sa vaste demeure ; il n'y avait souvent, littéralement, rien à manger à table ; et Boudi devait parcourir une quinzaine de kilomètres à bicyclette pour aller à l'école. Dix-sept ans après, cette faillite était toujours très proche de Boudi : elle lui était rappelée quotidiennement puisqu'il pratiquait désormais comme sport le cyclisme auquel il était contraint dans sa jeunesse. Dans un coin de son bureau trônait, huilé et impeccable, tel un objet sacré, un VTT coûteux et extravagamment équipé qu'il avait importé des États-Unis.

Je sentais un mystère ou une gêne à propos de son père. Peut-être était-il né d'un second mariage. Boudi avait dit quelque chose de ce genre lors de notre premier déjeuner. J'attendis qu'il en dît davantage, mais il ne fit pas ; et je ne posai pas de question. Ce qu'il précisa, en revanche, c'est qu'il n'était pas proche de la famille de son père, et qu'il n'avait jamais rencontré son grand-père paternel. Celui-ci était président du tribunal dans une ville du nord de Sumatra ; il était donc de bonne famille. La mère de Boudi — la femme du fils du juge — n'était pas d'aussi bonne famille. Son père était fonctionnaire du temps des Hollandais, avec le grade de commandant ; les fonctionnaires avaient des grades comme les militaires. Sa mère était d'origine paysanne et allait encore parfois aux champs. Mais la société indonésienne d'après l'indépendance était socialement dynamique : le frère cadet de la mère de Boudi — l'oncle qui jouerait un rôle si important dans la vie de Boudi — devint ainsi juriste et professeur d'université.

Le mystère ou la gêne qui avait marqué le père de Boudi semblait avoir été transmis à ses enfants. Ils étaient sept et quatre avaient, socialement parlant, disparu. Il restait un frère médecin ; une sœur qui avait épousé un pétrolier de Kalimantan (autrefois Bornéo) et était riche ; et Boudi.

Il savait que sa famille avait déchu. Il portait cette certitude comme une croix. « Ma famille est peut-être bourgeoise, mais mes parents sont en bas de l'échelle », disait-il. Ou bien : « Je suis vraiment d'une famille modeste, vraiment. » Ou encore : « Rares sont les gens qui ont des origines comme les miennes. Le scénario habituel est le suivant : à l'époque hollandaise la famille végète dans la pauvreté ; après l'indépendance, la deuxième génération connaît une amélioration économique ; puis la troisième génération vit dans la richesse. Mon cas est exceptionnel. La famille de mon père était très puissante, mais à la troisième génération, nous étions plus pauvres que la deuxième. »

Voilà pourquoi son échec, deux ans de suite, à entrer à l'ITB faisait partie pour Boudi de la calamité familiale.

Deux fois l'an, selon la coutume ancienne, l'oncle de Boudi, le juriste, venait rendre visite à sa sœur aînée à Surabaya. Constatant lors d'une de ces visites que Boudi, alors âgé de vingt ans, n'avait pas de travail ni ne fréquentait l'université, il le ramena à Djakarta. Boudi y entra dans un institut de technologie de l'information et découvrit, bien que rien dans ses antécédents ne l'expliquât, qu'il avait un don pour l'informatique. Et pendant quatre ans il vécut chez son oncle.

« Ma vie a changé à partir de ce moment-là. Je sais m'habiller et me conduire convenablement.

— Vous ne saviez pas cela avant ?

— Si j'étais resté à Surabaya je n'aurais jamais eu l'occasion d'aller dans un grand hôtel. Je n'aurais jamais su comment entrer dans la salle à manger d'un hôtel. Et peut-être ne parlerais-je pas anglais ni ne saurais comment m'adresser aux gens.

— Les gens se préoccupent de ce genre de choses, ici ?

— C'est un souci pour beaucoup d'Indonésiens. »

Après ses études, il entra dans une société d'informatique, une société très connue. Il débuta au niveau le plus bas, mais il ne tarda pas à s'élever et à obtenir des augmentations ; il se mit à voyager pour l'entreprise. Rapidement, grâce à des collègues de travail, il rencontra des gens très importants à l'extérieur. Il découvrit qu'en Indonésie le monde des affaires et des ordinateurs et celui du pouvoir politique s'interpénétraient, ne faisaient pratiquement qu'un ; le cercle du pouvoir était vraiment très étroit. Il découvrit aussi à ce moment-là que, malgré son oncle, il continuait de payer l'échec de son père, et qu'il était un homme sans famille, sans groupe. Il avait quitté la maison de son oncle et habitait une maison de location avec un couple de domestiques. Il se sentait seul. Il n'avait pour ainsi dire pas d'amis. Sa réussite même — et les gens célèbres et puissants qu'il rencontrait — le rendait conscient de son isolement. Il n'arrivait pas à trouver d'amie en rapport avec sa nouvelle situation. Ainsi, par un long détour, la réussite le fit se tourner vers la religion.

« A force de recevoir des augmentations de la société informatique, j'ai fini par me dire, pour la première fois, que j'étais quelqu'un, quelqu'un de spécial. Quand ils m'ont promu au marketing, je me suis dit encore que j'étais exceptionnel. Puis j'ai rencontré des tas d'autres gens qui étaient meilleurs que moi. Et j'ai pensé que dans ce monde rien ne peut être considéré comme le meilleur, parce qu'après avoir vu ce qu'on croit le meilleur, on trouve toujours quelque chose de mieux. Aussi, à partir de cela, j'ai compris que j'avais besoin de Dieu. A l'école coranique on ne cesse de lire que Dieu est suprême, mais on ne le sent pas dans son cœur.

— Quel âge aviez-vous à ce moment-là ?

— A peu près vingt-neuf ans. Ce n'était pas la grande réussite, simplement un peu mieux que la moyenne. Je pensais cela de Dieu tous les jours. Quand je pense, je pense seul. Je n'ai même pas un ami proche avec qui je puisse parler de religion. Pendant quatre ou cinq ans j'ai vécu une situation très contradictoire. D'un côté, j'avais terriblement besoin de Dieu et de la religion, mais en même temps je faisais de mauvaises actions que la religion interdit. Je buvais de l'alcool. Je buvais de la bière. Et je commettais d'autres péchés, des péchés selon l'islam. Ça me tourmentait toujours, après coup. Mais pas la boisson : boire, je trouve ça mineur. Je sais qu'un petit plaisir dans ce monde se paie de nombreuses années en enfer.

— Vous avez toujours cru à l'enfer ?

— Toujours. Et tout le monde ici croit au paradis et à l'enfer, ou à la vie après la mort, quelle que soit sa religion. Je savais que mon péché était trop grave, que quoi que je fasse j'irais en enfer. Je savais que dans ma vie le bien n'équilibrait pas le mal. »

Et c'est alors, dans ce moment d'inquiétude et de doute, qu'une occasion professionnelle se présenta. Un collègue de son entreprise le présenta à l'homme qui allait devenir son associé. Ce collègue était l'ami d'enfance de l'associé : il faisait partie de l'univers de relations dont Boudi se sentait exclu. Quelques semaines à peine après cette rencontre, le futur associé de Boudi lui dit : « Pourquoi ne monterions-nous pas une affaire ensemble ? » Il avait besoin de Boudi parce que, malgré ses relations, sa fortune et tous les contrats qui attendaient son bon vouloir, il n'avait pas les talents informatiques de Boudi. A l'ère technique, un talent comme celui de Boudi est niveleur.

Boudi n'hésita pas. Il décida de quitter immédiatement la société informatique. Après y avoir travaillé dix ans, après toutes les augmentations, tous les voyages et les hôtels de luxe, il donna sa démission du jour au lendemain.

Quand il en parla à son père, le vieil homme, songeant à la pauvreté dans laquelle il était tombé avec sa malheureuse entreprise de meubles, lui dit « Fais attention ! ». Sa mère, accablée par ce dénuement, et par ses propres souvenirs de sa mère allant travailler aux champs, ne dit rien.

Je demandai à Boudi à quoi il attribuait son talent informatique

« Je ne sais pas. Peut-être était-ce mon destin. Dans mon domaine, des tas de gens échouent parce qu'il faut avant tout innover. En fait, c'est comme rêver. Par exemple, dans cet hôtel, pendant que je mange je pense à automatiser le système de commandes. J'ai vu ça en Europe. Le serveur arrive avec un ordinateur, presse quelques boutons selon vos instructions, et quelques minutes après un autre serveur apporte votre repas. Et vous recevez automatiquement l'addition du serveur qui a pris votre commande. Donc, tandis que je mange et parle avec vous, je réfléchis à la manière de créer le logiciel pour faire ça. Je pense aussi qu'on pourrait l'appliquer à toutes sortes d'autres secteurs industriels. Mon esprit fonctionne ainsi tout le temps. Je pourrais adapter ce procédé aux wagons de chemin de fer ou aux stocks d'un entrepôt. »

Son associé ne tarda pas à présenter Boudi à son maître spirituel.

« La première fois que je l'ai rencontré, c'était dans une maison très simple qui était également une mosquée. C'était sa propre maison, à Bandung. Mon associé m'y avait emmené. Il partait une semaine après pour La Mecque, et nous avons donc demandé au maître sa bénédiction et des conseils pour le pèlerinage de mon associé. La première fois que je l'ai vu, je n'en ai pas cru mes yeux. Il est très jeune. Mais depuis que j'ai découvert la profondeur de sa connaissance, je ne sous-estime plus jamais les jeunes. Il parlait à une dizaine de personnes dans sa maison. Elles étaient assises sur le tapis. Un simple tapis. Il disait que le secret de la vie est le suivant : laisser Dieu décider ce qui est bon pour nous. Il ne voulait pas dire que nous devions abdiquer, mais que tout ce que nous faisions nous devions le faire le mieux possible. Il faut aider son destin, mais on ne peut le dépasser.

« La première réunion a duré une heure. Je l'ai trouvé très intéressant mais je n'étais pas encore converti. Quelques mois après, mon associé m'a proposé d'investir plusieurs milliers de roupies dans la construction d'une mosquée dont le maître assurerait la direction. Chacun devait financer deux mètres carrés. Je n'avais pas vu le maître depuis notre première rencontre. Mon associé m'a invité à l'inauguration de la mosquée, dont la construction n'était pas encore achevée. J'ai de nouveau rencontré le maître. J'ai vu que la maison toute simple avait été transformée en une mosquée superbe.

« Au total, je l'ai vu une trentaine de fois. Il ne m'apprend pas les détails de la religion. J'avais besoin de quelqu'un pour tout autre chose : comment équilibrer la vie dans ce monde et dans l'au-delà, des choses très délicates. Les gens semblent croire qu'il a un pouvoir surnaturel, mais je ne le crois pas. J'ai vu les preuves — la petite maison devenant la grande mosquée —, mais je n'y crois pas. Je crois davantage en son enseignement : "Laissez Dieu décider ce qui est bon pour vous." »

Le maître était allé plusieurs fois à La Mecque. Il n'avait jamais payé. Quelqu'un payait toujours pour lui. Et c'est un peu ce qui arriva à Boudi lorsque le maître lui conseilla d'aller à La Mecque. Il n'avait pas l'argent nécessaire, mais quand il en parla à son associé, celui-ci paya.

Le samedi, nous allâmes à Bandung voir le maître. A bord d'un CN-235, un avion plus ancien et plus petit construit (en collaboration avec les Espagnols) par l'organisation aérospatiale de Habibie. Dans la salle d'attente des premières classes, à l'aéroport des lignes intérieures, les sièges étaient sculptés et dorés ; j'imagine qu'ils ressemblaient à ceux qui, disait Widarti Goenawan, ne plaisaient pas à *Femina*.

Aller à Bandung n'était qu'un petit saut, mais le CN-235 avait beaucoup de retard. La journée qui était apparue si longue, si riche en promesses, commençait à s'étrécir. Les nerfs se tendaient. Et puis il faisait une chaleur étouffante dans l'avion, vraiment minuscule, tandis que nous attendions sur l'asphalte ; la carlingue ressemblait à un travail bâclé de charpentier ; et elle était si bruyante et si tremblante quand nous décollâmes que je me demandai pourquoi, puisque tant de ses éléments essentiels étaient importés, on avait pris la peine de construire un avion pareil.

« Je suis fier qu'il vole, dit Boudi. Qu'importe sa viabilité économique et ainsi de suite. »

Et Bandung arriva si vite qu'en fin de compte, après toute la tension, je ressentis un peu la même chose moi aussi.

Boudi avait dit que son associé travaillait à Bandung ce samedi-là et qu'il viendrait nous chercher à l'aéroport. Il n'était pas là. Nous le vîmes plus tard, tout à fait par hasard, dans un 4x4 neuf, dans lequel s'entassait sa famille. C'était sur l'une des avenues aujourd'hui bondées de la station d'altitude hollandaise, dont on agrandissait et transformait pour un usage commercial les bâtiments administratifs et les petites résidences de style colonial ; les arbres plantés pour l'ombrage, désormais vieux et largement défeuillés, avaient des troncs boursouflés (au pied chaulé) qui soulevaient les trottoirs.

L'associé s'arrêta bien volontiers, mais ne manifesta pas le moindre embarras. Il dit simplement qu'il avait oublié de venir nous chercher. Le moment était passé ; Boudi parut ne rien avoir remarqué ; mais je sentis que dans son amabilité trop hâtive pour moi, un étranger, peut-être sans références, il était allé trop loin en demandant à son associé, un homme important, de nous accueillir à l'aéroport. L'associé se montra courtois mais indifférent à mon égard. Petit, râblé, les traits épais, il eût passé inaperçu dans une foule indonésienne. Il avait un an ou deux de moins de Boudi, et Boudi me dit qu'il pesait déjà trente millions de dollars. Sa famille dans le 4x4 était élégante ; il y avait une gouvernante pour les enfants ; sa femme avait le teint pâle, des traits plus aigus et une beauté presque indienne.

Nous commençâmes à monter vers l'endroit où habitait le maître, à la lisière de la ville. Nous passâmes devant le vieux parc paysager de l'Institut de technologie, aux allures encore néerlandaises : construit en 1918, célèbre pour avoir été l'école de Sukarno dans les années vingt, et polarisant toujours depuis les ambitions de tant d'Indonésiens. Impossible de ne pas remarquer sur le campus la mosquée Salman, où Imadouddine avait régné comme prédicateur dans les années soixante-dix. En partie à cause de ce dernier, elle excédait aujourd'hui les intentions hollandaises ; et, comme par un contraste délibéré avec la retenue coloniale du cadre, c'était désormais un gros bâtiment de béton aux couleurs éclatantes. Sur une route ombragée nous dépassâmes une colonne d'étudiants tout de blanc vêtus, avec une sorte de chapeau comique, qui marchaient d'un pas vif. Boudi, qui avait rêvé autrefois d'être l'un de ces étudiants, ne connaissait pas l'origine de l'uniforme. Peut-être était-ce la survivance d'une tradition hollandaise expatriée.

Comme nous nous éloignions de l'institut de la ville hollandaise, Boudi compléta ce qu'il avait dit du maître. Le pouvoir surnaturel que certains lui attribuaient l'avait comblé de nouveaux succès : il avait maintenant un supermarché ; une entreprise de location de voitures ; une usine de confection ; une banque ; un service de location d'ordinateurs. Ces choses s'attachaient à lui, poussaient autour de lui. Il demeurait néanmoins ce qu'il était au départ : un maître spirituel. Une fondation créée par des disciples s'occupait de ces affaires. Tout cela s'était accompli en trois ans. C'était dans cette réussite que les autres — et Boudi aussi maintenant — voyaient la main de Dieu.

Quand nous arrivâmes, autre surprise, autre ajustement : les mots employés par Boudi pour décrire les entreprises commerciales du maître ou de sa fondation étaient par trop grandioses. Nous étions loin de la ville coloniale, dans un simple village campagnard, avec des maisons banales, des cours et des jardins de part et d'autre d'un étroit chemin asphalté. Et le service de location d'ordinateurs était un petit éventaire ; le supermarché une sorte d'épicerie rurale ; et pas bien grande la grande mosquée (au-dessus de l'épicerie). Toutes les constructions de la communauté restaient modestes. C'étaient, en fait, malgré tout le ciment, la peinture et les tuiles neufs, les bâtiments de bric et de broc d'un kampung, spontanément rassemblés en pesantren, en internat religieux ; bien qu'ici les élèves soient en même temps les disciples du maître, et voués à son service. Le pesantren faisait nettoyer la route du village tous les jours ; et, si subsistaient d'inévitables traînées de poussière sur les bords de l'asphalte bosselée, tous les cinquante mètres environ un seau en plastique de couleur vive était fixé à un piquet, pour qu'il n'y ait pas d'ordures sur la chaussée. C'étaient de petits seaux. Mais, de même que les allumettes des mendiants de jadis n'étaient pas réellement à vendre, j'eus l'impression que les petits seaux colorés étaient surtout des sortes de figures héraldiques, des symboles de service et de piété, et n'étaient pas destinés à recueillir des déchets véritables ou quoi que ce fût de vraiment sale.

La maison du maître — sa demeure actuelle, pas celle des origines, qui avait été transformée en mosquée et en boutique — se trouvait dans une courte allée qui donnait sur la route. L'allée, entre deux des maisons de la communauté, débouchait sur une cour. La maison du maître occupait un côté de la cour. Elle n'avait qu'un niveau, surélevé de quelques dizaines de centimètres, et les murs — de ciment, dit

Boudi — étaient décorés de nattes de bambou tressées en losanges marron foncé et beige.

Comme nous entrions dans la cour, le maître sortit sur la véranda. Et il faisait impression : il guidait un jeune aveugle grassouillet vêtu d'une longue tunique bleue. Il était très petit, à peine plus grand peut-être que le garçon, et beaucoup plus mince. Ils se saluèrent ; le jeune aveugle fut confié à quelqu'un d'autre, qui l'aida à descendre les deux marches menant à la cour. Une audience s'achevait.

Nous ôtâmes nos chaussures et montâmes dans la véranda. A Djakarta, Boudi m'avait dit que le maître était « maigre ». Rien qui pût suggérer la perfection générale du petit homme : le visage effilé, la fine moustache, la barbe vaporeuse, les petits yeux vifs, qui étaient en train de nous évaluer. Il avait une bouche bien dessinée, étonnamment pleine, soulignée d'une mouche infime. Sa peau était d'un brun clair uniforme, et il était habillé de blanc ou de blanc cassé : une sorte de tenue arabe dont il avait fait son costume religieux et dont Boudi m'avait parlé — un turban de tissu ouatiné, avec un long pan, et une longue tunique sur un sarong bleu sombre. En dépit de sa mise, de son office et du jeune aveugle, l'endroit n'avait rien de solennel. C'était une maison familiale, comme nous pouvions le voir et en partie l'entendre, avec des enfants qui jouaient et des femmes qui s'activaient, heureuses d'entourer le maître.

Il s'assit avec nous sur le tapis de nylon vert, à longs poils, qui n'était pas fixé au sol et formait des ondulations. La balustrade de la véranda — montants de bambou et traverses de bois — était très basse ; le maître pouvait s'y appuyer. Comme il le fit alors, dans un moment soudain de distraction : accoudé sur la balustrade, il détourna les yeux de nous pour regarder en direction du petit bassin où l'eau courait parmi une rocaille de blocs de lave joliment taillés — touche d'élégance inattendue dans la cour.

Des assistants en toques blanches, jeunes gens, élèves du pesantren, commençaient à dérouler de médiocres tapis mécaniques — couleurs diverses, motifs floraux — sur le ciment de la cour pour la prédication de l'après-midi. Nul doute que c'était de cette véranda, comme depuis une chaire ou une estrade — que le maître parlait. Boudi m'avait dit que ses sermons attiraient une foule d'un millier de personnes ; maintenant, son excitation grandissant (l'heure de la prière approchait et Boudi sacrifiait aux cinq prières quotidiennes), il dit deux mille. Tout le monde ne pouvait tenir dans la cour, mais pour le surcroît d'assistance, sur la route, et même dans certaines maisons voisines, il y avait une télévision en circuit fermé.

« Il est *high-tech* », dit Boudi.

Mais le maître ne voulait pas que Boudi servît d'interprète. Il tenait à me parler seul, et en anglais ; et cela compliqua les choses, d'autant qu'il ne savait trop pourquoi j'étais venu. Je souhaitais qu'il me racontât les débuts de son ministère ou de sa vocation. Je ne crois pas qu'il comprît ma question. Il entendait demeurer dans le présent, parler de la communauté qui s'était développée autour de lui, et des divers présents de ses disciples, témoignages de la faveur divine — et j'eus l'intuition que le bassin et la rocaille sous la véranda qu'il regardait de temps à autre, si joliment réalisés, si différents du décor alentour, étaient l'un de ces cadeaux spéciaux.

Lorsque je le pressai de parler de sa première prédication, il répondit par des généralités : « Beaucoup de gens n'ont pas une belle vie. Ils ont de l'argent mais pas de bonheur. Leur âme flotte. » Lorsque les mots lui manquaient, il essayait d'y remédier par l'intensité de la voix, de l'expression et du geste, en brandissant ses doigts fins. Une ou deux fois j'entrevis, aperçu émouvant, ses petits pieds nus sous son sarong.

Je décidai de poser une question plus limitée. Je l'interrogeai sur son père. Son père, répondit-il, était soldat ; il avait quitté l'armée avec le grade de lieutenant-colonel ; il avait fait toute sa carrière à Java. « J'ai songé à entrer dans l'armée. Macho. Comme mes amis, dit-il en riant. Maintenant je suis dans l'armée d'Allah. Mes amis sont dans les bérets verts de l'armée. Moi je suis dans les bérets ou turbans blancs d'Allah. »

J'essayai encore. Boudi m'avait dit que le maître avait quitté l'ITB en cours d'études et qu'avant de voir la lumière il avait mené une « mauvaise » vie. Je demandai alors au maître de me parler de son éducation, et découvris que Boudi s'était trompé. Il avait essayé de créer son maître à son image. Celui-ci n'avait rien d'un raté ; il se considérait au contraire comme quelqu'un aux talents multiples, comblé de réussite. Il avait étudié toutes sortes de sujets, l'administration, l'électronique, et il avait obtenu un diplôme d'électrotechnique à l'ITB. « Dieu m'a permis de réussir presque tout ce que j'ai tenté. L'écriture. L'art oratoire. J'ai été élu chef du bataillon des étudiants. Mais après tous ces succès je me sentais vide. J'avais vingt-quatre ou vingt-cinq ans quand j'ai essayé de trouver ce qui était le plus important dans la vie. »

Voilà qui m'intéressait.

« Je suis l'aîné de quatre enfants. Le troisième est mort de sclérose en plaques. Je le portais à l'école sur mon dos. Mais malgré sa souffrance il était toujours heureux. Plus heureux que les médecins, plus heureux que nous. Il y avait quelque chose d'important en lui. Quel était le secret ? »

Une nouvelle visite arriva, une jeune femme forte avec un voile islamique blanc cassé et une longue robe noire. Le visage rond, sans maquillage, avec comme une souffrance ancienne derrière ses yeux souriants. C'était Hani. Employée d'IPTN, l'organisation aéronautique de Habibie, elle était célèbre pour être la seule femme de l'entreprise à porter au travail une tenue musulmane complète. Le maître l'accueillit et nous la présenta, en expliquant qu'en bonne musulmane elle n'avait pas le droit de toucher les hommes.

Elle s'agenouilla et s'assit sur les talons devant nous, les cuisses largement épatées sous sa robe. Elle dit qu'elle avait travaillé huit ans en France. Elle avait fait ses études à Poitiers.

« C'est une dame *high-tech* », dit Boudi.

Elle précisa modestement qu'elle ne travaillait que sur « une petite partie » de l'avion de Habibie. Mais quand elle venait ici, au pesantren, elle faisait son possible pour répondre aux besoins des gens. Que faisait-elle exactement ? Des vêtures pour musulmans, répondit-elle. C'était une manière de dire qu'elle faisait des habits : des mots pieux pour quelque chose de très simple.

De l'intérieur de la maison, des disciples féminines apportèrent des plats de gâteaux d'un jaune vif et un liquide rougeâtre dans des tasses de porcelaine. Les tasses reposaient en équilibre instable sur le tapis velu et onduleux.

Hani dit qu'elle était rentrée en Indonésie parce qu'elle avait obtenu un contrat d'IPTN. Elle avait eu une bourse de Habibie. Cinquante boursiers partaient à l'étranger chaque année, la plupart étudiaient l'aéronautique.

Je demandai au maître de terminer l'histoire de son frère.

« Il est mort en disant : "Nous ne pouvons travailler ensemble en ce monde, mais nous travaillerons ensemble dans l'autre." »

Hani, accroupie à sa manière particulière, souriante, la robe largement étalée autour d'elle, très imposante et très droite aux côtés du maître, dit de ce dernier : « Quand je suis revenue de France pour travailler à l'IPTN et que je l'ai entendu pour la première fois, je me suis mise à pleurer.

— Vous rappelez-vous ce qu'il avait dit ?

— Il a dit que notre tâche ici était temporaire. Si nous travaillions dur, nous aurions une bonne vie après la mort. Il m'a donné le courage de me lever tôt et de travailler plus dur. Il ne répète jamais la même chose. Dieu œuvre dans sa bouche. »

Et enfin — l'heure de la prière venue, Boudi parti, tandis que des psalmodies s'élevaient de quelque part, qu'un amplificateur qu'on réglait pour le sermon de l'après-midi couinait et tonnait, tandis qu'une femme ou une jeune fille en voile vert balayait le porche de la maison, de l'autre côté de la cour, que des chats maigres du pesantren se promenaient, leur ventre flasque ballant —, enfin, comme poussé par les mots de Hani, le maître me raconta sa première prédication. Il parla dans un mélange d'anglais et d'indonésien, Hani traduisant l'indonésien.

Il avait alors vingt-cinq ans. Ce devait être après la mort de son frère ; dans la maison de son père. Il se mit simplement à prêcher les gens présents. Ils étaient dix la première fois. Puis il quitta la demeure paternelle (il ne précisa pas où elle se situait), vint ici et loua une pièce dans une maison qui était devenue depuis la mosquée du pesantren. Quand une quarantaine de personnes vinrent l'entendre, il commença à s'inquiéter. « Pourquoi ces gens-là m'écoutent-ils ? » se demanda-t-il. Il perdit des amis. Pendant trois ans ce fut difficile pour lui — bien qu'il n'expliquât pas pourquoi. Tous ses amis l'abandonnèrent, sauf un. Ça lui était égal.

« Je sais qu'Allah me regarde tout le temps. Je sais qu'Allah m'écoute. Je ne peux donc pas mentir. Ça me suffit. J'aimais simplement parler des bonnes choses. Et certains disaient que c'était bien, très beau. Je ne trouvais pas que c'était beau. Il m'est très difficile de parler de ces choses. J'ouvrais simplement mon cœur. Je parle du cœur, pas du cerveau. »

C'était certainement ce que voulait dire Hani, que Dieu œuvrait dans sa bouche.

J'avais le sentiment que, si j'avais le temps, si j'obtenais du maître qu'il répondît à de nombreuses petites questions, je pourrais en apprendre davantage sur sa mission ; mais pas tellement plus, et rien qui modifiât ce qui avait été dit. Il était impossible d'aller plus loin sans parler la langue, et sans la foi et les exigences de la foi.

Je l'interrogeai sur le jeune aveugle.

« Je l'hébergeais à la maison avec d'autres élèves. Mais maintenant il travaille pour un hôpital public. Il a habité chez moi pendant environ trois ans. » Que faisait-il ? « Il y a un orphelinat ici. Seuls quatre des enfants sont mes enfants. Je m'occupe des orphelins. » Combien étaient-ils ? « A peu près six ou dix. »

Étrange imprécision ; mais c'était peut-être une expression consacrée. Nous entendions les enfants dans la maison ; et voilà que certains d'entre eux, un ou deux portant une toque blanche, des garçons, pas des filles, se roulèrent sur les tapis dans la cour où les fidèles allaient bientôt venir s'asseoir.

Boudi était revenu ; il était temps de partir. La méfiance avait disparu des yeux du maître ; notre entretien s'était bien passé. Il nous accompagna dans la cour et dans l'allée. Il était ravi de poser pour des photos : long pan flottant du turban, un stylo accroché à la poche de sa tunique, ses pieds délicats dépassant du sarong. Il appela les enfants (toques blanches pour les garçons, voiles blancs pour les filles), leur gouvernante (sarong safran et voile noir), Hani : il voulait qu'ils posent aussi. A la fin, tout le monde riait.

En partant nous vîmes, à deux ou trois maisons de là, des élèves du pesantren qui déchargeaient de la nourriture d'une voiture. C'était sans doute le don d'un disciple, comme tant d'autres choses que nous avions vues : comme le tapis vert dans la véranda, les tasses de porcelaine pour le breuvage rouge (et peut-être le breuvage lui-même), les nattes de bambou tressé sur le mur de la maison, le bassin et la rocaille dans la cour — tout le monde donnant selon ses moyens. C'était comme Boudi l'avait dit : la foi des disciples permettait au pesantren et à toutes ses entreprises de se développer. Et comme son succès attestait la faveur divine, son succès, et le nombre de ses sectateurs, croissait.

Il ne proposait pas une foi simple. Mais des versions des « choses très délicates » qu'il donnait à Boudi : une conduite spirituelle et mondaine (« Laissez Dieu décider de ce qui est bon pour vous »), ainsi que le chemin de l'absolution. Il offrait assurance et réconfort à chacun selon ses besoins ; et les besoins des grands étaient grands. Au moins un des parents de Habibie faisait partie des disciples, dit Boudi. Il laissa même entendre que le grand Habibie lui-même était en relation avec le maître.

Mais Boudi, j'avais fini par le comprendre, aimait à se croire désormais au cœur des événements ; et c'était peut-être une de ses histoires outrées.

Toute l'entreprise, le pesantren et la mission, avaient été retirées des mains du maître. Il n'était plus que le maître, tel qu'en lui-même, qui souriait au milieu des enfants et disait au revoir.

Nous regagnâmes Djakarta par le train. La gare construite par les Hollandais était bien tenue — Java n'était pas l'Inde —, quoiqu'un comptoir de Dunkin Donuts[1], dans sa livrée internationale, y détonnât bizarrement. Le wagon de première, climatisé, était partout imprégné d'une odeur perceptible de nourriture épicée. Un employé alluma l'écran vidéo dans un coin tout en haut ; il diffusait *Little Buddha*, que Boudi avait vu. Dans la lumière pâlissante, le train franchissait lentement des gorges dans les collines boisées qui entourent Bandung : gorge après gorge, pont après pont, la voie serpentant sans cesse, si bien que parfois, en regardant devant, en regardant derrière, on apercevait deux ou même trois ponts peints en blanc, les arches métalliques, très larges, se détachant dans le crépuscule, pareilles à des guirlandes sur le vert foncé de la forêt. Les petites rizières en terrasses, motifs irréguliers de digues et d'eau sur les coteaux escarpés, accrochaient la lumière mourante tels des vitraux sombres, or ou rouges, parfois rayés de rangées de jeunes plants.

Boudi dit que les planteurs de riz ne percevaient pas la beauté que nous voyions. Il leur fallait parfois gravir et descendre les collines des heures durant avant d'atteindre une route importante. Quand nous longeâmes un village, il me montra ce qu'il voulait dire. Dans ces villages, mille roupies, cinquante cents, représentaient beaucoup d'argent (Mille « roupses », disait-il, dans son langage curieusement désinvolte). Un épi de maïs ne s'y vendait pas plus de cinquante « roupses », deux cents et demi ; si bien que pour son dur labeur, le moindre n'étant pas de transporter la récolte au marché, un paysan pouvait ne gagner que cinq dollars. Un peu plus tard, il me désigna le vaste terrain boisé où, dit-il, un parent de Habibie allait construire neuf cents maisons pour les employés d'IPTN : les ramifications de l'industrie aéronautique.

Il savait, dit-il, qu'il était étrange que lui, qui était désormais de l'autre côté, pût parler ainsi des pauvres. Mais il se disputait tous les jours avec son associé à propos de quelque nouvel exemple de corruption qu'il voyait ou croyait voir. Il ne pouvait s'en empêcher ; bien qu'il sût qu'il dépendait de son associé (et de ses agissements) pour obtenir des gros contrats. C'était quelque chose qu'il avait aussi reproché au maître : d'accepter comme disciples des hommes corrompus.

Qu'avait dit le maître ?

Il avait répondu qu'il connaissait les histoires qu'on racontait. Mais

---

1. Chaîne de boutiques fabriquant et vendant sous licence des beignets américains. (*N.d.T.*)

il ne pouvait en tenir compte ; il ne pouvait juger les gens que par ce qu'il voyait d'eux. Réponse aussi satisfaisante que celle qu'il avait donnée à Boudi quand celui-ci s'était étonné de sa tenue à demi arabe. Oui, avait dit le maître, elle était extravagante, mais c'était fait exprès : elle le rendait conscient de lui-même, si bien que lorsqu'il portait ces vêtements il ne pouvait rien faire de mal.

« Je vous ai laissé un moment avec lui, après l'arrivée de Hani. Je suis allé prier. C'était l'heure. Et en priant je me suis aperçu que j'avais perdu mon portefeuille. La perte en soi n'était pas importante. Mais quels ennuis ! Prévenir les gens des cartes. La carte d'identité allait poser des problèmes ; en avoir une nouvelle prendrait des mois. J'avais donc ces inquiétudes juste après la prière. Et j'ai pensé : "Si je les ai perdues, c'est la volonté de Dieu. Ça veut dire que je vais recevoir d'autres choses." Puis je suis allé vous rejoindre, le maître et vous, et j'ai vu le portefeuille sur le tapis à côté de vous. »

Ainsi cette visite au maître avait-elle valu à Boudi une expérience religieuse : la perte, la panique, la résignation, la foi, un immense soulagement, une foi nouvelle. Mais, Boudi étant Boudi, ce moment religieux contenait également une leçon pratique : « Ne mets jamais ton portefeuille dans ta poche de côté. Il en tombera à un moment ou à un autre. Range-le toujours dans la poche arrière. »

Le ciel s'obscurcit. On ne voyait plus rien dehors. La lumière fluorescente du wagon était faible ; les vitres renvoyaient des reflets. La frêle lumière intérieure, le mouvement du train, le bruit des roues — et *Little Buddha* sur l'écran vidéo, qui se dévidait sans fin — entraînèrent Boudi dans une conversation plus profonde, plus personnelle.

Il me parla de son oncle, le plus jeune frère de sa mère, qui l'avait aimé et avait tant fait pour lui. C'était l'oncle qui l'avait arraché à sa pauvreté et à son désespoir à Surabaya, l'avait fait venir à Djakarta, l'avait remis d'aplomb et lui avait appris l'usage du monde. Boudi avait vécu quatre ans chez cet oncle, qui était juriste et professeur d'université. Puis il y avait eu querelle. Boudi, quand il m'avait parlé pour la première fois de cet oncle, avait omis la dispute. Mais celle-ci l'avait marqué, et expliquait en partie sa solitude actuelle.

L'oncle avait fait des études primaires et secondaires hollandaises en Indonésie ; et, bien qu'il fût bon musulman et fît ses prières quatre fois par jour, il n'avait jamais perdu son admiration pour la culture des Pays-Bas ; il s'y rendait tous les deux ans. Boudi pouvait énumérer — comme s'il l'avait fait maintes fois auparavant — toutes les choses que lui avait enseignées cet oncle. Il avait appris à aller au restaurant ; son oncle et lui y allaient trois fois par semaine. Il avait appris à conduire (son oncle prêtait parfois sa voiture à Boudi) ; à faire des photos ; à acheter des livres autres que les manuels scolaires ; à aller à l'école coranique ; à bien s'habiller, à porter des blazers Marks and Spencer et des chaussures Bally, par exemple, jamais des baskets ou des jeans ; et, curieusement, à peindre une maison.

Au bout de quatre ans éclata la querelle. Pour une histoire de filles ;

Boudi sortait tard, parfois avec la voiture, et mentait à propos des filles. Il ne s'agissait pas d'une fille en particulier, mais d'une opposition à la vie que menait Boudi à l'époque. Boudi fit une chose étrange lorsque la querelle éclata. Il enleva la petite amie du moment de chez ses parents pour l'installer chez une autre petite amie. Deux jours après, les parents de la fille allèrent trouver la police. La police vint interroger l'oncle de Boudi sur son neveu. L'oncle régla l'affaire et demanda ensuite à Boudi : « Sais-tu où est cette fille ? » « Bien sûr », répondit Boudi. L'oncle lui dit alors, fermement mais sans colère : « Si tu ne fais pas attention, tu vas avoir des ennuis. » Et Boudi, bien qu'il ne me l'ait pas dit, fit sans doute une promesse à son oncle.

Un soir, quelque temps plus tard, la fille téléphona à la maison. Ce fut l'oncle de Boudi qui répondit. Boudi redoutait cette éventualité depuis longtemps. Et l'oncle, cette fois vraiment furieux, dit à Boudi : « Ne comprends-tu pas que tu n'es rien ? Regarde ce qui est arrivé à ton père. Voilà un bon exemple pour toi. Ce n'est même pas une maison qu'il habite, mais un nid d'oiseau. » (« Et c'est encore vrai aujourd'hui, me confia Boudi. Je peux vous la montrer. ») Et l'oncle posa cet ultimatum : ou Boudi quittait la fille ou il quittait la maison.

Boudi répondit qu'il quitterait la maison. Sa tante le supplia de revenir sur sa décision. Elle alla même retrouver Boudi dans son lit pour lui demander de présenter des excuses à son oncle. Mais il partit le lendemain.

« J'avais une autre raison de partir, me dit Boudi. Ma famille est très, très pauvre. Je vis dans un environnement très riche. Très souvent, je pense à mes parents. Chaque fois que je fais des dépenses personnelles, je me dis que cet argent leur aurait été très utile, si je le leur avais envoyé. Je porte des chaussures Bally, je mange dans de bons restaurants, j'achète des livres coûteux, alors que parfois ils n'ont même pas de quoi déjeuner. »

Il alla s'installer chez un ami qu'il avait connu à l'école d'informatique. Un frère cadet de cet ami dut lui céder sa chambre. La première semaine, grâce à un autre ami de l'école, Boudi trouva un petit travail d'employé de bureau, à trente mille roupies, une quinzaine de dollars. A la fin de la deuxième semaine il obtenait un emploi, de simple opérateur sur ordinateur, dans une grosse entreprise informatique. Il allait rester, et réussir, dix ans dans cette société. Ainsi, de cette manière rapide et inattendue, avait-il commencé sa vraie carrière. C'était ce à quoi son oncle l'avait préparé ; mais son oncle n'était plus là ; et il n'y avait personne d'aussi proche, ou d'aussi concerné ou d'aussi informé avec qui il pouvait partager ce genre de nouvelles personnelles. Il commença à se sentir très seul.

Autre source d'amertume pour Boudi, l'ami de l'école d'informatique chez qui il habitait lui demanda de faire ses devoirs ; puis il lui fit rédiger un examen à sa place ; puis il commença à lui réclamer de l'argent. Mais Boudi ne pouvait s'en plaindre à personne à la maison ; et lorsqu'il finit par s'en aller, cela fit très mauvaise impression dans son entourage.

Il envoyait un tiers de ce qu'il gagnait à ses parents à Surabaya, pour apaiser un peu cette vieille souffrance. Quatre ans après qu'il avait quitté la maison de son oncle, la mère de Boudi entreprit de le pousser à se réconcilier avec lui. « C'est toi le plus jeune, dit-elle à son fils. Ton oncle ne peut te demander pardon. Il faut que tu lui présentes des excuses. » Il finit par s'y résoudre. Sa mère vint de Surabaya à Djakarta pour la fête clôturant le ramadan et l'emmena chez son oncle. Ils s'y rendirent tôt le matin et y passèrent toute la journée ; mais jamais l'oncle ne sortit de sa chambre pour les saluer. L'année suivante, pour la même fête, la mère de Boudi revint emmener Boudi chez son oncle. Cette fois-ci, il sortit de sa chambre. Mais leur relation s'était rompue, ne pouvait redevenir ce qu'elle avait été.

C'était apparemment le motif récurrent de la vie de Boudi : l'ami, le sauveur, se transformait toujours, comme dans une légende, en ennemi. Et — me souvenant de l'associé désinvolte à la famille élégante dans le 4x4 à Bandung — je me demandai si ce thème n'allait pas se répéter maintenant, avec les associés d'affaires que Boudi avait trouvés parmi les gens extrêmement riches du boom indonésien. J'évoquai cette possibilité.

Il répondit, en répétant certains de mes mots : « Il existe une possibilité que des amis deviennent des ennemis. Si on apprend des choses déplaisantes et qu'on ne dise rien, un jour on explose, comme mon oncle. »

Il était vulnérable. Il n'avait pas de protecteur. Et je découvris alors que, malgré tous les goûts luxueux — vêtements, chaussures et lunettes noires d'importation — que son oncle lui avait inculqués, goûts qu'il avait conservés, il n'avait ni maison ni appartement. Il vivait chez des amis, tour à tour ; et il y avait un endroit dans son bureau où il pouvait dormir. Il ne pouvait se payer une maison, dit-il. Et les milliers de maisons que j'avais vues dans les villes nouvelles autour de Djakarta ? Seuls les gens corrompus, policiers ou comptables, pouvaient verser l'accompte de vingt pour cent sur une maison de quarante mille dollars, répondit-il. Quand on habitait ces endroits, on savait qu'on se trouvait entre escrocs. D'ailleurs, ajouta-t-il, il ne voulait pas vivre dans une ville satellite parce qu'il fallait un domestique à demeure, et qu'il ne voulait pas s'encombrer d'un pareil fardeau. Un peu plus tard, il sembla dire qu'il ne pourrait supporter la solitude d'avoir une maison à lui.

Sa solitude le tourmentait. A Surabaya, ses parents, dans leur misère, ne pouvaient guère lui procurer de relations. Et comme il n'avait pas fréquenté l'université, il s'était coupé de toute une génération de ses pairs. Les jeunes filles qu'il aurait pu épouser s'étaient mariées à d'autres. Même pendant son ascension dans la société informatique, il n'avait pu avoir de liaisons avec des collègues parce qu'il n'était pas du même milieu qu'elles et n'avait pas leur assurance. Avant que le maître de Bandung l'ait envoyé en pèlerinage à La Mecque, il avait eu

126

de nombreuses aventures sexuelles, mais sans « environnement » — son expression d'informaticien pour une vie sociale adéquate. Aujourd'hui, depuis son vœu, c'en était même fini de la sexualité.

Il avait des centaines d'amis. Mais la solitude, dit-il d'un ton mystérieux, n'avait pas de rapport direct avec le bonheur ; et la solitude dont il souffrait était de « ne pas savoir quoi faire ». Il s'entendait bien avec ses parents, mais ils trouvaient que Boudi était bien au-dessus d'eux ; et il n'avait pas de vraie conversation avec eux, comme autrefois avec son oncle.

« Mon père ne regrette pas la faillite. Il ne regrette jamais. Il aime porter de très vieilles chemises, même quand je lui en achète des neuves. Il est très indonésien en ce sens. Il n'a aucun désir de luxe. Le nid d'oiseau lui suffit. Quand je lui ai raconté ce que mon oncle avait dit, il a éclaté de rire. "Alors tu es parti de chez lui parce qu'il t'a dit ça ?" "C'était humiliant," ai-je répondu. "Mais c'est vrai. La maison ressemble à un nid d'oiseau." »

À la nouvelle gare de Djakarta, de construction japonaise, beaucoup plus belle et agréable que tout ce qu'on peut trouver en Inde, avec ses grands espaces propres et ses éventaires proposant des petits plats très tentants, Boudi marchanda vigoureusement pendant plusieurs minutes avec les chauffeurs de taxi. Je proposai de payer, mais il voulait marchander. Il finit par obtenir de l'un d'eux un tarif qui me parut très bas. Dans le taxi, il me dit qu'il comptait doubler le prix convenu, pour marquer combien il appréciait la courtoisie de l'homme.

Il avait hérité quelque chose du mystère et de la bizarrerie de son père. Sa peur de la solitude l'avait conduit à vivre chez des amis et dans son bureau ; et ce mode de vie perpétuait sa solitude.

Son bureau, dans un immeuble moderne au centre de Djakarta, était une grande pièce divisée par des cloisons. Dans l'espace principal se trouvaient cinq fauteuils. Ainsi qu'un placard dans lequel dormait Boudi lorsqu'il ne demeurait pas chez des amis. Ce placard contenait une couchette et des tringles, et comme il n'avait pas la climatisation il dormait avec la porte du placard ouverte. Il rangeait dans des tiroirs du bureau les vêtements qui n'étaient pas pendus aux cintres. Les vêtements étaient aussi coûteux que son oncle lui avait enseigné qu'ils devaient l'être ; et sur des étagères à côté du placard étaient disposés des livres — qu'il lisait la nuit — comme ceux que son oncle lui avait appris à acheter, et notamment le Coran en indonésien et en anglais, un certain nombre d'ouvrages religieux et une série de livres de gestion publiés par Heinemann Asie dont il avait fait l'acquisition après notre journée à Bandung.

Dans un petit recoin à côté de son bureau personnel se trouvait son somptueux VTT américain, avec amortisseurs devant et derrière : la bicyclette, aspect de sa grande pauvreté à Surabaya, devenue désormais un sport et un luxe. Derrière l'endroit destiné aux employés, aussi bondé qu'une salle de classe, il y avait un coin mosquée moquetté de vert avec un tapis de prière orienté vers La Mecque.

Cela me rappela — en plus petit — le bureau d'Imadouddine. D'ailleurs, Boudi suivait les émissions religieuses d'Imadouddine à la télévision (il se souvenait en particulier d'un entretien que celui-ci avait eu avec un meurtrier devenu musulman en prison). Et lorsque j'assistai à l'une de ses séances régulières de formation du personnel, j'eus le sentiment que Boudi avait adapté certains des exercices de préparation mentale d'Imadouddine ; bien qu'ils soient peut-être, dans les deux cas, issus d'entreprises américaines.

Un ami de Boudi, diplômé de l'ITB de vingt-cinq ans, qui travaillait dans la société de télécommunications familiale, était récemment venu le voir à son bureau. C'était un spécialiste des arts martiaux. Il avait également la réputation de voir les esprits et de discerner les maladies et les auras des gens. Il avait ainsi vu que l'associé de Boudi avait des problèmes rénaux et que Boudi souffrait de sinusite. Lorsque Boudi, impressionné, l'emmena dans sa chambre-placard, le voyant déclara : « Dans cette chambre réside l'esprit d'une très vieille femme. Mais elle ne te veut pas de mal. Laisse-la donc où elle est. »

« A quoi ressemble cette vieille dame ? demandai-je à Boudi. L'a-t-il vue ?

— C'est exactement ce que je lui ai demandé. Et il m'a répondu : "La vieille dame est d'une substance transparente. Comme ce qu'on voit dans *Casper, The Friendly Ghost*." Dans un livre égyptien, j'ai lu une formulation différente : les esprit peuvent s'imiter eux-mêmes sous forme humaine. Ils peuvent aussi se transformer en animaux.

— Je ne savais pas que vous vous intéressiez à ce genre de choses.

— Je me suis toujours intéressé à ces choses-là. »

Lors de notre dernière rencontre, Boudi — toujours fidèle au style de son oncle — m'apporta des cadeaux : des livres sur les neuf premiers maîtres ou propagateurs de l'islam en Indonésie, qui devaient me rappeler notre visite à son maître à Bandung. C'étaient des livres pour enfants ; mais Boudi estimait qu'ils conviendraient, parce qu'ils présentaient la version populaire de l'histoire de ces maîtres.

Il me traduisit l'histoire de Kali Djaga. Kali Djaga passait pour avoir adapté à l'islam la vieille épopée hindoue du *Mahabharata* pour le théâtre d'ombres. De cette manière il présenta l'islam au peuple et lui apprit à adorer Dieu au lieu de pierres.

Le père de Kali Djaga était un ministre ou un gouverneur régional de l'empire Madjapahit, le dernier royaume hindou de Java. Le domaine du père se trouvait dans le nord de l'île, où il y avait déjà une certaine présence islamique. Bien que croyant lui-même, il ne voulait pas que son fils enseignât l'islam ; il ne voulait pas contrarier le souverain hindou de l'empire. En grandissant, Kali Djaga supporta mal le fossé entre riches et pauvres dans le domaine paternel. Il se mit à voler du riz et d'autres nourritures dans les silos publics pour les distribuer aux miséreux. Son père le surprit un jour et lui ordonna de quitter son domaine. Et Kali Djaga s'établit dans la forêt, où il volait pour les pauvres.

Un jour, il vit un vieil homme qui marchait dans la forêt avec une canne au pommeau d'or. Kali Djaga arracha la canne au vieillard, qui lui dit : « Que veux-tu ? De l'or ? Si tu veux de l'or, regarde ces arbres. » Et soudain les arbres que désigna le vieil homme se transformèrent en or. Kali Djaga se précipita sur les arbres pour en récolter l'or tandis que le vieillard allait son chemin. Quand celui-ci disparut, l'or des arbres redevint feuilles, et Kali Djaga comprit que le vieil homme était très puissant.

Ce vieillard était en fait Sounnane Bonang, l'un des neuf maîtres, homme aux grands pouvoirs : il pouvait voler et faire tomber la pluie à volonté. Kali Djaga courut derrière lui et le supplia de l'accepter comme élève. Le vieillard répondit : « Je suis très occupé. Mais si tu veux vraiment être mon disciple, prends mon bâton, assieds-toi ici au bord de la rivière et attends que je revienne. »

Le maître s'en fut. Il oublia Kali Djaga. Bien des années plus tard, repassant par ce chemin, il trouva Kali Djaga assis au bord de la rivière ; il avait une longue chevelure, une longue barbe et des ongles longs, et tenait toujours la canne du maître. Des lianes le recouvraient. Alors le vieil homme donna à Kali Djaga force savoir et pouvoir et lui dit d'aller prêcher l'islam à la population. Kali Djaga eut de grandes difficultés à enseigner la population, qui était hindoue. Aussi décida-t-il de respecter autant que possible les histoires et les cérémonies hindoues, mais en changeant les mots : au lieu des mantras hindoues, il récitait le Coran.

« Cette prédication eut lieu à Tuban, dit Boudi. A quelque deux cents kilomètres de Surabaya. Aujourd'hui une grande ville avec un port.

— A quelle date, diriez-vous ?

— Je ne sais pas.

— A quel siècle ?

— Je situerais ça au moment de la chute de l'empire Madjapahit. Ce livre est fait pour les enfants. Il ne donne pas de dates ni ce genre de choses. »

La chute du Madjapahit se produisit en 1478. C'est-à-dire quatorze ans avant la chute de Grenade, le dernier royaume musulman d'Espagne, et quatorze ans avant la découverte du Nouveau Monde. Ainsi, alors que l'islam était arrêté en Occident, en Orient il se répandait sur les vestiges culturo-religieux de la sphère d'influence indienne. L'Inde avait été ravagée par des siècles d'invasions musulmanes ; sa lumière, dans des endroits comme l'Indonésie, s'éteignait à son tour.

L'image de Kali Djaga, recouvert de lianes mais fidèle à son devoir, est une version magique et simplifiée du saint jaina hindou Gomateshwara, méditant sur l'infini. La représentation la plus spectaculaire de Gomateshwara est une statue de dix-neuf mètres, à Sravana Belgola, dans le Karnataka, en Inde du Sud, qui le représente debout, nu et enserré de lianes. Bien qu'elle date du dixième siècle elle paraît encore toute neuve. Au pied de la statue, vision troublante, comme si le saint était toujours mis à l'épreuve, de vrais rats déambulent. Il était étrange de le retrouver dans cette histoire javanaise du quinzième siècle, assis au bord d'une rivière dans une perspective toute différente.

L'univers de Boudi, encore à la croisée des religions, était plus rempli de fantômes qu'il ne l'imaginait.

DEUXIÈME PARTIE

Iran

La justice d'Ali

CHAPITRE 9

La Fondation des Opprimés

À Djakarta, la richesse nouvelle pouvait parfois paraître oppressante. Elle transformait le paysage et les existences trop vite, du moins en apparence : le passé était trop proche. Chaque week-end, les riches, surtout les riches Chinois, entendaient fuir la nouvelle métropole désordonnée créée par la richesse nouvelle, en quête de repos, de propreté, d'air frais, d'ordre. Aussi gagnaient-ils, avec famille et gouvernantes, les nouveaux hôtels cinq-étoiles qui étaient désormais en fin de semaine les refuges de la capitale. En 1979, certains Chinois de Djakarta utilisaient ainsi les grands hôtels de la ville, mais essentiellement lors des fêtes importantes. A présent l'argent nouveau, la chance nouvelle faisaient une fête de chaque week-end ; et le dimanche matin, à l'hôtel Borobudur, les riches, chinois et autres, des Familles Arrivées de Béthanie, l'une des nouvelles confessions évangéliques américaines, se réunissaient dans un des grands salons pour chanter des hymnes et frapper des mains, en priant pour que la chance dure. Car elle ressemblait à de la chance, cette richesse qui pouvait échoir même aux gens sans instruction, puisque les techniques et les usines qui la produisaient étaient intégralement importées. Pour cette raison aussi, elle ressemblait à du pillage, à quelque chose qui devait un jour prendre fin. Dans l'État autoritaire, où la chance et les licences ne récompensaient que les gens obéissants, toute notion de développement — y compris « la technologie » — s'accompagnait de cette idée de pillage. L'angoisse n'épargnait même pas les riches. Voilà pourquoi, le dimanche matin, ils se retrouvaient dans l'hôtel sanctuaire pour chanter des cantiques et frapper des mains avec un abandon sabbatique ; sur la vitre arrière de leurs voitures, des autocollants proclamaient FAMILLES ARRIVÉES DE BÉTHANIE, comme une prière immuable pour conjurer le mauvais œil.

J'avais souvent sur place le sentiment que Djakarta était une version, moins élégante peut-être, de ce qu'était l'Iran avant la révolution : si grandiose et si irrésistible qu'il semblait malvenu de voir l'imposture ou d'imaginer l'effondrement ou le délabrement de la grande ville.

Mais le Téhéran où je me rendis en août 1979, six mois après la révolution, ressemblait à cette ville imaginée : telle une métropole moderne,

133

création d'une richesse immense, à la vie miraculeusement suspendue : les publicités internationales encore présentes si les marchandises ne l'étaient pas toujours (*Kentucky Fried Chicken* furieusement reformulé *Our Fried Chicken*, et le visage du colonel sudiste maculé et redessiné) ; les grues immobilisées sur une douzaine de tours inachevées ; les mauvais repas dans des restaurants déserts, l'esturgeon caoutchouteux à la sauce brune dans la salle à manger presque vide mais encore impeccablement disposée de l'hôtel encore baptisé Royal Tehran Hilton sur la vaisselle, les menus et les additions, où les serveurs moroses en smoking chuchotaient et grommelaient entre eux, en gens qui savaient qu'on n'avait plus besoin de leurs talents et de leur style. Prémonitions de délabrement, tandis que vibrait dehors l'excitation des foules immenses lors des prières du vendredi à l'université de Téhéran (foules si nombreuses que leurs pas grondaient comme la mer et que l'on voyait la poussière s'élever au-dessus d'elles), avec les prédicateurs célèbres en direct à la télévision ; et que les gardiens de la révolution, arborant le treillis qui était désormais comme un attribut de la foi, circulaient à très vive allure en pick-ups pour proclamer leur mainmise sur la ville.

J'étais descendu cette fois-ci au Hyatt. Ce n'était plus tout à fait le Hyatt, mais l'Azadi Grand Hôtel (ex-Hyatt). « Azadi » signifie liberté. Tous les cinq-étoiles de l'Iran avaient été confisqués par l'État, rebaptisés et remis à la Fondation des Opprimés (ainsi nommée pour se moquer de la Fondation Pahlevi du chah). Mais les gens parlaient toujours du Hyatt. Il se trouve dans les faubourgs nord de la ville, sur les hauteurs.

Le sol de marbre poli du grand hall était rassurant, et même à trois heures du matin il y avait des gens à la réception. Mais le bout de tapis dans l'ascenseur était sale et pas tout à fait aux dimensions. L'or des portes de l'ascenseur, élément de la splendeur originelle du Hyatt, avait été arraché ou usé par endroits, et l'on voyait maintenant que ce n'était qu'un laminage, comme celui qui recouvre les cartes de crédit. Les chasseurs de l'hôtel portaient tous des chemises à col ouvert — l'un des insignes de la révolution. Affaissés en plis irréguliers sous les revers de la veste, les cols évoquaient à cette heure tardive une sorte de fraise malpropre et aplatie. Nombre de chasseurs n'étaient pas rasés, à la mode islamique. Certains, le visage luisant, étaient sales. C'était une forme de défi social : les deux styles de la révolution, le politique et le religieux, allant de pair. Et lorsqu'un peu plus tard je redescendis, pour déposer des affaires au coffre de l'hôtel, moroses et nullement serviables, les chasseurs étaient installés sans vergogne dans les fauteuils capitonnés au milieu du hall, pareils à un petit conclave de ces opprimés au nom desquels les hôtels comme le Hyatt avaient été confisqués.

Dans la matinée, signe un peu rassurant, un serveur apporta du café ; puis deux femmes vinrent faire la chambre. Leurs robes qui descendaient jusqu'aux chevilles, d'un bleu glauque (peut-être pour en cacher la crasse), et leurs voiles noirs, tels des capuchons noirs, leur donnaient l'air de moines d'un ordre servant. Mais elles étaient amicales et connaissaient même quelques mots d'anglais. Rien donc ne m'avait préparé à l'homme qui me monta l'omelette de mon déjeuner : revêche d'un bout à l'autre, il me considérait avec une haine absolue et ne dit pas un seul mot. Un reste de fureur révolutionnaire, pensai-je ; et lorsque en fin d'après-midi, je descendis dans le hall, je vis quelque chose qui m'avait échappé pendant la nuit dans la demi-stupeur de l'arrivée : un grand panneau sur le mur de l'entrée au-dessus du hall : A BAS LES USA Il se trouvait là (comme dans le hall de tous les hôtels cinq-étoiles) depuis la révolution.

Sous ce panneau des gens prenaient du thé, du café et des gâteaux ; ils étaient d'apparence bourgeoise, et il y avait de nombreuses femmes parmi eux. La mezzanine devait accueillir une fête enfantine : des jeunes femmes à l'allure et aux chaussures élégantes (l'élégance triomphant des longues tuniques et du voile noir) montaient l'escalier tournant avec des petites filles en robes aux couleurs éclatantes ; tout cela suggérait une société plus ouverte que ne l'eût laissé penser l'annonce du steward de la Lufthansa lors de notre arrivée : les femmes devaient garder la tête couverte.

Mais l'homme à qui j'en parlai — il était venu me conduire à une représentation de *La Conférence des oiseaux*, danses et rythmes soufis, dans le théâtre en plein air, à la manière de Versailles, sous les *tchenar* du parc du palais du chah —, l'homme à qui je parlai de ces gens dans le hall du Hyatt me dit que la vraie bourgeoisie iranienne, la classe qu'il avait fallu un siècle, et des richesses incalculables, pour produire, avait été détruite ou dispersée. Ce que j'avais vu dans le hall du Hyatt, c'étaient les mornes débuts d'une nouvelle classe moyenne.

La circulation était telle que je me la rappelais, conduire toujours un affrontement à chaque croisement, tantôt gagné, tantôt perdu, voitures cabossées dans les deux cas. Tous les jours, les gaz d'échappement formaient un nuage obscurcissant qu'on voyait des collines au nord de Téhéran ; du centre de la ville, il cachait les montagnes.

La librairie du Hyatt avait un bon choix d'ouvrages anglais, nouveaux et anciens, vieux livres de poche, stocks prérévolutionnaires, bizarrement toujours en vente. Certains volumes inattendus avaient été censurés et parfois dans des détails improbables : sur une photographie granuleuse d'une édition scolaire de *Black Boy*, une petite Noire du sud des États-Unis, assise devant sa masure, avait ainsi les jambes crayonnées au feutre noir.

A la terrasse du café du hall du Hyatt, une affiche encadrée représentait une femme à la tête couverte. Mehrdad, l'étudiant qui me servait de guide et d'interprète, m'en traduisit la légende : « Voici le portrait d'une femme innocente. » On trouvait cette affiche dans nombre de lieux publics de Téhéran.

Et il y avait la guerre, la guerre de huit ans avec l'Irak. Thème inéluctable. Toute proche qu'elle était, elle avait aussi quelque chose de mythique, comme un événement qui se fût produit un siècle auparavant. Mehrdad, quand il m'en parla pour la première fois, se servit d'une curieuse expression. Il dit : « C'est une guerre qui a été perdue. » Je lui demandai ce que cela signifiait pour lui. « Rien », répondit-il. Ce n'était pas ce qu'il voulait dire ; c'était sa manière d'évoquer une souffrance presque inexprimable.

La sœur de Mehrdad avait une trentaine d'années. Bien qu'instruite et plutôt jolie, elle n'avait pas trouvé de mari : il y avait pénurie d'hommes à cause de la guerre. Elle travaillait dans une maison d'édition. En cela, elle avait de la chance ; bien des jeunes femmes n'avaient pas l'occasion de sortir de chez elles ; dans l'Iran révolutionnaire, il n'était pas facile pour une femme non mariée d'avoir une vie sociale ou même de se promener. Quand la sœur de Mehrdad quittait son bureau, elle rentrait directement à la maison et n'en bougeait plus. Elle passait le plus clair de son temps dans sa chambre. Elle était d'humeur maussade, dit Mehrdad. Elle avait beaucoup grossi, piquait des colères et pleurait souvent ; leur mère ne savait pas quoi faire pour l'aider.

Le père de Mehrdad travaillait dans une banque avant la révolution. Après la révolution, les banques avaient été nationalisées et il avait perdu son emploi. Il s'était débrouillé pour monter une petite affaire de mercerie ; c'était ainsi qu'il faisait vivre sa famille. Mehrdad — remontant loin en arrière, quand il avait huit ans : la plupart des jeunes n'avaient connu que la révolution —, Mehrdad se rappelait qu'au début de la révolution c'était le slogan communiste qu'on scandait : *Nan, Kar, Azadi*, « Du pain, du travail et la liberté ». Au bout d'un an c'était devenu : « Du pain, du travail et une république islamique ».

Chaque manière de se comporter en public était désormais régie par des règles religieuses, et les gardiens de la révolution en uniforme vert — barbes et treillis devenus l'emblème de l'autorité et non de la révolte de la jeunesse — étaient là pour faire respecter ces règles. Mehrdad m'emmena en fin d'après-midi dans un parc non loin du Hyatt. Jeunes gens et jeunes femmes y allaient pour se voir ; les gardiens s'y promenaient aussi, pour les prendre en défaut. Les filles, par petits groupes, portaient une robe et un tchador noirs. Elles étaient faciles à repérer dans ce parc : tout en noir maintenant, saisissante couleur de la sexualité féminine, qui faisaient des signes de loin. Mehrdad, songeant certainement à sa sœur recluse à la maison, dit que les filles, pour certaines déjà des femmes, étaient plus âgées qu'elles ne l'auraient dû, parce que les hommes étaient rares après la guerre.

Dans une partie du parc, de part et d'autre de très larges degrés, s'alignaient les bustes, remarquablement semblables, des grands hommes de l'Iran islamique, la révolution islamique produisant ici une sorte d'art soviétique dans un parc à l'usage du peuple.

De même que dans les anciens pays communistes les journaux émasculés publiaient principalement des informations des autres pays communistes, de même le *Tehran Times* en anglais ne parlait guère que du monde musulman. Ainsi que des événements locaux : le procès de trois terroristes de l'organisation Khalq des moudjahidines ; une pénurie de pièces détachées dans l'industrie pétrolière à cause de l'embargo commercial des États-Unis ; l'érosion de la monnaie.

Il y avait naturellement la censure ; nul mystère à ce propos. Celle des livres s'exerçait avec une cruauté particulière. Chaque ouvrage devait être soumis aux censeurs, non sous forme de manuscrit, mais dans sa version imprimée définitive et après la réalisation complète du premier tirage. Cela obligeait à une autocensure frénétique et inquisitoriale. Mais quelque intensément que l'on voulût se mettre à l'abri, on ne pouvait jamais en être sûr. La musique était-elle acceptable ? Des opinions différentes s'affrontaient. Les échecs étaient-ils une occupation admissible, ou devait-on les considérer comme un jeu d'argent ? Après force incertitudes et discussions, l'imam Khomeiny avait donné son agrément ; et c'était devenu la loi.

Outre que la dorure de leurs portes pelait, les ascenseurs tombaient de temps à autre en panne, et parfois, après la réparation, les montées et descentes grinçantes obéissaient à un ordre imprévisible. La climatisation de ma chambre s'arrêta. « *Kharab* », déclara l'homme de la réception. « Mauvais. » Et ce fut tout. J'étais prêt à me résigner, mais quand Mehrdad apprit la chose il obtint de la direction qu'on me donnât une chambre à l'arrière, à l'abri du soleil de l'après-midi et avec vue sur les montagnes au nord.

Le mausolée de Khomeiny et le cimetière des Martyrs (les martyrs de la guerre contre l'Irak) qui le flanque se trouvent dans le désert au sud de Téhéran, sur la route menant à la ville sainte de Qom. Mehrdad et le chauffeur étant d'avis que nous ferions mieux d'y arriver avant qu'il ne fît trop chaud, nous partîmes avant l'aube.

Brusquement, dans l'obscurité, et au loin dans le désert plat, apparut un déploiement de lumières, large et bas : les illuminations bleues et or du mausolée et les lampadaires du bout d'autoroute qui y menait. Lentement, comme une illusion d'optique qui se défait, les détails commencèrent à se dessiner parmi les éclairages et contre le ciel où l'aube s'annonçait : le dôme très haut, d'une curieuse couleur bronze, et les quatre minarets pareils à des tours de télécommunications, chacune coiffée d'une petite couronne de lumières jaunes, d'où s'élevait une sorte de flèche surmontée du symbole d'Allah, avec, au-dessus encore, une lumière bleue, comme si les architectes (comme ceux du mémorial d'Albert à Londres) avaient voulu prolonger l'effet, interminablement.

Le parking était immense et plein de vieilles camionnettes et de vieilles voitures. Des lauriers-roses poussaient entre les allées. La lumière du désert s'avivait de minute en minute, et l'on voyait de plus en plus de gens : familles entières endormies ou allongées sur le sol auprès de leur véhicule, campagnards au visage brûlé par le soleil, aux vêtements sombres, à la literie en loques, leurs affaires entassées dans des sacs en plastique.

Un panneau proclamait, inutilement : « Lieu saint. » Derrière, on trouvait un grand fouillis : un certain nombre de cabanes basses pour recevoir les offrandes ; un baraquement pour les objets perdus ; une bicoque où l'on servait du thé gratuit, avec un écriteau déclarant qu'on y acceptait les dons de thé, de sucre et de tasses. Toutes ces constructions annexes étaient rudimentaires, ordinaires, voire négligées, comme si le grand dôme et les quatre minarets aux couronnes de lumière suffisaient à témoigner la piété : tout avait été terminé en quatre mois, me dit Mehrdad, tant était pressant le besoin d'un mausolée en l'honneur de l'imam.

Dans ce plat pays et sous le ciel haut, les gens semblaient tout petits. Ils avaient aussi l'air minuscules dans le mausolée. Leurs pieds nus ne faisaient presque aucun bruit. Ils regardaient à travers les grilles la tombe de l'imam ; ce regard exprimait tous les vœux et tous les espoirs. C'était ce qu'ils étaient venus chercher. Tout le reste était accessoire.

Devant le mausolée s'étendait une grande cour pavée de dalles de ciment, avec au milieu un bassin pour les ablutions. Les structures à demi terminées en béton couleur de poussière sur le côté de la cour étaient destinées à l'hébergement des pèlerins. Partout le béton, le béton brut grignotait le désert. Les plates-formes de béton flanquant le bâtiment principal se délitaient déjà. Les dalles prolongeant la cour étaient brisées par endroits ou érodées au point de ne plus se distinguer du mortier, pour se désagréger sur les franges extérieures en simple poussière, semée çà et là de flaques d'eau et de plaques de gravier.

« Ils ne nettoient que pour les anniversaires », expliqua Mehrdad.

Les renfoncements dans le mur de brique entourant le mausolée, abris traditionnels des pèlerins, étaient, pour certains, fermés par des couvertures et des draps tendus bout à bout. La brise aurorale soulevait les draps, dévoilant les familles dans leurs niches, avec leurs couvertures, leur matériel de couchage et leurs affaires. Les visiteurs dépourvus de l'intimité de ces paravents de fortune étaient déjà debout et s'activaient. Beaucoup étaient des villageois à l'air pauvre. Certains faisaient leur prière. Les tchadors des femmes tout en noir claquaient dans la brise et faisaient paraître les femmes plus grandes qu'elles n'étaient. Vus de près, nombre de pèlerins étaient très petits et très menus, et parfois squelettiques. Ils devaient venir de loin : vieille détresse campagnarde, ignorant encore toute idée de réforme.

Des bidons orange portaient au pochoir le mot persan pour « ordures ». Pareils à des sortes de boîtes aux lettres, des troncs bleus et jaunes aux formes capricieuses étaient éparpillés dans la cour principale. On lisait sur le couvercle, selon la traduction de Mehrdad : « L'aumône enrichit. » Sur deux côtés figuraient des mains stylisées, l'une tendue et l'autre qui donnait. Les mains étaient coloriées en jaune et, dans celle qui donnait, était inscrit au pochoir en rouge : « Commencez la journée par un don, par une aumône. » Le réceptacle du tronc était peint en bleu et portait ce message : « Faire la charité, c'est se protéger contre soixante-dix maladies. » L'ensemble reposait sur un pilier jaune haut d'un mètre environ. Les dalles de béton de la cour avaient été creusées pour accueillir le poteau et recimentées ensuite, si bien que les troncs apparaissaient comme une initiative tardive.

Les dons étaient destinés au « Komiteh d'aide de l'imam Khomeiny » ; ce *komiteh*, ou comité révolutionnaire, avait été constitué la première année de la révolution. A Téhéran, dit Mehrdad, on racontait cette blague à propos des troncs du komiteh : un Turc de la campagne (un Turc d'Iran, cible privilégiée de ce genre d'histoires) va porter son aumône et est presque aussitôt après renversé par un car de pèlerins.

« Pour le Turc, commenta Mehrdad, c'était comme une cabine téléphonique qui ne marchait pas. »

Inattendues dans un lieu saint, il y avait aussi des boîtes à suggestions dans la cour. Mais peut-être avaient-elles, elles aussi, été placées par le komiteh ; et peut-être seulement dans la perspective où il devait y avoir des boîtes à idées dans tous les endroits publics. Elles ressemblaient à de petits abris pour oiseaux juchés sur des poteaux. Les poteaux, comme ceux des troncs, avaient été enfoncés dans des trous creusés dans le ciment et rebouchés grossièrement avec du mortier ; de sorte qu'elles aussi ressemblaient à un repentir.

Le soleil surgit. C'était le moment de gagner le cimetière des Martyrs. Les lampadaires à trois branches à l'entrée de la cour en béton étaient déjà abîmés. Je ne les avais pas remarqués à l'aller. Abat-jour d'aluminium en forme de dôme, ressemblant à des sortes de grands chapeaux ecclésiastiques ; les socles, eux aussi, étaient endommagés.

Tout avait été construit très vite, comme l'avait dit Mehrdad. Peut-être les lieux saints naissaient-ils toujours ainsi, pour répondre à un besoin immédiat, pour amortir une émotion ou un chagrin public écrasant. Peut-être que ce mausolée, ou ses bâtiments annexes, serait construit et reconstruit tant que le besoin resterait présent. J'avais le sentiment que pour la plupart des gens qui y venaient, le besoin serait toujours là ; le monde leur échapperait toujours.

Sur les dalles, auprès des voitures et des camionnettes garées, et parmi les lauriers-roses, les familles s'étaient assises en rond pour le cérémonial du partage du pain plat et du fromage blanc qu'elles avaient apportés. Certaines avaient des samovars.

En 1979, il y avait partout des affiches et des graffiti révolutionnaires. L'art graphique de la révolution était enthousiaste, comme les passions. Presque plus rien de tel aujourd'hui ; à la place, on voyait les signes et les exhortations de l'autorité. **NE CROYEZ PAS QUE LES HOMMES TOMBÉS POUR LA CAUSE D'ALLAH SOIENT MORTS. ILS VIVENT ET ALLAH POURVOIT A LEURS BESOINS** : c'était ce que proclamait en anglais la partie gauche du panneau au-dessus de l'entrée principale du cimetière des Martyrs.

L'avenue qui partait du portail était large et bien tenue, et des soldats en grand uniforme y montaient la garde. Cette avenue menait à d'autres grandes avenues entre des plantations de pins et d'ormes. C'était là que se trouvaient les tombes, entre les arbres et parmi les arbustes. Des porte-photographies en aluminium, sur deux piquets, tels des panneaux d'affichage, s'alignaient les uns à côté des autres. Ils étaient de tailles différentes. En haut de chaque support, un cadre vitré contenait la photo du mort ; et ces photos étaient troublantes parce que les hommes, tous jeunes, ressemblaient aux jeunes gens que l'on pouvait encore croiser dans les rues. Les gardiens de la révolution que j'avais vus à Téhéran en 1979, qui circulaient en armes à bord de leurs camions, comme s'ils cherchaient seulement à se montrer, m'avaient paru théâtraux. Peut-être l'étaient-ils, mais ils étaient aussi prêts à mourir qu'ils le disaient ; et c'était par dizaines de milliers qu'ils étaient tombés au combat.

Le martyr de la guerre le plus célèbre avait treize ans. Il s'était attaché une bombe sur le corps et s'était jeté sous un char ennemi. Khomeiny avait parlé de son sacrifice dans un de ses discours. Cloué à un pin, un petit écriteau manuscrit, joliment réalisé, comme pour une fête — le texte en noir, ombré de rouge — indiquait aux visiteurs l'emplacement de la tombe.

Le frère du jeune martyr était lui aussi mort à la guerre, et ils avaient été enterrés ensemble. La plaque sur la pierre tombale portait l'insigne des gardiens de la révolution : un fusil stylisé. Le cadre vitré contenait les photos encadrées des deux frères avec, de part et d'autre, des fleurs artificielles sur un napperon de dentelle. En dessous, sur une étagère, il y avait un miroir, encore un napperon de dentelle et d'autres fleurs artificielles. Mehrdad me dit que le miroir et le napperon de dentelle étaient les cadeaux qu'on offrait traditionnellement au nouvel époux. On pouvait également lire, en blanc ou argent sur fond noir, le célèbre hommage de Khomeiny, dans son fameux style littéraire : « Je ne suis pas le Guide. Le Guide est ce garçon de treize ans qui, avec son petit cœur qui valait plus que cent plumes [autrement dit, sa foi était plus précieuse que tout ce qu'on pouvait écrire], s'est jeté sous le char et l'a détruit, et a bu la coupe du martyre et est mort. » C'était deux mois après le début de la guerre ; personne ne se doutait alors qu'elle se prolongerait huit ans.

Les pierres tombales simples, facilement reconnaissables, avaient été fournies par l'État. Les familles avaient payé les plus ornées. Une dalle très simple, que l'on retrouvait sans cesse, disait dans une belle écriture persane : *Martyr inconnu*.

« Il y en a ici des milliers, dit Mehrdad. Les familles qui ne savent pas où est enterré leur fils viennent prier sur l'une de ces pierres. »

Sous les pins et les ormes, tout était serré l'un contre l'autre : les rangées de pierres tombales et de porte-photographies, les arbustes maigrelets qui poussaient dans le sable, et les drapeaux, cernés par les arbres et les arbustes et incapables de flotter, qui semblaient faire partie de la végétation.

Mehrdad dit, comme nous nous engagions parmi les tombes : « On voit les drapeaux partout. Les drapeaux de l'Iran. » Il voulait dire le drapeau de la République islamique : vert, blanc, rouge, avec l'emblème d'Allah au milieu du blanc, et, juste en dessous du blanc, une phrase du Coran dans une écriture évoquant une grecque. Il dit, en en désignant un puis un autre : « Ils perdent leur couleur, ils perdent leur signification. »

Mehrdad avait fait son service militaire dans l'armée de terre. Ce qui semblait ironique dans ses paroles était une forme de souffrance. L'armée et le drapeau comptaient pour lui ; et ces drapeaux, toujours immobiles, jamais destinés à battre dans le vent, dressés par les familles des martyrs, étaient couverts de la poussière du désert.

Des lauriers-roses se mêlaient aux arbustes. C'étaient les mêmes lauriers-roses qui poussaient entre les allées du parking autour du mausolée de Khomeiny. Si les gens se rendaient en foule au mausolée, il n'y avait pratiquement personne ici. Et encore s'agissait-il pour la plupart d'employés du cimetière. Le public venait, dit Mehrdad, certains jours particuliers.

La poussière du désert, projetée par les automobiles et les véhicules de nettoiement, avait ravagé les porte-photographies en aluminium au bord des avenues. Certains étaient absolument vides ; parfois les photos s'étaient abîmées ou effondrées dans le cadre. Cela eût semblé impossible il y a quelque temps, mais aucun parent ne venait plus, dit Mehrdad. Peut-être ceux qui pleuraient les défunts étaient-ils morts à leur tour. Les monuments funéraires personnels ne durent que le temps du chagrin.

Au détour d'un chemin, au-dessus de tombes et de porte-photos négligés, un panneau, encore neuf d'apparence, affichait ces paroles de Khomeiny : **LES MARTYRS SE TOURNENT VERS ALLAH — ILS NE PENSENT A RIEN D'AUTRE. ILS VOIENT ALLAH. ILS SE CONCENTRENT SUR ALLAH.**

Nous nous rendîmes à la fontaine sanglante, naguère encore célèbre. Quand elle fut installée, au début de la guerre, elle lançait de l'eau colorée en rouge et visait à susciter des idées de sang, de sacrifice et de rédemption. La fontaine était désormais tarie ; le bassin vide. Trop de vrai sang avait coulé.

CHAPITRE 10

L'aller et retour
de M. Jaffrey

Je me mis à la recherche de gens du passé. L'un d'eux était M. Parvez, le fondateur et rédacteur en chef du *Tehran Times*, quotidien en langue anglaise (dont il était fier de la devise « Puisse la vérité l'emporter »). En août 1979, il m'avait paru au sommet de la réussite.

Son journal avait des bureaux bien équipés dans le centre de Téhéran et une vingtaine d'employés, dont quelques étrangers, jeunes voyageurs anglophones ravis de monnayer leur anglais pour quelques rials. Le journal marchait si bien que M. Parvez et les autres administrateurs envisageaient de le faire passer de huit à douze pages l'année suivante. Il y avait encore à Téhéran suffisamment d'enthousiasme révolutionnaire et d'allées et venues d'étrangers pour que M. Parvez eût le sentiment, comme les hôteliers et les restaurateurs, qu'après les bouleversements de la révolution et le ralentissement provisoire de l'économie tout allait repartir, et que le pays libéré retrouverait bientôt la prospérité du temps du chah.

M. Parvez avait l'air plus indien qu'iranien. Quand je lui posai la question, il me répondit qu'il était iranien d'origine indienne. Je trouvai que c'était une manière élégante de présenter une situation compliquée, et je supposai que c'était un chiite indien qui avait émigré dans la patrie du chiisme.

C'était un homme très gentil. Il crut que, comme tant d'autres visiteurs, j'étais venu lui demander un peu de travail, et il devait être sur le point de m'en proposer, parce que, avec une timidité et un embarras soudains, sans me regarder, les yeux baissés sur les épreuves étalées sur son bureau, il me demanda de manière détournée, comme s'il ne pouvait supporter de poser la question directement, quelles étaient mes « conditions ». Quand il comprit que je voulais simplement parler de la situation en Iran, il m'adressa à M. Jaffrey dans la salle des reporters.

M. Jaffrey était un homme d'un certain âge aux yeux étincelants et à la bouche large et mobile. Il avait interrompu sa tâche sur la superbe machine à écrire placée devant lui pour manger une assiette d'œufs sur le plat que le coursier du journal venait de lui apporter. Il dévorait les œufs (bien que ce fût le ramadan il ne jeûnait pas) avec entrain ; et j'étais persuadé qu'il rédigeait l'article sur sa machine à écrire avec autant de pétulance.

M. Jaffrey était indien, lui aussi. C'était un chiite de Lucknow. Il avait quitté l'Inde en 1948, un an après l'indépendance, parce qu'on lui avait dit « très brutalement » que, musulman, il n'irait pas loin dans l'armée de l'air indienne. Il émigra au Pakistan. Au bout de dix ans, il commença à s'y sentir mal à l'aise en tant que chiite. Il était donc parti pour l'Iran, où presque tout le monde était chiite. Mais — le confort religieux diminuant sans cesse, dans cette quête communautaire de M. Jaffrey — l'Iran du chah était une tyrannie, et la grande richesse, quand elle arriva, avait débouché sur la corruption, la sodomie et le mal généralisé.

Il avait néanmoins tenu bon. Puis la révolution était arrivée. La religion avait fait naître la révolution, lui avait donné sa force irrésistible. C'était, enfin, quelque chose de bon, quelque chose que M. Jaffrey pouvait approuver. Mais déjà, en moins de six mois, la révolution avait mal tourné. Les ayatollahs n'avaient pas regagné leurs centres religieux, comme M. Jaffrey estimait qu'ils auraient dû le faire ; ils n'avaient pas cédé la place aux hommes politiques et aux fonctionnaires. Khomeiny, dit M. Jaffrey, avait usurpé l'autorité du chah, et le pays était désormais aux mains de « fanatiques ».

Nul doute que c'était le genre de prose hargneuse que M. Jaffrey avait abandonnée sur sa machine à écrire pour manger ses œufs et bavarder : j'eus le sentiment qu'il formulait, amplifiait et rendait plus immodéré ce qu'il était en train de rédiger. Et peut-être, après toute une vie de refus, le mode de la hargne ou de la protestation faisait-il surgir en lui le meilleur journalisme dont il fût capable.

Toute sa vie M. Jaffrey avait rêvé de la *djamè towhidi*, la société des croyants, rêvé de recréer l'islam des premiers jours, quand régnait le Prophète, quand les domaines spirituel et laïque se confondaient, et que tout ce qui se faisait dans la communauté encore restreinte pouvait être considéré comme au service de la foi.

Rêve de la cité-État antique — fantasme dangereux dans le monde moderne —, sous sa forme la plus simple c'était un désir de sécurité, qui contenait aussi une notion d'exclusivité. Ces deux idées, en proportions variables, avaient amené M. Jaffrey à rejeter l'Inde pour le Pakistan, puis le Pakistan pour l'Iran chiite. Sous un autre aspect, c'était le rêve d'une société ethniquement purifiée (pour employer les mots d'une époque ultérieure). Cette tentation avait provoqué la partition du sous-continent indien et la création du Pakistan ; et pourtant, l'État musulman ainsi réalisé, au prix de tant de vies et de souffrances humaines, n'avait pu retenir M. Jaffrey et son rêve.

Désormais, en Iran, l'ayatollah Khomeini gouvernait politiquement et spirituellement par un consentement quasi universel. Une telle figure n'était pas près de revenir ; et il était difficile d'imaginer un pays dans un état d'enthousiasme religieux plus extrême. (Selon un article du *Tehran Times*, il y avait maintenant jusqu'à une manière islamique de laver les tapis.) L'Iran des ayatollahs aurait dû fortement ressembler au rêve de M. Jaffrey de la *djamè towhidi*, la société des croyants, la fusion de l'État et de la religion.

Mais c'était justement à ce stade que l'éducation et l'expérience indo-britanniques de M. Jaffrey étaient entrées en jeu : les idées de démocratie, de droit et d'institutions, la séparation de l'Église et de l'État — idées qui le mobilisaient devant sa machine à écrire dans la salle des reporters pour engager furieusement les mollahs à regagner leurs mosquées et les ayatollahs la ville de Qom.

Son rêve de *djamè towhidi* était pour lui si pur et si doux que M. Jaffrey n'avait pas encore commencé à en envisager les contradictions. Il aimait sa religion ; à cause d'elle, il était allé de pays en pays ; il estimait qu'elle lui donnait le droit de juger la foi des autres. Et c'était exactement là, en fait, dans son rêve fabuleux d'une impossible complétude antique, dans sa conscience de sa propre piété, qui ressemblait à de l'orgueil, dans son rejet constant de l'impur, que commençait la tyrannie de l'État religieux. D'autres que lui avaient leurs idées propres ; eux aussi estimaient pouvoir juger la foi des autres. M. Jaffrey subissait maintenant les « fanatiques ». Mais à sa manière il était semblable à eux.

Six mois après, quand je revins à Téhéran, c'était l'hiver, il faisait un temps glacial, et le bureau des reporters était vide. Un gros classeur à sangle, où étaient archivés les brouillons des articles, avait été éventré et les feuillets s'étaient répandus sur l'une des tables. La machine à écrire de M. Jaffrey était là, vide, inoffensive.

L'ambassade américaine avait été prise d'assaut quelques semaines auparavant par un groupe iranien, et le personnel était depuis retenu en otage. Cela avait tué d'un seul coup les affaires et la vie économique. Les huit pages du *Tehran Times* s'étaient réduites à quatre, une feuille unique pliée. Les vingt collaborateurs n'étaient plus que deux : M. Parvez et une autre personne. M. Parvez perdait trois cents dollars par numéro. Il estimait néanmoins qu'il devait continuer, parce que, croyait-il, s'il renonçait à le faire paraître ne fût-ce qu'un seul jour, le journal cesserait d'être une affaire vivante, et la fortune qu'il y avait investie serait perdue. Il avait les nerfs à vif. Il pouvait à peine se résoudre à parler de sa grande crainte : que les otages américains soient tués.

Je lui demandai des nouvelles de M. Jaffrey : « C'est dur pour lui ?

— C'est dur pour tout le monde. »

Les abords de l'ambassade ressemblaient à une foire : tentes, éventaires, livres, nourriture, boissons chaudes. Des cordes interdisaient l'accès au trottoir longeant le haut mur d'enceinte. Les grilles étaient gardées. Les étudiants qui s'étaient emparés de l'ambassade se disaient, dans un langage précautionneux qui semblait destiné à dissimuler leur identité réelle, « les étudiants musulmans qui suivent la ligne de l'ayatollah Khomeiny ». Ils portaient des treillis, campaient dans des tentes basses en toile imperméable kaki. Parfaitement en sécurité autour de l'ambassade dans le nord de Téhéran, ils jouaient à la guerre.

La vraie guerre arriverait plus tôt qu'ils ne le croyaient, et elle durerait huit ans.

Cette fois, quinze ans après je me mis à la recherche, mais sans grand espoir, de M. Parvez et de M. Jaffrey. Le *Tehran Times* existait encore ; on le trouvait parfois à la réception du Hyatt. Mais il avait perdu la devise, « Puisse la vérité l'emporter », dont s'enorgueillissait M. Parvez ; et sa typographie était un peu négligée et incertaine. Dans l'esprit, il ressemblait au Hyatt. M. Parvez n'aurait jamais accepté un tel laisser-aller ; c'était un professionnel ; la publication d'un journal n'avait pas de secrets pour lui. D'ailleurs son nom ne figurait plus sous le titre.

Il avait pourtant survécu. S'il avait perdu le *Tehran Times*, il publiait un autre journal en langue anglaise, l'*Iran News*. Les bureaux, dans un petit immeuble de la place Vanak, dans le centre de Téhéran, étaient plus beaux que ceux du *Tehran Times* de jadis. L'*Iran News* était d'une modernité exemplaire à tous égards. Dès l'entrée on avait l'impression que, malgré leur long isolement et leurs difficultés financières, et en dépit de la prétentieuse mesquinerie révolutionnaire d'endroits comme le Hyatt, les Iraniens d'un certain niveau pouvaient encore bien faire les choses, dans un esprit qui était comme la perpétuation de l'époque — aujourd'hui flamboyante — du chah.

Rien sur le visage de M. Parvez ne témoignait des contraintes qu'il avait dû subir ; et seule une légère bouffissure autour des yeux, comme s'il avait trop dormi, révélait qu'il avait vieilli. Je n'étais pas sûr qu'il se souvenait de moi. Nos deux rencontres avaient été brèves ; et la première fois il était préoccupé et timide, et la seconde tourmenté. Pourtant, sans montrer le moindre doute ou la moindre hésitation, il me conduisit au dernier étage de l'immeuble, où nous devions déjeuner et où, dit-il, il serait plus facile de parler.

C'était une pièce mansardée, spacieuse et bien éclairée. Sur le sol, presque au milieu, des feuilles de journal étalées en diagonale formaient une sorte de tapis de prière orienté vers La Mecque, avec, à la tête, un de ces petits tas de terre de quelque lieu saint, sur lesquels, quand ils prient, les chiites ont coutume de poser le front.

À cette vue, M. Parvez tressaillit légèrement. Il avait dû réserver la pièce pour notre déjeuner. Mais il se ressaisit rapidement : « Ah, dit-il avec une légère lassitude, en contournant d'un pas précautionneux les feuilles de journal, ces chiites. »

Et ce fut à mon tour d'être surpris par cette lassitude et cette distance, parce que j'avais toujours cru que M. Parvez était un chiite indien, et que c'était sa passion chiite qui lui avait fait abandonner Bhopal et l'Inde, et ses jeunes années où il écrivait des poèmes en ourdou, la langue aux influences persanes des musulmans indiens, pour venir s'installer en Iran. Mais M. Parvez avait connu bien des traverses. Il avait vécu l'époque du chah, puis il avait survécu à quinze ans et plus de révolution, à Dieu sait quel prix ; et il n'était pas étonnant que ses certitudes, si elles avaient jamais existé, se fussent dissoutes.

Nous nous assîmes sur des sièges de plastique blanc (d'un modèle superposable) à une table en plastique blanc, en tournant le dos au tapis de prière en papier. La table était décorée d'un motif très voyant de feuilles de bambou. Des coursiers apportèrent le déjeuner, en disposant les plats très attentivement, comme si cela faisait partie de leur style personnel : nourriture fruste, carnée, huileuse, difficile à manger proprement, que M. Parvez attaqua avec la même délectation que M. Jaffrey ses œufs au plat cet après-midi de ramadan seize ans auparavant. C'est en mangeant un peu de ceci, puis une bouchée de cela, en savourant son repas, que M Parvez me raconta l'histoire de M. Jaffrey.

Les choses s'étaient gâtées pour M. Jaffrey peu après ma seconde visite au *Tehran Times*, en février 1980, lorsque j'avais trouvé M. Parvez dans ses bureaux désertés, très préoccupé par la prise de l'ambassade américaine et la capture de son personnel par les « étudiants qui suivent la ligne de l'ayatollah Khomeiny ».

Les étudiants épluchaient les archives de l'ambassade et presque chaque jour faisaient des « révélations » sur toujours plus de monde. Ils avaient même fait des « révélations » à propos du *Tehran Times*.

Un soir, un étudiant vint au journal et demanda à voir M. Jaffrey. Il ne se présenta pas, mais il faisait partie du groupe qui occupait l'ambassade. M. Parvez lui répondit que M. Jaffrey serait au bureau le lendemain à onze heures. L'étudiant s'en alla.

M. Parvez s'inquiéta. Il savait que M. Jaffrey était correspondant à temps partiel de la Voix de l'Amérique. Ce qu'il ne savait pas alors, c'était que la radio payait M. Jaffrey par l'intermédiaire de l'ambassade américaine. Les reçus que M. Jaffrey remettait (ou signait) ne précisaient jamais les raisons de ces versements, mais indiquaient simplement : « Reçu de l'ambassade des États-Unis. »

M. Jaffrey était un vieil homme. Il souffrait notamment de problèmes cardiaques. M. Parvez lui téléphona chez lui.

« Je viens tout de suite au bureau », dit M. Jaffrey.

Quand il arriva, M. Parvez lui demanda : « Quelque chose ne va pas ? Aviez-vous des contacts avec l'ambassade ?

— Non. Sauf à propos de la Voix de l'Amérique. Je faisais des reportages. Et l'argent me parvenait par l'ambassade américaine. »

Je demandai à M. Parvez : « Savez-vous combien il touchait ?

— Trois cents dollars par mois, je crois. C'était une belle somme à l'époque. Un dollar valait sept *toumans*, soixante-dix rials. »

Cela aurait fait encore une plus belle somme aujourd'hui : un dollar valant quatre mille rials.

« Je lui ai conseillé de se rendre à l'ambassade et de s'expliquer avec les étudiants, poursuivit M. Parvez. Je lui ai dit qu'ils avaient l'air très gentils. Il m'a promis d'y aller. »

Le lendemain, M. Jaffrey ne se présenta pas au journal. M. Parvez téléphona chez lui. Il n'y était pas. Très ennuyé, M. Parvez essaya de se rassurer : le téléphone de M. Jaffrey était probablement en dérangement. Il envoya son chauffeur aux nouvelles. Celui-ci revint au bout d'une heure : « La maison est fermée », dit-il. Un voisin lui avait raconté que pendant la nuit M. Jaffrey avait entassé quelques affaires dans le coffre de sa voiture. M. Jaffrey avait une grosse voiture américaine, une vieille Chevrolet.

M. Parvez interrogea les amis de M. Jaffrey. Il ne pouvait croire qu'il fût un espion. Puis il se dit que M. Jaffrey avait peut-être été arrêté. Il s'adressa à la sécurité. Là on lui dit ne rien savoir de M. Jaffrey.

L'après-midi, l'étudiant de l'ambassade revint et demanda à voir M. Jaffrey. Il se mit en colère lorsque M. Parvez lui dit qu'il ne savait pas où celui-ci se trouvait.

« Pourquoi m'avez-vous dit qu'il serait ici à onze heures ?

— Écoutez. C'est un brave homme, un vieil homme. Je sais qu'il n'a rien fait de mal. »

L'étudiant redoubla de colère et M. Parvez apprit par la suite qu'avec plusieurs de ses camarades, il avait forcé la porte de M. Jaffrey et emporté divers objets.

Le lendemain, M. Parvez reçut un coup de téléphone du Pakistan. C'était M. Jaffrey. « Je suis arrivé avec ma Chevrolet.

— Comment avez-vous fait ?

— J'ai dû payer les gardes-frontières. Des deux côtés. Iranien et pakistanais.

— Vous avez eu tort. Vous n'avez rien à vous reprocher. Vous n'auriez pas dû partir.

— Non, non. Je suis vieux, et je suis malade. »

À la table de plastique blanc incrustée de grandes feuilles de bambou, dans la mansarde de l'*Iran News*, évoquant des événements vieux d'une quinzaine d'années, M. Parvez ajouta : « Heureusement il avait un fils et une fille qui étaient déjà au Pakistan. Puis il a retrouvé du travail là-bas, à Islamabad. Et en 1990, je crois, j'ai reçu un nouvel appel du Pakistan, de son fils, qui m'informait qu'il avait expiré. »

Ainsi s'était achevé pour M. Jaffrey le rêve, si doux à Lucknow, dans l'Inde de 1948, de la djamè towhidi, la société pure des croyants, qui lui semblait mériter que l'on quitte pour elle son pays natal.

M. Parvez conclut, dans une sorte d'ultime hommage : « Il adorait jouer au bridge. A l'époque il n'y avait pas *tant* de gens ici qui jouaient au bridge. »

L'époque dont parlait M. Parvez était celle du chah. Réputés anti-islamiques, les jeux de cartes étaient désormais interdits.

Au moment de la fuite de M. Jaffrey, M. Parvez (selon ce qu'il m'avait dit en 1980) perdait trois cents dollars par numéro du *Tehran Times*. Il estimait néanmoins qu'il devait absolument en continuer la publication, et c'est ce qu'il faisait, tant bien que mal. Mais la révolution était la révolution ; le désordre obéissait à sa logique propre ; nul lendemain qui chante à espérer.

Quelques mois à peine après la fuite de M. Jaffrey — et après la guerre pour rire devant l'ambassade américaine, et les tenues de combat pour rire des « étudiants musulmans qui suivent la ligne de l'ayatollah Khomeiny » — la vraie guerre éclata : la guerre de huit ans contre l'Irak, guerre si terrible que les journaux iraniens ne l'évoquaient désormais qu'en termes emblématiques : « la guerre imposée », « la guerre imposé par les Irakiens », « la défense sacrée », « la défense sacrée de huit ans ».

Sur le long front occidental, une grande saignée. Et, très peu de temps après, une saignée révolutionnaire à l'intérieur aussi : la révolution entreprenant de faucher certains de ses instigateurs.

« Après 1982, dit M. Parvez, on s'est mis à assassiner tous les bons dirigeants. Assassinats commis par des groupes différents. Puis des personnages de deuxième ordre, comparativement, se sont imposés. Il ne restait plus que Behesti. Et lui aussi s'est fait tuer. Il avait une conception personnelle de la république islamique. Une vision très claire. Il voulait des relations avec tous les pays sauf Israël et l'Afrique du Sud. Et il voulait mettre fin à la guerre. » Après sa mort, et celle de quelques autres, commença « l'anéantissement » de l'opposition.

« Maintenant, ils veulent régenter votre manière de vous asseoir ici — M. Parvez frappa la table en plastique blanc décorée de feuilles de bambou — et votre manière de parler. Il faut que ce soit islamique. »

Behesti était l'ayatollah qui était, ou était devenu, le protecteur de M. Parvez (bien que M. Parvez n'ait pas employé ce terme) ; et j'eus le sentiment que c'était Behesti qui avait aidé le journal à survivre pendant les mois difficiles de la crise des otages.

« Tant que Behesti vivait personne ne pouvait me toucher. Il me soutenait. Mentionnez Behesti, s'il vous plaît. Il a été martyrisé en 1981. Dans l'explosion d'une bombe. Il prononçait un discours lors d'une réunion d'experts économiques du Parti de la république islamique. Ce parti a été interdit par la suite. »

L'emploi du mot « martyrisé » traduisait le respect et la tendresse de M. Parvez à l'égard de Behesti, quatorze ans après sa mort. Et il avait toutes les raisons de le regretter : quelques mois après, en effet, son journal était confisqué par les autorités.

M. Parvez avait lancé le *Tehran Times* en 1979, après la révolution. « Le *Tehran* "Puisse la vérité l'emporter" *Times* », disait-il, ainsi que le titre et la devise se présentaient à la une. Attablé devant son déjeuner dans la mansarde de l'*Iran News*, le dos tourné au tapis de prière en papier journal et au petit tas de terre sainte, M. Parvez s'illumina en évoquant ce doux souvenir ; et il répéta le titre et la devise.

« Ce titre était déposé. Ils l'ont maintenant changé. Ils sont arrivés un jour au bureau et m'ont demandé de signer une feuille en blanc. J'ai signé. La personne qui dirigeait l'opération est aujourd'hui un ambassadeur important. C'est aujourd'hui l'un de mes bons amis. Mais à l'époque je ne le connaissais pas. »

Au bout de quelques jours cet homme dit à M. Parvez : « Il vaut mieux que vous retiriez votre nom du journal. Cela vaut mieux pour vous. Vous n'avez jamais été un révolutionnaire. Vous travailliez pour un journal qui était proche du chah. » Et il était vrai qu'à l'époque du chah M Parvez avait collaboré à un journal en anglais.

« Pourrais-je recevoir une quelconque compensation ? demanda un jour M. Parvez à la nouvelle équipe. Tout ce que j'ai gagné ici, je l'ai investi dans le *Tehran Times*.

— Ne demandez pas d'argent, répondit quelqu'un de la comptabilité.

— Pourquoi ? Je n'ai pas de maison. J'ai un fils en Amérique, à qui je dois envoyer de l'argent. Écoutez, du temps où j'étais journaliste avant la révolution, il n'y avait pas de journalistes ici. Ou ils s'étaient enfuis, ou ils étaient en prison, ou ils avaient été exécutés. »

L'homme de la comptabilité ne réagit pas comme l'attendait M. Parvez. Il répondit : « Remerciez Dieu d'être encore en vie et de travailler. »

M. Parvez demeura rédacteur en chef du journal. Il y avait désormais toujours un mollah au bureau. Heureusement que ce mollah était un brave homme, un homme ouvert, de l'avis même de M. Parvez. « Soyez modéré. Pas d'extrémisme », se contentait-il de dire. S'il n'avait pas été gentil, M. Parvez ne serait pas resté. D'ailleurs, les autorités traitaient M. Parvez avec considération. Dans les cérémonies officielles il était salué comme « le père du journalisme en langue anglaise en Iran ». On lui fit même une fois rencontrer l'ayatollah Khomeiny et M. Rafsandjani, le Premier ministre.

« Ils m'ont présenté d'une manière très raffinée, très respectable », dit M. Parvez. Les formes avaient beaucoup d'importance en Iran.

Et M. Parvez avait l'habitude de la censure. Du temps du chah, jusqu'en 1975, quatre ans avant la révolution, il y avait un homme de la Savak, la police secrète du chah, dans les bureaux du *Tehran Journal*, ainsi que s'appelait alors le quotidien de M. Parvez. L'homme de la Savak arrivait à trois heures du matin avec une équipe d'anglophones, et ils passaient tout au crible, jusqu'aux publicités. Lorsqu'il rapportait les manifestations contre le gouvernement, le *Tehran Journal* n'avait pas le droit de parler d'« étudiants » ou de « jeunes ». « Voyous » était le terme obligatoire. En 1975, cette censure quotidienne du journal cessa. Mais le gouvernement continuait de contrôler la presse ; il indiquait aux responsables des journaux ce qu'ils devaient dire.

Maintenant il n'y avait pas de censure officielle, dit M. Parvez ; seulement de l'autocensure. Les journalistes savaient jusqu'où ils pouvaient aller. Ce n'était pas le cas du temps du chah. Aujourd'hui, ils pouvaient aller étonnamment loin.

« Nous critiquons les présidents, les ministres, etc. Mais nous savons que si seulement nous essayions de gêner ou de détruire le système fondamental, nous ne serions pas épargnés.

— Le système fondamental ? » L'expression était nouvelle pour moi. « L'institution du commandement et de l'obéissance. »

Cela aussi était nouveau pour moi. M. Parvez se pencha sur sa gauche pour prendre un exemplaire de l'*Iran News* du jour. Il cocha deux articles : « Ces deux papiers vont vous permettre de comprendre », dit-il.

Le premier article, « L'ayatollah Kani souligne l'importance des oulémas », était un reportage du « service politique » du journal. Les oulémas sont les ecclésiastiques, les docteurs de la loi, les hommes en turban et en robe. « [...] l'ayatollah Mohammed Reza Mahdavi Kani a exhorté lundi les oulémas à conserver leurs activités politiques et administratives, et à ne jamais songer à abandonner ces responsabilités vitales [...] L'ayatollah Kani, qui parlait à l'université Imam Sadeq (A.S.), à l'occasion de la rentrée universitaire [...] »

Le deuxième article, « L'obéissance au Guide, seule chance de survie pour la gauche », était plus important. Bien qu'il fût présenté comme un simple entretien avec un député « de gauche », c'était une reformulation explicite du principe de commandement et d'obéissance. L'auteur commençait par définir le Guide : « La plus haute autorité de la république islamique est le Guide — ou sinon le Conseil de direction — qui exerce les pouvoirs politiques et religieux suprêmes et, en fait, est une manifestation de l'intégration de la politique dans la religion, selon l'article 5 de la Constitution iranienne. » Et voilà comment le député de gauche caractérisait son allégeance : « La gauche croit à l'obéissance totale au Guide sans restriction ni condition aucune : exécution des ordres du gouvernement, mise en œuvre du pur islam mahométan (*Islam-e Nab*) tel que le souhaitait feu l'Imam [Khomeiny], instauration de la justice sociale, application de l'article 49 de la Constitution [...] »

L'auteur citait alors l'article 49 : « Le gouvernement a le devoir de confisquer toute richesse accumulée par usure, corruption, détournements de fonds, vol, jeu, mauvais usage des fondations religieuses, détournement des contrats et marchés publics, vente de terres cultivées et d'autres ressources relevant de la propriété publique, organisation de centres de corruption [...] »

Malgré son ton répressif et religieux, l'article 49 pouvait être considéré comme un aspect de la réglementation dont tout gouvernement responsable a partout et toujours la charge. Ce qui le rendait islamique, c'était « l'intégration de la politique et de la religion », sorte de raccourci institutionnel puisque l'intégration s'incarnait en la personne du Guide, à qui une obéissance totale était due. Islam signifie « soumission », et dans une république islamique, comme celle que le peuple iranien avait passionnément voulue et pour laquelle il s'était prononcé par référendum, tout le monde devait se soumettre. Sans doute le chah exigeait-il aussi la soumission ; mais il faisait régner une tyrannie laïque et corrompue ; tandis que maintenant, en échange de son renoncement total, le peuple recevait le don d'une beauté presque insupportable du « pur islam mahométan, *Islam-e Nab* », que l'imam Khomeiny avait souhaité pour lui.

C'était une version du djamè towhidi de M. Jaffrey. Le pauvre M. Jaffrey n'avait connu que le rêve plein de douceur qui avait gouverné toute sa vie : le rêve d'être un musulman parmi les seuls musulmans, chiite entre les chiites, dans un monde antique restauré, comme lorsque le Prophète régnait et que la petite communauté obéissait, et que tout servait la foi pure. Le rêve seulement ; puis, en homme qui n'avait jamais vraiment voulu ce pour quoi il avait fait tant d'embarras, il s'était opposé au premier signe de régime religieux, à l'imamat de Khomeiny, pour s'enfuir dans sa Chevrolet, avant cette réalisation très crue de son rêve : le Guide et le Conseil de direction à la place du Prophète.

Ce « système fondamental » — d'une direction évoluant mystérieusement tandis que le peuple obéissait — expliquait les photographies officielles des trois principaux dirigeants qu'on trouvait en tant d'endroits. Il expliquait les portraits, parfois énormes, peints au flanc des immeubles, qui rattachaient l'actuel chef spirituel à l'imam Khomeiny et exigeaient simplement l'obéissance.

« Je n'aurais jamais cru en 1979 que ce serait comme ça, dit M. Parvez. J'imaginais que le régime du chah disparaîtrait et que nous aurions un gouvernement démocratique à l'occidentale, comme en Inde. Je n'ai jamais été islamiste à proprement parler. » Son journal donnait une autre impression en 1979. « Ça m'a compliqué la tâche. Ma formation n'avait rien de religieux. J'ai voté au référendum en 1980. J'ai voté pour la république islamique. On ne pouvait répondre que oui ou non. Le peuple s'est prononcé à quatre-vingt-cinq pour cent en faveur de la république islamique, sans savoir ce que serait celle-ci. »

M. Parvez était attiré par Khomeiny parce qu'il parlait des opprimés et des pays du tiers monde. Il se rappelait tout spécialement le célèbre discours de Khomeiny dans le cimetière, à son retour d'exil. Des tas de promesses avaient été faites dans ce discours : pétrole lampant à domicile, électricité gratuite, eau gratuite.

« Il promettait l'emploi, disait qu'il l'ôterait aux Américains. Du temps du chah, il y avait entre un et deux millions de chômeurs ou de sous-employés. Aujourd'hui il y a dix millions de chômeurs. Mais je vais vous dire une chose, l'imam était très sincère. Il voulait avoir de bonnes relations avec le tiers monde tout entier. Mais il n'a pas pu mener son projet à bien. A cause de la guerre. »

Alors le vieil homme évoqua d'autres choses.

Quant à lui-même et à son propre avenir, M. Parvez essayait de recouvrer le *Tehran Times*. Il avait engagé un procès.

« Mais financièrement je serai toujours dans l'embarras. Sans la crise des otages, mon journal n'aurait jamais été en difficulté. Les hommes d'affaires et les sociétés étrangères sont partis, et il n'y avait plus de publicité. »

151

Tant d'événements s'étaient produits dans le monde. Tant de choses m'étaient arrivées. Il revivait interminablement la crise des otages. Il était étrange de le voir — si la métaphore n'était pas trop impropre — cloué à la même croix que quinze ans auparavant. Il avait traversé bien des épreuves. Il avait dû faire beaucoup de choses pour survivre. Et il aurait été injuste d'approfondir les équivoques que j'avais relevées dans son récit.

Ils veulent contrôler votre manière de vous asseoir et votre manière de parler, disait M. Parvez. Et la nuit, sur certains de ses grands axes, Téhéran ressemblait à une ville occupée, ou en état d'insurrection, avec les barrages routiers des gardiens de la révolution ou des volontaires bassidji, plus redoutés encore. Lors de ces traques nocturnes presque personnelles, ils ne recherchaient pas tant les terroristes que les femmes dont les cheveux n'étaient pas entièrement couverts. Et pas tant les armes que l'alcool, les disques compacts ou les cassettes (la musique était suspecte, et les chanteuses interdites).

Les habitants de Téhéran repéraient ces barrages avant le visiteur. Un soir que nous passions devant quelques personnes raflées, la femme qui nous conduisait dit qu'il fallait savoir parler aux gardes. Une fois, arrêtée à l'un de ces barrages, elle avait demandé, comme si elle voulait vraiment savoir : « Qu'est-ce qui ne va pas avec mon hidjab [voile], mon fils ? » Et le jeune homme, d'un milieu simple, ne se sentant pas rabroué ou défié par la femme, et se jugeant correctement traité, l'avait laissée passer. Telles étaient les manières d'obéir et de survivre qu'avaient apprises ici les gens.

Mais parallèlement transparaissait le sentiment que ce genre d'humiliation ne pouvait plus continuer. Bien que toute capacité de révolte ou même de protestation eût été éradiquée par quarante ans d'espoirs et de déceptions, et que les gens fussent maintenant simplement las, après tout le sang répandu — d'abord les protestataires au temps du chah, puis les hommes du chah après la révolution, et les communistes, outre le terrible massacre de la guerre —, on avait maintenant l'impression, avec cette lassitude, que quelque chose allait se rompre en Iran. Et, traduisant ce désir de rupture, des histoires circulaient désormais, selon lesquelles Khomeiny avait en fait été imposé au peuple iranien par les grandes puissances ; et que certains mollahs importants faisaient des ouvertures pour qu'on leur montrât de l'indulgence quand les choses changeraient, et qu'on aurait abandonné la république islamique.

Ma nouvelle chambre au Hyatt donnait sur les montagnes au nord. Les jours de soleil, les ombres de la lumière et des nuages modelaient et remodelaient sans cesse les crêtes et les dépressions des montagnes nues, couleur beige. Par temps couvert, les hauteurs les plus lointaines se décoloraient, chaîne après chaîne ; et les collines basses au premier plan se rapprochaient, se détachant sur la pâleur derrière elles, pour devenir brunes, fauves ou dorées. Tondue ou brûlée par le soleil, la végétation se faisait parfois très douce. Le vert des arbres escaladant les pentes s'arrêtait brusquement. Les collines basses paraissaient arasées pour des constructions nouvelles.

CHAPITRE 11

La grande guerre

De simples affiches en noir et blanc, accrochées aux poteaux indicateurs du centre de Téhéran, annonçaient le troisième congrès sur la pensée de l'ayatollah Khomeiny en matière de défense. Affiches austères, sans rien de la furie graphique des journées révolutionnaires : dans le même esprit que la fontaine de sang immobile dans le cimetière des Martyrs. Une dépêche de l'Iran News Agency dans l'*Iran News* en apprenait davantage. Le colloque avait été préparé par un haut dignitaire religieux, l'*hodjatoleslam* Qaemi, directeur du département idéologique et politique au ministère de la Défense et de la Logistique des forces armées. Les religieux étaient désormais partout, et leurs titres politiques pouvaient être aussi ronflants que leurs titres religieux. Cinq cents « personnalités » devaient assister à la réunion et — le département était friand de chiffres — quatorze communications y seraient soumises, sur les cent trente qui avaient été envoyées. « Une présentation photographique de la défense sacrée de huit ans (1980-1988) et une exposition de documents sur la guerre imposée sont organisées en marge du séminaire ».

Arach, qui devait parler de sa guerre à Mehrdad et à moi, n'était pas au courant du colloque. Comme tant d'autres affaires du gouvernement, celui-ci se déroulait très loin de la population.

Arach avait vingt-sept ans. Il avait passé les quatre dernières années de la guerre au front, comme volontaire pendant les deux premières années — il avait seize et dix-sept ans —, avant d'être mobilisé ensuite. Il était maintenant chauffeur de taxi, comme l'officier qui était alors son meilleur ami. Et Mehrdad voulait que j'entende les expressions particulières qu'Arach utilisait pour sa profession et la manière dont il les employait. L'ancien officier, comme lui, n'était pas chauffeur d'une compagnie, ce qui lui aurait donné un certain standing ; il conduisait sa voiture personnelle le long d'itinéraires fixes, tel un autobus, et n'avait certainement pas de licence officielle.

« Cette guerre ne m'a assurément rien apporté, dit Arach. Voyons si mes souvenirs apporteront quelque chose à d'autres. »

Nous nous rendîmes dans un café du nord de Téhéran, établissement bourgeois, entièrement vitré, sur une avenue animée bordée de tchenar. Platane iranien, apprécié ici et au Cachemire (où son ombre passe même pour médicinale) pour sa beauté, le tchenar est souvent représenté de manière naturaliste dans la peinture persane et moghole.

C'était le milieu de l'après-midi, et le café — qui servait des glaces, des sorbets et du thé — était plein de femmes en tchador noir, mères de famille pour la plupart. (Au même moment, dans le parc, les jeunes filles en noir se promenaient sous la surveillance des gardiens de la révolution en vert qui circulaient parmi elles.) Une élégance latente émanait du café et de ses clientes. Comme si l'aspiration des femmes à la beauté et à la distinction ne pouvait désormais plus, à ce niveau, être réprimée ; cela ressemblait à de la désobéissance.

Nous nous installâmes dans un box vitré ; et cela faisait partie de la civilité de l'endroit que, bien que nous soyons restés longtemps et qu'au bout d'un certain temps je me sois mis à prendre des notes, personne ne nous regarda ni ne nous mit mal à l'aise.

La famille d'Arach n'habitait Téhéran que depuis deux générations. C'étaient jadis des agriculteurs, et des parents lointains cultivaient encore le domaine, à l'ouest de la capitale. Ils élevaient des bovins et des moutons et disposaient de deux puits *ghanat*, sans lesquels toute culture est impossible dans le désert. Ces puits suivaient de vieux cours d'eau souterrains descendant des montagnes ; Arach dit qu'il fallait réparer et nettoyer les conduites quatre fois par an.

En arrivant à Téhéran, le grand-père paternel d'Arach s'était engagé comme soldat au service de Reza Chah, le père du dernier souverain. C'était en 1931. Son service militaire terminé, il avait monté une agence immobilière dans la capitale.

Mehrdad s'interrompit dans sa traduction pour dire : « C'étaient *exactement* des gens de la classe moyenne. »

Quand Arach s'engagea en 1984, il devint ce qu'on appelait un *bassidji*. Les bassidji se reconnaissaient à leur bandeau. Ces bandeaux étaient rouges, verts, blancs ou noirs, bien que ce fût généralement les rouges qu'on montrait à la télévision, en Iran et à l'étranger. Le rouge était le symbole du sang, du sacrifice et de la foi.

Arach prit part à onze offensives en tant que bassidji. En première ligne pour sept d'entre elles. Au moment de son engagement, en 1984, au milieu de la guerre, la coutume voulait encore que des chanteurs religieux viennent au front avant chaque attaque pour encourager les hommes. Les chanteurs chantaient tandis que les hommes se frappaient la poitrine en rythme d'une main ou — si la situation était particulièrement grave — des deux mains. Ces chanteurs étaient parfois célèbres, connus dans tout l'Iran. Un chanteur très renommé était venu dans la section d'Arach avant son quatrième ou son cinquième assaut.

Et si aucun chanteur professionnel ne se présentait, il y avait toujours un des soldats pour entonner les psalmodies et diriger la cérémonie. D'une voix aussi mélancolique que possible. Ce n'était pas le Coran qu'on déclamait, mais des chants dévotionnels, souvent rendus célèbres par des chanteurs célèbres.

« A l'école, dit Mehrdad, il y a toujours quelqu'un qui connaît ces airs, ces chants tristes. Et c'est lui qui entraîne ses camarades. » (Ce soir-là, dans ma chambre d'hôtel, tandis que je vérifiais mes notes avec

Mehrdad, il me fit une démonstation de la manière de se battre la poitrine dont avait parlé Arach. En moins d'une demi-minute, et bien qu'il m'expliquât en même temps ce qu'il faisait, ses battements hypnotiques rendirent la chambre minuscule.)

La cérémonie durait normalement deux heures. Lorsque le chanteur très célèbre vint dans la section d'Arach, les litanies se prolongèrent six heures, tant l'homme avait de voix, de poumons et d'énergie.

Le chant emplissait les hommes de pensées de mort, de martyre, de paradis et de liberté. Ensuite, ils restaient silencieux une demi-heure ou plus, mais jamais plus d'une heure et demie. Puis l'attaque commençait, généralement à deux heures et demie du matin. Pendant l'intervalle paisible entre la fin des litanies et le début de l'offensive, les hommes écrivaient lettres et testaments, arrangeaient leurs chaussures et s'assuraient que leurs sous-vêtements étaient propres.

« Beaucoup faisaient des ablutions religieuses avant l'assaut, dit Mehrdad, parce qu'ils y voyaient une action sainte et que chacun devait s'y présenter pur et propre. Et comme cela pouvait s'achever par le martyre, ils verraient ainsi leur Dieu avec un corps et des vêtements impeccables. »

Il y avait des officiers parmi les bassidji, mais ils ne portaient pas d'écusson, d'épaulettes ni de signes distinctifs ; bien que naturellement la luxuriance de la barbe — le Prophète s'était, disait-on, prononcé contre l'usage du rasoir — indiquât l'importance de chacun. Les bassidji, dit Arach, étaient toujours informés de la situation ; on répondait toujours honnêtement à leurs questions.

Après deux années de service volontaire comme bassidji, Arach rentra chez lui, puis ce fut presque aussitôt le moment de son service militaire régulier. Au bout de deux mois de classes il repartit au front.

« Vous alliez faire de toute manière votre service militaire. Pourquoi vous êtes-vous enrôlé comme bassidji ? demandai-je à Arach.

— C'était ce que faisaient mes amis. Vingt-cinq pour cent d'entre eux. Ils nous le mettaient dans la tête.

— Qui ça, ils ?

— La télévision et la radio, et les orateurs devant les mosquées. Les magazines, les journaux, tout le monde. »

Ils l'avaient convaincu qu'il se battait pour l'islam. Puis pour la nation et la famille, sur le même plan.

« Le mot qu'il emploie, *namous*, est un mot très fort. Il évoque un sentiment de protection pour les femmes de la famille. C'est un mot qu'on peut utiliser pour ses sentiments à l'égard de son pays — ou de son fusil. Voici une anecdote, qui remonte au temps du père du chah, Reza Chah. Il passait des soldats en revue et demanda à l'un d'eux, en empoignant le fusil de celui-ci. "Qu'est-ce que tu as dans la main ?" "C'est un fusil." Reza Chah se mit en colère et dit : "Akbar, ce n'est pas un fusil. C'est ton namous. C'est ta mère, ta femme, ta fille. Tu dois l'entretenir et le protéger." Il continue son inspection et arrive devant Ahmed. Ahmed est un Turc du Nord. Les Iraniens font toutes sortes de plaisanteries sur les Turcs. Reza Chah soulève le fusil d'Ahmed et lui demande : "Qu'est-ce que c'est ?" Et Ahmed répond : "C'est le namous d'Akbar. C'est la mère, la femme et la fille d'Akbar." »

Après avoir quitté les bassidji pour faire son service militaire dans l'armée, Arach fut incorporé, au terme de ses deux mois de classes, dans un régiment spécial de commandos. Il rejoignit les lignes de soutien, à une vingtaine de kilomètres du front. Le premier jour, il dormit jusqu'à midi. Il se trouvait sur le flanc d'une colline. En s'éveillant, il gagna le « point de ralliement » en haut de la colline (Mehrdad ne trouva pas tout de suite le mot : il commença par dire « la cour »). L'explosion d'une roquette à quelque six mètres en dessous de lui le projeta à onze mètres de là. Il resta inconscient pendant environ une journée. Quand il revint à lui, des perfusions étaient plantées dans son bras et il avait le côté engourdi.

« Et je sens encore quelque chose », dit-il dans le compartiment vitré du café, tandis qu'aux autres tables les dames de la bourgeoisie en tchadors noirs dégustaient des glaces ou du thé, et que la circulation faisait rage à l'extérieur. Et — neuf ans et demi après sa blessure — il passa une main scrutatrice et caressante le long de sa cuisse gauche.

Il resta dix-sept jours dans l'hôpital de campagne. On ne le laissa pas regagner Téhéran. Il eut beau expliquer que les bassidji pouvaient rentrer chez eux quand ils le voulaient. On ne l'écouta pas. On le renvoya au point de ralliement. A peine arrivé, il crut sentir « l'odeur d'une attaque qui se préparait » et décida de s'enfuir.

Il connaissait la région pour y avoir combattu l'année précédente. Il savait qu'il y avait des montagnes au nord et un village ou une bourgade derrière les montagnes. A une trentaine de kilomètres, croyait-il. L'après-midi, il prit son argent et ses affaires et se mit en route pour ce village. Il marcha jusqu'au crépuscule et arriva auprès d'une tente de berger. Le berger conduisait les moutons aux pâturages. L'hiver on les redescendait des montagnes pour les y ramener l'été. C'était le moment de la transhumance.

Dans la tente, il y avait un vieil homme, un bébé, une femme et six petites filles. Ils lui donnèrent du lait chaud et un onguent traditionnel fait de graisse animale pour ses douleurs. Il leur dit que, séparé de son régiment, il s'était perdu dans la montagne et qu'il se dirigeait vers la ville ou le village dans l'autre vallée. « C'est une longue marche, lui dirent-ils. Il y a beaucoup de loups dans la région. Et vous allez dans la mauvaise direction. » Cette nuit-là ils le firent dormir dans la tente, avec toute la famille.

À six heures du matin, il les quitta. Il parvint au village à deux heures de l'après-midi. Il arrêta un minibus et offrit de payer son passage. Il avait de l'argent sur lui parce que — avant l'explosion de la roquette et sa blessure — il revenait d'une permission de deux semaines. Arrivé dans une grande ville, il prit un bus pour Téhéran. Horrifié par son état, son père ne voulut pas qu'il retournât au front.

C'était quinze jours avant Nowroz, le nouvel an persan, vieille fête préislamique, et il resta avec les siens jusqu'à la fin des congés.

« Une raison pour laquelle il décida probablement de fuir, c'est qu'il ne voulait pas participer à une attaque à la veille de Nowroz, m'expliqua Mehrdad. Ici tout le monde veut fêter Nowroz en famille, à sa propre manière. Je dis ça parce qu'il dit maintenant qu'immédiatement après la fête il est retourné au front. »

Et là, Arach découvrit qu'il n'y avait finalement pas eu d'attaque. Mais il s'en préparait une. Très importante celle-ci, qui débuta quatre jours après son retour.

Au total, Arach abandonna trois fois les combats, et apparemment sans avoir eu d'ennuis à son retour.

Il conservait un souvenir très spécial d'un moment où son unité faisait directement face aux positions irakiennes. Il vit quelque chose scintiller dans les lignes adverses : un reflet du soleil sur une montre bracelet, se dit-il. L'éclair se reproduisit et il comprit que ce n'était pas accidentel. Il fit le même appel avec sa montre, et on lui répondit. Ils jouèrent quelque temps à ce jeu. Et les jours suivants, ils échangèrent des signaux lumineux à l'aide de jumelles.

C'était comme ces histoires de fraternisation fugitive pendant la Première Guerre mondiale entre combattants du front occidental. Arach n'en avait certainement jamais entendu parler. Son récit attestait la grande lassitude des deux côtés vers la fin. Mais il ne dit rien de tel ; il ne fit aucun commentaire. Il raconta cela simplement comme une bizarrerie de la guerre.

Son service militaire obligatoire terminé, il prolongea volontairement de quatre mois son séjour dans l'armée. Il s'y était fait des amis, et il partit avec l'un d'eux. Ils allèrent ensemble à Chiraz. Ils dormirent dans un parc. Le matin, ils apprirent la mort de l'imam Khomeiny. Ce fut pour Arach — et pour bien d'autres aussi — le moment le plus triste de la guerre.

« Je me souviens, dit Arach, que mon ami s'est fait disputer par sa mère parce qu'il mangeait une pomme. Comme si la mort de Khomeiny réclamait une sorte de nouveau ramadan. »

Et Téhéran, à la fin de la guerre, fut une grande déception, comme d'ailleurs pendant toute la durée du conflit. « A Téhéran, l'heure était aux mariages. Deux de mes amis venaient d'être martyrisés. Et là, dans la même petite rue où se déroulait l'enterrement, il y avait un mariage. Au front, c'était l'islam et la guerre. Ici à Téhéran les gens parlaient mode et musique. A la Voix de l'Amérique on entendait des Iraniens demander qu'on leur passe des disques nouveaux. A Téhéran personne ne se souciait de la guerre. Tout le monde cherchait à faire de l'argent. »

Pour couronner le tout, il s'aperçut qu'à Téhéran les bassidji avaient mauvaise réputation. Ils traquaient les gens qui violaient les règles islamiques pour leur extorquer de l'argent.

« Ce sont des gens qui estiment avoir été dépouillés, dit Mehrdad. Ils croient que les riches les ont volés. Aussi leur arrive-t-il d'être agressifs. »

Arach avait parlé avec une grande franchise. Mais il manquait quelque chose. La guerre qu'il nous avait racontée était une guerre sans morts, et avec très peu de sang. Il avait parlé de sa blessure dans l'explosion de la roquette ; il avait parlé de moutons qu'on poussait dans les champs de mines pour les faire sauter. Mais c'était tout. Même quand nous l'avions interrogé sur les bataillons de martyrs, il avait seulement répondu que pendant les assauts les bataillons de martyrs attaquaient les premiers, suivis des bataillons réguliers, puis des bataillons de soutien. Il voulait bien parler de la guerre, mais pas de la mort.

Plus tard dans la voiture, après la tombée de la nuit, je lui demandai sans détour : « Avez-vous vu beaucoup de morts ? »

Il ne voulait vraiment pas répondre. Mais il finit par dire : « Un régiment de mille quatre cents hommes est monté à l'assaut. Et quatre cents seulement sont revenus.

— Qu'en pensez-vous aujourd'hui ?

— Je suis indifférent. »

C'était ce que Mehrdad m'avait dit ; et, comme Mehrdad, Arach voulait en fait dire qu'il était incapable d'exprimer sa douleur.

« Vous m'avez l'air d'un solitaire.

— Je préfère être seul. » Un peu plus tard il ajouta : « Tout le monde était en quête de la justice d'Ali. Mais au bout de quelque temps ils ont vu qu'elle ne se réalisait pas. » Ali, le gendre du Prophète, le quatrième calife de l'islam, connu pour la sagesse de ses jugements, assassiné en 661 après Jésus-Christ alors qu'il se rendait à la mosquée, et devenu depuis le réceptacle de la révérence et du chagrin des chiites.

« Croyez-vous que vous puissiez obtenir de nouveau dans ce monde quelque chose comme la justice d'Ali ? demandai-je.

— Jamais. Même en ce temps-là, il s'est heurté à nombre de difficultés. C'était un grand homme, et très rapidement il s'est fait beaucoup d'ennemis, et il n'a pas pu y arriver. C'est toujours comme ça. »

Il avait vingt ans lorsqu'il était parvenu à cette conclusion. M. Jaffrey, le chiite indien, l'avait compris à la fin de sa vie active ; et son rêve chéri avait, indirectement, causé des souffrances inouïes aux coreligionnaires qu'il avait abandonnés.

« Ne trouvez-vous pas que c'est un naïf ? » me dit par la suite Mehrdad alors que nous parlions d'Arach.

Je n'avais pas du tout pensé à lui en ces termes, naïf ou non. Mais je n'avais pas l'œil iranien de Mehrdad. La franchise d'Arach m'avait plu, et j'avais vu en lui un être stoïque, peut-être même bon, dont la bonté aurait pu être utilisée autrement.

Il était entièrement différent de l'autre homme que nous avions essayé de faire parler de sa guerre. Il nous avait été envoyé par un éditeur qui publiait des livres sur la guerre. L'ancien combattant, si tant est qu'il le fût, était un petit homme soigné, avec une barbe noire impeccable et des yeux brillants qui n'inspiraient guère confiance. Il croyait nous avoir été envoyé pour mentir, et il mentait, mentait à tout propos. Il était architecte, il était médecin ; des martyrs étaient morts dans ses bras. Nul détail concret dans ce qu'il racontait, et je doutais qu'il fût seulement allé au front.

Il ne tarda pas à nous faire des signaux religieux. Il nous laissa voir que ses manches avaient les poignets boutonnés ; c'était un signe de piété. Avant de siroter son thé, il se pencha fortement sur la table, en détournant de côté ses yeux fuyants, et prononça très clairement le mot invocatoire Bismillah[1]. Je l'interrogeai sur les chants dévotionnels que l'on chantait au front. Les Iraniens, répondit-il, étaient un peuple poétique ; la poésie leur venait facilement aux lèvres. Lui-même, quand il était au front, avait écrit son testament en vers. Au front, s'il était seul, un soldat pouvait chanter des chansons religieuses à longueur de journée.

Il s'interrompit et, sur le même ton, demanda à Mehrdad : « Il veut parler du lavage de cerveau ? »

Nous décidâmes que c'était un provocateur, et nous nous débarrassâmes de lui.

Ensuite, Mehrdad et moi hélâmes un taxi à itinéraire fixe. Il y avait un passager sur le siège arrière, un jeune homme rondelet et pimpant à la barbe fournie. Sans dire un mot il sortit et s'assit à côté du chauffeur, pour que Mehrdad et moi puissions rester ensemble — telle était l'étiquette dans les taxis de Téhéran.

Je commençai à parler de l'homme qui avait écrit son testament en vers. Mehrdad fronça les sourcils et désigna de la tête le dos du jeune homme barbu. Celui-ci descendit peu après ; et ce fut Mehrdad qui me fit remarquer que dès son départ le chauffeur avait allumé la stéréo du taxi : une musique saccadée, d'une cassette ou de la radio, de la Voix de l'Amérique ou d'Israël. La musique était maintenant non islamique et illégale, et les barbus étaient du côté de la loi.

Un matin, ce fut la femme de chambre qui m'apporta mon petit déjeuner. Grosse et effrontée, le visage luisant et non lavé, elle dégageait une odeur forte à porter tant de vêtements, dont certains peut-être en tissu synthétique. Le fromage persan (du Danemark) était accompagné d'un toast, d'une épaisse tranche d'oignon rouge et terne, coupée depuis un certain temps, et d'une feuille de laitue, curieusement alanguie, qui devait être aussi dans l'assiette depuis des heures. L'oignon et la laitue (il y avait de la typhoïde en ville) coupaient immédiatement l'appétit ; et le sachet de Nescafé ne permettait guère qu'une tasse tiède. Déhanchée et agressive dans sa robe monacale, la femme de chambre revint peu après desservir le plateau ; et lorsque, un moment plus tard,

---

1. Bismillah [al-Rahman, al-Rahim], « Au nom de Dieu [le très-puissant, le tout-puissant] » : formule que les pieux musulmans prononcent avant toute action. (N.d.T.)

elle parut pour la troisième fois, pour demander si je voulais qu'elle fasse mon lit, elle mâchait un toast — on ne pouvait rien ignorer de sa bouche, si tout le reste de sa personne était plus qu'abondamment couvert ; et je suis persuadé que ce toast venait de mon plateau.

Au début de l'après-midi — je travaillais dans ma chambre — on me rapporta mon linge, les chemises lavées et repassées dans des sacs en plastique, les autres vêtements dans une élégante boîte en carton aux armes de l'hôtel. La boîte m'étonna. Elle ne correspondait guère au style austère de l'hôtel et de la Fondation des Opprimés ; et lorsque je l'ouvris, j'y trouvai mes vêtements non lavés, exactement dans l'état où je les avais remis le matin. Je téléphonai au concierge, qui m'envoya le responsable de la blanchisserie. Très embarrassé, celui-ci emporta mes affaires et, dans un délai absurdement bref, me les rapporta, repassés et tièdes (bien qu'ils n'aient manifestement pas été lavés) et dans des sacs en plastique neufs.

Quand je redescendis dans le hall, je constatai que le panneau A BAS LES ÉTATS-UNIS ne se trouvait plus au-dessus des horloges Omega. Au bout de quinze ans, les lettres anguleuses et maladroites avaient été dévissées, laissant des impressions spectrales le long des traces de vis. Ce moment me parut historique ; peut-être signifiait-il que les choses allaient changer, d'une manière ou d'une autre. Mais le lendemain, apparut au-dessus des horloges une ligne en persan, beaucoup plus longue, élégante et couleur cuivre, qui disait apparemment la même chose avec plus de chic.

Le soleil changeant et les nuages mouvants modelaient et remodelaient les montagnes au nord, illuminant tel endroit puis tel autre, faisant surgir des espaces entre les chaînes, découvrant ici une crête insoupçonnée, là une vallée, révélant un massif après l'autre et la texture du rocher abrasé par la neige hivernale. Parfois un nuage de pluie, se déchirant sur un pic et remplissant les indentations et les stries du roc, semblait un instant se muer en neige.

CHAPITRE 12

Terrains salins

Sexagénaire, Ali avait fait fortune comme promoteur à l'époque du chah. Au début des années soixante-dix, avant le grand boom pétrolier, il avait eu la chance — ainsi que la sagacité et l'argent — d'acheter de vastes terrains salins à Kerman. Il les avait payés dix toumanes le mètre carré, dix rials, une quinzaine de cents américains ; trois ou quatre ans après, quand le boom s'était produit et que les villes se développaient rapidement dans tout l'Iran, il avait vendu une partie de ses terres salines comme terrains à bâtir à quatre cents toumanes le mètre carré. Ainsi — pour le plaisir de jouer avec des chiffres extraordinaires — un investissement de simplement dix mille dollars, par exemple, s'était transformé au bout de trois ou quatre ans en une petite fortune de quatre millions de dollars.

Une telle richesse aurait suffi à combler la plupart des gens. Mais pas Ali. Il devint un partisan de la révolution. « Maintenant que nous avions l'argent, la sécurité financière, dit-il, nous voulions la liberté. C'était la seule chose qui nous manquait. » Quand il faisait ses études aux États-Unis, dans les années soixante, il s'était passionné pour la politique, fût-ce la politique locale américaine ; et il avait honte de venir d'un pays qui n'était pas libre. Il ne l'avait jamais oublié. Et lorsqu'il eut l'impression que la révolution allait éclater en Iran, Ali la soutint moralement et financièrement. Par l'entremise d'un ayatollah qui était devenu son ami.

Les idées révolutionnaires d'Ali étaient nées de ses lectures, surtout historiques. Mais elles s'accompagnaient — bien qu'il ne le précisât point, d'une dimension religieuse : « Nous attendions une révolution reposant sur les lois du ciel et de la nature. » Les lois du ciel : c'était sa version personnelle de la djamè towhidi de M. Jaffrey et de la justice d'Ali que recherchait Arash — Ali, le quatrième calife, le héros-saint du chiisme.

Nombre d'idées et d'impulsions différentes avaient concouru à la révolution. Aussi, lorsque celle-ci se déclencha, y avait-il — sous la surface d'apparente unanimité, de soulagement général — d'innombrables intérêts contradictoires. Et Ali, en homme riche qu'il était, avait souffert ; la révolution l'avait traité durement pendant trois ans. Il avait été enlevé plus d'une fois ; arrêté et emprisonné à de nombreuses reprises ; et même jugé. On lui avait extorqué des dizaines de millions de dollars.

Au bout de trois ans il avait appris à vivre avec la révolution, tout comme, auparavant, il avait appris à vivre avec le régime du chah. Survivre, traiter avec les filières et les niveaux divers du pouvoir, occupait désormais une bonne partie de son temps. Il savait se débrouiller maintenant dans n'importe quelle situation ou presque.

Mince, de taille moyenne, un visage persan aux traits réguliers : physiquement, il n'avait rien de remarquable ; cela faisait sans doute partie de son camouflage. Ses qualités humaines se découvraient peu à peu. Sa sveltesse, par exemple, pouvait paraître atavique ; en fait, c'était le fruit d'un exercice quotidien. Son travail, ses affaires, sa volonté presque furieuse de survivre le maintenaient en pleine forme. Les tensions de la survie se voyaient davantage chez sa femme, à present contrainte de mener une vie anormale, recluse. Elle avait perdu beaucoup de cheveux ; la grâce qu'elle conservait dissimulait une mélancolie profonde et meurtrie.

Ses idées de révolution, à l'époque du chah, se nuançaient de religion : rêve de lois célestes et naturelles. Et il venait d'une famille de religieux. Son père et son grand-père paternel étaient des mollahs ; et il y avait aussi des mollahs du côté du père de sa mère. La famille de sa mère était, disait Ali, d'origine « citadine ».

Son père était né en 1895 (bien qu'Ali ne fût pas tout à fait sûr de l'année chrétienne). A seize ans, il était allé à l'école théologique de Meched. En ce temps-là (et pendant longtemps encore), nombre de jeunes villageois fréquentaient des écoles de ce genre à Meched et à Qom, parce que les ayatollahs dont ils devenaient les élèves leur donnaient une petite chambre personnelle, de quoi manger, et parfois même une petite somme d'argent. Les écoles ne rapportaient rien aux ayatollahs ; l'argent dont ils disposaient, ou qu'ils distribuaient à leurs élèves, venait de leurs fidèles. Il y avait donc une certaine équité dans ce système : les gens donnaient, et ils obtenaient quelque chose en retour. En 1911, quand le père d'Ali partit pour Meched, les écoles théologiques étaient d'ailleurs les seules institutions d'enseignement supérieur en Iran. Il n'y avait pas d'universités ou d'écoles supérieures ; sous les rois qadjars, l'Iran était tombé bien bas, avait presque disparu de la carte.

Au bout de quatre années d'études à Meched, le père d'Ali fut fait mollah et s'installa dans la ville de Kerman. Il y devint enseignant, et c'est sans doute ainsi qu'il aurait terminé sa carrière, comme son père avant lui. Mais les Qadjars furent renversés ; le père du chah, Reza Chah, prit le pouvoir (avec l'aide des Britanniques) ; et au milieu des années vingt le système juridique iranien fut modifié par le nouveau souverain. Un ministère de la Justice fut créé, et le code français incorporé, sans grande difficulté, dans le système islamique traditionnel. Plus formalistes, les nouvelles institutions exigeaient des tribunaux, des juges, des avocats.

Le père d'Ali, avec sa formation en jurisprudence islamique, n'eut

163

aucun mal à s'intégrer dans le nouveau système. Il devint d'abord juge — il n'avait pas encore trente ans —, puis avocat. Il prospéra, se mit à spéculer sur la terre dans diverses régions du pays. Parce qu'il connaissait très bien l'ancien droit et le nouveau, et que les titres fonciers étaient souvent compliqués, on lui demandait volontiers de les établir ; et il recevait parfois en paiement une parcelle de la terre en question.

Ainsi, à la suite d'un tournant inattendu sous la dictature de Reza Chah, le monde s'ouvrit au père d'Ali d'une manière que les mollahs des générations antérieures de sa famille n'auraient jamais pu imaginer. Et, ironiquement, alors que le père d'Ali semblait avoir atteint à une grande sécurité, le monde s'obscurcit pour Reza Chah. En 1941 — le monde extérieur faisant irruption, dans tous les sens du mot — les puissances alliées occupèrent l'Iran pour l'empêcher de tomber sous l'influence allemande. Reza Chah, réputé trop favorable aux Allemands, fut déposé, et exilé par les Anglais en Afrique du Sud, où il mourut bientôt : étrange préfiguration de la tragédie de son fils, trente-cinq ans plus tard.

L'occupation ne nuisit pas à l'ascension du père d'Ali, et ne nuisit pas non plus au pays. Pendant les onze années entre la déposition de Reza Chah et la restauration de son fils, l'Iran connut une demi-démocratie, dit Ali, et un demi-chaos parce que le gouvernement central ne pouvait imposer sa volonté partout. Mais l'Iran fut libre comme il ne l'avait jamais été auparavant. Aussi Ali, qui avait cinq ou six ans quand Reza Chah fut détrôné, grandit-il en ne connaissant que la liberté. Et Ali, fils d'un père riche, célèbre et admiré, eut une enfance beaucoup plus privilégiée que celle de son père. Mais celui-ci était strict ; et, reste des anciens usages, Ali acceptait cette rigueur. Quand il eut dix-huit ans, son père lui dit : « J'ai payé toutes tes dépenses jusqu'à présent, mais maintenant je veux que tu te prennes en charge. Je vais te donner une somme d'argent. Tu peux t'en servir pour entrer dans les affaires ou pour aller à l'université. »

Ali choisit de partir aux États-Unis. Il y reçut une formation technique ; puis, son argent épuisé, il fit des études de lettres grâce à une bourse d'une université. Au total, il passa huit ans aux États-Unis.

Il avait presque trente ans quand il revint en Iran ; et il n'avait connu que la liberté. Ce fut un choc pour lui que ce retour dans l'Iran autocratique du chah et de la Savak, la police secrète du chah.

« Dans ce genre de régime, il faut savoir se tenir. Le novice risque de faire toutes sortes d'erreurs et d'en pâtir.

— Quel genre d'erreurs avez-vous commises ?

— Un jour, j'attendais un taxi. Un taxi s'arrêta. Il y avait deux hommes devant et un derrière. Je me suis assis derrière, et je me suis laissé embarquer dans une conversation politique animée ; j'ai commencé à critiquer le chah. Par la suite, j'ai découvert que c'était un coup monté. Ils voulaient m'éprouver et avaient engagé délibérément cette conversation politique. J'étais très naïf et j'ai exprimé mes idées sans hésitation. Heureusement que la voiture n'a pas tardé à s'arrêter.

Sinon je les aurais peut-être suivis dans un café, j'aurais été entraîné à dire toutes sortes choses et j'aurais eu des ennuis. Quand des aventures pareilles vous arrivaient, vous compreniez que vous n'étiez pas en Amérique : pas question de dire franchement ce qu'on pensait. Nous avons appris à mener une double vie. Aussi, quand la révolution s'est produite, avions-nous déjà l'habitude de la double vie. »

Ce qu'Ali apprit surtout, et très rapidement, c'était que le chah était sacro-saint. D'autres personnages très importants pouvaient être critiqués ; mais pas le chah. « Comme disait le dicton : "Si vous ne touchez pas au chah, vous pouvez faire n'importe quoi dans ce pays." »

À son retour, Ali entra dans l'Administration. Au département du Plan. Son premier travail consista à établir un rapport sur une cimenterie d'État qui perdait trois millions de dollars par an. Dès le début de son enquête, il découvrit qu'elle subissait la concurrence victorieuse d'une cimenterie privée qui avait coûté trois millions de dollars. Il recommanda la fermeture de l'usine publique ; et il suggéra de donner les trois millions de dollars que l'État y perdait chaque année à des entrepreneurs privés pour qu'ils créent des sociétés nouvelles. Conseil économiquement fondé, mais à tout autre égard malavisé, ainsi qu'il l'éprouva. Il marchait sur les plates-bandes de trop de monde. Il aurait dû penser aux directeurs de la cimenterie, à leurs familles, à leurs relations ; sans parler des ouvriers. C'étaient ces considérations qu'il était censé prendre en compte.

Il comprit bientôt que le ministère du Plan était un trompe-l'œil ; que, quels que fussent ses objectifs affichés, on n'attendait rien de lui, ou presque rien ; et que, en tant que conseiller, on comptait qu'il respecterait les anciennes règles tacites, les vieux usages du patronage, de l'amitié et de la famille. Il comprit aussi que l'une des principales finalités du ministère était de tenir son personnel très bien payé à l'écart des malversations auxquelles il pourrait être tenté de se livrer ailleurs.

Il donna sa démission pour devenir traducteur. Ce n'était pas une régression. Avec l'économie pétrolière et le boom de l'import-export, il y avait énormément de traductions. Ali travaillait essentiellement pour des exportateurs iraniens. Il avait aussi affaire avec les consulats et les hauts fonctionnaires de nombreux pays. Il finit par connaître les ficelles aussi bien que n'importe qui, et il se dit qu'il avait tort de continuer à traduire alors qu'avec l'expérience accumulée il pourrait faire bien davantage. Il devint une sorte d'intermédiaire. Pour quinze pour cent, il proposait de placer les marchandises des exportateurs auprès d'acquéreurs étrangers. Tout le monde y trouvait son compte. La tâche de l'exportateur était simplifiée pour un coût supplémentaire très faible ; et cela permit à Ali, qui n'avait pas de capitaux personnels, de se lancer dans les affaires. Il réussit si bien qu'il put bientôt créer sa propre entreprise et acquérir des entrepôts dans les ports du sud. Il acheta directement aux exportateurs et augmenta ses marges.

Puis il eut un grand coup de chance. Il acheta les vastes terrains dans la province de Kerman. C'étaient de mauvaises terres salines. Mais, en gars de la campagne, il en connaissait les possibilités. Il se fit agriculteur. Il prit les conseils de l'institut agricole fondé par le chah, et entreprit de « laver » la terre du sel, processus qui devait prendre sept ans. Voici comment il procéda : il creusait une tranchée profonde d'un mètre ou deux autour d'un champ ; les pluies d'hiver entraînaient le sel de la terre dans la tranchée, laquelle se déversait dans une autre qui alimentait une rivière salée. Pendant que la terre était ainsi lavée il pouvait y faire pousser certaines récoltes. La première année, par exemple, il cultiva une variété de melons qui réussissait bien en terrain salé. (On servit quelques-uns de ces melons à la fin de notre dîner, ce jour-là : blancs, fermes, sucrés, évoquant la terre et l'été.) Il vendit la récolte encore sur pied ; en gros, et la livraison à l'acheteur était comprise dans le prix ; il vendit donc beaucoup. Par la suite, il fit pousser de la luzerne et devint éleveur.

Puis ce fut le boom pétrolier de 1973. Les revenus de l'État, de trois cents millions de dollars en 1961, passèrent à vingt-deux milliards en 1976. Les villes s'étendirent. Les prix fonciers firent un bond, et Ali put vendre des portions de ses terres salines quatre cents fois plus cher qu'il ne les avait achetées. Il devint également promoteur. Dans un lotissement il eut ainsi l'idée d'aménager une mosquée — les origines religieuses d'Ali ressortaient de toutes sortes de manières. Ne sachant pas construire les mosquées, il prit conseil d'un ayatollah très savant. Celui-ci présenta à Ali un ingénieur spécialisé dans la construction des sanctuaires. La mosquée fut construite et une amitié se développa entre Ali et l'ayatollah. Un an ou deux avant la révolution, l'ayatollah, qui agissait contre le gouvernement, eut des ennuis avec la police secrète et fut jeté en prison. Les disciples de l'ayatollah prévinrent Ali, qui, avec ses relations et son argent, put obtenir un certain nombre d'adoucissements et faire libérer l'ayatollah quelques mois plus tard. L'amitié de cet homme se révéla très précieuse pour Ali quand la révolution éclata ; sans cette amitié, la situation aurait été vraiment très difficile pour lui.

Diverses connaissances d'Ali, partisans de la révolution, se retournèrent contre elle dès le premier mois. Ali décida de lui laisser encore sa chance. Mais au bout de deux mois, quand commencèrent les exécutions, il eut de sérieux doutes. Des gens qui n'avaient rien fait étaient arrêtés et emprisonnés. Beaucoup disparaissaient. « Puis ils se sont mis à perquisitionner les maisons, à confisquer les biens. Nous n'avions aucune sécurité pour notre propriété, nos enfants ou notre femme. » J'eus le sentiment que le mot auquel pensait Ali était celui que m'avait appris Mehrdad : namous.

Un tribunal révolutionnaire, la Cour de Justice islamique, avait été constitué environ un mois après la révolution. L'un des meilleurs amis d'Ali en assurait la vice-présidence, et il s'y rendait tous les jours pour voir ce qu'il pouvait faire pour sauver les gens qu'il connaissait.

« Ce tribunal siégeait presque vingt-quatre heures sur vingt-quatre. C'était Khalkhalli qui le présidait. » L'ayatollah Khalkhalli, le fameux juge-bourreau de Khomeiny. « Il se servait de ce tribunal comme de l'instrument de ses exécutions. C'était rue Shariaty. Avant la révolution, c'était une cour militaire. Le chah l'avait instituée pour juger ses opposants. Ceux-là mêmes qui avaient créé ce tribunal y étaient désormais jugés, dans le même immeuble. Mes amis y ont siégé environ deux ans. »

Il y avait belle lurette qu'Ali avait perdu toutes ses illusions sur la révolution ; et il était lui-même dans les ennuis jusqu'au cou.

« Nous espérions quelque chose de paradisiaque, d'émotionnel. Quand nous étions des gamins de douze-treize ans, nous lisions des récits de la Révolution française, de la Révolution américaine, de la Glorieuse Révolution d'Angleterre. Et de la Révolution russe. Mais c'était toujours la Révolution française qui nous fascinait. La main de Dieu, vous savez. La génération précédente, la plupart des Iraniens qui avaient étudié à l'étranger avaient une culture française. Nous étions hypnotisés par leurs histoires de la Révolution française. Nous croyions tous que la révolution était une belle chose, accomplie par Dieu, quelque chose comme la musique, comme un concert. Comme si nous étions au théâtre, à assister à un concert ; et nous étions ravis de faire partie de la pièce. Nous étions désormais les acteurs. Depuis des années, nous lisions les exploits de Danton et de Robespierre. Mais maintenant, nous étions les acteurs. Nous n'imaginions jamais que ces assassinats commenceraient ensuite. »

Il fallut un an pour les communistes et les islamistes prennent mutuellement leurs distances. Mais le Toudeh, le parti communiste, avait infiltré toutes les branches de la nouvelle administration. Ils allaient même à la prière du vendredi dans les mosquées. Ils se présentaient comme des gens de Dieu. Le parti communiste pendant les premiers temps s'est entièrement mis au service de Khomeiny. Ils disaient, à en croire Ali, qu'ils ne voulaient pas du pouvoir exécutif ; conseiller leur suffisait. Et ils ont été à l'origine de la nationalisation des banques, des compagnies d'assurance, des usines. C'est eux qui ont donné son style soviétique au gouvernement et à l'attitude officielle que le visiteur pouvait encore observer.

Au bout de six mois de révolution, Ali était anxieux et amer. La vie n'était pas facile. Il était impossible de travailler. Hostiles, les nouveaux responsables le considéraient comme un membre de l'ancien régime. Des employés de sa société commencèrent à faire de l'agitation contre lui. Ils venaient à deux ou trois dans son bureau pour l'« interroger ». Il devait les acheter. Et à la fin de la première année, on l'enleva.

« Ça s'est passé à Kerman. J'étais sur ma propriété. Nous construisions des maisons. Ils sont arrivés en voiture, à trois ou quatre. Ils m'ont demandé de les aider dans un projet immobilier. Je suis monté dans la voiture et ils m'ont emmené. Ils m'ont détenu à une quinzaine de kilomètres de là, dans le désert, et m'ont interrogé comme un tribunal. C'était dans une petite masure, un abri de berger. Des jeunes gens qui étaient beaucoup allés au cinéma. Maintenant ils avaient des armes à la main et se sentaient vraiment importants. »

Les armes venaient des arsenaux du chah. Quand l'armée s'effondra, et elle s'effondra brusquement, des tas de gens se précipitèrent aux arsenaux pour se procurer des armes. Les quatre premiers mois de la révolution, les fusils étaient entassés à l'université et distribués à tous ceux qui en demandaient et pouvaient montrer une carte d'identité. Beaucoup de gens avaient proposé des armes à Ali, mais il avait vite compris qu'elles ne lui serviraient à rien, parce qu'il ne pouvait tuer personne, même pour se protéger. Et s'il avait eu une arme et qu'il eût essayé de s'en servir au moment de son enlèvement, peut-être aurait-il souffert aux mains de ses jeunes ravisseurs.

Il lui fallut manœuvrer soigneusement avec ces gamins, pour savoir combien ils étaient exactement en tout. Peut-être n'y avait-il personne d'autre. Peut-être étaient-ils quatre mille, décidés à ne le libérer que contre rançon. Ils discutèrent dix heures durant dans la cabane de berger au milieu du désert. Ils finirent par dire qu'ils allaient le libérer, mais qu'il devait les payer. Il ne voulait pas leur donner trop d'argent. Pour ne pas encourager les autres. Il promit des sommes minuscules. Les gamins, exaspérés, menacèrent de le tuer, menacèrent de détruire son entreprise de travaux publics. Mais il ne leur promit rien de plus.

« J'ai été très strict », dit-il.

Et en fin de compte ils le relâchèrent. Mais cet enlèvement aggrava son insécurité. Il y avait quatre millions d'habitants à Téhéran ; et il avait l'impression que, quatre par quatre, ces quatre millions d'habitants pouvaient à tout moment se présenter avec des armes pour exiger de l'argent. Et sans cesse maintenant, les responsables locaux lui faisaient des ennuis. Ils occupèrent son domaine et ses ensembles immobiliers ; c'étaient, disaient-ils, des biens publics qu'il fallait distribuer au peuple.

« Le responsable local a effectivement confisqué nombre de biens à Kerman, à moi et à d'autres.

— Quel homme était-ce ? L'avez-vous connu ?

— Il était lié au groupe des moudjahidines. Très gauchiste, à cent pour cent contre les capitalistes.

— A quoi ressemblait-il physiquement ?

— Environ trente-quatre ans, petit, gros. Plein de rancœur. Un homme instruit, un ingénieur. Je suis sûr qu'il a été battu par la Savak. Et il était plein d'amertume. Il m'a causé d'énormes dommages. Des millions. Beaucoup de millions. Je l'ai revu il y a quelques années. Il est venu à mon bureau. Il était pauvre. Il avait été chassé de son poste. Le gouvernement l'avait mis en prison. Il venait me demander du travail. Il m'a embrassé et m'a demandé pardon. Il avait alors environ quarante-cinq ans. Il portait une vieille veste. Je lui ai dit que tous les enfants avaient des jouets, mais il y en a un qu'ils préfèrent par-dessus tout. "Moi aussi j'ai des jouets. J'ai l'habitude de bien vivre, de prendre du bon temps, et tous les soirs, toute ma vie, j'ai fait de somptueux repas. Encore aujourd'hui. Et c'est là mon jouet favori. Si, à cause de ce que vous avez fait, j'avais dû me priver de cette abondance un seul soir, je ne vous pardonnerais jamais. Jamais. Mais ce que vous avez fait ne m'a pas plus gêné qu'une petite mouche me courant sur la peau." »

Un ami avocat d'Ali était venu s'asseoir dans la pièce où nous étions — c'était un vendredi matin, le jour de congé des musulmans — et j'eus l'impression que la présence de ce tiers excitait la passion inhabituelle d'Ali.

« Avez-vous donné du travail à cet homme ? demandai-je.

— Non. Parce que les gens de cette espèce ne peuvent jamais être remis dans le droit chemin. S'ils en ont de nouveau l'occasion, ils nuiront de nouveau. Il faut donc les tenir à l'écart. »

Et à ce moment-là, un an après le début de la révolution, Ali était bousculé de tous côtés, par les gens du gouvernement, par les communistes au sein du gouvernement et par de simples agitateurs. Il fut encore kidnappé trois ou quatre fois.

« Je n'avais pas vraiment peur de les suivre, parce que je savais que ma logique était plus forte que la leur. La première fois, vous croyez avoir affaire à un animal féroce qui va vous mettre en pièces. Mais lorsque vous l'avez dompté, vous pouvez le manœuvrer à votre gré. »

S'y ajoutait dorénavant le harcèlement constant des gardiens de la révolution, qui sautaient dans le jardin et regardaient à travers les fenêtres pour voir si quelqu'un regardait la télévision ou des vidéocassettes, ou qui forçaient les portes de la maison à la recherche d'alcool, de jambon, de robes ou de cravates, toutes choses désormais interdites.

« Et si vous étiez vêtu proprement, ça ne leur plaisait pas. Ils vous agressaient. C'était comme Pol Pot, mais en moins extrême. Dix pour cent. C'était une révolution complète.

— Une révolution complète ?

— Les rênes du gouvernement échappaient entièrement à l'emprise de l'État. C'était l'anarchie et la terreur. Khomeiny lui-même en était la cause. Quelque trois mois après le début de la révolution, mon ami ayatollah m'emmena voir M. Khomeiny. Il lui avait expliqué que j'étais un promoteur et un technicien et que je pourrais aider à résoudre les problèmes de logement. L'ami ayatollah, Khomeiny et moi étions assis tous trois par terre dans la maison de Khomeiny. La porte s'est ouverte. Des mollahs sont entrés. Khomeiny a commencé à leur parler. Puis d'autres mollahs sont arrivés à leur tour. Et ça a continué ainsi jusqu'à ce que la pièce soit pleine de mollahs. Il y en avait bien deux cents. Et tous voulaient de l'argent pour leurs étudiants et leurs organisations religieuses. Khomeiny disait qu'il n'avait pas d'argent à leur donner à tous. Puis il a déclaré : "Rentrez chez vous. Trouvez le premier riche ou le premier homme qui ait une usine ou une grosse ferme. Et obligez-le à vous payer." »

Ce langage de la part du chef du gouvernement choqua Ali. Et c'est alors qu'il comprit que Khomeiny conduisait son peuple au chaos.

« Sa discipline mentale était différente de celle des autres gens, dit l'avocat qui nous avait rejoints. C'était un homme du peuple. Il comprenait la majorité du peuple. Ces gens-là n'étaient pas instruits. Ils réclamaient de l'argent et des biens de consommation. Ce n'était pas la révolution qu'ils voulaient, mais de l'argent, et Khomeiny le savait parfaitement.

— La majorité voulait piller, ajouta Ali.

— Aussi a-t-il plongé le pays dans le désordre et les a-t-il laissé piller. Il faisait ce qu'ils voulaient.

— Quand il disait : "Respectez la loi", ce n'était pas la loi du pays. C'était sa loi, la loi qu'il avait à l'esprit. Avant la révolution, il disait qu'il était contraire à l'islam de verser des impôts à l'État. Après, il a décrété que c'était islamique. Il voulait le chaos total. Ce jour-là, chez lui, j'ai compris que ce n'était pas un homme d'État. C'était encore un révolutionnaire. Il était incapable de se maîtriser. Jusqu'au dernier jour, il a organisé le désordre. »

Je me demandai si ce désordre, cette constante « révolution » (un mot aux implications trompeuses), n'était pas un aspect de la protestation chiite. Mais quand je soulevai le problème, ni Ali ni l'avocat ne réagirent. C'étaient des hommes désenchantés, qui parlaient du fond de leur souffrance ; mais ils étaient si profondément imprégnés de chiisme, celui-ci faisait tellement partie de leur vie émotionnelle qu'ils ne pouvaient prendre le moindre recul pour l'envisager de l'extérieur.

Ils préférèrent parler de la loi islamique de la nécessité, au nom de laquelle Khomeiny, qui agissait toujours religieusement, avait dit et dédit tant de choses.

« Pour se protéger, on peut parfois faire quelque chose de mal, dit Ali. Les ayatollahs servent de médiateurs entre le premier niveau du droit, qui vient d'Allah, et le second. En cas de besoin, les ayatollahs peuvent édicter provisoirement des règles secondaires. » L'exemple qu'il donna le touchait de près. « Dans l'islam, la protection des biens privés relève du premier niveau du droit. Mais sous le régime de Khomeiny, de son vivant, il y avait pénurie de terrains à bâtir. Alors Khomeiny a dit : "En vertu de mon privilège de décréter le second ordre de lois, je vais m'emparer des terrains qui appartiennent à n'importe qui, sans verser de compensation, afin de les diviser et de les distribuer à ceux qui en ont besoin. Parce qu'il y a nécessité." »

Et pour prouver que cette initiative de Khomeiny était excessive, l'avocat entreprit de me guider parmi les chemins et les antiques allées et tunnels de la jurisprudence islamique, telle qu'elle était enseignée dans les écoles théologiques de Meched et de Qom.

« Une centaine d'années environ après la naissance de l'islam, commença l'avocat, en mangeant délicatement de petites figues vertes entières et en pelant et mangeant d'autres fruits dans l'intervalle, l'un des califes de La Mecque voulut prendre possession de terrains autour du sanctuaire. Des gens habitaient dans des maisons autour de ce lieu saint, la Kaaba. Mais l'expropriation n'était pas autorisée par la loi.

Protéger la propriété privée était un devoir du calife. Aussi le calife invita-t-il les grands muftis chez lui pour qu'ils trouvent une solution. Le meilleur avis fut donné par un descendant direct du prophète Muhammad, le cinquième imam chiite, Bagher. Il dit : "Vous pouvez prendre les maisons autour de la Kaaba parce que la Kaaba est apparue la première. Estimez les maisons, payez les propriétaires et congédiez-les."

— Khomeiny, intervint Ali, a donné le mauvais exemple. Tout ayatollah peut désormais invoquer la nécessité, comme Khomeiny l'a souvent fait, et violer la loi. »

Et l'Iran vivait toujours sous sa Constitution islamique, qui lui donnait le pouvoir suprême et instaurait le principe du Guide et de l'obéissance. Si la Constitution prévoyait une assemblée élue, il y avait aussi un conseil, qui pouvait passer outre aux décisions de l'assemblée.

« Il avait une intelligence instinctive, dit Ali. Une intelligence animale. Grâce à elle, il savait commander le peuple. Son intelligence n'était pas éduquée. Il ne devenait pas émotionnel. Il était très froid. »

Lors de notre rencontre suivante, Ali ajouta un souvenir à sa rencontre avec Khomeiny, trois mois après la révolution. Les deux cents mollahs dans la pièce réclamaient de l'argent à Khomeiny, qui leur avait dit de rentrer dans leurs régions et de faire payer le premier riche qu'ils trouveraient. Cela avait semblé satisfaire la plupart d'entre eux. Mais — comme dans un conte des Mille et une Nuits — l'un des mollahs avait objecté : « Ma ville est très pauvre. Il n'y a même pas un seul riche. » Khomeiny, par une sorte de réflexe, avait touché la manche d'Ali, et pendant un instant terrible — assez long pour qu'il s'en souvînt seize ans plus tard — Ali avait cru qu'il allait être offert en sacrifice à ce mollah très pauvre.

Et quelque chose de ce genre se produisit en fait quinze mois après. Ali fut arrêté par le tribunal révolutionnaire de Kerman sous diverses inculpations : renforcement du régime royal, appropriation de millions de mètres carrés de terre du peuple, exportation de milliards de dollars américains, fomentation d'un coup d'État avorté contre le gouvernement, direction d'une organisation antirévolutionnaire. Ces imputations n'avaient rien de spécifique ; c'étaient les accusations officielles standard portées contre des tas de gens.

« Dans la région de Kerman, dit Ali, si vous êtes un tant soit peu actif tout le monde vous connaît. J'étais très actif avant la révolution. J'étais connu. J'étais un petit chah, le symbole local du pouvoir. Quand ils ont créé une chambre du tribunal révolutionnaire dans la ville, ils s'en sont pris aux gens comme moi. Les gardiens étaient tous d'origine rurale. Ils avaient un accent particulier. Ils étaient très jeunes, la détente facile. Par la suite, beaucoup d'entre eux sont morts à la guerre. Je dirais qu'il y avait un mélange de quarante pour cent de moudjahidines et de soixante pour cent de groupes islamistes. Les moudjahidines, marxistes, avaient infiltré les tribunaux révolutionnaires dès le début. Ils ne se revendiquaient pas comme tels ; ils prétendaient être musulmans. »

Si Ali pouvait distinguer les moudjahidines et les groupes islamistes, c'était que lui aussi faisait semblant ; il faisait semblant d'être un révolutionnaire musulman. « Ma vie était en danger, et je devais m'en faire des amis à tout prix. » Ali découvrit très vite qu'un troisième groupe infiltrait et les moudjahidines et les islamistes : « C'étaient les gens qui voulaient simplement rafler de l'argent pour eux-mêmes. Mais ils jouaient les musulmans. » Et ceux-ci comprirent bientôt à leur tour qu'Ali jouait lui aussi, et qu'il n'était pas un révolutionnaire musulman. « Ces gens devinrent mes amis parce qu'ils savaient que j'avais de l'argent, et ils me dirent peu à peu ce qui se passait au tribunal et qui était qui. »

À maintes reprises, Ali fut arrêté et détenu quatre ou cinq jours. Une fois, son incarcération dura six mois. La prison révolutionnaire était un vieux hangar d'usine qui avait été divisé par des cloisons. Il y avait quelques cellules pour les détenus au régime cellulaire ; deux vastes salles pour les prisonniers de droit commun, comme les trafiquants d'opium et les voleurs ; et une grande cellule pour les prisonniers politiques. Ali fut d'abord isolé dans une cellule d'un mètre sur deux et demi ; il n'avait le droit d'en sortir qu'une demi-heure par jour pour aller aux cabinets et faire sa toilette. Le premier jour il y lut cette phrase écrite par un détenu précédent : *Le prisonnier finira par être relâché tandis que le gardien restera toujours en prison.*

« Et c'était une phrase encourageante parce qu'elle m'indiquait que mon prédécesseur avait été relâché. Encore aujourd'hui, quinze ans après, alors que j'ai été libéré il y a tant d'années, et que j'ai eu la liberté de faire des tas de voyages partout dans le monde, et que j'y ai pris tout le plaisir possible, aujourd'hui encore, quand j'ai certaines choses à faire et que je vais à la prison de la ville, bien que l'endroit ait changé et que la prison ne soit plus le hangar d'usine, j'y vois encore quelques-uns des gardiens. Ce sont donc eux les prisonniers. Pas nous. C'étaient eux les prisonniers. »

Certains des gardiens de la révolution qui surveillaient la prison-hangar vinrent trouver Ali. Il découvrit que c'étaient les enfants d'ouvriers qui avaient travaillé pour lui dans ses projets immobiliers.

Ils lui dirent : « Autrefois, tu ne nous regardais même pas. Tu étais si fier. Maintenant tu es derrière les barreaux et nous devons te nourrir. *Allah ho akbar !* Dieu est grand ! »

Ils parlèrent d'Ali à leurs pères, et, à leur grande surprise, leurs pères leur dirent qu'ils devaient faire tout ce qui était en leur pouvoir pour aider Ali, parce qu'autrefois celui-ci les avait secourus en leur donnant du travail.

« Et ces garçons m'ont beaucoup aidé. Ils n'avaient pas beaucoup de pouvoir, mais ils pouvaient m'informer. Ils pouvaient poster des lettres et m'apporter le courrier de ma femme. Ils me donnaient les meilleurs logements de la prison et la meilleure nourriture. »

C'est grâce à ces nouveaux amis qu'Ali fut transféré de sa cellule dans le salle des politiques. avec les quarante-cinq ou cinquante opposants au gouvernement de la prison. Ils parlaient politique tout le temps parce qu'ils n'avaient pas d'autre sujet de conversation, et Ali s'aperçut que les opinions politiques des gens dépendaient de leurs origines. Il y avait quelques membres du parti communiste Toudeh, en dépit du fait que ses dirigeants collaboraient avec le gouvernement. Il y avait des groupes de moudjahidines, alors que les moudjahidines n'avaient pas encore commencé leur guerre contre le gouvernement. Il y avait des maoïstes extrémistes. En fait, les islamistes commençaient tranquillement à détruire la gauche. Il y avait aussi, parmi les prisonniers politiques, quelques généraux et colonels de l'armée du chah ; de grands propriétaires terriens qui avaient des liens avec le chah ; et, curieusement, deux mollahs coupables d'abus sexuels à l'époque du chah. L'un de ces mollahs prétendait avoir un talisman pour les femmes qui ne pouvaient avoir d'enfants ; il les amenait chez lui pour coucher avec elles. L'autre était un diseur de bonne aventure.

« Tous deux ont été exécutés. Nous regardions les exécutions de très loin. Quand des exécutions étaient prévues, nous l'apprenions la veille. Nous éteignions les lumières très tôt le soir et faisions semblant de dormir. Puis, vers minuit, les lumières continuaient de briller dans le jardin de la cour et nous pouvions voir les exécutions de loin sans que les gardes le sachent. C'était un mollah local qui décidait des peines au tribunal révolutionnaire : la confiscation, l'emprisonnement ou la mort.

— Quel effet les exécutions avaient-elles sur les prisonniers ?

— Personne n'aimait ça, quel que soit son groupe. Personne n'avait le sentiment que c'était la justice qui était rendue. »

De temps à autre, les inspecteurs révolutionnaires venaient à la prison et emmenaient quelques détenus politiques pour « enquêter » à leur propos (Ali n'employa pas de mot plus fort). Ces enquêtes duraient de deux à cinq heures, puis les prisonniers regagnaient la prison. Les interrogatoires étaient polis.

Certains détenus devinrent jaloux des privilèges dont jouissait Ali grâce à ses nouveaux amis parmi les gardiens de la révolution. Ceux-ci lui apportaient d'ailleurs tant de fruits et de sucreries qu'il les partageait avec ses compagnons de cellule.

Le jour vint où quelques jeunes communistes ne purent plus le supporter. « Ah, tu fais la noce. Mais attends. Attends que nous prenions le pouvoir. Nous ne mènerons pas les gens comme toi au tribunal et en prison. Nous ferons venir le tribunal et le bourreau dans ta rue et ta maison, nous te jugerons devant chez toi et c'est là que nous t'exécuterons.

— Allah soit loué, répondit Ali, vous êtes en prison, et vous allez y rester et vous ne pourrez rien me faire. »

La date du procès d'Ali fut enfin fixée et les gens furent invités à présenter toutes les accusations qu'ils voulaient contre lui et à produire toutes les pièces à conviction dont ils disposaient. Il y eut sept audiences au tribunal du mollah, et Ali fut acquitté.

« Je ne suis pas un révolutionnaire islamique, conclut le juge-mollah, mais j'ai fait cette révolution pour instaurer l'islam. Il y a une distinction entre les deux. Je veux construire une maison au ciel. Pas en enfer. Un riche n'est pas nécessairement coupable, à moins que je n'établisse sa culpabilité. Il se peut que vous ne soyez pas un bon musulman, mais je vous juge non coupable. »

Si les choses se calmèrent pour Ali après le procès, il eut encore des problèmes, beaucoup de problèmes. La vie ne redevint jamais facile et peut-être ne se sentirait-il jamais plus tranquille. Mais les révolutionnaires qui l'avaient jugé d'avance comme riche et l'avaient tourmenté pendant les trois premières années de la révolution ne dominaient plus autant les tribunaux et les ministères. Le gouvernement s'était débarrassé de nombre des plus virulents, et ceux qui restaient en place étaient devenus moins durs au fil des ans. Le pouvoir en avait corrompu beaucoup. Certains avaient amassé une petite fortune et s'étaient lancés eux-mêmes dans les affaires. Si les gens au pouvoir pouvaient encore susciter des obstacles, ils étaient désormais plus prévisibles, et il y avait moyen de traiter avec eux.

Et après toutes ces années, la tristesse régnait chez Ali. Elle transparaissait sur le visage de sa femme, qui exprimait le chagrin irrémédiable d'une vie gâchée.

Sur les montagnes au nord, la lumière du matin projetait des ombres dans les dépressions et les creux. Chaque irrégularité du rocher érodé ou des éboulis le long d'une pente se dessinait. La lumière matinale révélait également à quel point les collines proches étaient construites ; et, çà et là, le creusement de nouvelles terrasses — couleur ciment sur fond beige — pour de nouvelles constructions. Le soir on apercevait des lumières, petites lignes brisées sur des versants montagneux qui auraient dû être déserts. Le matin ces lumières disparaissaient, et on eût dit qu'il n'y avait rien. Plus bas, le vert tendre des peupliers se découpait sur le vert plus sombre.

CHAPITRE 13

La prison

Paydar, qui avait grandi dans la pauvreté dans le Nord-Ouest pauvre, fut possédé très jeune par l'idée de révolution. Voir souffrir chaque jour et chaque nuit sa mère veuve le tourmentait. Pour vivre, elle reprisait des vêtements et tricotait des chaussettes et des bas ; et il lui arrivait souvent de veiller devant sa machine jusqu'à deux heures du matin.

Paydar finit par adhérer au parti communiste Toudeh. Le Toudeh espérait arriver au pouvoir en se laissant porter par la vague religieuse, et au début de la révolution il eut pour politique d'adopter un camouflage islamique. Ce n'était pas très difficile : les deux idéologies partageaient les thèmes de la justice, du châtiment et de la corruption des dirigeants. Mais le parti Toudeh se détruisit lui-même. Il donna un appareil de style soviétique à la révolution, et finit par être détruit par cet appareil.

Ali, dans sa prison-hangar provinciale, avait assisté en 1980 et 1981 au début de la rafle des militants de gauche. Si, dans le quartier politique de la prison les communistes enragés menaçaient encore de pendre Ali devant chez lui quand ils arriveraient au pouvoir, leurs jours étaient déjà comptés en Iran. Deux ans après, en 1983, le parti Toudeh était officiellement interdit par le gouvernement. Et deux ans plus tard, Paydar, qui vivait dans la clandestinité comme les militants survivants du parti, fut capturé et conduit dans une prison à l'extérieur de Téhéran.

Paydar ne savait pas alors dans quelle partie du pays se trouvait la prison ; il ne le savait pas davantage maintenant. Pendant deux mois, selon ses calculs, il fut détenu dans une sorte de trou, sans fenêtre, « sans un atome de lumière », et interrogé. Et c'est dans ces ténèbres et cette intense solitude, entièrement coupé de tout — d'abord dans le trou, puis dans une cellule avec quatorze autres détenus, où il passa encore un an — qu'il commença à réfléchir froidement à l'idée de révolution qui était le moteur de sa vie depuis qu'il était adulte. Et il finit par comprendre — conclusion singulièrement douloureuse dans ces circonstances — pourquoi il s'était trompé et « pourquoi les révolutions sont condamnées à l'échec ».

« J'ai compris que les gens sont d'une nature beaucoup trop complexe pour être conduits de manière simple, avec quelques slogans. Au fond de nous-mêmes, nous sommes pleins de convoitise, d'amour, de peur, de haine. Nous portons tous notre histoire et notre passé personnels. Et lorsque nous en venons à faire une révolution, nous y amenons tous ces facteurs en proportions variables. Les révolutions ignorent toujours ces différences individuelles. »

Aussi, dans la prison, avait-il rejeté l'idée de révolution. Ç'avait été son grand soutien, l'équivalent de la religion ; et par la suite il n'avait rencontré aucune autre idée à ce point vitale. Il était comme un homme chez qui quelque chose a été éteint. C'était un solide gaillard du Nord-Ouest. On pouvait l'imaginer plein de feu. Désormais, il était étrangement pacifique ; sa souffrance, ancienne et nouvelle, le poussait toujours à surveiller ses humeurs, à peser ses mots, et à étouffer en lui la passion ou les plaintes. Il s'efforçait à présent — vulnérable qu'il était et susceptible d'être arrêté de nouveau à tout moment — de faire de sa vie privée, de sa vie de famille, sa raison d'être ; bien que l'existence quotidienne fût difficile et que, dans le désordre de l'Iran révolutionnaire et avec l'érosion de la monnaie, le pouvoir d'achat de son salaire d'enseignant ne cessât de diminuer.

« J'ai été attiré par la pensée révolutionnaire à l'âge de dix-huit ans », dit-il. Ce devait être sept ou huit ans avant la révolution. « Il y avait dans notre ville un homme qui venait de sortir de prison, et nous aimions beaucoup lui rendre visite. Mais il ne voulait pas parler avec nous par souci de sécurité. J'ai dû lui faire bonne impression en fin de compte parce que c'est moi qu'il a choisi comme interlocuteur. Il avait trente-huit ans et était l'ami intime d'un écrivain célèbre qui s'était noyé dans notre rivière. Il avait confiance en moi et s'est mis à me parler.

— Où habitait-il ? ai-je demandé à Paydar. A quoi ressemblait sa maison ?

— C'était une maison ordinaire, très petite, comme celles qu'on trouve dans le Nord-Ouest, avec une petite cour et deux chambres à coucher. Il y vivait avec sa mère et ses deux sœurs. Il me racontait toutes sortes de choses sur l'injustice et sur la manière dont il l'éliminerait.

— Où travailliez-vous à l'époque ?

— Je venais de quitter l'école et je travaillais au bazar. En même temps, j'écrivais des nouvelles pour les magazines. J'en ai écrit une trentaine, et la plupart ont été publiées.

— Quels en étaient les sujets ?

— La misère, la souffrance des gens. J'avais douze ans quand mon père est mort, et j'ai ensuite connu la pauvreté. Ma mère travaillait seize heures par jour pour nous faire vivre. Je garde d'elle cette sombre image : me réveiller à deux heures du matin pour la voir s'assoupir sur sa machine à coudre. »

Le nouvel ami de Paydar, l'ancien prisonnier politique, lui prêtait des livres d'écrivains russes. Paydar était particulièrement ému par Maxime Gorki ; il était fasciné par *La Mère*. L'ami lui fit également lire des auteurs révolutionnaires iraniens, dont certains étaient allés en prison.

Lui ne voulait pas évoquer sa propre expérience — il avait passé trois ans derrière les barreaux — et préférait parler de ses idées politiques.

Il disait que c'étaient des idées marxistes. D'une variété très primaire, comprit par la suite Paydar. Mais à l'époque ces conceptions rudimentaires le séduisaient et il les fit siennes. Plus tard encore, Paydar se rendit compte que c'étaient les seules idées politiques qu'avait son ami ; il n'avait jamais essayé d'aller plus loin.

« Et pourtant, dis-je à Paydar, il apparaissait comme une sorte de saint à vos yeux ?

— Oui. Ce que je ressentais, c'était de l'émotion pure. J'avais le sentiment, oui, que ce que cet homme disait de la révolution était réalisable, mais exigeait des sacrifices. J'ai donc commencé à me préparer pour la révolution. J'en suis même venu à penser que je pourrais y perdre la vie.

— Combien de temps vous a-t-il fallu pour en arriver à ce stade ?

— Tout cela n'a pris qu'un an.

— Et votre mère ?

— Elle était au courant. Elle savait ce qu'il m'enseignait, et elle ne disait rien. C'était le genre de mère que nous avons ici. Elles croient en leurs fils et en ce qu'ils font. C'est généralement ce qui arrive dans les familles où le fils remplace le père mort. La mère n'obéit pas exactement ; elle cède à son fils.

— Vous parliez de révolution et de sacrifice d'une manière presque religieuse.

— Je ne sais trop quels sont mes sentiments religieux. Mon père était athée. Il n'était pas religieux. Ma mère non plus. Rien donc de typiquement iranien. Ma mère croyait en Dieu, mais elle croyait davantage aux hommes. Je me rappelle une chose très belle qu'elle m'a dite : "Si tu demandes à un petit enfant de ne pas faire quelque chose de mal et que tu le récompenses s'il ne le fait pas, ça va, parce que c'est un enfant. Mais quand il grandit et comprend personnellement, si tu continues de le récompenser pour ses bonnes actions, tu lui fais insulte." »

À la fin des années soixante-dix, Paydar partit en Angleterre faire des études supérieures dans une université de province. Peut-être grâce à une bourse, bien qu'il eût des économies. Sa femme et leurs deux enfants l'accompagnèrent. Ils habitaient des chambres meublées. Et — quoiqu'il ne l'ait pas compris à l'époque, et qu'il ne m'en ait rien dit — ces études en Angleterre étaient un hommage à l'Iran du chah. Elles témoignaient de la mobilité dont bénéficiaient des gens comme Paydar, nés dans des régions pauvres et arriérées ; elles plaidaient en faveur de l'économie qui non seulement lui avait donné du travail mais lui avait permis d'épargner ; et elles attestaient la force et le pouvoir d'achat de la monnaie nationale.

Je lui demandai quelle avait été la première chose inhabituelle qu'il avait remarquée en Angleterre.

« En Angleterre je voyais tout avec une sorte de jugement préconçu. Je considérais les gens comme des capitalistes. J'étais très cynique. Je les jugeais responsables de nos malheurs dans l'histoire. Ce qu'ils étaient naturellement dans une certaine mesure.

— Avez-vous remarqué les bâtiments ? Y en a-t-il qui vous ont plu ?

— J'avais les yeux fermés à des tas de choses. Les révolutionnaires qui pensaient comme moi en faisaient autant. »

Et bientôt la révolution arriva.

« C'était en 1978. Les gens descendaient dans la rue et j'ai dû prendre parti. Puisque j'avais toujours voulu être avec le peuple dans la rue pour la liberté et l'égalité, mon camp était tout choisi. J'ai pris part à des manifestations en Angleterre. Je distribuais des tracts aux passants. A ce moment-là, Khomeiny devenait populaire dans la révolution.

— Nous avons entendu parler de lui assez tard en Angleterre. Comme si les religieux le tenaient secret.

— Il n'était pas là au début de la révolution. C'est seulement en 1978 que les gens ont commencé à entendre parler de lui.

— Ils le gardaient secret même à quelqu'un comme vous ?

— Même à nous, qui luttions. Et à ce moment-là j'ai dû prendre une décision difficile. Je n'étais pas religieux. J'étais marxiste. Mais Khomeiny était un religieux qui avait pris la tête de la révolution. Le seul parti à s'être rangé aux côtés de Khomeiny à ce stade était le parti Toudeh. Aussi ai-je été automatiquement attiré vers lui. Bien entendu, celui-ci, en dehors de son ralliement à Khomeiny, comptait parmi ses dirigeants nombre d'intellectuels très populaires. Nous en *adorions* certains pour leur œuvre intellectuelle, avant même de savoir ce qu'ils étaient politiquement. J'étais plongé dans un profond dilemme. Si j'ai finalement décidé de rallier Khomeiny, j'avais beaucoup de doutes. Je disais à mes amis : "Nous allons peut-être gagner la révolution, mais culturellement nous allons reculer d'un millier d'années."

— Que disait votre mère ?

— Elle était *très* pessimiste. Elle disait : "Vous ne gagnerez jamais rien à suivre ces religieux. Nous les connaissons bien. Nous les avons vu faire. Ce sont les gens qui ne m'ont pas laissé apprendre à lire et à écrire." Elle avait raison. Un ecclésiastique était en effet venu chez mon grand-père pour lui dire : "Vous ne devriez surtout pas envoyer votre fille dans une de ces écoles. Ce sont des centres sataniques pour les femmes." C'était en 1925, ma mère avait sept ans. Et ma mère ne leur a jamais pardonné parce qu'elle avait la passion du savoir et des livres. »

Mais Paydar parvint à la convaincre. Il était son fils et elle l'aimait. Puis il abandonna ses études pour regagner l'Iran — il avait l'impression de perdre son temps à étudier alors que la révolution battait son plein. Il voulait être dans l'arène, avec le peuple.

La révolution était terminée quand il rentra. Le chah était en exil et Khomeiny au pouvoir. Paydar trouva un poste universitaire. Lui qui avait eu des doutes sur l'évolution de la révolution constatait que la situation commençait à mal tourner. Il y avait des réglementations religieuses. Les femmes devaient porter le tchador et se couvrir entièrement la tête ; la musique et les événements culturels étaient interdits.

La presse était contrôlée. En août 1979, *Ayandegan*, journal non religieux d'opposition libérale, fut interdit. Et au bout de deux ans Paydar perdit son poste d'enseignant. C'était la « révolution culturelle », comme on l'appelait ; toutes les universités furent fermées.

Les emplois temporaires se succédèrent dans diverses régions du pays. Ainsi débuta une vie errante pour lui, sa femme et leurs deux enfants. Il travaillait essentiellement comme traducteur pour des sociétés privées d'import-export.

« La tragédie, à ce stade, c'est que je suis également entré en conflit avec le parti Toudeh.

— Qu'était devenu l'homme qui vous avait le premier parlé de la révolution ? Quand vous aviez dix-huit ans. L'homme qui vous donnait les livres de Gorki.

— Il n'a pas eu un rôle actif après la révolution. Et c'était très étrange — si j'avais fait attention. Il avait obtenu un poste d'enseignant. Il est toujours prof. Et maintenant je sais qu'il avait agi très sagement.

— Mais il ne vous a pas donné de conseils ?

— Non. Peut-être pensait-il que j'étais trop jeune. Peut-être avait-il ses propres doutes. Peut-être avait-il honte de ne pas participer personnellement. En fait, je suis allé le voir longtemps après et je lui ai dit : "Tu as été très sage. Pourquoi ne m'as-tu pas mis en garde ?" Et il a répondu : "Moi-même je ne savais pas trop quoi faire. Après le régime du chah c'était un nouveau régime, et je suis resté dans l'expectative, sans certitude aucune. J'ai simplement vécu au jour le jour."

— Qu'en pensez-vous aujourd'hui ?

— C'était une réponse honnête.

— Et votre mère ?

— Elle se soumettait à ce que je pensais. Elle acceptait ce que je disais. »

Son conflit avec le parti Toudeh concernait son soutien sans réserve au gouvernement de Khomeiny. Quand il protestait, on lui répondait que Khomeiny dirigeait un mouvement populaire ; puisqu'il croyait en le peuple, le parti ne pouvait s'éloigner du peuple. Il devait donc être avec Khomeiny ; sur le plan international, ç'avait toujours été sa stratégie. C'était en 1983, l'année même où le parti Toudeh fut mis hors la loi et que ses membres commencèrent à être arrêtés.

« J'étais dans une grande confusion. J'étais en danger. On commença à perquisitionner mon logement. A l'université j'avais fait des professions de foi. J'avais dit que j'étais avec le parti Toudeh. On m'a recherché dans la ville où j'étais et je me suis échappé de justesse. Tout à fait par accident. Quelqu'un y avait été arrêté et avait dit ensuite à sa famille que les gardiens de la révolution parlaient de moi. Cette famille est venue me prévenir et je me suis enfui avec les miens. Quelle époque ! Oui ! Ensuite j'ai vécu dans la clandestinité. Je venais voir ma famille et lui apporter de l'argent une fois par mois. J'ai pris différents emplois. Je me déguisais. J'ai travaillé dans des restaurants. Des travaux manuels, des boulots simples. Toujours dans un endroit éloigné. Parents et amis m'aidaient. Ma mère relayait les informations. »

Après deux années de cette vie, il crut que les choses s'étaient calmées et qu'il pouvait sortir de la clandestinité. Personne ne semblait le suivre. Les journaux rapportaient moins d'arrestations. Il recommença donc à vivre avec sa famille et enseigna de nouveau. Il vécut ainsi pendant une année. Une nuit, il y eut un coup de téléphone. C'étaient les gardiens de la révolution. Ils voulaient qu'il vînt quelques minutes à leur quartier général pour répondre à deux ou trois questions. Par la suite, il découvrit qu'ils avaient retrouvé sa trace en épluchant son dossier.

« Ça va vraiment être quelques minutes ? demanda-t-il à l'homme au téléphone.

— Oh oui, répondit le gardien. Vous ne serez certainement pas ici plus d'une heure. »

Paydar embrassa sa femme et ses enfants. Il leur dit que leur séparation serait longue. Sa femme répondit qu'il se trompait. Mais il avait raison : il ne revint qu'un an après.

Il partit se présenter au quartier général des gardiens de la révolution. On l'envoya dans une pièce où un gardien l'attendait. Il remit un questionnaire à Paydar et lui demanda de le remplir. Une des questions était celle-ci : *Avez-vous eu des activités politiques quelconques dans le passé ?*

« A quoi ressemblait ce gardien ? demandai-je à Paydar.

— Un grand et vigoureux barbu, au visage cruel. Il avait de grosses mains aux doigts très épais. C'est la première chose que j'ai remarquée, les doigts épais. Peut-être pensais-je qu'il allait me battre.

— Quel âge avait-il, à votre avis ? Était-il en uniforme ?

— La trentaine. En uniforme kaki.

— Instruit ?

— Non. Pas du tout. C'était tout à fait évident d'après la manière dont il parlait.

— Et le bureau ?

— Un de ces komitehs ordinaires. C'est comme ça que nous les appelions. J'ai répondu non à cette question sur les activités politiques. "Etes-vous sûr que vous n'aviez pas d'opinion différente ?" m'a-t-il demandé. Et je lui ai alors expliqué en détail ce que je pensais. Sans autre information. Et il a dit en souriant : "Cela nous le savions." Il m'a bandé les yeux et m'a mis dans une petite pièce. Il était neuf heures du matin. [Dans le récit de Paydar, le temps avait fait un bond : cet interrogatoire avait dû durer toute la nuit. Mais je ne remarquai cette rupture que bien plus tard.] Et c'était le printemps. Avril ou mai. Le lendemain, on m'envoya en prison. D'abord à Evin. [La grande prison de Téhéran.] Au bout d'une semaine, on m'a transporté ailleurs. Où, je ne l'ai toujours pas découvert. Et là, on m'a interrogé deux mois durant et on m'a condamné à un an. A Evin c'était tolérable. C'était une prison moderne. L'autre geôle était épouvantable. Très vieille. Un trou, ni plus ni moins. Puis c'est allé à peu près le reste de l'année. Nous formions une communauté de quinze personnes dans la cellule. Cette année-là,

les choses allaient mieux parce qu'ils n'avaient pas autant de prisonniers. Avant c'était très dur. Et la situation s'était calmée à l'extérieur. »

C'est là que Paydar commença à réfléchir, dans la solitude, et de loin,
à la révolution. Il estimait que ç'avait été l'année la plus importante de
toute sa vie.

« Et votre mère ?

— Elle était morte deux ans auparavant. Très vite, heureusement. J'ai
alors commencé à réfléchir à la révolution et à toutes mes croyances.
Le moment était venu pour moi de penser par moi-même et d'approfondir des questions qui, dans une certaine mesure, m'étaient interdites.

— Vous vous les étiez interdites.

— Je me limitais. Par exemple, pour moi Arthur Koestler était un
réactionnaire. Je ne lisais donc rien de lui. C'est tout. C'était aussi
simple que ça. Et George Orwell était aussi un réactionnaire. Je classais
les gens en deux groupes seulement. Les révolutionnaires et les réac-
tionnaires. Je me suis surtout mis à penser à ma mère et à ce qu'elle
avait fait sans être consciente de ces idéologies. Elle était pour moi le
symbole du véritable être humain. Tout le monde l'aimait. Tous ceux
qui la connaissaient l'aimaient. C'était quelque chose de très étrange.
Quand elle est morte à l'hôpital, toutes les infirmières et jusqu'au médecin ont pleuré. Parce qu'elle s'intéressait à chacun. Elle disait à une
infirmière : « Et le visiteur que vous attendiez ? Est-il venu ? » Et elle
demandait à une autre : « Comment se porte votre mère ? Est-ce qu'elle
va mieux ? » Elle ne cessait de s'occuper d'elles, de les aider, bien
qu'elle fût malade.

« J'ai compris que les idéologies ne sont qu'une petite partie de notre
intellect qui peut nous aider dans la vie. L'essentiel provient de notre
manière culturelle de penser. Et du comportement naturel de gens
comme ma mère. La révolution à laquelle je travaillais ne me percevait
pas comme intellectuel ni ma mère comme personne. »

Il n'y avait pas de mauvais traitements systématiques dans la prison.
Paydar ne fut maltraité que deux fois. La première fois à la mort de
Khomeiny : nerveux, les gardiens craignaient une éventuelle tentative
pour libérer les prisonniers. Ils leur bandèrent les yeux à tous les
quinze, les conduisirent dehors jusqu'à un minibus et leur ordonnèrent
de s'accroupir en silence. Le voisin de Paydar lui demanda à voix
basse : « Où nous emmènent-ils ? » Paydar posa le doigt sur ses lèvres
et répondit : « Je ne sais pas. » Mais un gardien l'entendit qui frappa
Paydar sur la nuque avec son arme ; et il se mit à le battre avec une
telle frénésie que Paydar crut qu'il allait mourir. Il fut malade pendant
une semaine, gisant dans la cellule sans le moindre soin. On lui apportait simplement de quoi manger. Il en réchappa néanmoins.

En une autre occasion, il fut giflé. Il avait dit quelque chose à propos
des moudjahidines, les croyants de gauche naguère alliés aux gardiens
de la révolution (et qui étaient parmi les premiers persécuteurs d'Ali).
Un gardien gifla Paydar et lui dit qu'il ne devait jamais employer de

nouveau le mot *moudjahidine*, mais les appeler *monafeghine*, « hypocrites ».

« Je me consacre à mon travail d'enseignement, dit Paydar, et je suis plus utile ainsi à mon peuple, en essayant simplement de l'instruire. J'aimerais avoir pensé ça dès le début. Mais nous étions au cœur de la mêlée, environnés de poussière. Et le régime antérieur est responsable de ce qui se passe maintenant. En nous privant de liberté et de bonne éducation, il a fait surgir ces gens-là. »

Sur les collines basses au nord, fauves sous certains éclairages et à la douce texture, des terrasses, parfois semées des petits points verts d'arbres récemment plantés, et des murs de soutènement marquaient l'emplacement de futurs lotissements, comme il m'avait semblé. Puis j'appris un jour, en me promenant à pied dans les environs, que l'une de ces collines basses, que j'apercevais de la fenêtre de ma chambre, sur la gauche, était la prison d'Evin, scène de tant d'exécutions. L'adresse de l'Azadi Hyatt était Carrefour d'Evin.

J'avais remarqué ici un début de terrassement, vu là un sentier qui s'élevait en sinuant ; une sorte de grande muraille en gradins qui montait et disparaissait au détour d'un flanc de la colline pour reparaître loin de l'autre côté. Il m'avait semblé que les murs en gradins des deux côtés étaient liés, mais je ne savais pas ce dont il s'agissait. C'était en partie parce que le jeu de la lumière sur les montagnes m'enchantait tellement.

Le matin seulement, quand le soleil oriental remplissait d'ombre les vallées et les combes, le mur en gradins sur la droite — sa hauteur alors révélée — projetait une large diagonale d'ombre qui s'effilait vers l'arête où elle disparaissait. A d'autres moment, lorsque nulle ombre ne se voyait d'où je regardais, la haute muraille en gradins était de la couleur de la colline et ne révélait qu'une infime dentelure à son sommet, ce qui m'avait fait croire que c'était un mur de soutènement, pour empêcher les glissements et les mouvements de terrain.

Si le mur en gradins sur la droite ne se distinguait clairement que par son ombre matinale, c'était juste après midi que celui de gauche devenait à son tour un rempart d'ombre, longue courbe dentue là où auparavant je n'apercevais pas le moindre muret.

Et maintenant que j'avais vu, je voyais toujours ; et les indentations du mur à droite et à gauche, et les crocs à demi cachés qui surgissaient par endroits au milieu m'apparaissaient comme la mâchoire d'acier d'un ancien et gigantesque piège à homme.

Maintenant que je savais que c'était une prison, j'étais stupéfait, bien que je l'aie regardée des jours et des jours, de n'y avoir vu qu'un élément du paysage sans m'interroger davantage à son propos : monstrueux hangar pour avions en béton, couleur sable, jaillissant du vert des peupliers et des tchenar. Les deux ou trois jours suivants, le plan de la prison se clarifia, détail après détail. La route asphaltée qui se hissait en serpentant au travers de la verdure trompeuse jusqu'au corps de garde de l'entrée ; les longs bâtiments ressemblant à des entrepôts ferroviaires — peut-être des ateliers — au pied du grand hangar ; et, un peu plus bas, des immeubles d'appartements en béton, probablement les logements des gardiens, pas tout à fait aussi résidentiels qu'ils m'étaient d'abord apparus. Le grand ensemble sur un joli coteau que je me représentais camouflait la prison.

La nuit, le paysage de montagne se clarifiait davantage, et ces nouveaux éclaircissements semblaient plus sinistres encore, ne fût-ce que parce que des choses sinistres se produisent la nuit dans les prisons : le grand zigzag des lampadaires bleus bordant la route asphaltée qui menait à Evin ; les gros projecteurs, hauts et très blancs au-dessus du bâtiment ressemblant à un hangar pour avions ; et, partout ailleurs, d'autres lumières.

La prison était si étendue, occupait une zone tellement vaste du nord de Téhéran, qu'il me fallut longtemps pour l'appréhender tout entière.

Un après-midi, laissant mon œil suivre le mur ombré descendant la colline sur la gauche, je m'aperçus qu'il menait à un autre, entre des arbres, lequel descendait jusqu'à un troisième mur qui barrait transversalement de droite à gauche le pied de la colline. Ce mur au pied de la colline était très haut ; et il était percé de hautes portes bleues, par lesquelles sans aucun doute les camions sortaient la nuit après la révolution avec les corps des exécutés. Le bleu des portes se détachait sur le vert, la brique et le béton ; on ne pouvait s'empêcher de s'interroger sur le choix de cette couleur.

En dessous des belles montagnes si diverses, cette présence : la grande prison de Téhéran, plus impressionnante et terrifiante que le Château de Prague. J'éprouvai en la découvrant ce que j'avais ressenti à Dakar en comprenant que le mur du tennis de l'ambassade britannique donnait de l'autre côté sur la morgue, ce qui expliquait la foule d'Africains en deuil portant calottes musulmanes et boubous que je voyais à longueur de journée.

L'ayatollah Khalkhally, le juge-bourreau de Khomeiny, présidait le tribunal révolutionnaire de la rue Shariati, l'ancienne cour martiale du chah, avait dit Ali. Au début de la révolution ce tribunal siégeait presque vingt-quatre heures sur vingt-quatre, et Ali s'y rendait chaque jour pour essayer de sauver les gens qu'il connaissait. Les prisonniers étaient probablement amenés d'Evin.

En août 1979, quand j'étais venu pour la première fois à Téhéran, le tribunal était encore en pleine activité. Khalkhally, dans un entretien au *Tehran Times* — M. Parvez étant encore le propriétaire et rédacteur en chef, et M. Jaffrey lançant sur sa superbe machine à écrire des appels incendiaires aux ayatollahs pour qu'ils retournent à Qom —, Khalkhally, dans cet entretien d'août 1979, disait qu'il avait « probablement » condamné trois ou quatre cents personnes à mort. Certaines nuits, disait-il, les camions sortaient trente à quarante cadavres de la prison.

Par les portes bleues.

CHAPITRE 14

Le martyr

Nous avons rencontré Abbas, Mehrdad et moi, dans le bureau d'un éditeur. Abbas avait vingt-sept ans et était un ancien combattant. Il s'était porté volontaire à quatorze ans — en abandonnant l'école — pendant la deuxième année de la guerre et s'était battu jusqu'à la fin du conflit. Il ne semblait pas avoir à présent de vocation fixe. Après la guerre, poussé par un besoin spirituel, il avait étudié trois ans la théologie à Qom ; puis, déçu, avait abandonné cette voie. Plus tard, pour faire plaisir à la famille de son amie, il avait passé son baccalauréat et était entré à l'université. Il faisait désormais des études de cinéma et tournait des films poétiques très brefs, des manières de haïku, qui ne duraient pas plus d'une minute. Il se déplaçait aussi dans tout le pays, afin de réunir des témoignages d'anciens combattants comme lui pour l'éditeur dans le bureau duquel nous avions cet entretien. L'éditeur publiait, semble-t-il, une collection de livres sur la guerre.

Les vétérans étaient très nombreux et Abbas, tirant parti de sa formation militaire, avait mis au point une méthode personnelle pour obtenir de multiples récits en même temps. Quand il arrivait dans un endroit, il invitait les anciens combattants à une sorte de réunion publique, leur distribuait des questionnaires imprimés, et racontait ses propres histoires de guerre, récits délibérément simples, pour inciter ses camarades à dépouiller leur timidité ou leurs hésitations et à relater par écrit leurs souvenirs personnels.

Et de nous narrer une des histoires qu'il leur racontait. Mehrdad, dont l'expérience militaire était encore proche, fut si fasciné qu'il ne me la traduisit pas. Ses yeux brillaient ; pas un instant il ne détacha son regard d'Abbas.

Abbas était un homme saisissant — petit, bien proportionné, d'une beauté classique, la barbe et les cheveux impeccablement taillés. Il s'était habillé avec soin pour cet entretien avec nous dans le bureau de l'éditeur : chemise verte à rayures verticales, larges et lustrées, sur un fond aux motifs clairs et sombres alternés. Son étui à lunettes, attaché à sa ceinture, faisait partie de son personnage. Personnage touchant, parce qu'il avait été blessé à la tête et avait dû manifestement surmonter d'énormes handicaps pour parvenir à être toujours autant lui-même. Ses yeux, injectés de sang, étrangement fixes, n'exprimaient aucune émotion ; il remuait lentement la tête ; ses jambes, disait-il, le faisaient encore souffrir.

Et pourtant, au bout d'une heure à manger des fruits, siroter du thé et bavarder, je n'avais rien tiré de lui de nouveau, je n'étais pas arrivé à aller au-delà de son regard fixe, de sa raideur et de sa fierté apparentes ; je n'avais pas eu envie de prendre une note ni même de sortir mon carnet de la poche poitrine de ma veste. Et lorsqu'une panne d'électricité plongea brusquement tout le quartier dans l'obscurité, je décidai de partir.

Nous nous levâmes pour dire au revoir. Et il me vint alors à l'esprit, dans l'obscurité, de lui demander si au cours de ses entretiens il avait rencontré un survivant d'un bataillon de martyrs. Peu avaient survécu, dit-il. Quand nous lui demandâmes si nous pourrions rencontrer l'un d'eux, il ne dit rien. Puis — était-ce l'obscurité qui semblait assourdir les bruits du quartier et nous faisait parler plus doucement, tandis que les voix des enfants qui jouaient encore dans la rue en contrebas couvraient soudain, parfois, le grondement des boulevards non loin de là ? était-ce la dimension théâtrale de la panne d'électricité ? — Abbas murmura, d'un ton hésitant : « Je ne devrais pas le dire, mais j'étais l'un d'eux. »

Alors nous restâmes, nous restâmes longtemps. Abbas parla d'abord dans l'obscurité, puis à la lueur des bougies. La maison d'édition avait une réserve de bougies pour ces coupures de courant.

Je ne pris pas de notes. Plus tard, ce soir-là, je reconstituai avec Mehrdad, et notai, ce que nous avions entendu.

Quand Abbas dit qu'il avait fait partie de l'un de ces bataillons de martyrs, une bonne partie de ce qu'il avait raconté auparavant se mit en place. Il s'était porté volontaire à quatorze ans, avait été conduit non loin des combats, puis, de sa propre initiative s'était rendu sur le front meurtrier de Dezful — la ville, à une soixantaine de kilomètres de la frontière, avait été entièrement détruite par les combats. Qu'est-ce qui l'avait poussé à s'engager ? Une organisation publique pour le développement, expliqua-t-il, avait envoyé des orateurs dans son école (et Mehrdad me précisa plus tard, à l'hôtel, que c'était l'une des toutes meilleures de Téhéran). Ils avaient mission d'emmener les garçons sur le front pour leur montrer la guerre et ils demandaient des volontaires. Ainsi Abbas se porta-t-il volontaire.

Il n'avait rien à faire seul à Dezful, même en tant que bassidji. Les soldats voulaient le renvoyer, mais il les supplia et leur rendit des services, si bien qu'ils lui permirent de rester.

Il était à Dezful au moment d'une grande offensive iranienne. Vingt-deux jours durant il entendit le vacarme de l'artillerie et de l'aviation. Et c'est à ce moment-là qu'Abbas vit pour la première fois la mort ou le martyre au combat.

Une ambulance revint du front — aperçu au passage de l'organisation iranienne — et tout le monde se précipita vers elle. Abbas avec les autres. Il crut d'abord que les hommes transportés par l'ambulance n'étaient que blessés. Mais quand on les posa sur le sol il vit qu'ils étaient morts. Deux de ces morts étaient encore vivants deux heures plus tôt. Et il pensa : « Je cherchais mes amis. Mais ce ne sont pas mes amis. Mes amis sont quelque part ailleurs. » Il eut alors le sentiment que la mort était quelque chose d'exaltant et de merveilleux, et il sut qu'un jour il lui faudrait connaître cette expérience et aller là où ses amis étaient désormais.

Ce fut un instant spirituel intense, qui s'enfla encore quand il lava les cartouchières et les harnais des morts. C'était l'une des choses qu'il faisait au front. Chaque jour il allait à la morgue — officiellement baptisée *meradj*, le lieu de l'ascension — et y récupérait l'équipement d'une quarantaine de cadavres. Il le nettoyait le soir. Le matériel manquait à ce moment-là, tant il y avait de soldats engagés dans cette grande offensive. Il y avait aussi pénurie de souliers. Pendant la journée, il aidait aussi à décharger les camions de ravitaillement qui montaient au front. Il accomplissait cette tâche avec beaucoup d'enthousiame ; c'était l'une des raisons pour lesquelles les soldats ne l'avaient pas renvoyé.

Nettoyer les équipements des morts était pour lui un exercice spirituel : il se disait en effet qu'ils appartenaient à des hommes qui étaient partis dans un endroit qu'ils ne connaissaient guère. Et peut-être — sa formulation était ambiguë — voulait-il dire que, s'ils ne savaient pas où ils allaient, ils y étaient allés directement et avec détermination.

Un an après, Abbas s'engagea dans l'armée proprement dite et se porta volontaire pour l'un des bataillons de martyrs. Ces hommes étaient disponibles pour n'importe quelle opération. S'ils ne portaient pas d'uniforme spécial quand ils appartenaient à des unités ordinaires, ils se faisaient connaître aux officiers par leur zèle extraordinaire. L'un de ces bataillons de martyrs s'était battu littéralement jusqu'à la mort ; il n'y avait eu aucun survivant.

Avant une attaque, il y avait « une cérémonie des adieux ». Un des hommes chantait ; ou l'un des soldats les plus respectés — un religieux, un officier, un vieil homme ou un garçon populaire — haranguait ses camarades. Il montait sur un podium ou sur une chaise et déclarait : « Demain, nous lançons une attaque. » C'était ainsi que commençait la cérémonie des adieux. Certains éclataient immédiatement en sanglots ; d'autres pleuraient plus tard. Généralement, il y avait force lamentations. L'orateur disait : « Certains d'entre vous ne reviendront peut-être pas demain. Peut-être ne nous reverrons-nous pas. Demain nous serons quelques-uns à voir Dieu. »

Musique et chants succédaient au discours. Abbas entendait cela comme à l'arrière-plan. Personne ne pouvait y concentrer son attention. Chacun se vidait de tout sentiment, comme dans un tronc commun. Tout un amoncellement de souffrances, de difficultés sociales et de problèmes familiaux : une femme enceinte, par exemple, un bébé malade, des ennuis financiers, des querelles avec ses parents. Tout était jeté et disparaissait dans ce tronc commun. Participer à cette cérémonie était comme monter à bord d'un navire. Bon gré mal gré, il fallait aller jusqu'au bout du voyage.

Abbas avait été blessé deux fois. Il serait plus juste de dire qu'il évoqua les deux occasions où il avait été blessé. La première fois, ce fut lors d'une contre-attaque irakienne à midi (les Iraniens avaient attaqué à l'aube). Ceux qui avaient été pris dans cette contre-attaque avaient été les blessés, les martyrs et quelques autres combattants qui voulaient retarder l'avance ennemie. Une rocket explosa près d'Abbas. Blessé aux deux jambes, il s'évanouit. Il faisait nuit quand il reprit conscience. Il entendit parler arabe et vit des soldats irakiens qui apparemment montaient la garde à intervalles de vingt mètres. Ils formaient la première ligne de l'offensive ennemie. Abbas trouva une grenade et une mitraillette. Il lança la grenade en direction des Irakiens et tua quatre hommes, puis il se rua vers les lignes iraniennes, à une cinquantaine de mètres en arrière. On lui tira dessus mais il courait en zigzags et ne fut pas touché.

La deuxième blessure, plus grave, il la reçut un an après, la nuit, durant l'une des plus grandes offensives iraniennes : vagues d'attaques qui se succédèrent pendant plus d'un mois. Cette fois encore, une rocket éclata près de lui. Un éclat de shrapnel le frappa derrière la tête et le projeta sur le sol. Grièvement blessé, il tomba sur le crâne. Il oscilla à maintes reprises entre conscience et inconscience avant d'être finalement évacué sur le grand hôpital militaire de Chiraz.

Là, on lui greffa dans le crâne une plaque d'os artificiel. Après quelque temps, il perdit son sens de l'équilibre ; puis cessa de voir. Il avait un caillot dans la rétine, et l'on craignait qu'il ne perdît définitivement la vue. Un jour, les autorités décidèrent d'emmener quelques patients au mausolée de Chah Tcheragh, l'un des plus célèbres sanctuaires d'Iran. Abbas voulut y aller. Il était désormais dans un fauteuil roulant. Le médecin décida que son état de santé ne le lui permetttait pas. Abbas s'emporta et se disputa avec le médecin. Celui-ci céda et Abbas fut conduit au sanctuaire à huit heures du matin.

Il y avait des chants et des psalmodies comme sur le champ de bataille et Abbas fit un vœu : « Allah, j'accepte tout ce que tu souhaites et j'aime tout ce que tu aimes. Mais je ne peux te mentir. J'ai besoin de mes yeux. Si tu me rends la vue, je m'en servirai pour retourner au front. »

À midi, Abbas quitta le mausolée avec les autres patients et regagna l'hôpital. A deux heures, l'infirmière vint dans sa chambre ; il prenait une douzaine de comprimés toutes les six heures. Quand elle ouvrit la porte, Abbas vit la lumière et poussa un cri. Médecins et infirmières accoururent. Et de constater que le caillot sur la rétine avait disparu. Ils ne le laissèrent pas se reposer et firent aussitôt venir d'autres médecins. Aucun ne croyait que ce genre de miracle religieux pût se produire. La nouvelle se répandit. Les journaux s'en firent l'écho. Mais Abbas craignait qu'on en dît trop.

« A bon escient, intervint l'assistant de l'éditeur qui nous servait sans cesse du thé. Si les gens avaient appris sa guérison au mausolée, ils se seraient précipités pour mettre ses vêtements en pièces à des fins magiques ou en guise de souvenirs. »

J'avais entendu dire quelque chose de ce genre en 1979 à propos des gens atteints par les balles de la police du chah pendant les manifestations avant la révolution. Même une blessure légère risquait d'être fatale : quand un homme tombait, les autres manifestants se ruaient sur lui pour plonger la main dans la plaie et l'enduire du sang encore chaud d'un martyr.

Peu après cet entretien, de passage à Chiraz, je me rendis au crépuscule au mausolée de Chah Tcheragh. Éclairages, éventaires et badauds, les rues avoisinantes évoquaient une foire, et cette atmosphère se prolongeait aussi à l'intérieur, où les gens se promenaient dans la lumière diffuse et la pénombre de la cour, tandis que dans la mosquée proprement dite, dans la lumière plus crue baignant la tombe entourée de grilles du saint, d'autres pèlerins priaient et demandaient des faveurs.

Pour voir ce qu'Abbas avait vu, pour entrer dans le tronc commun d'émotions, il fallait y apporter sa contribution personnelle : la foi, la théologie, la passion et le besoin.

À l'extérieur, sur la route, un Indien de haute taille demandait l'aumône à sa manière. Il m'avait repéré au moment où j'entrais et avait abandonné tout le monde pour m'assiéger : Bhaiya, bhaiya, frère, frère », avait-il dit en retroussant les lèvres et en plissant les yeux à la manière d'un acteur feignant la douleur.

Jeune et gras, il portait des chaussures blanches qui sautaient aux yeux dans le crépuscule et d'amples vêtements crème qui moulaient son ventre rebondi. Il berçait un bébé vagissant et était apparemment en compagnie d'une femme qu'escortaient une ribambelle d'autres enfants. De Dubaï où, disait-il, il habitait, il était venu à Chiraz pour rendre hommage au saint, mais de mauvaises gens avaient volé tout son argent, force lacks[1], et tous ses papiers. En parlant, il berçait le bébé contre ses vêtements crème et, à chaque bercement qui faisait tressaillir son ventre distendu, il pinçait entre le pouce et l'index les fesses du malheureux bambin, lequel poussait des hurlements.

Après avoir flâné dans la cour du sanctuaire, je me mis à sa recherche pour savoir comment il s'en était sorti ce soir-là. Mais il avait disparu avec le bébé, ainsi que la femme et les enfants.

Dans le bureau de l'éditeur, désormais à la lumière des bougies, Abbas, à ma requête, évoqua l'effet de cette expérience sur sa foi.

« Cela m'a permis d'aller au fond de moi-même, dit-il. J'ai fait sur la dimension spirituelle des découvertes que je crois personne n'a faites. » Ainsi Mehrdad résuma-t-il un peu plus tard à l'hôtel une idée difficile qu'Abbas avait exprimée ainsi : « Sur le champ de bataille, nous avons

---

1. Mot indien qui signifie cent mille et s'emploie surtout à propos de roupies. (N.d.T.)

pu voir des tas de choses qui ne peuvent s'expliquer d'une manière matérialiste. Quand j'ai vu des gens courir avec un bras arraché, je n'en croyais pas mes yeux. Lorsque les hommes de la rue se font une légère blessure au bras, ils gisent sur le sol. Mais là-bas, l'ennemi arrivait et ce garçon fuyait en courant alors qu'il avait le bras arraché. Cela m'a montré jusqu'où on pouvait aller. Et à cet instant je me moque complètement de mes douleurs. Je n'y prête aucune attention. »

Après la guerre, il voulut rester proche de la spiritualité qu'il avait découverte en lui-même. Cette spiritualité était pour lui comme un trésor. Rares étaient les hommes de la rue qui possédaient pareil trésor. « Les hommes de la rue », *mardom to khiyabom* : c'était la deuxième fois qu'à propos de sa spiritualité il employait cette expression ; comme si la spiritualité était ce qui distinguait et différenciait réellement les êtres. Sans doute les hommes de la rue n'étaient-ils nullement inférieurs à lui, mais ils se souciaient de choses qui lui étaient indifférentes. Pour eux la religion consistait à ne pas laisser les femmes sortir sans voile ou hidjab ; ce dont Abbas se moquait éperdument.

« Le Coran nous dit d'agir en fonction de nos capacités. Je fais donc ce que je peux, et ils font ce qu'ils peuvent. »

Il avait, estimait-il, le devoir d'améliorer sa vie spirituelle, et il crut qu'il pourrait y parvenir par l'étude et l'érudition. Depuis l'enfance il aimait étudier. Il se rendit donc dans la ville sainte de Qom et s'inscrivit à un cycle d'études de cinq ans. Il le termina en trois ans. Mais à ce stade, il en avait assez des études. Il avait le sentiment de n'avoir pas trouvé à Qom ce que — innocemment peut-être — il avait espéré. Les études étaient les études ; la spiritualité qu'il recherchait était plus personnelle ; elle ne s'obtenait pas par l'instruction. Nombre de gens très savants en matière de religion étaient dépourvus de spiritualité.

Un an ou deux plus tard, le monde extérieur lui présenta un nouveau défi. Il tomba amoureux d'une jeune fille qu'il voulut épouser. Il alla trouver ses parents et leur demanda sa main. Ils lui répondirent qu'il devait entreprendre des études universitaires ; leur fille était étudiante. C'était une dure exigence pour Abbas, expliqua Mehrdad, parce qu'en Iran on ne pouvait s'inscrire à l'université que si l'on avait son baccalauréat, or Abbas avait quitté son excellente école de Téhéran à quatorze ans pour partir à la guerre.

Mais, armé désormais de son idée spirituelle sur les capacités humaines, ayant toujours à l'esprit l'image du garçon à demi mort qui, le bras arraché, fuyait l'ennemi en courant, Abbas se mit au travail. Il y avait deux ans de cela, et il avait déjà passé le baccalauréat et été admis à l'université ; et sa famille et la famille de sa fiancée préparaient leur mariage.

C'est seulement alors que je pensai à l'interroger sur sa famille : tant Abbas paraissait si absolument indépendant, si assuré, si beau et si admirable.

« Mon père travaillait ici, pour une compagnie d'autocars de Téhéran.

— Que faisait-il ?

— C'était un simple ouvrier. »

Mehrdad, si sensible aux nuances sociales iraniennes, demanda : « Mécanicien ? »

Et Mehrdad ne se trompait pas. Il expliqua ensuite que la compagnie d'autocars pour laquelle le père d'Abbas avait travaillé était une entreprise besogneuse, misérable, et qu'y être mécanicien était un emploi très médiocre. Et pourtant, le mécanicien avait fait faire des études à tous ses enfants. L'un dirigeait une usine ; un autre était professeur d'université ; le plus jeune ingénieur. La famille d'Abbas était donc l'une des réussites sociales de la révolution.

Je lui demandai comment il avait découvert la spiritualité en lui-même.

Cela avait commencé par son prénom, répondit-il. Son prénom avait toujours été pour lui un bien précieux. Le premier Abbas de l'histoire musulmane était le cousin et principal général de l'imam Hussaïn, fils du grand Ali ; et cet Abbas était l'un des soixante-douze qui étaient restés aux côtés de l'imam Hussaïn et étaient morts avec lui à la bataille de Kerbela. Cet Abbas était, littéralement, le porte-drapeau de l'imam Hussaïn.

Aussi, quand il était enfant, lors des fêtes de mohurram — le mois pendant lequel les chiites pleurent les martyrs de Kerbela —, le petit Abbas, dès l'âge de six ans, pour faire honneur à son prénom, voulait-il porter le drapeau lors de la procession, et ne tolérait pas qu'on le posât sur le sol ; pour lui c'était une sorte de sacrilège.

Était-ce tout ? Son père ou quelqu'un d'autre ne lui avait-il pas dit quelque chose de particulier ? Avait-il lu certains livres ?

Il ne pouvait en dire davantage. Sa famille était religieuse d'une manière ordinaire seulement. Il y avait des livres à la maison, mais ils n'appartenaient pas à son père.

« S'il n'y avait pas eu la guerre, demandai-je, à votre avis que seriez-vous devenu ?

— C'est la question que nous posons tous, intervint l'assistant de l'éditeur. Sans la guerre nous aurions peut-être été vers Allah par un chemin détourné ou beaucoup plus long. Certains d'entre nous ne seraient peut-être finalement jamais parvenus à Allah.

— J'aurais continué des études, répondit Abbas. J'adorais la physique *pure*. Celle-ci est liée à la philosophie. L'étude de la matière. »

Et je trouvai cela intéressant parce que cela montrait que, même dans le cadre rigide d'une religion révélée, le goût du spirituel pouvait produire des miracles ; et faire naître la science et la quête du savoir. J'avais ainsi découvert il y a quelques années, dans le sud de l'Inde, que certaines familles de brahmanes, dispensateurs sacerdotaux de rites et d'interdits antiques, étaient parvenues en deux générations à maîtriser la science la plus élevée du vingtième siècle, préparées à cette aventure intellectuelle par les complications et les exigences mêmes de leur théologie, et par son étrange et restrictive pureté.

J'en parlai brièvement à Abbas.

190

Peut-être ne suivit-il pas mes propos. Mais il dit (toujours avec cette image du jeune homme au bras arraché sur le champ de bataille) : « Je voulais voir comment les choses étaient faites. Et de quoi elles sont faites. Je voulais connaître l'essence des choses. »

La lumière était revenue dans la pièce et les rues avoisinantes. Il était huit heures passées et nous étions là depuis quatre heures et demie. L'assistant de l'éditeur avait envie de débarrasser les plateaux de fruits et de fermer le bureau. Les enfants avaient cessé de jouer dans la rue depuis longtemps déjà ; par la fenêtre, tant que la lumière du jour me l'avait permis, je les avais vus frapper et écorcer un jeune tchenar, escalader le tronc mince et se suspendre aux branches.

Les yeux injectés de sang d'Abbas étaient presque amicaux maintenant. « J'ai parlé plus que je n'aurais dû, dit-il. J'ai parlé comme un homme ivre. » (Ce fut la première traduction de Mehrdad à l'hôtel. Mais il se reprit aussitôt : « Non, c'est trop fort. Ce ne serait pas juste pour Abbas. » Il réfléchit et dit : « "Un homme ivre ne sait pas ce qu'il dit, et j'ai l'impression d'avoir agi de la sorte." C'est mieux. » Je ne voyais pas la différence mais Mehrdad expliqua : « La deuxième version est plus douce. »)

L'assistant de l'éditeur éteignait les lumières pour nous pousser dehors. Abbas parlait des deux films d'une minute qu'il avait tournés. Chacun se compose de trois séquences. Le premier montre un homme qui fait des pas dans la neige ; un autre homme marche dans ses traces ; un troisième commence à en faire autant, puis il hésite, et part finalement dans une autre direction, laissant ses propres empreintes dans la neige. Dans le deuxième film un homme se marie ; puis un paysan laboure la terre ; pour finir un champ de blé ondule.

« En Iran, expliqua Mehrdad, le blé est le symbole de la génération. »

Les films étaient révélateurs à un point dont Abbas ne se doutait peut-être pas. L'idée qu'il avait de lui-même y transparaissait d'évidence : il était l'homme qui partait seul de son côté, et celui qui renaissait à la vie.

« Vous avez remarqué ? dit Mehrdad dans le taxi. Il n'a pas mentionné Khomeiny une seule fois.

— Quand il a parlé de Qom, il a indiqué qu'il y avait maints exemples d'érudition religieuse sans spiritualité. J'aimerais l'interroger un peu plus à ce sujet. »

Mais Mehrdad ne croyait pas que c'était une bonne idée — il voulait dire que c'était une idée plutôt dangereuse —, et je n'en parlai plus.

« Abbas est pour moi un vrai héros, dit Mehrdad un peu plus tard. A la guerre et dans la vie civile. La manière dont il fait les choses. »

Mehrdad pensait surtout à la reprise de ses études, à plus de vingt-cinq ans, pour passer le baccalauréat, entrer à l'université et épouser son amie.

Sur un mur, dans une rue latérale, nous vîmes ces mots en anglais, en très grosses lettres : *FAITH NO MORE*. Mehrdad expliqua que c'était un album de « heavy metal » américain. Mais l'auteur du graffiti connaissait bien l'anglais ; personne n'ayant l'habitude que des caractères persans n'aurait pu écrire ainsi. (Même Mehrdad écrivait maladroitement l'anglais.) Quoi qu'en dît Mehrdad, j'eus le sentiment que ces mots étaient une sorte de protestation, comme la musique populaire du temps du chah qu'on entendait souvent s'échapper d'appartements ou de taxis.

Puis, sur un pilier d'un pont, était barbouillé en grandes lettres persanes, vertes et rouges : LES MARTYRS DISENT (en rouge) : QU'AVEZ-VOUS FAIT DEPUIS NOTRE DISPARITION ? (en vert). C'était critique, dit Mehrdad. Mais les bassidji avaient ce privilège. Ils pouvaient gribouiller ce qu'ils voulaient dans les rues ; personne ne les en empêchait.

Dans la chambre d'hôtel — par la grande baie on voyait clairement s'étaler les lumières, bleues, d'un blanc éclatant et orange, de la prison d'Evin — nous reconstituâmes la soirée. Je demandai à Mehrdad, quand nous en vînmes à cet épisode de l'histoire d'Abbas, si ses frères et lui, les fils du mécanicien, ne se seraient pas élevés de toute manière, même si la révolution ne s'était pas produite ; et si la révolution n'avait pas été en fait un gaspillage de talents.

« Les gens sont comme des navires », dit Mehrdad. (Abbas avait, lui aussi, employé la métaphore du navire, mais d'une manière différente, en évoquant la cérémonie des adieux sur le champ de bataille.) « Quand le premier part dans une direction, les autres se contentent de suivre. C'est comme le peloton d'exécution, quand il faut tuer un voleur. (Souvenirs du récent service militaire de Mehrdad.) Le premier coup de feu est important. Les autres ne font que suivre. Ils entendent le bruit et tous pressent la détente. J'ai vu ça bien des fois. Par exemple à la piscine. Pendant mon service militaire, j'étais maître nageur dans une piscine. Les petits garçons qui y venaient étaient tous nerveux, mais dès l'instant où l'un d'eux sautait, tout les autres plongeaient à leur tour, sans s'inquiéter si l'eau était profonde ou si même ils savaient nager. Et à l'université. Un professeur donne de mauvais cours, a une solide réputation de médiocrité. Mais personne ne fait rien. Puis un jour un étudiant se lève pour contester quelque chose, et c'est alors le chaos : tout le monde se met à prendre le professeur à partie.

« C'est comme ça que je vois la révolution. Mes parents ont participé à quatre ou cinq manifestations. Mais ils ne savaient pas pourquoi. Ils ne savaient pas ce qu'ils faisaient. Mon père n'est pas courageux. Il n'est pas courageux du tout. Aujourd'hui, quand on le lui demande, il dit qu'il n'est pas allé aux manifestions. Mais je m'en souviens. Nous avions des tas de livres à la maison. Et notamment un livre d'images, plein de couleurs. Publié par le chah. Sur la famille royale. C'était un prix que ma sœur avait reçu à l'école. Mon père — j'ai dit qu'il n'était pas courageux — l'a déchiré et mis à la poubelle, en expliquant : "Peut-être que quand la révolution viendra ils ne voudront pas voir ce genre de choses chez moi." J'ai répondu : "Tout le monde se fiche de ce qui se passe chez toi." Il faisait simplement comme tout le monde. Il était innocent — et effrayé. D'autres étaient pleins de péchés, mais lui était innocent. » Mehrdad se croyait iconoclaste, mais son langage était encore parfois religieux.

« Il y a quelque chose que vous n'avez pas traduit. L'histoire qu'Abbas racontait aux vétérans quand il distribuait les questionnaires sur ce qu'ils avaient vécu à la guerre.

— Il y avait deux amis au front. L'un ne cessait de parler de sports et de ses boulots à la ville. Il n'avait pas l'impression d'être au front. L'autre était un homme de spiritualité. Il ne voulait pas que son ami perde contact avec le côté spirituel. Après avoir longuement réfléchi à la manière de le détourner du bavardage futile pour l'amener à la concentration spirituelle, il se procura un cahier et pendant dix jours nota tout ce que son ami disait. A la fin du dixième jour, les soixante pages du cahier étaient remplies. Il remit le cahier à son ami. "Voilà. Voilà ce que tu as raconté pendant dix jours. J'ai tout noté. Lis et vois si ce que tu fais est bon, mauvais ou indifférent." Deux jours après, le sportif conduisit l'homme de spiritualité dans un endroit calme et dissimulé, et sortit un sac en plastique rempli de papier brûlé. "Voici mon passé, dit-il. J'ai compris ce que tu as voulu dire, et je ne répéterai pas la même erreur." Désormais, chaque fois qu'il commençait à raconter une de ses anciennes histoires, il s'arrêtait en disant, "Oh, laisse tomber". Et tout le monde le surnommait "Monsieur Oh, laisse tomber".

— Cette histoire vous a fasciné.

— Abbas a dit que chaque fois qu'il leur racontait cette histoire, les anciens combattants commençaient à rire, mais ce rire virait aux larmes tandis qu'ils se rappelaient la guerre et leurs propres amitiés. C'était simplement pour leur montrer qu'une histoire simple pouvait être exemplaire quand ils rempliraient le questionnaire sur la guerre qu'ils avaient vécue.

— Et que pensez-vous de cette histoire maintenant ?

— Rien en ce moment. »

Un peu plus tard il ajouta : « C'est une histoire iranienne, en raison de l'affection entre les deux soldats. Il est difficile de révéler à un ami ses faiblesses. C'est l'histoire d'un ami qui a trouvé une bonne manière de le faire. »

CHAPITRE 15

Qom : le châtieur

Lorsque j'étais à Téhéran en août 1979, l'ayatollah Khalkhalli, le juge-bourreau de la révolution, était une célébrité. Le tribunal révolutionnaire islamique de la rue Shariati siégeait presque vingt-quatre heures sur vingt-quatre, comme l'avait dit Ali. Il y avait des exécutions quotidiennes dans la prison d'Evin et des camions évacuaient les corps la nuit par les portes bleues.

Ces massacres n'avaient rien de secret ou de honteux. Un fonctionnaire révolutionnaire en tenait le compte et le *Tehran Times* en publiait régulièrement la mise à jour. Au début, ces statistiques visaient à montrer à quel point la révolution était clémente ; par la suite, quand le carnage devint trop important, le compte cessa. Les premiers temps, des photos officielles des condamnés étaient prises avant et après l'exécution — exécutés et alignés, nus sur les dalles en pente, dans l'immense salle d'exposition de la morgue. Ces photos se vendaient dans la rue.

L'ayatollah Khalkhalli, le président du Tribunal révolutionnaire islamique, accueillait volontiers la presse. Il donnait nombre d'interviews vantardes. J'étais allé le voir à Qom avec un interprète. C'était le ramadan, le mois de jeûne, et l'ayatollah y faisait temporairement retraite pour jeûner et prier. Il faisait très chaud en août dans le désert. Quand nous arrivâmes à Qom, nous dûmes attendre plus de cinq heures que l'ayatollah ait fini ses prières et rompu le jeûne. Il était alors neuf heures du soir. Nous le trouvâmes assis par terre dans la véranda de sa modeste maison, au milieu d'une petite cour assise également sur le sol : ses gardes, quelques admirateurs iraniens et un couple africain en visite, respectueux et cérémonieusement vêtu (l'homme d'un complet gris clair, la femme d'une sorte de sari en mousseline).

Grisonnant, chauve et très petit, l'ayatollah était un gnome clérical aux vêtements en désordre. Il se plaisait à faire le clown, peut-être en raison de sa petite taille. Il plaisantait à propos des exécutions, et sa cour se tordait de rire. Il aimait aussi — et ce tic était peut-être une conséquence de sa tâche de pendeur — à cesser brusquement, sans raison, de faire le pitre pour se renfrogner et devenir sévère.

Originaire de l'Azerbaïdjan, dans le Nord-Ouest, il était, disait-il, fils de paysan, et enfant avait été berger. Ainsi, d'après le récit d'Ali, Khalkhalli était précisément le genre de jeune villageois à qui, une cinquantaine d'années auparavant, les écoles théologiques offraient la seule issue : le gîte, le couvert et un peu d'argent. Mais Khalkhalli n'avait presque rien à raconter de sa jeunesse. Tout ce qu'il disait, en riant à gorge déployée, à s'en étouffer, c'était qu'il savait trancher la tête d'un mouton ; et c'était comme une plaisanterie de plus à propos des exécutions, à l'usage de sa petite cour. Peut-être, parce qu'il n'avait jamais appris à transformer ou à méditer son expérience, jamais lu suffisamment ni réfléchi assez profondément, peut-être sa vie s'était-elle simplement écoulée, et même en pure perte pour l'essentiel. Peut-être que trente-cinq ans d'études théologiques à Qom lui avaient pourri l'esprit, l'avaient complètement éloigné de la réalité, pour ne lui laisser que des règles et, la révolution venue, le plonger dans le pharisaïsme et la vanité. Ne l'intéressaient que le présent, son autorité et sa réputation, et son travail de bourreau.

« Les mollahs, dit-il, vont maintenant diriger le pays. Nous allons avoir dix mille ans de république islamique. Que les marxistes gardent leur Lénine. Nous, nous suivrons la voie de Khomeiny. »

La révolution comme sang et châtiment, la religion comme sang et châtiment : dans l'esprit de Khalkhalli, les deux idées semblaient ne faire qu'un.

Et, en fait, cette double idée sanguinaire paraissait parfaitement convenir à l'Iran révolutionnaire. Behzad, mon interprète, était communiste et fils de communiste. A vingt-quatre ans, malgré toutes ses bonnes manières iraniennes, son éducation scientifique et ses ambitions sociales, Behzad nourrissait lui aussi des rêves sanglants. Staline était son héros. « Ce qu'il a fait en Russie, nous devons le faire en Iran, disait-il. Nous aussi nous avons beaucoup de monde à liquider. Beaucoup de monde. »

En regagnant Téhéran sous la lune, à travers le désert, nous allumâmes la radio de la voiture. Les informations annoncèrent la fermeture par le gouvernement de l'*Ayandegan*, le journal libéral et non religieux. La nouvelle assombrit Behzad. Malgré tout ce que purent dire les dirigeants communistes, bien qu'ils aient continué pendant un an encore à revendiquer la révolution religieuse comme la leur, Behzad sut ce soir-là que la partie était perdue.

Il me semblait maintenant, seize ans plus tard, que je devrais retourner à Qom, pour retrouver Khalkhalli et, si possible, savoir ce qu'il pensait aujourd'hui du passé. Je me disais aussi, après ce que j'avais appris d'Abbas et d'Ali, que je devrais en profiter pour essayer de rencontrer un étudiant, un *talebeh*, pour comprendre quel genre de personnage fréquentait aujourd'hui, après la révolution, les écoles théologiques.

Mehrdad ne croyait pas que c'était une bonne idée d'aller voir Khalkhalli. Jusqu'à présent je m'étais tenu tranquille ; lui rendre visite serait une démarche trop politique, trop indiscrète, qui risquait de me valoir des ennuis. Et de fait, quand je m'informai, on me répondit que pour diverses raisons Khalkhalli n'aimerait peut-être pas qu'on le dérangeât. Membre de la vieille garde, il avait depuis longtemps été mis à l'écart par la révolution et vivait retiré du monde ; il venait aussi d'avoir des problèmes cardiaques.

En dépit de Mehrdad, je fis tâter le terrain. Et ce furent de bonnes nouvelles que je reçus. Quels que fussent les réserves officielles, on avait pu prendre contact avec Khalkhalli. Il était prêt à me voir chez lui tel jour à onze heures. Il habitait une petite rue de Qom, Kucheh Abshar ; et la personne qui me conduirait chez lui serait un talebeh. Ce talebeh étudiait à Qom depuis de nombreuses années et était disposé, en outre, à s'entretenir personnellement avec moi. Je devais le rencontrer à la bibliothèque Marashi, non loin d'où habitait Khalkhalli. Je n'aurais aucun mal à trouver la bibliothèque Marashi. Elle était très connue à Qom et tout le monde saurait me l'indiquer.

C'était un arrangement trop compliqué : trop de relais. Je savais d'expérience que seul un rendez-vous beaucoup plus simple pouvait aboutir. Je me rendis donc à Qom sans trop d'espoir.

Une nouvelle route menait à Qom, qui longeait le mausolée de Khomeiny : le dôme cuivré, les minarets décorés. Kamran, le chauffeur, qui nous avait auparavant conduits, Mehrdad et moi, au mausolée et au cimetière des Martyrs, demanda ironiquement : « Vous voulez y retourner ? »

Nous étions dans le désert, mais là où il y avait de l'irrigation s'étendaient des champs verts. Puis nous abordâmes le vrai désert et le paysage, brun rouge et nu, devint plus accidenté : tantôt une série de monticules de boue craquelée, tantôt une ligne de falaises basses érodées par endroits jusqu'au roc, qui apparaissait en couches tordues et fracturées. C'était magnifique, depuis la voiture. Mais, déclara Mehrdad : « Ce sont de très mauvaises terres, des terres salines. »

Sur la gauche, très loin, s'étendait le grand lac salé. En 1979, Behzad, mon guide et interprète, m'avait assuré que les hélicoptères de la Savak s'y débarrassaient des cadavres. Cette fois, Mehrdad me dit que le lac était si salé que rien ne pouvait s'y enfoncer. Mehrdad s'étendit davantage sur le pétrole que ces terres étaient censées receler. Officiellement, dit-il, on prétendait que le pétrole y était de mauvaise qualité ; mais la rumeur assurait qu'il y avait beaucoup de pétrole dans le sous-sol et qu'on le gardait en réserve. Ainsi, malgré le sel et la désolation, c'était un pays fabuleux, comme Qom était fabuleuse elle aussi, et construite sur un site assurément ancien, puisque tous les lieux sacrés remontaient, loin dans le passé, aux religions de jadis.

Parfois, sur la gauche, nous apercevions l'ancienne route, tortueuse et lente. Le paysage austère s'adoucit, déboucha sur une plaine ; çà et là des touffes d'herbe apparaissaient. Dans le lointain, une chaîne de montagnes brun améthyste surgissait de la lumière éblouissante. Nous avions croisé deux ou trois stations-service : souillures noires dans le désert — noir des pneus entassés les uns sur les autres, noir de l'huile sur le sol nu.

Des hangars, tels des entrepôts d'usine le long d'une route locale, annoncèrent sur la droite les abords de Qom ; et bientôt le dôme et les minarets du célèbre sanctuaire commencèrent à apparaître au-dessus de la masse indistincte de maisons en brique couleur de poussière. En 1979, Qom était une petite ville ; maintenant, après la révolution, sa taille avait triplé et elle comptait un million et demi d'habitants.

Nous arrivâmes à un grand rond-point gazonné, bien arrosé. C'était la fin du désert et le début de la ville.

« Nous entrons au Vatican », déclara Kamran à sa manière ironique.

Sur le bord de la route se dressait un grand panneau, pareil à ceux par lesquels les municipalités accueillent les voyageurs à l'entrée de leur ville. Mais il n'annonçait nulle bienvenue. Ce qu'il proclamait, dit Mehrdad, avait causé bien des angoisses. Et de donner sa traduction de ce qui était inscrit en caractères persans vigoureux et déliés : « Toute la philosophie pratique de la loi se résume à gouverner. » Le mot utilisé pour « la loi » était *figha* ; il signifiait « jurisprudence » dans un sens très large, et c'était l'une des matières principales enseignées à Qom. Et comme si souvent en persan, dit Mehrdad, la proclamation sur le panneau était ambiguë. Dans le sens le plus courtois, elle voulait dire : « Notre autorité repose sur l'étude et la religion. » La signification réelle était plus brutale : « Nous autres à Qom sommes là pour vous dominer. »

Peu après la révolution, le peuple iranien s'était prononcé par référendum pour une république islamique. C'était en 1979. Les principes de la république islamique n'étaient pas encore définis alors, et la plupart des gens croyaient voter simplement pour la liberté et la justice. Désormais dûment établis, ces principes stipulaient notamment l'autorité de Qom. C'était l'un des aspects de la conception centrale de l'État islamique : l'idée du Guide et de l'obéissance au Guide, qu'il n'était pas question aujourd'hui de contester, fût-ce indirectement.

Plus loin, un autre panneau, en trois langues, et plus affable, signalait le mausolée de Massoumeh, l'« innocente », sœur du huitième imam et sainte très révérée.

Et après le désert, dans la ville sainte, les femmes en tchadors noirs dans les rues faisaient d'autant plus impression. Pressées, apparemment solitaires, étonnamment petites, certaines maintenaient de la main le tchador sur leur visage ou en tenaient un coin entre les dents ; on eût dit qu'elles se bâillonnaient elles-mêmes. Ce n'était pas à la sainte de Qom qu'elles faisaient penser, mais plutôt au principe de l'obéissance.

Sans l'or terne du dôme du mausolée, la ville eût paru très ordinaire ; mais le dôme était omniprésent. Puis, en nous enfonçant davantage, nous commençâmes à voir les étudiants avec leurs turbans, leurs tuniques aux couleurs variées et leurs robes noires. Nous en voyions de plus en plus, et, par-delà la ville du désert, par-delà la ville costumée, Qom prit une dimension supplémentaire.

Comme si nous avions changé de siècle. Comme si, par quelque miracle cinématographique ou informatique, nous avions été plongés au milieu d'une pièce de Marlowe, par exemple, comme si nous nous promenions dans des rues de jadis, pleines de préjugés antiques, pour retrouver une conception ancienne du savoir, aux couleurs et aux tenues emblématiques périmées.

(Périmées mais curieusement familières : des fragments de cette vision de l'université, importée du monde islamique, survivaient dans l'Oxford où j'étais arrivé, comme ça, un après-midi de 1950, et je m'y étais bien vite habitué : les longues toges noires des professeurs et des boursiers, les robes plus courtes des étudiants ordinaires, non boursiers.)

La bibliothèque Marashi n'était pas aussi connue de l'homme de la rue qu'on nous l'avait indiqué. Chacun donnait des informations différentes. Et à chaque coin de rue ou presque il nous fallait redemander notre chemin. Nous qui avions roulé à toute vitesse dans le désert, sur la nouvelle route, nous perdions du temps, nous allions être en retard à notre rendez-vous avec Khalkhalli.

Nous arrivâmes enfin à la bibliothèque. Et je compris pourquoi nous avions eu tant de mal à la trouver. Loin d'être le monument que nous imaginions, c'était une construction neuve en brique brune, aux arcades, baies et décorations un peu trop islamiques ; et pas particulièrement grande ni remarquable. La partie supérieure de la façade disparaissait, à la mode de Qom, derrière des rangées d'ampoules de couleur, tandis que des affiches nouvelles et les lambeaux d'anciens placards en recouvraient les assises de pierre. Le grand panneau très protubérant qui dominait la rue grouillante évoquait l'enseigne d'une entreprise commerciale.

Nous laissâmes Kamran dans la voiture pour aller chercher l'homme qui devait nous conduire à Khalkhalli. Il était onze heures passées et nous étions en retard à notre rendez-vous.

Dès que nous franchîmes l'entrée voûtée de la bibliothèque, je sus que des ennuis nous attendaient.

La tombe de l'ayatollah Marashi, le fondateur de la bibliothèque, se trouvait juste à gauche de l'entrée. C'était une sorte de curieuse cage d'aluminium, coiffée d'une bâche verte, telle une grande cage à perroquet. (L'aluminium était censé faire moderne, dit plus tard Mehrdad ; l'argent aurait été plus habituel.) Au moment où nous débouchâmes en nous hâtant de la rue animée et écrasée de soleil, quelques dévots très impatients et quelques grands malades étaient appuyés en silence contre la cage. Tout près de celle-ci, sur une plate-forme basse recouverte de tapis, qui dominait légèrement le dallage de marbre, d'autres gens étaient assis ou priaient, sous une énorme photographie en couleurs de l'ayatollah Marashi à un âge extrêmement avancé.

La bibliothèque Marashi était aussi le mausolée de l'ayatollah, avec ses fidèles et ses intérêts propres. Et je ne fus pas surpris, dans le petit bureau au bout du hall, d'apprendre qu'on ignorait tout de nous et de notre rencontre avec l'ayatollah Khalkhalli.

On nous mena à un autre bureau, où on ne savait rien de nous non plus, puis à celui du fils du grand ayatollah Marashi.

Le directeur de la bibliothèque paternelle, et également gardien du sanctuaire très fréquenté de son père, était un grand gaillard théâtral dont la belle et épaisse barbe noire était striée de deux mèches grises. Il portait un turban noir, une tunique et une robe, et son bureau était imposant, plein de livres, de dossiers et de papiers. Il dit qu'il ne savait pas qui nous étions ni ne comprenait ce que nous étions venus faire. Talabehs, ayatollah Khalkhalli : tout ça ne lui disait rien. J'expliquai que j'avais l'adresse de Khalkhalli : Kucheh Abshar Je la lui montrai dans mon carnet, au cas où j'aurais mal prononcé. Ce n'était pas une adresse, rétorqua-t-il ; il n'y avait pas de numéro. J'invoquai que c'était peut-être une petite rue : les gens sauraient presque certainement où habitait Khalkhalli.

Mes histoires ne l'intéressaient pas. Il se mit à me bombarder de questions : « Comment vous appelez-vous ? Où habitez-vous ? Combien de livres avez-vous écrits ? Quel genre de livres ? Avec quelle agence travaillez-vous ? Etes-vous du SOAS ? » Je n'avais pas entendu parler du SOAS. Ça ne lui a pas plu ; rien de ce que je disais ne lui plaisait. Il me demanda d'inscrire mon nom et mon adresse. Curieusement courtois ensuite, il me fit m'asseoir tandis que Mehrdad sortait pour téléphoner à Téhéran et tenter de joindre Emami, le talebeh qui aurait dû nous attendre à la bibliothèque.

Mehrdad ne fut pas long. Emami allait nous rappeler. A mon avis, c'étaient de mauvaises nouvelles. Mais Mehrdad, désireux maintenant de me réconforter, suggéra qu'en attendant Emami nous allions jeter un coup d'œil sur les manuscrits de la bibliothèque. Nous allions être très en retard au rendez-vous avec Khalkhalli, mais Mehrdad ne semblait pas s'en soucier.

Dans l'escalier menant à la salle des manuscrits, Mehrdad me fit remarquer que le directeur de la bibliothèque s'était levé quand nous étions entrés dans son bureau. C'était un geste de respect, en Iran ; il ne l'aurait pas fait s'il n'avait pas entendu parler de nous.

Derrière une porte à barreaux de fer, la paix de la salle des manuscrits, parmi de vieux objets d'une grande beauté. Brusquement, après l'agitation des rues, ma tension et l'obstruction en bas, nous nous retrouvions dans un autre monde encore.

Il était déjà onze heures et demie. Même si Emami arrivait maintenant, nous aurions une heure de retard avec Khalkhalli. Je commençai mentalement à annuler cette rencontre, et songeai que, un peu comme les gens en bas, penchés contre la cage d'aluminium pour capter les émanations curatives du saint mort, ce serait bon pour moi, après tout, de m'attarder une demi-heure ici, dans les émanations apaisantes d'un monde plus ancien. Je pensai à la bibliothèque de l'université de Salamanque, autre collection de savoir oisif, ou son image reflétée, presque de la même période. Mais soudain, le guide parlant anglais qu'on nous avait envoyé fut rappelé, et un jeune religieux, en tunique et robe, petit et renfrogné, nous entraîna sans un mot de vitrine en vitrine, le bas de sa robe se balançant au-dessus de ses petites pantoufles de couleur claire, pour nous escorter finalement hors de la salle des manuscrits, dont il referma bruyamment derrière nous la porte aux barreaux de fer.

Il nous conduisit ensuite sans mot dire ni chaleur dans d'autres parties de la bibliothèque : imprimés, conservation, fumigation, copie. Puis dans des salles contenant de plus en plus d'ouvrages imprimés : le flot intarissable de la théologie islamique, élaborée sans hâte dans des lieux comme Qom, et publiée en « séries » de nombreux volumes, uniformément et tapageusement reliés. Tant de collections qu'on se demandait dans quelle mesure ils avaient été corrigés et édités, s'ils étaient destinés à trouver des lecteurs, ou s'ils avaient été imprimés en tant qu'objets sacrés, émanations d'un ayatollah révéré, dont la publication ou la fabrication est un acte de piété ou de charité.

Tant de collections à voir, en la compagnie de notre escorte maussade, que je finis par dire non et m'arrêter. L'aventure avait assez duré, nous devrions plutôt aller voir le mausolée de Hazrat Massoumeh, déjeuner et rentrer à Téhéran. Mehrdad acquiesça. Il trouvait que nous nous étions trop fait remarquer. Ça l'inquiétait que j'aie écrit mon nom et mon adresse ; et il pensait que nous ne devions pas nous attarder davantage.

Nous nous séparâmes de notre guide, descendîmes deux étages jusqu'à l'entrée de la bibliothèque proprement dite. Et là nous trouvâmes Emami, le talebeh.

Grand et mince, la trentaine, il était détendu et à l'aise, et ne semblait pas se douter qu'il nous faisait attendre depuis une heure. Ni tunique, ni robe, ni turban : il portait un pantalon et une chemise blanche soyeuse ou luisante à motifs dans la trame. Pas un mot — du moins Mehrdad ne s'en fit pas l'écho — pour expliquer comment il se trouvait ici, ou pourquoi il n'avait pas téléphoné, ou même pourquoi il n'avait pas été là une heure plus tôt. Tout ce que nous tirâmes de lui, à sa manière calme et douce, ce fut : oui, il savait où habitait Khalkhalli, et il allait nous y conduire.

Je l'interrogeai sur sa tenue. Il avait droit à la tunique, à la robe et au turban du talebeh, mais il n'aimait pas les porter. Il présenta cela — ou du moins la traduction de Mehrdad en donna l'impression — comme un aspect de sa modernité ; il se considérait comme un homme moderne.

Nous allâmes saluer le directeur dans son bureau. L'homme imposant au turban noir se montra courtois mais distant ; il en avait terminé avec nous. Le bloc blanc avec mon nom et mon adresse était toujours là où je l'avais laissé sur son bureau, sur une pile de papiers et de vieux livres. Éclatant, ostensible. Je pouvais comprendre l'inquiétude de Mehrdad.

En bas, nous passâmes devant les visiteurs du sanctuaire, assis ou en prière sur le tapis sous la photographie de l'ayatollah Marashi, ou pressant le visage contre la cage d'aluminium de sa tombe. Dehors, dans la rue animée illuminée de soleil, nous longeâmes un éventaire de bouquiniste : livres persans dans une vitrine, deux très jeunes étudiants en turbans, tuniques et robes achetant tout excités au marchand ce qui semblait être un mince manuel, l'air d'avoir trouvé un trésor. Peut-être n'était-ce qu'un simple catéchisme. On eût dit une scène de théâtre, dont les décors — livres neufs d'antique savoir, l'échoppe — avaient cessé d'être des décors, et dont les acteurs en costumes — bouquiniste, étudiants — étaient devenus leurs rôles. Il aurait été agréable de s'arrêter pour regarder, et jouer avec certaines des histoires que suggérait la scène. Mais nous avions déjà une heure de retard.

Nous trouvâmes Kamran et la voiture à quelque distance de là, sur le côté au soleil de la rue. Quand nous fûmes tous installés, la voiture refusa de démarrer.

Nous nous mîmes tous à pousser, y compris Emami dans sa chemise blanche luisante, Kamran démontrant même à cette vitesse sa capacité à manœuvrer son véhicule avec témérité, tantôt déboîtant sans prévenir pour plonger dans la circulation, tantôt se lançant franchement à contre-courant. Il avait une veine d'Iranien : personne ne nous heurta. Au bout de cent, cent cinquante mètres, la voiture se cabra et démarra. Puis Kamran et Mehrdad et Emami — en dépit de ce qu'il avait dit, il ne savait pas exactement où habitait Khalkhalli — demandèrent et demandèrent le chemin, faisant ce que nous aurions dû faire en arrivant. Tout le monde savait où habitait l'ayatollah et disait que c'était tout près. Mais il fallut chercher.

En fin de compte, nous arrivâmes dans une petite rue résidentielle : maisons blanches, plutôt neuves, avec des grilles ou des murs élevés à la mode iranienne. Emami sonna à une maison. Rien. Il sonna à une autre maison et parla quelque temps dans l'interphone. La porte de la première maison s'ouvrit, et une très vieille femme, qui ne portait pas le tchador noir de Qom mais un foulard clair à motifs (qu'elle nouait autour de sa tête), s'avança sur le trottoir et désigna une troisième maison.

Emami appuya sur la sonnette. Mehrdad aussi ; au bout d'un certain temps, un homme ouvrit. Il n'était pas en uniforme ; mais Mehrdad remarqua — et me signala plus tard — qu'il portait une arme à la ceinture, sous sa chemise. Il n'était pas au courant d'un rendez-vous, mais il allait demander à l'ayatollah. L'ayatollah lisait. Il ressortit un peu plus tard pour dire : « L'ayatollah vous attendait. Il vous attendait à onze heures. » (Mais Mehrdad ne me raconta cela qu'à la fin de la journée.)

Nous franchîmes la haute porte et trouvâmes un autre garde. Pantalon et chemise vert sombre, l'uniforme ancien style du komiteh des gardiens de la révolution.

Une petite cour, un bref escalier, une véranda : je me rappelais quelque chose de ce genre de 1979, mais je ne pouvais être sûr qu'il s'agissait de la même maison, tant les environs avaient changé. En 1979, la résidence de Khalkhalli se trouvait sur les lisières, dans une allée neuve avec de jeunes arbres ; on sentait le désert proche. Cette rue semblait bien établie et était au cœur de la ville.

Nous ôtâmes nos chaussures pour entrer dans les pièces de réception. A droite, une bibliothèque ou un bureau aux rayonnages bourrés d'ouvrages rangés par séries. A gauche, le salon, espace cérémonieux, presque vide, jonché de tapis. Les murs étaient d'un gris-vert pâle. Des coussins oblongs à rayures vertes étaient appuyés contre les radiateurs encastrés dans un mur. Une mince paillasse sur le tapis, étrangement intime, indiquait l'endroit où tout à l'heure, peut-être, l'ayatollah se reposait (ou nous attendait). De l'autre côté de la pièce, quatre ou cinq fauteuils sombres, et sur le napperon de dentelle recouvrant la table à côté de l'un des fauteuils on apercevait trois ou quatre cure-dents : le maître de céans, sans aucun doute. Il devait se trouver là, en train de lire, quand nous avions sonné à sa grille.

Au mur qui renfermait les radiateurs était accroché un turban noir tout fait, l'air maigre, écrasé et pitoyable ; et, au-dessus, des photos de l'ayatollah avec Khomeiny. Les photos étaient épinglées haut sur le mur — peut-être pour éviter qu'on ne les vole — et il n'était pas facile de distinguer les détails. Sur un instantané en noir et blanc, Khalkhalli et Khomeiny, tous deux en turban et en robe, tous deux renfrognés, marchaient avec componction dans la neige derrière une voiture : une scène de rue, certainement. La robe de Khalkhalli lui tombait presque sur les chevilles, soulignait son ventre, à défaut de sa petite taille ; en fait, aux côtés de Khomeiny, il n'avait pas l'air beaucoup plus petit. Un portrait posé de groupe sur la gauche représentait Khomeiny, son fils et Khalkhalli. Khalkhalli avait été le professeur du fils de Khomeiny et s'enorgueillissait de cette distinction. A côté, en couleur, Khomeiny et Khalkhalli riaient cette fois-ci : Khomeiny à droite, étendu dans une sorte de chaise longue, Khalkhalli penché vers lui de la gauche, tel un conspirateur, enturbanné, en robe noire, avec ses lunettes à l'épaisse monture noire. La robe noire de Khalkhalli — telle une aile protectrice entourant Khomeiny — occupait une bonne partie de la gauche de la photo. L'image n'était pas nette ou avait été mal agrandie : il y avait un halo bleu-blanc autour du siège de Khomeiny. C'était une photo troublante : Khalkhalli le bouffon faisant rire son maître. C'était la seule photo où j'avais vu rire Khomeiny, et le rire modifiait le visage, en soulignait la sensualité.

Khalkhalli était maintenant retiré de tout, disait-on ; il avait été mis à l'écart. Les photos au mur voulaient prouver son pouvoir de naguère, son intimité avec l'Imam, le Guide de la révolution. Mais le temps viendrait où les photos sur le mur diraient peut-être autre chose : s'ils fronçaient le sourcil dans la rue, les acteurs de la révolution riaient dans l'intimité.

C'est alors qu'il entra. Et quelle entrée ! Pieds nus, tout en blanc, tel un pénitent, il se déplaçait très lentement. Une tunique blanche à manches courtes, humide de transpiration jusqu'au milieu de la poitrine, pendait sur un vêtement blanc et informe. Pas à pas, il se traîna vers nous, très petit, entièrement chauve, un visage de bébé sans son turban, la tête inclinée sur la poitrine, regardant par-dessous son front, yeux sans méchanceté désormais et apparemment proches des larmes, comme s'il voulait dramatiser sa situation, comme s'il avait besoin de pitié.

Il m'invita à prendre place dans un fauteuil et s'assit près de moi. Nous étions séparés par la petite table latérale au napperon de dentelle et aux cure-dents.

Je ne savais pas par où commencer. Je voulais surtout qu'il me parle de son œuvre de juge, et apprendre ce qu'il avait maintenant à dire de la révolution. Mais je me demandais comment y venir. Il me semblait qu'une approche indirecte, des questions sur son enfance ou ses débuts, nous y mènerait tout doucement. Mais, comme en 1979, il ne voulait pas évoquer sa vie.

Revenir si loin en arrière, dit-il, le fatiguerait. Il avait subi une opération du cœur, un triple pontage. Et, soit qu'il lui fût pénible d'être assis dans le fauteuil soit qu'il souhaitât montrer que mes questions ne lui plaisaient pas, il se leva du siège près du mien et se déplaça vers la paillasse sur le tapis.

Je lui demandai quand il était devenu révolutionnaire. Il avait toujours été révolutionnaire, répondit-il, depuis qu'il avait conscience de lui-même ; il avait toujours haï les rois.

Les gardes apportèrent du thé dans de petites tasses et s'assirent pour écouter notre conversation. Ils avaient l'air d'apprécier cette rupture de leur train-train.

En veine d'amabilité, Khalkhalli dit qu'il avait beaucoup appris de Nehru. Cette attention m'était destinée : il me prenait pour un Indien. Il avait particulièrement aimé le livre de Nehru, *Glimpses of World History*, dans la traduction persane en trois volumes. Je lui rappelai son intérêt pour le mouvement Polisario en 1979, et lui demandai quel avenir il voyait pour les sociétés qui étaient révolutionnaires aujourd'hui. « La réalité l'emportera toujours », répondit-il, dans la traduction de Mehrdad.

La réalité : il entendait par là la vérité. Qu'il fallait opposer aux faux systèmes, aux faux dieux, aux impostures. Difficile, néanmoins, de le faire parler de choses concrètes ; il transformait tout en abstraction. C'était son talent d'ayatollah. Ça l'amusait de déjouer mes intentions ; et tandis qu'il parlait de réalité et d'imposture à sa manière d'ayatollah, ses yeux — apparemment si proches des larmes quand il était entré — s'illuminèrent, commencèrent à pétiller : aperçu de l'ancienne méchanceté, l'homme de 1979 resurgissait.

« Allez-vous voir l'ayatollah Montazeri ? me demanda-t-il.

— Je ne crois pas. »

Quand Mehrdad eut traduit cela, Khalkhalli le regarda et dit : « Il devrait voir Montazeri. »

Mehrdad traduisit la remarque sans ciller. Et c'est seulement plus tard, en mettant en relation diverses choses que j'avais entendues, que je compris que cette question sur l'ayatollah Montazeri était une question politique, et peut-être même une tentative de Khalkhalli pour me rallier à sa cause. Tous deux avaient été importants au début de la révolution (Montazeri avait même été à un moment le second de Khomeiny) ; et les deux hommes s'étaient fait remarquer par leur virulence. Si Khalkhalli était le juge-bourreau, Montazeri, en tant que second de Khomeiny, s'était parfois montré plus zélé que son maître. Quand Khomeiny avait déclaré que la révolution devrait s'attacher à la jeunesse, que les gens de plus de quarante ans étaient inutiles, Montazeri avait surenchéri. Les retraites étaient inutiles, avait-il dit ; les arbres morts, il fallait les abattre. On se le rappelait encore. Khalkhalli et Montazeri avaient tous deux été mis à l'écart par la nouvelle génération des gens au pouvoir, tous deux désormais réduits au silence et inoffensifs.

Mais presque tout cela, je ne l'ai su que plus tard. Et lorsque Khalkhalli me demanda si j'allais voir Montazeri, je ne compris pas le sens de sa question et ne pus la relever. Au lieu de cela — certainement à sa grande déception — je lui demandai ce qu'il lisait à notre arrivée. Le garde qui nous avait accueilli nous avait dit qu'il lisait. Était-ce un ouvrage religieux ?

C'était seulement le journal. « Le monde ne demeure pas immobile, dit-il à sa manière de conférencier. Il y a toujours des choses nouvelles. C'est pour ça que je lis les journaux. »

Les mots qu'il employait n'avaient pas grand sens. Ils ne le fatiguaient pas et lui permettaient de m'évaluer. Assis sur la paillasse sur le tapis, il me regardait par-dessous, et je distinguais désormais son contre-interrogatoire, entre ses propos décousus et abstraits. J'avais quel âge ? Avais-je des enfants ? Non. Il demanda pourquoi. Si j'avais eu des enfants, il m'aurait été difficile de faire mon travail. Des tas d'écrivains persans avaient eu une centaine d'enfants et écrit une centaine de livres. Combien de livres avais-je écrits ? Est-ce que j'en vivais ? Les écrivains persans avaient du mal à s'en sortir. Étais-je en relation avec une agence quelconque ? Quelle était ma religion ? Il m'interrogea sur l'Inde et le Cachemire, sans prêter la moindre attention à ce que je répondais.

Il n'était pas content de moi. Il était habitué à un autre genre d'interview, plus politique et plus immédiat (et offrant peut-être plus de publicité immédiate). Il ne comprenait pas ce que je voulais. Et peut-être avais-je perdu le fil. Peut-être que la mésaventure à la bibliothèque Marashi m'avait rendu trop prudent. Sans doute eût-il mieux valu l'interroger directement sur sa réputation de juge-bourreau de la révolution. Mais je ne voulais pas faire ça ; il me semblait qu'une pareille question l'aurait poussé à se refermer, ou à donner une réponse convenue, ou l'aurait rendu hostile, pour n'obtenir que l'évidence. J'aurais pu l'interroger sur les photographies au mur. Les photos m'intéressaient, et elles avaient de l'importance pour lui ; il aurait sans doute aimé en parler, et cela aurait pu déboucher sur d'autres choses. Mais l'idée des photos ne m'est venue que bien des semaines après, en dépouillant mes notes.

Je poursuivis à ma façon tâtonnante. Je lui demandai son appréciation présente de la révolution. Il parla un certain temps, avec un tas de mots manifestement dénués de sens : un commencement avait été accompli, résuma la brève traduction de Mehrdad. De quelle proportion, ce commencement ? Trente pour cent. J'y vis une ouverture ; et il dut prévoir le coup. Parce que, avant que je ne puisse l'interroger sur les soixante-dix pour cent qui restaient à réaliser, il dit qu'il était fatigué. Les yeux qui étincelaient tandis qu'il parlait ou sermonnait devinrent morts, l'expression mélancolique, vide. Il laissa retomber sa tête sur la poitrine, se leva lentement ; la transpiration mouillait le devant et le dos de sa tunique blanche à manches courtes. Pas à pas, il se dirigea vers une pièce de côté.

L'entretien était terminé. Le problème, c'était que nous n'avions pas de voiture. En partant faire réparer l'allumage dans un garage, Kamran avait dit qu'il serait de retour dans une demi-heure, mais il ne fallait pas prendre ça au pied de la lettre. C'était le milieu de la journée et il faisait trop chaud pour patienter dehors dans la rue. Aussi, en attendant Kamran, Emami, Mehrdad et moi restâmes assis dans la salle de réception de Khalkhalli avec ses gardes, à bavarder.

Parler avec Emami était l'une de mes intentions en venant à Qom, pour découvrir qui étaient ces talebehs, ces étudiants d'aujourd'hui. Emami étudiait déjà depuis quatorze ans. Il avait commencé à seize ans dans une école de théologie de Téhéran et s'était rendu à Qom après avoir été accepté par un ayatollah. Il était à présent marié, avec un enfant de deux ans. La bourse de son ayatollah s'élevait à deux mille toumanes par mois, une cinquantaine de dollars. Quelques cours et des traductions de l'arabe lui rapportaient un petit supplément. Ce n'était pas une vie facile. Sans compter la poussière et la chaleur, qu'il supportait parce que depuis le plus jeune âge il voulait propager la foi. Il n'avait rien du talebeh classique, disait-il, fils d'une famille pauvre cherchant à Qom le gîte et le couvert gratuits. Son père était un homme d'affaires ; ils étaient des bourgeois.

Mais quand toutes ces études allaient-elles prendre fin ? Quand allait-il sortir dans le monde ? Ça ne se passait pas comme ça, dit-il. Certains pouvaient rester étudiants pendant cinquante ans. Khomeiny disait qu'il apprenait tous les jours. Mais ça n'expliquait pas comment le mouvement pouvait entrer dans la vie d'un clerc. Comment les gens arrivaient-ils à se distinguer ? Ils se distinguaient par le savoir et la personnalité. Il n'y avait pas de fin au savoir. Et avec tous les commentaires, et les commentaires sur les commentaires, à propos de théologie, de philosophie et de jurisprudence, toutes ces collections de livres à la bibliothèque Marashi, il était possible de comprendre ce que voulait dire Emami. On pouvait aussi se distinguer par sa capacité, dans cette forêt d'érudition, à avoir des avis neufs ou intéressants. Khomeiny, par exemple, lorsqu'il avait décrété que le jeu d'échecs n'était pas contre la loi, à condition qu'il n'y ait pas de pari sur le résultat. C'était un jugement dont on parlait encore à Qom.

Personnellement, il n'était pas connu, dit Emami. Il se contentait de son sort : un des fantassins, pour ainsi dire, de la foi, un des propagateurs. C'était sa vocation. Il n'était pas riche, mais ça ne le dérangeait pas. Il ne se considérait pas comme trop déshérité. Il avait un bon physique ; j'étais sûr qu'il pratiquait un sport. Il sourit ; il faisait de l'exercice tous les matins.

Il n'y avait pas grand-chose d'autre à tirer d'Emami. C'était son idée de la vocation ; une explication suffisante de ses quatorze années d'études ; il était incapable de prendre du recul pour examiner sa vie et ses mobiles. Son univers avait d'étroites limites. Ce qu'il prenait pour le savoir n'était en réalité qu'une manière d'apprendre les règles. Connaître les règles simplifiait la vie, et Emami était profondément obéissant. Ce qu'exigeaient la foi et la révolution ; chaque jour dans les journaux on trouvait un message de ce genre.

Nous parlions depuis une demi-heure ou quarante-cinq minutes dans le salon de l'ayatollah, sous son turban et ses photos, en attendant Kamran, à l'affût du bruit d'une voiture qui s'arrête, et en sortant de temps à autre sur la véranda pour vérifier. Khalkhalli entra alors de nouveau, lent, triste, son ample tunique humide sur le devant. Mehrdad expliqua : le chauffeur et la voiture. Khalkhalli demanda si nous voulions du pain et du fromage. Du pain persan, du fromage persan.

Ça me paraissait une bonne idée, une occasion de parler d'une autre manière à l'ayatollah. Mais Mehrdad répliqua avec une certaine fermeté que l'offre de pain et de fromage était une façon de parler, une courtoisie, que l'ayatollah nous demandait de partir.

Nous nous levâmes pour prendre congé. Si nous voulions le revoir, dit Khalkhalli, nous devions prendre rendez-vous. La semaine prochaine, jeudi ; le jour où il n'enseignait pas. Et cette fois-ci, il faudrait être à l'heure. Son visage mélancolique commença à se froncer d'irritation. Et prendre des notes. Personne ne pouvait tout se rappeler. Parler sans notes était une perte de temps. Nous nous étions moqués de lui. J'ai expliqué que je prenais des notes, mais pas tout de suite ; je n'avais pas eu l'impression que notre conversation en fût arrivée au stade des notes. La semaine prochaine, dit-il, son irritation en train de fondre ; et nous devions téléphoner avant. Il donna le numéro et désigna l'un des gardes : il répondrait au téléphone.

Je commençai à me dire que si nous n'avions pas été tant retardés, et si les choses s'étaient mieux arrangées, ça ne l'aurait pas vraiment dérangé de parler. Mais le moment était passé. Nous sortîmes sur la véranda, enfilâmes nos chaussures et franchîmes la grille dans la haute muraille. Nous traversâmes la rue jusqu'à la petite bande d'ombre près du coin et c'est là que, debout, nous attendîmes Kamran.

« Avez-vous vu le pistolet ? demanda Mehrdad.

— Il a beaucoup d'ennemis aujourd'hui, commenta Emami.

— Ils se vouent une haine mutuelle, les anciens et les nouveaux, dit Mehrdad. Puis se tournant vers moi : Il vous a posé des questions sur Montazeri. J'espère que vous n'allez pas essayer de le voir. C'est le chemin de la mort. »

Il était vraiment effrayé. Je fis de mon mieux pour l'apaiser.

« Ces hommes ne sont plus dans le coup. Ils sont très vieux, et ne peuvent être dangereux pour personne aujourd'hui.

— Dans cette situation, même les morts sont dangereux. »

Et, debout en face de la maison de Khalkhalli, je me dis que même si je venais jeudi prochain — si tout le monde se souvenait et si la rencontre avait lieu — il n'y aurait peut-être pas grand-chose à ajouter à ce que j'avais vu cet après-midi-là : le justicier de la révolution, vieux, malade et inquiet, soumis maintenant lui-même à divers contrôles, assis sous ses photos, plus sinistres qu'il ne l'imaginait, et avec des gardes armés, dont l'un portait l'ancien uniforme vert sombre du komiteh d'antan, en lui donnant l'allure de vieux habits.

Il y avait des gardes en 1979. Je me souvenais encore — le coucher de soleil dans le désert tout autour de nous à la fin de la longue journée d'août — de l'homme lourdement bâti armé d'un pistolet, à la grille basse de la maison isolée dans la rue à demi terminée ; et les lourdes mains de cet homme ; et son visage fermé, stupide, exalté. La révolution appartenait encore au pays tout entier, et toute cette histoire de gardes et de fouille visait surtout à dramatiser la situation : le faux-semblant de la révolution en danger, un aspect de l'excitation et de la célébration des premiers jours de la révolution. Maintenant — bien que cela fît partie de la résidence surveillée — il avait besoin de la haute muraille et du garde au pistolet.

« C'était très aimable à lui de dire qu'il était fatigué, déclara Mehrdad à brûle-pourpoint. Les Iraniens ne font pas ça. Ils ne disent pas les choses aussi ouvertement. Il est très vieux. Mais très astucieux. »

Nous attendions à l'ombre dans le coin. Mehrdad proposa que nous nous mettions en quête d'un taxi et, après avoir fait ce que nous avions à faire avec Emami, que nous retrouvions Kamran à quatre heures et demie sur l'un des vieux ponts les plus connus de Qom. Nous pourrions laisser un message aux gardes de Khalkhalli. Nous pressâmes de nouveau la sonnette de l'ayatollah, et le garde qui sortit, le plus costaud, avec la moustache, assura que nous ne le dérangions pas du tout.

Nous nous mîmes en route par les rues blanches, éblouissantes. Emami nous guidait et nous expliquait en même temps ce qui n'allait pas dans l'enseignement de la philosophie à Qom : trop de vieille philosophie, pas assez de sujets contemporains, trop de Farrabi et d'Avicenne — un nom enchanté pour moi : étrange de l'entendre mentionner aussi négligemment — qui avaient emprunté leurs idées, fausses pour la plupart, à des penseurs anciens comme Ptolémée et Aristote. Cette critique de Qom était une opinion parfaitement admise ; Emami, bien qu'il se prît pour un homme moderne, prêt à s'habiller à la mode moderne, n'était pas un rebelle.

Spectacle surréel, comme dans un rêve, après quelques minutes de marche nous vîmes la voiture de Kamran descendre vers nous la rue blanche et vide. L'allumage lui avait donné du mal ; il était allé de garage en garage, puis d'un magasin de fournitures automobiles à l'autre, en quête d'une pièce.

Puisque nous n'avions plus à marcher, Emami nous invita tous à déjeuner dans son appartement. Il insista. Mehrdad acquiesça et nous nous arrêtâmes à deux ou trois boutiques dans des rues poussiéreuses pour acheter des fruits et d'autres victuailles. Il faisait chaud, pas un souffle d'air. Il y avait vingt-cinq mille étudiants à Qom, dit Emami. Il nous montra la grande résidence pour les étudiants étrangers ; essentiellement indiens, pakistanais et africains ; il y avait quelques Européens. Et aussi bon nombre d'Arabes. Un peu plus tard, comme pour s'excuser de ce que la ville était si poussiéreuse, il ajouta que les Arabes salissaient tout. Il parlait sur le ton de la conversation, sans méchanceté, en homme qui disait ce que tout le monde pouvait admettre : toujours chez les Iraniens, et de manière inattendue, cette gêne à propos des Arabes, à la fois leurs conquérants et ceux qui leur avaient donné leur religion.

Nous passâmes devant la maison où Khomeiny avait vécu lorsqu'il était professeur à Qom. A un coude d'une rue passante. Un policier surveillait la circulation ; la rue était peut-être moins animée quand Khomeiny y habitait. Couleur de poussière, la maison était basse, sans prétention, en partie cachée par le mur qui la séparait de la rue. Mais, comme si souvent dans les maisons iraniennes, ce mur aveugle, presque invisible, dissimulait une cour, où jouaient plaisamment l'ombre et la lumière, isolée du vacarme et de l'embrasement de la rue.

Emami habitait à la lisière même de la ville en expansion, dans un nouveau lotissement qui semblait avoir été posé comme ça dans le désert et la poussière. Les rues n'étaient pas encore faites. Pendant quelque temps, nous brinquebalâmes sur des gravats et des débris de briques, et je commençai à m'inquiéter pour la voiture de Kamran qui venait d'être réparée. Enfin, nous nous arrêtâmes. Un ou deux bouts de plastique sur la chaussée, un paquet vide coincé dans la brique et la pierre brisées : une impression, déjà, d'abandon civique. Mais derrière la porte aveugle de la maison d'Emami il y avait, même ici, une petite cour : de l'ombre, de l'ordre après les rues non goudronnées, et quelques marches menant de la cour aux deux pièces que louait Emami : son foyer depuis quatre ans.

La pièce de devant était nue, hormis les étagères de livres sur un mur. Emami alla emprunter pour moi une chaise à un voisin. La nudité de la pièce — qui ne révélait pas tant la pauvreté que l'austérité de l'étudiant en théologie, soucieux seulement de propager la foi — stupéfia tellement Mehrdad qu'il en prit note dans son carnet. Sur les rayons, diverses collections d'ouvrages de théologie, de philosophie et de jurisprudence, et notamment les cinq volumes (à la reliure crème et verte) du grand traité de Khomeiny sur tous les aspects de l'achat et de la vente (dont j'ignorais entièrement l'existence jusqu'alors). On trouvait aussi une traduction persane des *Problèmes de philosophie* de Russell (mais pas de droits d'auteurs pour la succession Russell, l'Iran n'ayant pas ratifié la convention internationale sur le copyright). Les ouvrages que les étudiants comme lui utilisaient, dit Emami en réponse à l'une de mes questions, étaient publiés par diverses fondations, à des prix raisonnables. La bibliothèque n'en représentait certainement pas moins une bonne partie de la bourse qu'il recevait de son ayatollah.

Emami, désormais notre hôte, et chez lui, redoubla d'amabilité et de courtoisie. Le fils de deux ans dont il nous avait parlé dormait ; sinon, dit-il, le garçon serait déjà avec nous. Il se montra affairé mais discret dans ses attentions envers Mehrdad, Kamran et moi, et dans ses instructions à sa femme, invisible, qui, quelque part derrière, préparait les œufs frits aux tomates, plat principal dont il avait décidé avec Mehrdad, accompagnés de pain persan et de fromage blanc (importé du Danemark mais *halal*) pour moi.

Il apporta une toile cirée qu'il étala sur le sol. La toile cirée était sacrée, expliqua Mehrdad, parce qu'elle enveloppait le pain. Il fallait qu'elle soit propre et on la conservait dans un endroit élevé. Puis Emami commença à apporter des assiettes et d'autres choses. De temps à autre, il s'arrêtait pour parler avec nous, accroupi sur les genoux et les talons, son pantalon moulant ses cuisses musculeuses, la chemise argentée soulignant ses épaules exercées et son ventre plat. Il était satisfait, dit-il quand nous commençâmes à manger. Il faisait le travail, la propagation de la foi, qu'il désirait.

Je lui demandai s'il avait entendu parler de la perte de la foi chez certains jeunes, comme on le disait. Ça n'était pas un secret, répondit-il. « Nos ennemis connaissent notre faiblesse. »

Un coup léger à la porte, quelqu'un qui ne voulait pas déranger. Cette fois, ce n'étaient pas des plats que nous envoyait la femme invisible d'Emami, mais son fils, reposé et paisible, un peu chancelant après son profond sommeil qui lui chiffonnait encore le visage.

Une pastèque suivit les œufs et les tomates. Je demandai à Emami quels étaient les ennemis qu'il avait mentionnés. Les pays occidentaux ; ils voulaient balayer l'islam. Il dit cela avec la même gentillesse que tout le reste.

Notre déjeuner était terminé. On débarrassa les assiettes, et Emami plia précautionneusement la toile cirée, les quatre coins ensemble, à deux reprises, avant d'aller la ranger en dehors de la pièce. Puis il ramena son fils à sa femme. Après cela — toutes distractions désormais écartées — Kamran et lui commencèrent à bavarder. Ils parlèrent de la guerre. Emami dit que la dernière année du conflit, il était allé faire de la propagande islamique sur le front. Combien de fois ? Quatre fois ; au total il était resté au front deux ou trois mois. Il donnait des conférences. C'était tout ce que faisaient les religieux, donner des conférences ? demanda Kamran. Non, répondit Emami, il en connaissait qui s'étaient battus. Mais lui, personnellement, ne s'était pas battu. Pour lui, la guerre était une expérience spirituelle.

Il était satisfait, mais il savait qu'il n'en faisait pas assez. Il habitait loin des écoles, les déplacements et les tâches ménagères occupaient une bonne partie de son temps. Mais depuis peu il avait une bicyclette ; elle lui était d'un grand secours.

Emami voulut nous emmener après le déjeuner dans l'une des écoles de théologie. Nous n'eûmes personne à saluer — sa femme était restée invisible et le petit garçon avait disparu — et nous passâmes sans cérémonie dans la petite cour, pour nous retrouver presque aussitôt dans la rue de gravats, éblouissante dans le désert. Nous regagnâmes en voiture le centre de la ville, où se trouvait l'école à laquelle songeait Emami. Le directeur était absent, et le garde ne pouvait nous donner la permission de visiter. Emami dirigea Kamran vers une autre école. C'était un bâtiment moderne, en brique jaune, dans une large avenue bordée des deux côtés d'arbres et d'un canal. Des étudiants — tourbillon de robes, de tuniques et de turbans dans la cour par-delà le canal — arrivaient pour un cours ; d'autres accouraient à scooter. Ils avaient l'air propres et sains, et — il n'y a pas d'autre mot — prospères. Emami revint. Il avait vu le directeur : nous pouvions visiter.

Nous ôtâmes nos chaussures dans le hall d'entrée, les glissâmes dans de grands pigeonniers à chaussures, et par un escalier moquetté montâmes à l'étage supérieur. Les étudiants ne cessaient d'entrer. Certains buvaient une gorgée à la fontaine avant d'enlever leurs chaussures. Ils ne tardèrent pas à former une véritable foule. Ils ne disaient pas un mot ; quelques-uns avaient l'air inquiet. Le seul bruit qui émanait d'eux tandis qu'ils montaient les larges marches moquettées était le froissement de leurs vêtements. Sur le vaste palier en haut de l'escalier, assis par terre, les étudiants qui avaient raté une épreuve repassaient leur examen. Composer ainsi en public participait du châtiment et de l'opprobre. Les étudiants n'avaient pas de bureau ou de planche, et certains travaillaient dans d'incroyables postures : assis en tailleur et tellement penchés en avant pour écrire sur le sol que tout le haut du corps semblait désarticulé.

Le directeur était un vieux monsieur aimable, impressionnant avec son turban et sa barbe teinte, la sagesse antique personnifiée. Il nous présenta dans son petit bureau à trois de ses professeurs, assis cérémonieusement côte à côte. L'un d'eux enseignait le christianisme (et parlait anglais), un autre les sectes islamiques et le troisième la théologie musulmane. Mehrdad ajouta que « théologie » ne traduisait pas exactement le mot arabe, et il y eut une petite dispute amicale entre Mehrdad et les trois professeurs, sous le regard bienveillant du directeur. Cette matière était plutôt, expliqua Mehrdad, une analyse des traditions concernant le Prophète : vieux savoir, se solidifiant siècle après siècle, et commentaire après commentaire, en ce qui pouvait ou non être considéré comme traditions véritables, importantes en ce qu'elles fondaient les lois ou permettaient de les contester.

Le directeur nous fit ensuite visiter son nouvel établissement. Il était riche et splendide. Dans les amphithéâtres, sièges et tables étaient neufs et solides. Dans la bibliothèque s'alignaient des collections et des collections, des rangées et des rangées de livres neufs, avec çà et là un étudiant assis sur le sol au pied des rayons.

L'étage inférieur était réservé à ce que le directeur appelait les projets spéciaux. Un chercheur et un projet par pièce. Après avoir parcouru un à un les amphithéâtres, je ne me sentais pas le courage de visiter les salles des projets spéciaux. Je le fis savoir, mais Mehrdad dut édulcorer mes propos parce que le directeur n'y prêta aucune attention.

Il ouvrit une porte d'une poussée, la première du couloir. Nous surprîmes le chercheur qui se reposait ou dormait sur le sol, avec une couverture et un oreiller. Il y avait des livres et des papiers partout : par terre, sur la table, sur les étagères. Le chercheur de cette pièce était un historien réputé, expliqua le directeur (et quelqu'un à qui j'en parlai par la suite à Téhéran me le confirma). L'historien, horriblement surpris, chercha à tâtons sa calotte blanche, qu'il enfonça sur son crâne. Entre deux âges, presque vieux, il se ressaisit tant bien que mal, s'enveloppa dans sa couverture brune et, légèrement penché, vint à la porte. Il avait un beau visage marqué par les ans ; la peau douce et d'un brun clair. Il tenait la couverture marron autour de sa taille à la manière dont les femmes dans la rue tiennent leur tchador sous le menton. Le directeur dit que l'historien écrivait un livre intitulé *L'Histoire politique du monde*.

L'historien, se remettant rapidement de sa surprise, me demanda : « Connaissez-vous un livre à propos de Gandhi et des musulmans ? »

Je n'en connaissais pas. Mais, pour l'encourager, j'ajoutai : « C'est un sujet intéressant. L'homme qui le premier fit venir Gandhi en Afrique du Sud dans les années 1890 était un commerçant musulman indien. On peut donc dire que c'est lui qui a lancé Gandhi dans sa carrière politique. »

L'historien n'y prêta aucune attention. « Envoyez-moi ce livre », dit-il. Et, faisant deux pas en arrière, il prit une feuille de papier sur une pile d'ouvrages. « Voilà. Prenez mon nom et mon adresse. Envoyez-moi ce livre. »

Je lui suggérai de demander conseil à l'ambassade de l'Inde à Téhéran.

Il ne sembla pas avoir entendu. Revenant près de la porte, il me dit : « Gardez-le comme souvenir. Gardez-le comme cadeau. Vous savez, j'ai fait un certain nombre de recherches sur le sionisme pour mon histoire du monde. J'ai maintenant l'impression que, si les États-Unis sont leur première idole ou faux dieu, ils sont en train de faire de l'Inde leur seconde idole. Savez-vous que la couronne de l'Inde a été remise aux Britanniques par un Juif, Disraeli. Le fait n'est pas aussi connu qu'il le mérite. C'étaient des Juifs qui aiguisaient l'épée anglaise en Inde. Je crains fort que les sionistes ne frappent de nouveau l'Inde. Ils vont de nouveau tuer Gandhi et exiler sa pensée.

— Gandhi a été exilé ? intervint Mehrdad, interrompant sa traduction.

— Peut-être parle-t-il symboliquement », proposai-je.

Triturant sa couverture et sa calotte, l'historien, qui s'était poliment reculé pendant cet échange entre Mehrdad et moi, s'avança de nouveau, prêt à poursuivre la conversation. Mais nous décidâmes — au soulagement évident, bien que discret, du directeur — de partir et de le laisser se reposer.

Nous nous rendîmes au mausolée de Hazrat Massoumeh. Kamran, en dépit de son cynisme habituel, commençait à maugréer que le matin, au début du voyage, il n'avait rien mis dans un tronc, n'avait pas fait d'offrande comme il l'aurait dû. Voilà pourquoi il avait eu ces ennuis avec l'allumage et avait dû galoper de garage en garage. Aussi, avec beaucoup de simagrées, glissa-t-il un vieux billet plié dans la fente de l'un des troncs dans la rue devant le sanctuaire. Et, comme si cela ne suffisait pas, il nous planta dans la cour du mausolée pour aller faire une prière sur la tombe, afin que nous rentrions sans encombre.

Entre-temps, un homme prit Mehrdad à part et lui demanda en me désignant : « Est-il musulman ? » (Peut-être à cause de mes lunettes noires et de mon feutre de république bananière.) Mehrdad répondit oui, pour simplifier les choses, et l'homme s'en alla, satisfait. Mais nous aurions pu avoir des ennuis. Techniquement le mausolée était une mosquée et les non-musulmans ne pouvaient y pénétrer, pas même dans la cour. Personne ne posait de questions de ce genre en 1979 ; et Behzad, mon guide et interprète, m'avait emmené partout. Je me sentis mal à l'aise dans la cour après cela. Il y avait des gardiens de la révolution tout autour et je n'avais pas envie d'être expulsé.

Nous ne nous attardâmes pas. Kamran sortit de la tombe illuminée, ses prières faites, l'air tendu et abattu. Nous prîmes le chemin de Téhéran. Le soleil se coucha, rond et rouge, derrière les falaises de sel. Lorsque nous fûmes plus près de Téhéran que de Qom, Kamran se mit à parler d'Emami et de ses voyages au front. « Ils — les religieux — ne savent pas vraiment ce qu'est la guerre. Disons qu'Emami est allé six fois au front. Deux jours pour y aller, deux jours pour en revenir. Vingt-quatre jours de voyage. Le reste du temps il préparait les gens à se battre. Il parlait. Il faisait simplement son boulot. » Quand nous fûmes plus près de Téhéran, Kamran se montra encore plus irrévérencieux envers Emami. « Il s'en sort très bien dans ce petit appartement, quoi qu'il en dise. Il y est chez lui. Moi, j'habite encore chez mes parents. »

Un peu plus tard, comme nous commencions à apercevoir les

lumières du mausolée de Khomeiny, il évoqua le paiement de cette longue journée. Je croyais que Mehrdad avait réglé ça avant de partir, mais il dit que non, avant d'ajouter en anglais : « Il vaut mieux faire ces choses-là à l'amiable. »

Mehrdad dit quelques mots en persan à Kamran. Pour toute réponse, celui-ci alluma le plafonnier de la voiture, releva sa manche gauche et brandit son avant-bras pour montrer la cicatrice, longue et déchiquetée, que lui avait faite un shrapnel.

« Il faut faire ça à l'amiable », me dit Mehrdad en anglais.

Nous fîmes des calculs, tant du kilomètre et tant de l'heure, et additionnâmes les deux chiffres en réduisant un peu la somme assez importante que cela représentait. Pendant un certain temps — le mausolée de Khomeiny était désormais derrière nous — Mehrdad garda le chiffre secret, tenant Kamran en haleine. Et quand les lumières de Téhéran apparurent à l'horizon il annonça son prix, qui fut immédiatement accepté. Je comptai les billets et les glissai dans une enveloppe que Mehrdad remit à Kamran. Il la posa sur le tableau de bord et il ne fut plus question d'argent.

CHAPITRE 16

Le cancer

Mehrdad avait un ami appelé Feyredoun, qui avait un peu plus de vingt ans comme lui et faisait son service militaire dans l'aviation. Feyredoun revenait en permission chez lui, à Téhéran, le week-end. Grand, mince, les traits anguleux, il s'exprimait couramment en anglais (qu'il avait entièrement appris en Iran, comme Mehrdad), voire, une fois lancé, avec une grande complexité. Feyredoun, qui avait grandi dans l'isolement de l'Iran révolutionnaire, était avide de livres, d'idées, de discussions philosophiques.

Après l'une de ces discussions, je dis à Mehrdad, en passant, alors que nous parlions de tout autre chose, que son ami Feyredoun était religieux. Je voulais simplement dire qu'il était croyant ; mais le mot « religieux » lui resta en travers de la gorge. Il y revint quelques jours après, alors que nous nous promenions en voiture à Téhéran ; et c'était l'une des choses que je voulais approfondir la prochaine fois que j'irais chez lui.

Nous surprîmes sa mère. Du salon, en entrant, nous l'aperçûmes par la porte ouverte, étendue sur un lit dans une pièce voisine. Elle savait que nous venions en fin d'après-midi, mais avait dû laisser passer l'heure. Elle se redressa à demi et débaula en bas du lit. Elle avait la tête nue et prit entre ses dents le bas de son voile en mousseline. Petite, boulotte et matronale, bien qu'elle n'eût sans doute qu'une quarantaine d'années, elle irradiait la bonté. Originaire du Nord-Ouest, elle avait les yeux clairs.

Le père de Mehrdad était là aussi, pour quelques instants seulement, le temps d'être présenté à l'hôte de son fils. Grand, plus sombre que sa femme, aussi beau que son fils, mais un peu plus frêle, presque fluet. Il donnait l'impression de n'avoir pas grande énergie, à moins qu'il ne fût malade. Mais son fils avait dit, à deux reprises, que son père n'était pas courageux, qu'il s'efforçait toujours de se mettre à l'abri et hurlait avec les loups (affichant des photos du chah, puis détruisant un livre de sa fille, prix reçu à l'école, parce qu'il contenait des images de la famille royale). Pourtant, il avait preuve de ressources après que la révolution avait supprimé son emploi bancaire de tout repos. Il s'était pris en main pour se lancer dans les affaires, achetant et vendant à une échelle modeste, mais avec suffisamment de succès pour offrir à sa famille cette maison bourgeoise dans un quartier excentré de Téhéran.

Les enfants trouvent parfois normales les prouesses quotidiennes de leurs parents.

Le salon était vaste, et des tapis disposés côte à côte — confusion de motifs et de couleurs, comme dans certaines peintures persanes — recouvraient tout le sol. Et ce fut à la table des repas, dans un coin, parmi les fleurs et les fruits, que Mehrdad et moi nous assîmes pour bavarder jusqu'à l'heure du dîner.

« Qu'entendez-vous par religieux ? commença Mehrdad. J'ai un problème avec ce mot. Vous dites que Feyredoun est religieux, alors que lui se considère comme païen.

— Que veut-il dire par païen ?

— Un païen est quelqu'un d'extérieur aux religions publiques. Ici, nous avons des moyens de juger si quelqu'un est religieux. Et d'abord l'apparence. La barbe. Dans l'islam, il est recommandé aux hommes de porter la barbe. Et il y a des règles particulières pour raser la barbe et tailler la moustache. On peut couper la barbe avec des ciseaux mais pas avec un rasoir.

— C'est dans le Coran ?

— Non. Dans les hadiths, les traditions laissées par le Prophète.

— En aviez-vous entendu parler enfant ?

— Oui. Mais cette recommandation s'est surtout répandue après la révolution. Je connais des gens qui se laissent spécialement pousser la barbe quand ils doivent envoyer des photos pour postuler un emploi. Il y a d'autres règles. Si on se laisse pousser la moustache, elle ne doit pas être longue au point d'être mouillée quand on boit. C'est aussi un hadith. Toutes ces choses sont recensées dans *Bahar al-Anvar* et d'autres recueils de hadiths. Autrefois les gens religieux portaient les cheveux longs. Mais plus maintenant.

— Pourquoi ?

— Personne ne le sait. Autre chose encore, qui n'est pas obligatoire. Quand on se prosterne pour prier, on pose le front sur un petit tas de terre de l'un des lieux saints de la religion. A Qom, ils fabriquent des quantités de ces paquets de terre. Au bout d'un certain temps, la peau s'assombrit ou change de couleur là où elle repose sur ces tas de terre. On doit prier cinq fois par jour, sans compter les nuits spéciales. Ces prières nocturnes exigent force prosternations et frottements du front contre la terre. »

C'était une chose qu'il m'avait fait remarquer à Qom : Emami avait le milieu du front plus sombre, autre aspect de sa piété de talebeh, comme le ciment nu de sa salle de séjour. Mais il fallait connaître la pratique pour en rechercher les traces. Une fois que l'on savait, elle était facile à repérer. Certaines personnes très pieuses avaient comme une légère brûlure sur le front, parce qu'ils faisaient chauffer les petits paquets de terre avant la prière

« Autre chose encore. Les gens religieux se parfument le corps à l'eau de rose. C'est ce qu'ils sentent en particulier pendant le mohurram. »

Le mois de deuil des chiites. « Et ce sont des gens pudiques — par souci des apparences. Quand ils parlent à une femme, ils baissent la tête. Naturellement, il y a des règles particulières pour regarder une femme. Voyons combien il en existe dans le livre de Khomeiny. »

Il alla chercher un gros ouvrage broché : autre recueil de règles compilé par Khomeiny, en plus des cinq volumes sur l'achat et la vente que j'avais vus dans la bibliothèque d'Emami.

« Celui-ci s'intitule *Resaleh* ou *Tozih-al Masa-el*. *Rescrit* ou *Explication des problèmes*. Il y a dix règles de base sur la manière de regarder les femmes dans ce livre de Khomeiny. L'ouvrage traite de trois mille problèmes.

— Les gens le consultent-ils tout le temps ? Ces règles les aident-ils vraiment ?

— Pour moi, les règles concernant la barbe n'ont aucune logique. Ils n'expliquent pas pourquoi. Ils disent simplement "Faites-le". Et je ne peux pas être religieux parce que j'écoute la plupart des musiques interdites. Nous les avons beaucoup interrogés à ce propos. Ils disent que la musique est interdite si elle nous fait changer d'humeur ou de sentiments. C'est absurde. On ne peut pas écouter de la musique, quelle qu'elle soit, sans en être affecté.

— Quel genre de musique est interdit ?

— La musique de danse. Les chansons d'amour. La musique occidentale, en dehors des œuvres classiques. La musique populaire indienne est interdite aussi. Il fut un temps où il était interdit d'acheter des instruments de musique. Consultons le livre. Voilà. C'est le problème 2 067 de Khomeiny. Et je ne fais pas les prières. Je ne suis donc pas religieux. Je ne jeûne jamais. Je ne vais jamais à la mosquée. Et je n'obéis à aucune des règles, bien que j'en connaisse la plupart. J'ai fait des études de droit et je les connais presque toutes. De certaines je me moque. Par exemple, la règle à propos du prix du sang. La voici : si vous tuez quelqu'un, vous versez le prix du sang à la famille. La règle aujourd'hui est qu'une femme vaut deux fois moins qu'un homme. Si vous tuez un homme, vous payez le prix fort : deux millions de toumanes actuellement, vingt millions de rials ; environ cinq mille dollars. Mais la moitié seulement si vous avez tué une femme.

— Vous croyez que les gens ont besoin de ces règles ?

— J'y viens. Face aux problèmes de la vie, nous commençons à réfléchir. Nous essayons de trouver notre propre voie, d'arriver à une décision. Les gens religieux n'aiment pas ça. Parce que cela revient à écarter tout le système. Nous croyons en Dieu pour la plupart, mais nous pensons comme Voltaire. »

C'était ce que j'avais à l'esprit en disant que Feyredoun était religieux. Mais en Iran, je le voyais maintenant, des mots comme « religieux » et « païen » avaient des significations tout iraniennes.

« Dieu est nécessaire à la vie, ajouta Mehrdad. Mais pas ces règles absurdes. Les gens n'y font pas attention. Il y a des règles sur la manière dont les jeunes gens et les jeunes filles doivent se conduire ensemble.

C'est illégal mais nous le faisons quand même. J'ai une amie qui a des ennuis avec son petit ami. C'est à cause de lui si elle n'est plus vierge. Il va partir ; il va la quitter. Et elle prie régulièrement. Quand ils ont des difficultés, les gens se tournent vers la religion. Nous avons besoin de Dieu. Dans un pays pauvre et plein de problèmes, il nous faut quelqu'un en haut.

— Pourquoi croyez-vous que les religieux attachent autant d'importance aux règles ?

— Ce sont eux qui font les règles. Si vous rejetez les règles, vous rejetez ceux qui les font. Si vous écartez celui qui fait les règles, vous êtes contre le Guide. Si vous vous opposez au Guide, vous êtes contre le saint Prophète. Si vous êtes contre le saint Prophète vous êtes contre le Livre saint, et le Livre saint vient de Dieu. Qui est contre Dieu doit être tué. Mais qui tue ? Celui qui fait les règles, pas Dieu. »

Les règles étaient omniprésentes. Ce n'était pas seulement que les femmes devaient porter le tchador et le voile ; ou que les garçons et les filles n'avaient pas le droit de se promener ensemble ; ou que les femmes ne pouvaient pas chanter à la radio et à la télévision ; ou qu'il était interdit d'écouter certaines musiques. Il y avait une censure complète : des magazines, des journaux, des livres, de la télévision. Et des hélicoptères volaient au-dessus de Téhéran à la recherche des antennes paraboliques ; tout comme les gardiens de la révolution patrouillaient les parcs pour surveiller les jeunes gens et les jeunes filles ; ou perquisitionnaient les maisons en quête d'alcool et d'opium ; ou encore, comme je le verrais dans la lointaine Chiraz, la police locale des mœurs effectuait des rondes jusque dans les hôtels de tourisme pour faire sentir sa présence.

En 1979 et 1980, les missionnaires de la renaissance islamique, se faisant mutuellement écho, comme si leur texte leur était fourni par une source centrale, répétaient sans relâche que l'islam était une manière de vivre complète ; et dans l'Iran d'aujourd'hui, l'islam politique apparaissait en effet comme une forme complète de domination. « Ils veulent régenter votre manière de vous asseoir et votre manière de parler, m'avait dit M. Parvez, le fondateur et rédacteur en chef du *Tehran Times*, peu après mon arrivée. » Je ne crois pas avoir pleinement saisi alors ce qu'il voulait dire. Il fallait du temps pour comprendre jusqu'où allaient les restrictions, s'il était facile de les énoncer ; et il fallait du temps pour comprendre comment elles déformaient la vie des gens.

La sœur de Mehrdad était célibataire et n'avait guère de chances de se marier, trop d'hommes d'âge mariable ayant été tués pendant la guerre de huit ans. Elle se contentait de rester à la maison en revenant du travail, silencieuse, bouillant intérieurement de rage. Son malheur, telle une ombre sur le foyer, torturait ses parents, incapables de lui organiser un avenir. Il était trop compliqué de sortir et maintenant elle en avait perdu l'envie. Comme la fille de quinze ans d'un professeur que j'avais rencontré. Cette dernière avait déjà appris que les gardiens de la révolution pouvaient l'arrêter et l'interroger si elle était seule dans la rue. Cette humiliation lui était insupportable et désormais elle n'aimait plus sortir. Le monde se rétrécissait pour elle juste au moment où il aurait dû s'ouvrir.

En février 1980, j'avais vu des jeunes femmes en treillis parmi les étudiants qui campaient autour de l'ambassade américaine occupée : tenues à la Che Guevara, théâtre de la révolution. Je me rappelais une jeune femme ronde en tenue de combat qui sortait d'une tente basse par cet après-midi glacial avec un quart de thé brûlant pour l'un des hommes : visage illuminé par l'idée de servir la révolution et les guerriers de la révolution. La plupart de ces jeunes gens, « étudiants musulmans qui suivent la ligne de l'ayatollah Khomeiny », étaient aujourd'hui morts ou neutralisés, comme tous les autres groupes communistes ou de gauche. Comment la jeune femme au quart de thé aurait-elle imaginé que la révolution à laquelle elle participait — des affiches sur les murs de l'ambassade et sur les arbres comparaient la révolution iranienne à la nicaraguayenne, toutes deux présentées comme éléments d'un mouvement vers l'avant universel — s'achèverait ainsi, par cette persécution désuète des femmes et par ces hélicoptères parcourant le ciel à la recherche d'antennes.

La tenue et le style mêmes de la révolution avaient désormais un autre sens. Plus de barbes à la Che Guevara, mais de bonnes vieilles barbes islamiques, que le rasoir ne touche pas ; et les treillis verts étaient devenus l'uniforme de ceux qui faisaient appliquer la loi religieuse.

Je n'ai rencontré personne qui envisageât la possibilité d'une révolution d'aucune sorte. Le mot « révolution » désormais usurpé par l'État religieux, l'idée, si chère aux Iraniens de la génération précédente, était gangrenée, comme dans l'ancienne URSS. Jamais personne ne parlait de l'éventualité d'une action politique. Aucun moyen et nul meneur en vue. Aucune idée nouvelle ne pouvait être lancée. L'appareil répressif était complet. Les dirigeants réels, bien que leurs photos fussent partout présentes, se tenaient en retrait ; certains parlaient de gouvernement « occulte ». Et pourtant, dans l'inanition générale, on avait l'impression que quelque chose était sur le point de se produire. Cela rendait les gens nerveux.

Un après-midi que nous roulions dans les montagnes au-dessus de Téhéran, Mehrdad, après avoir semblé dire que les gens avaient appris à vivre avec les restrictions, déclara soudain le contraire : « Tout le monde a peur. J'ai peur. Mon père et ma mère ont peur [pauvre père, une fois de plus]. Ils ne savent pas ce que l'avenir leur vaudra ou nous vaudra, à nous leurs enfants. Ils ne sont pas trop inquiets pour moi. Je suis adulte et je peux me débrouiller. Mais mon frère est très jeune. Les quelque huit années qui le séparent de l'âge d'homme vont être une période très dangereuse. »

Cette insécurité faisait naître des bruits. Le plus extraordinaire assurait que Khomeiny avait été un agent britannique ou européen. Je l'avais entendu pour la première fois de la bouche de M. Parvez et j'y

218

avais vu un effet de sa paranoïa. Mais bien d'autres gens s'en étaient ensuite fait l'écho. A en croire cette histoire, les grandes puissances avaient décidé d'imposer Khomeiny au peuple iranien lors d'un sommet à la Guadeloupe. Les Iraniens étaient des gens simples ; une propagande habile pouvait aisément les convaincre de manifester pour n'importe quoi ; et ce n'était d'ailleurs pas par conviction qu'is s'étaient joints aux protestations contre le chah, mais simplement pour faire comme tout le monde. L'instauration d'un État islamique en Iran était un complot anti-islamique des grandes puissances, pour donner une leçon aux musulmans, et en particulier pour punir le peuple iranien. Et comme pour répondre à ces divagations, des signes indiquaient même que la religion était contestée sous certains aspects.

« La guerre [contre l'Irak], avait déclaré M. Parvez, avait été livrée au nom de l'islam. Ç'avait été une bénédiction déguisée. Sans la guerre, jamais les gens n'auraient été aussi écœurés par l'islam. » La remarque m'avait paru excessive. Puis j'avais discerné de légers indices de doute religieux dans la conversation de certains. De même que — dans ces rumeurs nées d'un peuple poussé à bout par la révolution, la guerre, les difficultés financières et l'État religieux — l'on racontait que les Iraniens n'étaient pas vraiment responsables de la révolution, j'entendis dire qu'ils n'étaient pas vraiment responsables des aspects les plus extrêmes de la religion chiite. Les flagellations sanglantes du mohurram, le mois de deuil : ces pratiques avaient été en fait importées d'Europe, des catholiques ; elles n'avaient rien à voir avec le culte originel.

Quand j'en fis la remarque à Mehrdad, il répondit : « Rien de plus habituel. Nos ennemis sont toujours responsables. Accuser les autres, pas nous-mêmes. »

On m'avait indiqué le nom de Mme Seghir. Elle vivait maintenant à l'étranger, parmi la diaspora iranienne, mais se trouvait depuis quelque temps à Téhéran, où elle était revenue voir ses parents vieillissants. Quand je l'appelai, elle m'invita à déjeuner ; et, accompagnée d'une amie, elle vint me chercher à l'hôtel. C'était conforme aux règles : il n'aurait pas été séant pour Mme Seghir ou son amie de venir seule à la rencontre d'un inconnu.

Elle habitait un immeuble de style américain qui donnait des signes de décrépitude. L'ascenseur ouvrait sur un petit couloir étroit qui desservait deux appartements. Non content d'être délabré, le couloir était dégoûtant, avec un débris de tapis répugnant. L'impression de désolation se poursuivait à l'intérieur. Dans le coin salon de la pièce principale, les vieilles chaises de style Louis-XVI et le canapé avaient l'air purement décoratifs. Sur un mur, strié de vieux fils électriques, étaient accrochées, très écartées l'une de l'autre, deux rangées de miniatures européennes encadrées, bouquets ou paysages sans valeur. La longue table des repas se dressait à l'autre extrémité de la pièce, près de la cuisine. La cuisine semblait avoir beaucoup servi.

Dans une petite pièce à côté de la cuisine, un homme était assis à une table juste devant la porte ouverte. Il était très vieux — vraiment très vieux — et des taches irrégulières de dépigmentation parsemaient son visage. Assis de côté, il tournait à demi le dos à la porte et on ne le voyait que de profil. C'était le père de Mme Seghir ; il avait quatre-vingt onze ans, me dit la mère de Mme Seghir, dans le coin salon de la grande pièce ; elle-même avait quatre-vingts ans.

Mme Seghir s'activait dans la cuisine avec l'amie qui l'avait accompagnée à l'hôtel. Cette dernière était divorcée. Grasse et enjouée, elle éclatait dans sa jupe longue et elle avait de grosses lèvres, avides seulement de nourriture. Ravie d'aider à la cuisine, elle se hâtait sur ses hauts talons.

Du côté salon, une porte-fenêtre entrouverte donnait sur un balcon. Le bruit de la circulation résonnait très fort. Je jetai un coup d'œil par la fenêtre. A une extrémité du balcon s'entassaient des vieux cartons, des balais et du matériel de nettoyage, de l'autre un tissu recouvrait apparemment un chevalet ou une commode. C'était l'antenne parabolique. Mme Seghir en avait besoin pour les informations ; elle se serait sentie tout à fait perdue en Iran sans les nouvelles du monde. Le camouflage cachait l'antenne aux hélicoptères, qui poursuivaient inlassablement leurs recherches.

Les plats arrivèrent dans une odeur d'huile chaude : un *coucou*, une sorte de quiche iranienne, du riz et de la purée d'aubergines. Le vieux monsieur — le visage terriblement ravagé par l'âge, les yeux très sombres, rendus encore plus sombres par le front dépigmenté et les joues marbrées — vint se mettre à table, une ceinture autour du pantalon, à une dizaine de centimètres au-dessous des passants. Sa femme l'aida. Très petite et mince, la vue basse derrière ses lunettes, la mère de Mme Seghir débordait encore d'attentions conjugales : ces émotions survivent jusqu'au bout — c'était touchant.

La grosse dame parla du nord de l'Angleterre. Elle était allée rendre visite à l'une de ses parentes qui y vivait avec son mari bengali ; tous deux exerçaient des professions libérales. Les bonnes manières des Anglais l'avaient impressionnée. Elle avait beau en parler avec beaucoup d'autorité, j'eus l'impression que ce qu'elle disait de l'Angleterre n'était pas tant le fruit de son expérience personnelle que des émissions de télévision qu'elle avait dû regarder quand elle s'y trouvait.

Si la mère de Mme Seghir découpa le coucou pour son mari, il se servit lui-même des autres plats ; mais tout à la fin du repas, il vacilla et, la tête penchée très bas dans son assiette, donna un instant l'impression d'avoir eu un accident, un léger malaise. Il se leva ensuite — sans avoir dit un seul mot — pour regagner sa chambre. Précautionneusement, il se laissa glisser dans son fauteuil, s'installant de nouveau de côté par rapport à la table, le dos tourné à la porte ouverte. Il était devenu très lent ; l'accident l'avait troublé ; puis, avec une douloureuse circonspection — son univers réduit à l'accomplissement de ces menues actions — il prit un crayon, saisit un journal plié, l'ouvrit, fit une pause, puis le posa devant lui, prêt à continuer ses mots croisés.

Je remarquai alors un tapis de soie de Qom sur le sol, et sur la table à café une étoffe de velours cramoisi aux lourdes broderies anciennes : trois rangées de roses et de pampres en fils d'argent mêlés d'or : un travail fait autrefois pour le plaisir de l'extravagance, du luxe, de la dépense. Cette nappe lui avait été offerte par sa mère, dit Mme Seghir. Des saladiers de verre taillé remplis de boules de gomme granitées de sucre et de confiseries couleur safran fabriquées à Qom étaient posés dessus.

Un peu plus tard, lorsque Mme Seghir partit aider la grosse dame à préparer le dessert, la mère désigna le lustre : « les armes des Qadjars ». J'avais vu le lustre sans y prêter attention, le trouvant trop oppressant. « Les armes des Qadjars », répéta la mère de Mme Seghir. Les Qadjars, la dynastie renversée dans les années vingt par le père du dernier chah Je me levai pour regarder les armes gravées des Qadjars, très difficiles à distinguer sur les nombreux manchons de verre du chandelier. Ces manchons, qui ressemblaient à ceux des anciennes lampes à huile, formaient un cercle, autour duquel et sous lequel des pendeloques de verre taillé de formes diverses étaient savamment disposées. « Baccarat », dit Mme Seghir. Et je découvris soudain que dans cette petite pièce basse qui avait besoin d'un coup de peinture, de moins de fouillis sur le balcon et de moins de bruits de circulation, il y avait deux de ces lustres. Ils occupaient l'espace supérieur. S'apercevoir qu'il y en avait deux donnait une sensation d'étouffement.

Ses tâches ménagères enfin terminées à la cuisine, Mme Seghir vint s'asseoir auprès de moi en faisant danser sa robe sur ses hanches pleines et ses bas noirs. Je l'interrogeai sur son mari. Il était mort d'un cancer, dit-elle. J'avais touché une plaie encore à vif. La révolution l'avait terrifié, dit-elle. Ingénieur de haut niveau, il avait un poste important dans l'Administration. Il n'avait pas perdu sa place mais l'angoisse l'avait détruit. Cinq ans environ après le début de la révolution, il s'était plaint un jour de ne pas aller très bien et ils étaient allés chez le médecin, comme pour un problème bénin. Cancer du colon, tel fut le diagnostic. Une intervention chirurgicale s'imposait d'urgence. L'opération, quelques jours plus tard, réussit parfaitement. Mais une radio ultérieure révéla que les poumons étaient également atteints.

Non loin de la porte-fenêtre entrouverte, sur une petite table ovale, une copie, étaient disposées des photos de la famille : Mme Seghir à des âges différents, ses filles et, dans un grand cadre, un portrait de son mari pris peu de temps avant sa maladie (il n'avait pas voulu que ses enfants le voient quand il était devenu très malade). Un bel homme, affable, estimable et immédiatement séduisant. Les photos, dans des cadres divers, se serraient sur la petite table ovale, comme les porte-photographies parmi les ormes, les pins, les lauriers-roses et les drapeaux défraîchis dans le cimetière des Martyrs. Et eux aussi, d'une certaine manière, étaient des martyrs de la révolution.

Feyredoun devait être chez lui, en permission, cet après-midi-là, et

221

Mehrdad et moi allâmes le retrouver dans l'appartement familial. L'appartement, dans une rue du centre, était beaucoup plus petit que celui de Mme Seghir. Plus sombre, aux prétentions beaucoup moins opulentes, et désormais manifestement assez désargenté, il offrait néanmoins un peu la même atmosphère. Trop de meubles, vestiges de l'ancienne splendeur familiale. Situé au premier étage, l'appartement était envahi par le vacarme de la circulation, pas le grondement qui parvenait en haut de l'immeuble de Mme Seghir et se glissait par sa porte-fenêtre entrouverte, mais un bruit plus immédiat et plus intermittent qui entrait en permanence par les fenêtres métalliques ouvertes. Il y avait deux tables de salle à manger dans le petit salon. La plus longue, à angle droit avec l'autre, était disposée pour nous : des chocolats sur un plateau de verre, des fruits dans un saladier plus grand, et du thé dans des petits verres à motifs dorés munis d'un anse.

La mère de Feyredoun était dans la cuisine. Elle appela Mehrdad, qui alla bavarder quelques instants avec elle. Il revint au salon consterné.

« J'apprends des malheurs, dit-il. Parfois, j'ai le sentiment que je ne peux pas en supporter davantage. »

La mère de Feyredoun était pharmacienne dans un hôpital. Un des jardiniers avait un fils qui était parti à la guerre. Le garçon n'en était pas revenu, mais le jardinier ne voulait pas croire que son fils fût mort. Il disait toujours que son garçon allait revenir à la maison. Le jardinier était un homme dévot, barbu, si barbu et dévot que certains à l'hôpital le soupçonnaient d'être un espion idéologique et d'avoir l'œil sur le personnel. La guerre cessa enfin. Les prisonniers commencèrent à revenir. On publia des listes de prisonniers libérés, et le jardinier venait chaque fois demander à la mère de Feyredoun si le nom de son fils y figurait. Il ne s'y trouvait jamais.

Trois mois plus tôt, il y avait eu des funérailles collectives pour trois mille martyrs inconnus dont les restes avaient été recueillis sur les champs de bataille. L'aviation avait transporté les cercueils au cimetière des Martyrs. Tous recouverts du drapeau iranien (rouge, blanc et vert avec l'emblème d'Allah au milieu), ils étaient entassés en pyramides. Mehrdad avait été bouleversé en voyant la cérémonie à la télévision. Les hommes dont on enterrait les ossements étaient morts dans l'uniforme de l'armée ; Mehrdad, au service militaire, avait porté cet uniforme ; il s'était senti relié à ces morts. En racontant l'histoire dans le salon, il tirait sur sa chemise, pour montrer à quel point l'uniforme comptait pour lui.

L'une des bières contenait les restes — « deux os », dit Mehrdad — du fils du jardinier. Jusqu'à cet instant, le jardinier avait été fortifié par sa foi. Il s'abandonna au chagrin. Il était mort à peine une semaine ou deux plus tôt. L'autopsie avait révélé qu'il avait l'estomac entièrement rongé par le cancer. C'était ce dont la mère de Feyredoun voulait parler à Mehrdad. Ce qui l'avait poussé à me dire : « J'apprends des malheurs. »

Lorsque, bien des jours auparavant (qui me paraissaient désormais

222

comme autant de semaines), j'avais demandé à Mehrdad ce qu'il ressentait à propos de la guerre, il avait répondu : « Je ne ressens rien. » Ce qu'il entendait en fait par là, c'était ce qu'il venait de dire : « Parfois, j'ai le sentiment que je ne peux pas en supporter davantage. »

Il y avait toujours davantage de règles. Mais les jeunes, qui n'avaient connu que l'État religieux, apprenaient leurs propres manières de désobéir. Ils avaient leurs corps ; leur corps leur appartenait. On parlait d'une révolution sexuelle chez les jeunes ; et il y avait d'autres formes de désobéissance.

Le frère de Feyredoun avait dix-neuf ans. A peine cinq ou six ans de moins que son aîné, mais d'une génération différente. Feyredoun était un philosophe, un douteur, curieux intellectuellement. Seul un mur le séparait de son frère, disait-il. Mais de son côté du mur on trouvait des livres sérieux, et du côté de son frère des photos d'équipes de football et d'un groupe Heavy Metal, et un svastika. Le frère de Feyredoun était nazi. Il disait qu'en tant qu'Iranien, il était arien ; par conséquent nazi. Et il prenait la chose très au sérieux.

À la grande table de la pièce principale de l'appartement, Feyredoun me raconta que son frère et ses amis avaient chassé la famille juive qui habitait la porte à côté. Ils avaient taillardé les pneus de leur voiture et brisé leurs fenêtres. La famille n'avait pas simplement quitté Téhéran ; elle avait fui le pays.

L'Iran n'était pas l'Europe ou les États-Unis. L'Iran avait ses propres tensions, et l'histoire, d'une étrange innocence, que racontait Feyredoun ne parlait pas tant de jeunes nazis iraniens que de la différence entre les générations creusée par cinq ou six années. Autre aspect de cette différence, le frère nazi de Feyredoun et ses amis n'avaient pas peur. Leur sport préféré du moment consistait à provoquer les gardiens de la révolution, à les défier de les arrêter. Il y avait un prix à payer : le frère de Feyredoun passait souvent un jour ou deux en prison.

Le frère était assis au salon quand Mehrdad et moi étions arrivés. Un garçon très maigre, au teint cireux. Je ne savais alors rien de lui, et ne fis pas particulièrement attention à ses vêtements noirs. Il s'était montré poli mais réservé, et j'avais vu en lui un malheureux de plus, pauvre et perdu, sans avenir en vue, et plus désespéré que son frère ou Mehrdad. J'aurais maintenant aimé lui parler davantage. Mais — et cela, dit Feyredoun, était un autre signe de changement culturel, de rupture avec le passé — le garçon avait quitté l'appartement sans rien dire à personne.

La révolution avait engendré d'étranges enfants.

Feyredoun et Mehrdad m'emmenèrent dans un nouveau quartier de Téhéran en plein essor. On eût dit une autre ville. Au service des nouveaux riches, des profiteurs de la révolution. Ce quartier, dans le nord-est de Téhéran, avait une dizaine d'années. Les boutiques chères du nouveau centre commercial étaient destinées aux occupants des nouveaux immeubles qui poussaient d'un côté : des négociants et des intermédiaires, fit remarquer Mehrdad, pas des gens productifs. Mais dans le centre commercial leurs filles évoluaient avec une aisance et une séduction qui éclataient immédiatement : hauts talons, jambes fines dans des jeans délavés, tchadors courts et chic.

« Et la peau », nota Mehrdad, sensible à sa façon à la beauté des jeunes filles. La belle peau qui accompagne le bon air, une nourriture saine et des perspectives d'avenir : la peau que sa sœur n'avait pas.

Autre genre de personne, autre genre de désobéissance. Dans le poste de garde, haut et bien éclairé, à l'entrée du centre commercial, une très jeune fille, lointaine et assurée, faisait face au gardien de la révolution. « Elle s'est fait coincer », dit Feyredoun. Un comportement insuffisamment islamique ; quelque chose contre les règles, peut-être avait-elle les cheveux trop découverts. « Il va lui parler et la laisser partir », conclut Mehrdad.

Dans le café, Mehrdad nous désigna une fille dans le reflet de la vitre. « Elle est droguée », dit-il. La fille avait le regard embrumé, vague ; son foulard avait glissé très bas sur sa tête. Dans le coin, un gardien en kaki parlait au patron. Ce fut le gros serveur à la veste jaune qui vint dire à la fille de prendre garde à son tchador. Elle effleura à peine le sommet de sa tête ; et le gardien, qui voulait peut-être éviter une scène ou de donner l'impression qu'il avait été mis au défi, finit par s'en aller. Un peu plus tard, quand la fille sortit en chancelant, je vis que dans son dos sa longue chevelure châtain dépassait du foulard. C'était une mode, m'avait dit Mehrdad quelques jours auparavant, et aussi une manière d'afficher sa désobéissance.

Plus tard encore, sur la route longeant le centre commercial, nous vîmes un groupe de jeunes gens qui venaient d'être fouillés par les gardiens motocyclistes — à la recherche de cassettes vidéo, de disques compacts, de drogues et d'autres choses interdites.

CHAPITRE 17

Les deux tribus

Ispahan et Chiraz, villes célèbres aux noms romantiques, accueillaient de nouveau les touristes étrangers. Je me rendis d'abord à Ispahan, sans du tout savoir ce que j'y trouverais. Le nom n'évoquait pour moi aucun thème touristique ou culturel particulier. Java, bien plus lointaine, avait la pyramide bouddhiste mystique de Borobudur et les tours hindoues de Prambanam ; l'Inde le Taj Mahal et les temples-tours sculptés du Sud. Tandis qu'Ispahan, comme Samarkand, n'était que son nom romantique. Les idées que je pouvais avoir de sa gloire, je les avais acquises indirectement, *via* la peinture indienne. Des miniatures mogholes surchargées m'avaient ainsi appris que pour l'empereur Jahangir (qui régna de 1605 à 1627), l'Inde de son empire et la Perse de Chah Abbas (sur le trône de 1587 à 1629) étaient les grandes puissances du globe ; aucun autre pays ne comptait vraiment. La Grande-Bretagne (même après la reine Élisabeth et la défaite de l'Armada espagnole et Shakespeare) était bien loin, en marge ; l'ambassadeur envoyé par le roi Jacques en 1618 avait eu grand-peine à obtenir une audience de Jahangir.

Un peintre hindou de la cour de Jahangir avait passé six ans à Ispahan avec une ambassade moghole à peindre des portraits de Chah Abbas, pour permettre à Jahangir de comprendre son grand rival, et en même temps de se sentir à l'aise avec lui. C'étaient ces représentations, parfois délibérément étriquées, d'un Chah Abbas aux jambes courtes (avec une épée recourbée presque trop grosse pour lui), plutôt qu'une quelconque idée concrète de sa capitale, que j'avais à l'esprit. Aussi — tel est le pouvoir de la caricature — n'étais-je pas préparé à la splendeur, aux dimensions et au cosmopolitisme d'Ispahan, à son assurance et à son invention stupéfiantes, et, toujours, à la justesse de ses proportions : l'immense place principale (plus vaste que Saint-Marc à Venise) ; les ponts ; les dômes des mosquées et des églises ; les carreaux aux teintes délicates dans les couleurs, les motifs et les effets, grands et petits, desquels on pouvait se perdre ; les majestueuses salles d'audience. On comprenait le malaise de Jahangir : l'architecture moghole se trouvait déjà presque tout entière présente dans l'Ispahan de Chah Abbas, en plus de tant d'autres choses.

Une telle gloire ici ; une gloire parente en Inde. Et pourtant, moins d'un siècle après Jahangir, c'en était fini de la gloire moghole en Inde ;

encore un siècle et l'Inde était une colonie anglaise. L'Iran ne devint jamais officiellement une colonie. Son destin fut à certains égards pire. Lorsque l'Europe, naguère si lointaine, fit sentir sa présence, l'Iran disparut de la carte. Ses grands monuments tombèrent en ruine (sans jamais devenir aussi célèbres que les monuments indiens). Et, à la fin du dix-neuvième siècle, ses souverains étaient prêts à céder le pays, et son peuple, aux concessionnaires étrangers.

L'Inde, presque aussitôt qu'elle devint une colonie anglaise, commença à se régénérer, à recevoir la Science nouvelle de l'Europe et à acquérir les institutions qui l'accompagnaient. Le premier grand réformateur indien, Radja Rammohun Roy, est né en 1772, avant la Révolution française ; Gandhi en 1869. L'Iran n'entrerait dans le vingtième siècle qu'avec une certaine idée de la souveraineté orientale et le savoir théologique suranné d'endroits comme Qom. L'Iran n'entrerait dans le vingtième siècle qu'avec une aptitude à la souffrance et au nihilisme.

Glorieuse était la Perse de Chah Abbas, mais d'une gloire défectueuse. Ce n'était pas une remarque que je pouvais soumettre à mon hôte et guide à Ispahan. Diplomate à la retraite, il débordait de la souffrance de son pays. Sa vie était écartelée entre deux pôles. Dans les années soixante, son père avait voulu lui donner une éducation anglaise. Dans les années quatre-vingt, après la révolution, et après qu'il se fut retiré de la diplomatie, il avait renoncé à voyager à l'étranger : dans le monde extérieur, le porteur d'un passeport iranien essuyait trop d'humiliations. Il vivait des restes de ses rentes ; et il donnait aussi quelques leçons. La révolution et la guerre l'avaient détruit et avaient épuisé son pays ; le vieux diplomate s'en rendait parfaitement compte. Mais il demeurait néanmoins écartelé ; la révolution et la guerre lui paraissaient encore nécessaires, et ses récits douloureux étaient ambigus. Il avait un ami enseignant, de la bourgeoise iranienne européanisée de l'époque du chah. Quand survint la révolution, il approchait de la quarantaine et avait un fils de onze ans. Celui-ci s'appelait Farhad ; c'était le genre de vieux prénoms iraniens — plutôt qu'arabes ou islamiques — que l'on donnait aux enfants dans la bourgeoisie depuis les réformes du père du chah.

Après la révolution, l'enseignant sentit que son fils commençait à s'éloigner de lui. La deuxième année de la guerre, à l'âge de quatorze ans, le garçon rejeta finalement sa famille et ses attitudes. Il abandonna le prénom de Fahrad pour adopter celui, arabe, de Maissam. Maissam était l'un des premiers disciples du Prophète ; il avait subi le martyre. Telle était la voie que désirait suivre le fils de l'enseignant.

Khomeiny avait dit que la révolution devait s'intéresser d'abord aux enfants et à la jeunesse. Les gens de plus de quarante ans (comme l'enseignant) étaient inutiles. (Et l'ayatollah Montazeri, l'adjoint du Guide, était allé plus loin avec cette métaphore poétique : il fallait abattre les arbres secs.) Ce n'étaient pas paroles en l'air. Une grande énergie avait été consacrée à l'endoctrinement de la jeunesse ; avec la guerre, la révolution avait des besoins pressants.

« Les jeunes garçons aiment jouer avec des armes, expliqua le vieux diplomate. Ils les emmenaient donc dans les mosquées pour leur montrer les mitraillettes israéliennes Uzi et d'autres armes. Fascinés, les gamins se mettaient à scander slogans et prières tandis qu'on leur racontait l'histoire des martyrs de Kerbela. » Le combat inégal de Kerbela, tragédie et passion chiite, ressassé sans fin. « La victoire du sang sur l'épée. Parce que le martyr l'emporte en fin de compte. Et certains de ces jeunes gens dénonçaient leurs amis moudjahidines ou des groupes communistes. On leur demandait de donner des informations sur leur famille et celle de leurs amis, comme une sorte d'acte révolutionnaire. »

Puis un jour, sans rien dire à ses parents, le fils de l'enseignant partit à la mosquée s'engager et fut envoyé au front.

« On m'a raconté plus tard qu'il devint le chef d'un petit groupe de démineurs. Il était bassidji. Au début, ils ne savaient pas désamorcer les mines et ils envoyaient les bassidji par centaines au déminage. Toute une mise en scène précédait leur enrôlement. Un homme était maquillé avec un produit phosphorescent, pour suggérer que l'imam Mahdi avait été vu au front galopant dans le lointain sur un cheval blanc. » L'imam Mahdi, le douzième imam des chiites, qui se cache depuis des siècles en attendant de revenir parmi les croyants. « Et ils donnaient aux bassidji une clé qu'ils s'accrochaient autour du cou : une clé du paradis. A l'époque, une blague racontait que les clés du paradis étaient fabriquées en masse au Japon et importées. Mais je dois vous dire que ces jeunes gens voulaient vraiment partir. Certains de mes élèves se sont engagés. Je me rappelle le jour où l'autocar les a emmenés. L'autocar attendait et l'un des garçons tremblait dans mes bras. Je lui ai dit : "Si tu n'es pas certain, tu n'es pas obligé de partir." Il a répondu : "Il faut que je parte, mais j'ai peur." Ils les faisaient monter dans des autocars et les promenaient dans toute la ville : héros qui partaient combattre Satan et ouvrir la route de Kerbela. » Kerbela, qui donnait son nom à l'ancienne bataille sacrificielle des chiites, était encore une ville d'Irak.

« La coutume veut en Iran que lorsque quelqu'un part en voyage il doit passer deux ou trois fois sous le Coran. Le chef de famille baise le Coran et le tient au-dessus de la tête de la personne qui s'en va. Mais pour ces bassidji, quand ils les envoyaient au front, c'était un mollah qui baisait le Coran et le tenait au-dessus de la tête. Puis ils leur donnaient des bandeaux, rouges ou verts. Naturellement, c'est une belle cérémonie d'adieu. Quand j'étais jeune et que je devais partir en voyage, ma mère procédait à ce rite au-dessus de ma tête avec le Coran. Quand je montais dans la voiture, elle versait de l'eau derrière moi sur le sol. On bénissait l'eau avant de la verser, puis on soufflait dessus. L'eau était un élément sacré en Iran, et la cérémonie est presque certainement préislamique. »

Au bout de quelque temps l'enseignant apprit que son fils avait été blessé et se trouvait dans un hôpital de Tabriz. Il s'y rendit et le ramena chez lui pour le soigner. Quand le garçon fut rétabli, il retourna au front. L'épisode se répéta à maintes reprises.

« Au bout de six ans, il finit par rentrer chez lui. La guerre était finie. Il était très abattu. Ses parents ne savaient pas quoi faire de lui. Il passait presque tout son temps dans sa chambre. Il ne voulait voir personne. Un jour, le père se décida finalement à entrer dans la chambre : le garçon était assis en tailleur au centre de la pièce sur un tapis jonché de photos, photos de groupe et portraits individuels. Il dit simplement à son père : "Tous ces gens sont morts." C'étaient ses amis au front. »

La guerre s'éloignait ; les choses se calmaient ; il n'y avait plus autant de frénésie ou de zèle que naguère. Lentement, cédant à l'amour de ses parents, le garçon se rétablit ; il changea de coiffure ; il recommença à porter des vêtements européens ou internationaux. Il s'inscrivit à l'université. Les bassidji étaient privilégiés ; ils pouvaient aller à l'université, même s'ils rataient l'examen d'entrée. Fragment par fragment, alors, il recouvra jeune homme la personnalité qu'il avait rejetée adolescent, six ou sept ans auparavant. Il se remit à écouter de la musique pop. Il abandonna le prénom arabe qu'il s'était donné pour redevenir Fahrad.

« Il pense maintenant devenir médecin, dit le diplomate. C'est comme si tout avait été un rêve. Il ne parle pas de la guerre. Je sais que nombre d'entre eux — les garçons comme lui — ont été déçus. Mais comme ils bénéficiaient de privilèges spéciaux en tant que bassidji, ils souffrent maintenant d'un dédoublement de la personnalité. »

Dédoublement de la personnalité pour Maissam-Farhad ; et pour le vieux diplomate également, parce que être iranien impliquait d'avoir une religion particulière, version spéciale de la religion arabe ; et le vieux diplomate savait au tréfonds de lui-même — et cela faisait partie de sa souffrance — que, si épuisante, si peu concluante et effroyable qu'avait été la guerre, il fallait se battre.

« Si ces garçons n'avaient pas fait ces sacrifices, Saddam et les Irakiens auraient avalé un quart de l'Iran. En un sens, Khomeiny peut être considéré comme l'un des des pères du nationalisme iranien. Il a ressuscité le vieil antagonisme arabo-iranien après tant d'années. » L'un des titres que se donnait Saddam était "Vainqueur de Ghadessiah", la grande défaite infligée aux Iraniens par les Arabes au tout début de l'invasion musulmane. A l'époque du calife Omar, dix ans après Mahomet. Et Saddam traitait les Iraniens de "mages", de "zoroastriens". Adorateurs du feu, sectateurs de la principale religion préislamique de l'Iran.

Le vieux diplomate était un homme sage et cultivé ; pourtant, les sarcasmes irakiens — dignes d'une cour de récréation — avaient encore le pouvoir de le heurter ; la raillerie sur le passé païen de l'Iran, le passé du culte du feu et de l'incroyance, le passé d'avant l'islam, et l'autre moquerie, à propos de la manière dont l'islam était arrivé en Iran, par la conquête des Arabes, propageant énergiquement leur foi nouvelle. La bataille de Ghadessiah avait eu lieu en 637, mais elle était aussi proche que la défaite de Kerbela. La Perse avait une longue histoire ; pendant presque mille ans avant Ghadessiah, elle avait été une grande puissance, elle avait défié la Grèce et blessé Rome. Mais ce passé était mort ; il aurait aussi bien pu appartenir à un autre peuple ; il ne compensait pas la défaite de Ghadessiah. Dans la conscience des gens, l'Iran commençait avec la venue de l'islam, commençait par cette défaite. Cela donnait en Iran un tranchant particulier à la religion, et une passion spéciale à la population.

Le fils de l'enseignant avait vécu les contradictions de cette passion jusqu'au bout. En rejetant les attitudes européanisées, inspirées par le chah, de sa famille, en embrassant la religion, il s'était donné le nom d'un des premiers martyrs arabes. Pour aboutir au bandeau du bassidji, à la clé du paradis autour du cou et à la guerre contre l'Arabe qui se faisait appeler vainqueur de Ghadessiah.

Les enfant aussi présentaient un dédoublement de la personnalité, dit le diplomate. C'était ainsi qu'ils résistaient à ce qui était trop écrasant et qu'ils préservaient une partie d'eux-mêmes.

Et de raconter l'histoire d'un couple qu'il connaissait, des gens comme lui, souffrants, mécontents, et néanmoins nationalistes. Leur fille de neuf ans fréquentait une école hezbollah du voisinage. Un jour, ils reçurent une convocation du directeur qui leur apprit que leur fille était devenue la meilleure récitante du Coran de l'école. A tel point que l'école avait décidé de lui décerner un prix en présence de ses parents. Ceux-ci ignoraient tout de ce talent de leur fille. En fait, la convocation les avait effrayés. Ils se demandaient ce que leur fille avait bien pu raconter à leur propos.

« Voilà l'étrange manière dont on vit aujourd'hui », conclut le diplomate.

Telles étaient les histoires que j'entendis en parcourant Ispahan à pied et en voiture, pendant que je contemplais les dômes et les carrelages, les arcs et les voûtes, et, la nuit, les lumières des ponts bordés d'arcades sur la rivière. Beaucoup de monuments avaient été restaurés, mais beaucoup paraissaient périssables. La brique était périssable ; et dans certaines venelles de terre, l'arrière de brique nue de beaux édifices semblait sur le point de retourner à l'argile. Presque gênante, une grande souffrance, physique et mentale, se cachait derrière la civilité du vieux diplomate. La souffrance était le véritable sujet de ses anecdotes ; et parfois l'une d'elles, bien que présentée comme l'expérience vécue de quelqu'un qu'il connaissait, avait une saveur de mythe populaire, tout comme à certains moments des blagues apparaissent et circulent dans des communautés, inventées par personne mais enrichies par chacun. Telle était l'histoire du « bout de viande ».

Une dame d'un certain âge en tchador demanda à un oculiste d'examiner les yeux d'un jeune homme qu'on soignait à l'hôpital local. Le spécialiste constata alors que le patient n'était qu'un « bout de viande », irrémédiablement mutilé, sans mains, sans pieds. Tous les jours, la dame au tchador venait le chercher pour l'emmener voir ce patient. L'oculiste ne voyait pas l'intérêt de rendre la vue à quelqu'un qui ne recouvrerait jamais la santé ni ne pourrait avoir aucune sorte d'existence, mais il ne voulait pas blesser la dame au tchador. Elle passait son temps à l'hôpital. Il y en avait deux ou trois comme elle, pas davantage.

L'oculiste fit une enquête. Il découvrit que la dame au tchador n'était pas la mère du jeune homme ; elle n'était qu'une voisine. La mère venait tous les jours à l'hôpital, mais elle ne restait pas longtemps. Le médecin finit par gagner la confiance de la dame au tchador, et un jour il lui demanda pourquoi elle voulait que le jeune mutilé, qui n'était pas son fils, recouvre la vue.

« Mon propre fils, répondit la dame au tchador, mon propre fils a été exécuté parce qu'il appartenait à un groupe antirévolutionnaire. Et c'est ce garçon ici présent, ce fils de voisins, qui l'a dénoncé. Je suis contente que mon fils soit mort. Il a été exécuté, c'est tout. Je veux maintenir ce bout de viande en vie pour me venger. Je veux que sa mère souffre pour lui chaque jour que Dieu fait. »

Le chah exaltait le passé préislamique, en partie pour se relier à ses grands souverains. Tel Alexandre deux mille ans plus tôt, il avait fait un pèlerinage en grande pompe sur la tombe de Cyrus à Pasargades. Après la révolution, des bandes révolutionnaires étaient venues ravager le tombeau et les palais (et le temple du feu) alentour ; mais elles n'avaient pas fait grands dégâts. On disait aussi (je ne sais dans quelle mesure c'est vrai) que l'ayatollah Khalkhalli, le juge-bourreau de Khomeiny, avait été nommé à une commission chargée de définir les meilleurs moyens de détruire (ou de simplement mutiler) les ruines de Persépolis. Mais alors avait éclaté la guerre, la longue Défense sacrée. Et maintenant les touristes revenaient à Chiraz ; ils allaient en voiture à Persépolis et quelques-uns poussaient jusqu'à Pasargades.

Le moment révolutionnaire nihiliste était passé. La révolution s'était installée ; il n'y avait plus d'ennemis ; le monde avait été refait (bien qu'à trente pour cent seulement, de l'avis de l'ayatollah Khalkhalli).

Il y avait un examen d'entrée islamique à l'université. De plus en plus difficile, disait Mehrdad. Cinq ans auparavant encore, les étudiants n'étaient pas obligés d'apprendre par cœur des parties du Coran. Et dans toutes les administrations, une organisation islamique interrogeait tous les candidats aux emplois. Elle posait des questions politiques, mais voulait aussi savoir si les gens connaissaient bien les règles islamiques.

« Pas les règles ordinaires, mais de très détaillées, dit Mehrdad. Ils disent que tous les musulmans doivent connaître ces règles. Ils vous interrogent sur les prières. Nous avons cinq prières ordinaires par jour. Mais aussi la prière de la peur, à réciter en cas d'urgence. Ou les prières du vendredi. Ou les prières pour les morts. Toutes ont des règles. Et quelqu'un comme moi, qui ne dit pas les prières ordinaires, ne peut connaître les prières extraordinaires. »

À l'université, la Volonté de Khomeiny représentait une matière spéciale. Elle comptait pour une unité de valeur et était obligatoire, même pour les non-musulmans ; il fallait l'obtenir quelle que soit sa spécialisation.

« La matière s'appelle *La Volonté de l'Imam*. J'ai eu vingt sur vingt, dit Mehrdad. Notre professeur nous a remis un résumé de dix pages manuscrites. Le style de Khomeiny est compliqué. Même une phrase simple a une grammaire compliquée. Au simple vu d'une sentence peinte sur un mur, un enfant de dix ans sait qu'elle est de Khomeiny. Dans l'ensemble ce n'est pas désagréable, mais lire quarante pages aurait été pénible. Le résumé du professeur simplifiait la tâche. Il est uniquement question de la survie de la révolution : mises en garde contre l'Amérique et l'impérialisme, et comment veiller à la préservation de la mosquée et de l'islam. »

Le monde avait été refait. Au lieu des photos de la famille royale, le père de Mehrdad affichait désormais au mur une silhouette de Khomeiny (dessinée par Mehrdad : il aimait se servir de ses mains). Le pays avait été mis sens dessus dessous, éviscéré par la guerre et la révolution. Quelques personnes avaient émergé ; bien davantage avaient été détruites ; et nul ne pouvait affirmer que c'était pour une cause supérieure. Tout ce que l'on pouvait dire, c'était que le pays avait reçu une connaissance presque universelle de la souffrance. Plus aucune volonté d'agir : avec l'épuisement qui accompagnait leur souffrance, les gens attendaient seulement que quelque chose arrive. Les gens comme Mehrdad et sa famille vivaient sur les nerfs. C'était peut-être pareil du temps du chah. Si bien que l'histoire paraissait curieusement circulaire. Chaque grande action — la guerre, la révolution — était nécessaire. Et chacune, par un enchaînement inexorable, ramenait à elle-même.

Lors de mon dernier jour à Téhéran, je parlai à Ali de la révolution contre le chah. Aurait-il pu arriver autre chose ?

Les gens comme lui avaient besoin de liberté, répondit Ali. Ils étaient riches sous le chah, mais ils devaient vivre comme des rats. Quand ils comparaient avec d'autres pays, ils se sentaient humiliés. Personne ne pouvait se sentir bien avec ce genre d'humiliation. C'étaient les gens comme lui, pas les pauvres, qui avaient fait la révolution. Et il y avait le côté culturel, le côté islamique.

« Il faut que je revienne en arrière, dit Ali. Dans les années quarante, quand l'Iran fut occupé par les Alliés, des tas de gens ont commencé à émigrer des villages vers les petites villes. Et un tas de petits hommes d'affaires des petites villes sont partis s'installer dans les grandes villes. »

Dans les villes, les immigrants ont fini par être plus nombreux que les anciens habitants. Ces derniers étaient laïques ; les nouveaux venus avaient de profondes traditions islamiques. Ce qu'ils voyaient dans les villes ne leur plaisait pas : débits de boissons, cabarets, femmes en jupes courtes, cinémas projetant des films érotiques, femmes chantant et dansant à demi nues à la télévision. Ce mouvement des villages vers les grandes villes se poursuivit pendant toutes les années quarante et cinquante.

Dans les années soixante, le chah engagea sa réforme agraire. « Les terres riches ont été laissées aux anciens possesseurs, les terres infertiles ou à demi fertiles divisées entre les paysans, les gens qui travaillaient la terre depuis toujours. Traditionnellement, les paysans pouvaient s'en remettre à leur propriétaire. Il leur suçait le sang mais était leur protecteur. Il leur prêtait de l'argent, leur donnait des semences et les aidait en cas de catastrophe. Avec la distribution des terres, les paysans ont perdu leur protecteur, et le gouvernement n'a pas fait mine de le remplacer par un système bancaire. Incapables de joindre les deux bouts, les paysans ont quitté leur ferme pour la ville. »

Ces gens étaient aussi conservateurs et religieux. Leurs enfants grandirent dans les villes et firent des études. Ils allèrent à l'université ; ils profitèrent des bourses du chah. Mais cette deuxième génération était encore sous l'influence islamique paternelle. Ali estimait qu'il fallait deux ou trois générations pour changer le mode de pensée rural. L'Iran n'avait pas le temps. Les choses bougeaient trop vite. Sans prédécesseurs pour lui faire concurrence, cette deuxième génération forma un groupe puissant. Elle entra dans l'Administration et l'enseignement. Nombreux furent ceux qui s'établirent au bazar et se lancèrent dans les affaires.

« Mentalement, c'étaient des musulmans. Et comme ils venaient de familles pauvres, ils avaient une mentalité socialiste de gauche. Voilà pourquoi les moudjahidines ont exercé un vif attrait : le marxisme et l'islam composaient leur idéologie. Quelle ironie ! Le matérialisme et Allah. Ces gens, la première et la deuxième générations des nouveaux citadins, conservaient leurs liens avec leur famille paysanne restée à la campagne, dans les villages et les petites villes. C'étaient les dirigeants du nouveau mouvement. J'en connaissais plein à Kerman. Et quand la révolution a commencé, les chefs se trouvaient déjà dans les villes tandis que les masses dont ils avaient besoin pour le soulèvement et les manifestations étaient restées dans les villages et les bourgades. »

À l'écart, et comme dans un autre monde, vivaient les gens du chah. C'étaient les fils et les filles de l'ancienne population citadine. La plupart étaient riches et avaient étudié dans des écoles européennes ou américaines. Ils parlaient plusieurs langues ; ils pouvaient discuter de philosophie occidentale et de politique européenne. Ils connaissaient l'histoire de la France, de l'Espagne et de l'Allemagne mieux que celle de l'Iran.

« Ils constituaient environ cinq pour cent de la population. Au maximum. Les autres, en dessous, étaient les quatre-vingt-quinze pour cent qui lisaient le Coran, l'arabe : le peuple réel, les masses. Ils n'avaient aucune relation avec les cinq pour cent. C'étaient deux tribus vivant dans le même pays. Le chah était entouré de ces cinq pour cent. Surtout vers la fin, quand il a épousé sa dernière reine, éduquée en France, de culture entièrement française. Ils réprouvaient la tradition islamique exactement comme l'autre groupe rejetait la tradition occidentale qui lui était imposée. »

Dans les années soixante-dix, avec le boom pétrolier, l'Iran vit son revenu multiplié par cinquante. Cette richesse qui dépassait l'imagination ne fit qu'aggraver les choses.

« Cette richesse nouvelle a afflué dans les grandes villes alors que la majorité de la population vivait dans les zones rurales. Les fils des paysans qui avaient émigré dans les villes se sont rendu compte qu'ils étaient floués. Et de plus en plus, à partir de 1970, les organisations islamistes ont commencé à proliférer dans les universités et dans toutes les villes. Et en particulier dans le bazar. Ces organisations islamiques tenaient lieu de partis politiques. Le chah ne permettait pas aux partis politiques de s'implanter. Et ces groupes islamiques disaient aussi ce que le peuple pensait du chah et de son entourage : qu'ils n'étaient pas musulmans. Le chah, la reine et les proches de celle-ci se sont mis à organiser des spectacles artistiques. Ils invitaient musiciens, poètes, danseurs et toutes sortes d'artistes de l'étranger. Et notamment un groupe qui dansait complètement nu. Il y a eu de nombreuses fêtes de ce genre. C'était comme jeter de l'huile sur le feu. »

Maintenant, près de vingt ans après, le chah et son entourage avaient disparu. Les photos en couleurs des chefs religieux étaient partout. Eux aussi exigeaient une obéissance absolue. Le pays était plein de règles islamiques, et gardiens et bassidji les faisaient respecter, l'après-midi dans les parcs, la nuit sur les routes. La jeunesse n'avait connu que le régime religieux. Le frère de Feyredoun était devenu nazi, à sa manière innocente, dangereuse ; ses amis et lui sortaient parfois la nuit pour provoquer les gardiens. Les jeunes vivaient une révolution sexuelle et prenaient leurs distances avec la religion trop stricte, trop omniprésente. De cet éloignement, Emami, le talebeh, avait dit à Qom : « Nos ennemis connaissent nos faiblesses. » Après toute la souffrance, un nouveau nihilisme semblait se préparer.

« Les deux tribus de l'Iran existent toujours, dit Ali. Si elles ne se marient pas ensemble, je ne sais pas où elles vont aller. »

TROISIÈME PARTIE

Pakistan

Disparaître de la carte

CHAPITRE 18

Une entreprise criminelle

Il y avait beaucoup à voir à Persépolis ; une journée n'y suffisait pas. Et rares étaient les touristes disposés ensuite à parcourir encore quarante kilomètres pour visiter Pasargades, où il y avait en comparaison peu de choses, et qui plus est dénudées, dispersées et dépouillées : la tour effondrée d'un temple du feu, le palais et la tombe de Cyrus. Mehrdad et moi eûmes l'endroit pour nous tout seuls. Le vieux guide boucané à l'entrée du site (peut-être aussi l'un des gardiens), petit, maigre et barbu, vêtu d'une vieille veste et d'un pull-over pour se protéger du vent et de la poussière, enfourcha son scooter et, sans un mot, entreprit de nous servir d'escorte dans cette désolation. Bringuebalant à quelques mètres seulement devant nous, projetant poussière et fumée, il nous indiquait le chemin en souriant — tel l'enchanteur d'une version moderne de quelque vieux mythe — chaque fois que le chauffeur hésitait.

Nous arrivâmes ainsi aux ruines du palais de Cyrus. De larges portions du pavement blanc, emboîtement de gros blocs irréguliers de marbre, étaient restées aussi planes et étroitement jointées que lorsqu'elles avaient été mises en place deux mille cinq cents ans auparavant. A un moment, le palais avait servi de carrière. Une partie des pierres ainsi arrachées — utilisées dans la construction d'une mosquée — avaient été récupérées et ramenées sur le site. Ces blocs, gravés de caractères arabes, ne servaient maintenant à rien ; ils gisaient là comme autant de reliques sacrées, en ce lieu qui était l'un des centres mondiaux du pouvoir un siècle avant Hérodote, plus de mille ans avant l'islam. La plaine alentour était couverte d'herbes et de fleurs sauvages, sèches et cassantes en cette fin d'été, et bruissait du chant d'oiseaux invisibles.

Peu de temps auparavant, dit le guide, trente à quarante Indiens étaient venus en autocar. Debout au pied d'une colonne portant au sommet une inscription cunéiforme — *Je suis Cyrus, fils de Cambyse, et ceci est mon palais* — ils avaient prié, puis, pendant une vingtaine de minutes, s'étaient lamentés. Ils étaient alors remontés dans leur car et étaient partis.

Le guide ne savait pas qui étaient les gens de l'autocar. Mais il était facile de deviner que c'étaient des Parsis, des zoroastriens, adeptes de la religion préislamique de la Perse et descendants des populations qui avaient quitté le pays après la conquête arabe et l'arrivée de l'islam. Ils avaient trouvé refuge en Inde, dans le Gujarat ; le gujarati était devenu leur langue. Leur petite communauté était restée presque intacte jusqu'au vingtième siècle. Maintenant, avec le métissage qui accompagnait l'ouverture générale du monde, ils se dissolvaient. Que quelques-uns se soient souvenus de leur gloire ancienne, pour cette affliction rituelle dans le palais en ruine de Cyrus, ressemblait à un miracle. Même si les antiques prières étaient à demi oubliées et le rituel inventé.

Peu après, je partis pour le Pakistan, à Lahore. Je descendis à l'hôtel Avari. Les Avari étaient des Parsis de la diaspora ; la division du sous-continent indien en 1947 avait laissé quelques Parsis en Inde, quelques-uns au Pakistan. Dans le hall de l'hôtel étaient affichées de grandes photographies en couleurs de M. et Mme Avari, les fondateurs. A l'entrée, une plaque rendait hommage à la vie et à l'œuvre de Mme Avari, et se concluait par ces mots : *Elle est morte le 25 novembre 1977 à Boston (USA). Puisse le Tout-Puissant Ahura Mazda accorder à son âme la paix éternelle dans le ciel.*

Le zoroastrisme apparaissait de la sorte comme une version du christianisme ou de l'islam. L'ancienne religion iranienne était-elle ainsi ? Peut-être cela n'avait-il aucune importance. L'important était ce qui subsistait dans le cœur des gens qui avaient posé cette plaque. Le monde antique avait été renversé et refait par le christianisme et l'islam, religions universelles et non simplement locales, dont les idées religieuses et sociales touchaient tout le monde et pouvaient sembler familières au profane même.

En Iran, le passé préislamique était irrécouvrable. Il n'en allait pas de même au Pakistan. Des fragments essentiels du passé survivaient dans les vêtements, les coutumes, les cérémonies, les fêtes et, en particulier, l'idée des castes. L'islam était arrivé en Iran juste après l'époque du Prophète. C'est près de quatre cents ans plus tard qu'il commença à pénétrer l'Inde du Nord-Ouest (la conquête du Sind dans le Sud-Ouest étant un cas particulier). En 1200 (pour donner des dates très approximatives), les musulmans formaient une puissance dans le nord du sous-continent ; en 1600, cette puissance était à son apogée ; vers 1700, avec le déclin de l'Empire moghol, la puissance musulmane en Inde était plus ou moins brisée.

Il n'y avait jamais eu conquête globale ou définitive comme en Iran. En fait, les peuples extraordinaires qui surgirent après le déclin des Moghols — les Mahrates, les Sikhs — défendaient en partie leur foi contre les musulmans. Ce furent les Britanniques, d'une religion étrangère, qui soumirent ces deux peuples pour devenir, par un mélange d'administration directe et indirecte, la puissance principale du sous-continent.

L'époque britannique — deux cents ans par endroits, moins de cent ans ailleurs — vit la régénération des hindous qui, surtout au Bengale, accueillirent avec enthousiasme la Science nouvelle de l'Europe et les institutions qu'apportaient les Anglais. Les musulmans, blessés par la perte de leur pouvoir et épousant de vieux scrupules religieux, se tinrent à l'écart. Ce fut le début de l'éloignement intellectuel entre les deux communautés. Cette distance s'était accrue depuis l'indépendance ; et c'était cela — plus encore que la religion — qui faisait de l'Inde et du Pakistan deux pays très différents en cette fin du vingtième siècle. L'Inde, dont l'intelligentsia se développe par bonds, s'étend dans toutes les directions. Le Pakistan, ne proclamant que la foi encore et toujours, ne cesse de se racornir.

C'est l'insécurité musulmane qui avait réclamé la création du Pakistan. Elle s'accompagnait d'une vision de la gloire ancienne, d'envahisseurs déferlant du Nord-Ouest pour piller les temples de l'Hindoustan et imposer la foi à l'infidèle. Ce fantasme vit encore ; et pour les convertis à l'islam du sous-continent c'est le début de leur névrose, parce que dans ce fantasme, le converti oublie qui il est et ce qu'il est pour devenir le violateur. C'est comme si, en changeant de continent, les peuples indigènes du Mexique et du Pérou s'étaient rangés aux côtés de Cortès, de Pizarre et des Espagnols pour se faire les propagateurs de la vraie foi.

Un avocat me parla des slogans musulmans qu'il avait entendus à l'âge de trois ans, dans une petite ville du Pendjab, au moment de l'agitation en faveur de la création du Pakistan. Ils l'avaient bouleversé enfant et le bouleversaient encore. L'avocat (dont le père avait été un célèbre homme de gauche avant la partition) se disait tout aussi à gauche que son père. Si les gens dehors, dit-il en désignant (discrètement) la rue du menton, savaient à quel point il était de gauche, il serait « pendu d'ici une demi-heure ».

Mais c'était un vieux fanatique, en réalité. Non content de posséder sa foi, il voulait qu'elle triomphe à l'ancienne mode. Je l'ai senti dès qu'il s'est mis à réciter les slogans de 1947. Sa voix tremblait, son œil étincelait ; enfant de trois ans à Lyallpur, il jouait de nouveau avec des visions d'expédier l'infidèle dans un monde meilleur.

> *Darté naheen dunya mayu musalman kissi sé —*
> *Ja pouche Ali-sé.*
>
> Nulle crainte en ce monde ne connaît le musulman —
> Va demander à Ali.

La traduction — ourdou liquide se transformant, mot à mot, en pierre anglaise — le refroidit. Il dit, s'excusant à demi et retrouvant ses manières d'avocat : « Ce n'est peut-être pas de la très bonne poésie, mais ça me colle au cœur. »

Nous étions assis dans la salle à manger de l'avocat, pièce très fatiguée et étrangement sombre, comme un peu trop enfoncée en dessous du niveau de la rue. Une mauvaise odeur arrivait du caniveau : peut-être un problème d'égouts. L'avocat s'en excusa ; il semblait pourtant s'y être habitué. Le réfrigérateur se trouvait dans un coin de la pièce, peut-être une précaution contre les domestiques. Un Pathan grand et maussade, portant les vêtements très sales que l'on requiert des serviteurs au Pakistan, venait toutes les deux minutes prendre ou remettre quelque chose dans l'appareil. Cette intrusion ne dérangeait aucunement l'avocat, les yeux brillants, perdus dans le lointain. Les slogans de 1947 lui avaient donné du tonus, je sentais qu'ils résonnaient encore dans sa tête.

Nous commençâmes enfin à siroter le mauvais café que le serviteur sale nous servit et, comme chez tant de gens que j'avais rencontrés, nous contemplâmes la ruine de l'État.

Le nouvel État avait été créé à la hâte et sans vrai programme. Il ne pouvait accueillir tous les musulmans du sous-continent ; c'était impossible. En réalité, il était resté plus de musulmans en Inde qu'il n'y en avait dans le nouvel État islamique. Celui-ci semblait plutôt destiné à affirmer le triomphe de la foi, à planter une épine dans le cœur du vieil Hindoustan. Quelqu'un (pas l'avocat) se rappelait ce slogan sarcastique de 1947 :

> *But kay rahé ga Hindustan,*
> *Bun kay rahé ga Pakistan.*

> Aussi sûr que l'Hindoustan sera divisé
> Le Pakistan sera fondé.

À Lahore, en 1979, j'avais rencontré un homme qui avait essayé de m'expliquer ce que la création du Pakistan avait signifié pour lui enfant. Il cherchait ses mots et avait fini par me dire : « Pour moi c'était comme Dieu. » Pour beaucoup de musulmans du sous-continent, sinon pour la plupart, l'État conquis sur l'Inde se présenta comme une sorte d'extase religieuse, par-delà la raison, par-delà les querelles sur les frontières, les constitutions et les plans économiques.

Puis, presque dès la partition, certains comprirent qu'il y avait aussi de l'argent à tirer de ce nouvel État. Toutes les provinces de l'Ouest — foyers anciens et pas si anciens de l'hindouisme, du bouddhisme et du sikhisme — allaient enfin être vidées, ou purifiées, de leurs populations hindoue et sikh. Celles-ci partiraient en Inde. Hindous et Sikhs formaient des communautés riches ; on disait qu'ils possédaient quarante pour cent de la richesse de la région. Quand ils émigrèrent, nombre de dettes s'effacèrent ; et dans tout le Pakistan, dans les villages et les villes, grandes et petites, une énorme quantité de biens réclamaient de nouveaux propriétaires. Des fortunes se firent ou se multiplièrent du jour au lendemain. Ainsi, dès le début, le nouvel État religieux fut-il hypothéqué par la vieille idée du pillage. La notion de l'État comme Dieu se modifia.

Le Pakistan n'eut pas à payer le prix de son existence : il devint un satellite des États-Unis, ses divers régimes soutenus pendant toute la guerre froide. Il n'élabora pas une économie moderne ; il n'en éprouvait

240

pas le besoin. Au lieu de cela, il se mit à exporter sa population et se transforma, en partie, en économie de transferts.

Trente-deux ans après la partition, la guerre contre l'occupation russe éclata en Afghanistan. On pouvait y entrer comme dans une sorte de guerre de religion ; et, là encore, le butin fut prodigieux. Les armes américaines et les drogues afghanes circulèrent dans le pays pendant huit ans ; et des centaines de millions de dollars tombèrent au passage aux mains des croyants. Trop flagrante, la corruption finit par miner l'État. La religion publique et le pillage privé formaient un cercle, impossible à rompre en aucun point pour un nouveau départ. Au bout de quarante ans de cynisme et de paresse intellectuelle, l'État, qui au début était pour certains pareil à Dieu, était devenu une entreprise criminelle.

On n'avait jamais vraiment réfléchi à la manière de diriger le nouveau pays. Tout devait découler du triomphe de la foi. Mais l'identité islamique, cause si puissante de la contestation avant la partition (« un très puissant facteur évocateur », disait l'avocat), ne pouvait à elle seule assurer la cohésion de l'incommode pays double. Le Bangladesh, ayant sa langue et sa culture propres, fit bientôt sécession ; puis tous ceux qui recherchaient le pouvoir politique dans ce qui restait du Pakistan rivalisèrent d'islamisme avec leur rivaux.

On transforma sans conviction ni commodité les codes hérités des Britanniques, maîtres légistes du sous-continent. On y greffa des appendices islamiques. Les juristes ne parvenaient pas toujours à les faire fonctionner ; et le système juridique, déjà dégradé par la manipulation politique, se déglingua un peu plus. Les droits des femmes cessèrent d'être garantis. L'adultère devint un délit ; cela voulait dire qu'un homme qui souhaitait se débarrasser de sa femme pouvait l'accuser d'adultère et l'envoyer en prison. En 1979, on instaura les châtiments coraniques ; et bien qu'il n'y eût jamais d'amputation (les médecins s'y opposaient), le peuple adorait les flagellations publiques et s'y précipitait.

L'islam défini par ces lois était restrictif, sévère et simple. Les textes n'étaient pas toujours appliqués. Comme les flagellations publiques en 1986, ils pouvaient être suspendus (malgré la demande populaire) ; ou éludés, tels ceux concernant l'alcool et le jeu. Mais les lois demeuraient toutes dans les livres ; et elles changeaient la nature de l'État. Elles encourageaient les attitudes rétrogrades. Elles favorisaient l'incertitude. Elles renforçaient la tyrannie que, en cas de crise, les gens risquaient de se laisser convaincre d'accepter.

Les circonstances expliquaient que, avec la sécession du Bangladesh, la partie du sous-continent qui était aujourd'hui le Pakistan fût la moins instruite. Tombée tardivement aux mains des Britanniques, elle avait connu moins d'un siècle de domination anglaise, des années 1840 à 1947, avec entre-temps les troubles de la révolte des Cipayes (1857-1860) au début de la période et le mouvement d'indépendance à la fin. Le hasard voulait aussi que la domination anglaise y coïncidât approximativement avec la vie de son plus célèbre chroniqueur, Rudyard Kipling, né en 1865 et mort en 1936.

Les institutions britanniques pesaient légèrement sur les anciens systèmes locaux : les tribus du Nord-Ouest, les chefferies féodales du Sud à demi esclavagiste. Après moins de cinquante ans d'indépendance, ces anciens systèmes informels commençaient à resurgir. L'État moderne hérité des Anglais pouvait ainsi donner l'impression d'un fardeau récent et inutile.

Toujours à l'arrière-plan désormais, les intégristes — encouragés par l'extase de la création du Pakistan et, ensuite, par l'islamisation partielle du droit — s'efforçaient de ramener le pays toujours davantage en arrière, jusqu'au septième siècle, jusqu'à l'époque du Prophète. Leur programme était aussi nébuleux que celui qui avait présidé à la naissance du Pakistan lui-même : une vague notion de prières régulières, de châtiments coraniques, couper les mains et les pieds, voiler et cloîtrer les femmes, et donner aux hommes des droits luxurieux sur quatre femmes à la fois, dont ils pouvaient user et se débarrasser à leur gré. Et l'on s'imaginait que de la sorte, à partir d'une société bigote et fermée d'hommes sans instruction se livrant religieusement à la débauche, l'État se redresserait et la puissance lui serait dévolue, comme elle avait été accordée à l'islam des tout débuts.

La création du Pakistan avait été proposée pour la première fois en 1930 par un poète, Mohammed Iqbal, lors d'un congrès de la Ligue musulmane. Son discours est d'un ton plus mesuré et apparemment plus raisonné que les slogans de 1947, mais les pulsions qui le fondent sont les mêmes. Iqbal venait d'une famille hindoue récemment convertie ; et peut-être seul un nouveau converti pouvait-il parler ainsi.

L'islam n'a rien à voir avec le christianisme, dit Iqbal. Loin d'être une religion de la conscience et de la pratique privées, l'islam s'accompagne de certains « concepts juridiques ». Ces concepts ont une « dimension civique » et créent un certain type d'ordre social. L'« idéal religieux » ne peut être séparé de l'ordre social. « Par conséquent, la construction d'une république sur des bases nationales, si cela implique la disparition du principe islamique de solidarité, est tout simplement inconcevable pour un musulman. » En 1930, république nationale signifiait république indienne, purement et simplement.

C'est un discours extraordinaire de la part d'un penseur du vingtième siècle. Ce que dit confusément Iqbal, c'est que les musulmans ne peuvent vivre qu'avec d'autres musulmans. Si on le prend au pied de la lettre, cela implique que l'univers parfait, qu'il faut s'efforcer d'accomplir, est purement tribal, soigneusement découpé, chaque tribu dans son coin. Vision parfaitement chimérique.

Ce qui en réalité sous-tend cette revendication d'un Pakistan et d'une république musulmane, et qui n'est pas spécifié, c'est le refus par Iqbal de l'Inde hindoue. Ses auditeurs le comprenaient assurément ; et tout comme lui ils avaient une idée concrète de ce qu'ils rejetaient. Ils n'avaient qu'à regarder autour d'eux : c'était un aspect du monde réel. Ce qui n'existait pas, et que la proposition d'Iqbal n'essayait même pas de définir, c'était la nouvelle république musulmane qui s'établirait dans le nouvel État. Dans le discours — capital — d'Iqbal, cette république est une abstraction poétique. Il faut l'accepter de confiance. Le nom du Prophète est même invoqué indirectement à l'appui de sa légitimité.

Ce discours ne manque pas d'ironie aujourd'hui. Le Pakistan, à sa création, privait les musulmans restés en Inde de leurs droits civiques. Le Bangladesh est aujourd'hui indépendant. Au Pakistan même on ne parle que de dissolution. La nouvelle république musulmane s'est révélée semblable au système ancien, celui que connaissait Iqbal : inutile d'aller bien loin pour y trouver des gens aussi privés de parole et de représentation qu'en 1930, lorsque Iqbal prononçait son discours.

CHAPITRE 19

La république

Il y a six mois, le mari de cette femme et le neveu de celui-ci, tous deux manœuvres, lui avaient « massacré le nez ». Puis le mari l'avait enchaînée. Elle était parvenue à se libérer et s'était enfuie à Karachi où elle avait une amie. L'amie l'avait adressée à une organisation des droits de l'homme qui, grâce à des subventions étrangères, avait ouvert un foyer de femmes battues à Lahore.

C'est dans le bureau de cette association, dans la salle d'attente, que je la rencontrai. Elle se remarquait parmi les autres femmes très silencieuses — visages passifs, à demi morts, de femmes précipitées par la souffrance au-delà de la honte et peut-être même de tout sentiment. Un voile de gaze, tiré sur le bas du visage pour dissimuler la blessure, ne laissait voir que ses yeux et ses sourcils. Je trouvai qu'elle avait des yeux d'enfant ; son défigurement en paraissait plus intolérable encore.

Mais ce n'était pas une enfant. Elle avait trente-cinq ans. C'est ce que je découvris quand je retournai la voir au foyer quelques jours plus tard. Elle avait cette fois le visage découvert. Le bout de son nez n'avait pas été tranché comme je le redoutais ; on eût dit qu'il avait été écrasé à l'aide de pincettes brûlantes : une plaie sur chaque narine, rose vif bordée de rouge sombre ; mais elle y était maintenant habituée et n'essayait plus de le cacher.

Cette petite femme mince et sombre s'était mariée à dix-neuf ans. Son père était alors malade et sa mère avait décidé qu'elle devait se marier : pour une fille, ne pas se marier était contraire à l'islam. Elle s'était mariée sans dot, « seulement pour Dieu » ; autrement dit, la seule dot qu'elle pouvait apporter à son mari était la protection de Dieu. L'homme qu'elle avait épousé était un travailleur occasionnel. Elle ne le connaissait pas et ne savait pas pourquoi ses parents l'avaient choisi. Impuissante, elle avait simplement fait ce qu'on lui disait.

« C'est une victime de la société féodale », commenta Farzana, l'avocate des droits de l'homme qui traduisait.

La femme, quant à elle, ne voyait pas les choses aussi clairement. Elle savait seulement que le mari qu'on lui avait trouvé travaillait pour le propriétaire pour lequel travaillait son père. Son mari était cuisinier. Il gagnait trois à quatre cents roupies par mois, dix à douze livres. Il était aussi nourri par le propriétaire. Ce dernier avait beaucoup de terres. Elle avait eu l'occasion de le rencontrer, de savoir qui il était, parce que sa mère et son père travaillaient tous deux pour lui. C'était un homme respectueux, et très gentil.

Il y avait une école dans le village, une école primaire, mais elle n'y était pas allée. Ses parents ne le lui avaient pas permis. Ils étaient tous deux illettrés. Son père était mort sans argent. Sans un sou. Il était serviteur du propriétaire, du moins quand on le lui demandait. Lorsque le propriétaire allait à la chasse, il l'emmenait avec lui pour tuer les oiseaux et s'occuper des chiens. Il habitait une hutte de pisé dans la cour du maître. Elle ne savait pas exactement combien de personnes vivaient dans la cour. Peut-être vingt-cinq familles, mais elle n'était pas sûre. Toutes étaient au service du propriétaire. Il y avait une mosquée dans le village et ils y allaient tous très souvent.

En parlant de la mosquée, la femme sourit. Persuadée que la question à ce propos était un piège, elle était ravie de ne pas être tombée dans le panneau. Elle avait manifestement aussi le sentiment que c'était la première bonne chose qu'elle eût dit d'elle-même.

Il n'y avait pas de meubles dans la hutte de ses parents : une caisse, quelques ustensiles de cuisine, un ventilateur électrique. Il y avait donc l'électricité dans la cabane ; et le ventilateur, si extravagant qu'il parût, témoignait à quel point l'été était dur. Elle ne se rappelait rien d'autre.

Son mariage avait bien marché pendant un certain temps. Elle avait eu trois enfants, deux garçons et une fille. Elle travaillait comme servante chez les autres. Puis, deux ans auparavant, son mari était devenu héroïnomane. Il exigea qu'elle rapportât plus d'argent à la maison. Ça tournait très mal quand elle n'y arrivait pas. Un jour il y eut une dispute entre ses enfants et ceux du neveu de son mari. Ce neveu était lui aussi manœuvre, mais sur un autre domaine. Elle battit tous les enfants. Ceux du neveu se plaignirent et quand son mari rentra, il la frappa très cruellement. Elle se réfugia chez ses beaux-parents avec l'un de ses enfants. Son mari l'y suivit. Elle voulait aller trouver la police, mais l'un des parents de son mari le lui interdit. Il la fit regagner le domicile conjugal. Elle allait le regretter. La querelle à propos des enfants n'était qu'un prétexte. Son mari était furieux à propos du neveu ; puis les deux hommes lui tombèrent dessus à bras raccourcis et lui massacrèrent le nez.

Elle sourit en disant qu'elle connaissait la famille du propriétaire. C'était clairement, à ses yeux, la deuxième bonne chose qu'elle avait dite.

Ses propres enfants, les garçons et la fille, allaient à l'école. Mais ils abandonnèrent leurs études et oublièrent ce qu'ils avaient appris. Ils oublièrent « tout sans exception ». Mais ils allaient chaque jour à la mosquée ; elle les y envoyait. Elle savait que ses enfants étaient maintenant traités très durement. Le père et la mère de son mari ne les aimaient pas.

Le propriétaire ne l'avait pas aidée dans ses difficultés. Elle ne le lui avait pas demandé. Elle n'y avait pas pensé. Son propriétaire ignorait tout de ses ennuis. Personne ne lui en avait parlé. Elle n'avait plus de famille dans ce village. Ses frères et sœurs ne se souciaient plus d'elle.

Elle habitait le foyer de l'organisation des droits de l'homme. Celle-ci lui avait trouvé un emploi, deux jours par semaine dans une usine de bandages.

Elle ne cessait d'agiter ses pieds chaussés de sandales en plastique et rajustait constamment sa jupe rose à motifs floraux. Un voile imprimé à la main apportait la seule touche d'élégance.

Rien ne lui faisait plus plaisir aujourd'hui, dit-elle. Tout ce qu'elle voulait, c'était récupérer ses enfants. Mais quelque chose s'était produit depuis qu'elle avait fui son mari : elle n'avait plus peur désormais.

« Elle est insensible », dit Farzana.

Expression bizarre, mais peut-être juste. En effet, lorsque Farzana lui demanda d'expliquer, la femme répondit : « Je ne suis pas censée éprouver du plaisir ou du bonheur. »

Et soudain elle se mit à rire. Moi, mes étranges questions, mes vêtements, le fait que j'avais besoin d'un interprète pour lui parler : tout la faisait rire. Le rire montait en elle depuis longtemps et lorsqu'il éclata elle ne put le contenir, même si elle se souvint, par souci des bonnes manières, de se détourner en couvrant de sa main sa bouche et son nez massacré.

Les Moghols avaient bâti des forts, des palais, des mosquées et des tombeaux ; les Anglais les bâtiments publics, pendant la seconde moitié du dix-neuvième siècle. Lahore était riche en monuments des deux périodes. Ironiquement, pour un pays qui parlait tant d'identité islamique et se prétendait même l'héritier de la puissance moghole, c'étaient les monuments moghols qui tombaient en ruine : le fort, la mosquée de Chah Jahan, les jardins de Shalimar, les tombeaux de l'empereur Jahangir et de son épouse Nour Jahan. Comme si l'on laissait se déliter deux Versailles, à tout le moins. C'était dû en partie à un manque général d'éducation, à l'idée ancienne que ce qui n'avait plus d'utilité n'exigeait plus de soins. S'y ajoutait aussi l'attitude du converti à l'islam envers le lieu où il vit. Son pays n'a aucune importance religieuse ou historique ; ses reliques n'ont aucune valeur ; seuls sont sacrés les sables de l'Arabie.

Les bâtiments administratifs britanniques survivent. Les institutions qu'ils avaient été conçus pour abriter sont encore plus ou moins celles dont dépend le pays. Sur le Mall, l'avenue centrale de Lahore, ces grandes constructions se succèdent un peu artificiellement, chacune au milieu de son parc splendide, comme si les Anglais, instruits par leur expérience dans le reste du sous-continent, avaient su d'emblée ce qu'ils devaient installer dans le centre de Lahore : l'école d'administration, la maison des hôtes du gouvernement, l'université pour les fils des chefs de tribus locaux, la résidence du gouverneur, le club britannique, les jardins publics, les tribunaux, la poste, le musée.

Les tribunaux ne désemplissaient pas. Mais malgré tout leur appareil, ils ne suffisaient pas à la tâche, disaient les avocats. Il y avait trop d'interventions politiques, trop de litiges, trop de faux témoins ; les juges étaient débordés. Mais il n'existait pas de système antérieur qu'on pût rétablir. On racontait cette histoire de justice paysanne sous les empereurs moghols. Nuit et jour, disait-on, une corde pendait à l'extérieur du palais. Le pauvre qui réclamait justice n'avait qu'à courir jusqu'à cette corde et (si la foule n'était pas trop nombreuse, ou s'il n'était pas arrêté ou abattu) tirer dessus. Une cloche y était attachée. L'empereur apparaissait alors à sa fenêtre et rendait justice au paysan. Cette histoire — invention de serf pour obtenir la pitié du maître — était présentée comme un fait réel par les manuels scolaires pakistanais pour attester la grandeur des anciens souverains musulmans. En fait, selon le professeur de droit Walid Iqbal (petit-fils du poète qui avait proposé la création du Pakistan), avant les Anglais, du temps des Sikhs, le droit était « vague » ; et tout simplement dictatorial si l'on remontait en arrière, sous les Moghols (l'époque de la corde et de la cloche). Les tribunaux établis par les Anglais et les codes britanniques de 1898 et de 1908 étaient tout ce dont disposait le pays. Ils répondaient à un besoin ; voilà pourquoi ils avaient subsisté.

J'allai visiter les tribunaux en compagnie de Rana, jeune avocat d'un cabinet important. Agé de vingt-neuf ans, c'était le fils d'un petit propriétaire terrien du Pendjab qui avait vendu ses terres, et n'avait pas tardé à perdre l'argent et sa position sociale. Rana avait décidé sur le tard de devenir avocat. Il voulait acquérir du pouvoir, se protéger. En même temps — rendant ainsi un hommage involontaire à l'institution —, il croyait que dans le droit et dans la pratique du droit il allait trouver quelque chose de pur, loin du désordre et de l'injustice du pays, un lieu où les hommes étaient jugés en hommes.

Le droit l'avait doublement déçu. La déception transparaissait dans son attitude sombre. Beau et élancé, il avait beaucoup d'amis parmi les jeunes avocats. Ils étaient ravis de le voir dans la cour, dans les couloirs néogothiques et au salon de thé des avocats (pareil à un buffet de gare). Il était plus réservé que ses amis. Je n'ai pas l'impression qu'il aimait porter le costume noir de sa profession ; je crois que le subalterne qu'il était avait fini par y voir la livrée de la servitude.

Dans la rue à demi défoncée derrière le tribunal, une forêt de tableaux et de plaques d'avocats, en caractères ourdous farauds, noir sur blanc ou rouge sur blanc, pendaient comme autant d'enseignes sur les balustrades et les poteaux électriques en ciment et en métal. La foule dans la cour des tribunaux inférieurs était constamment en mouvement, comme une cour d'école au moment des vacances. Au milieu du tourbillon où on le remarquait à peine, un prisonnier était conduit au bout d'une chaîne par un policier. Sous les arcades du bâtiment principal, au rez-de-chaussée et au premier étage, des gens se reposaient, drapés dans l'ample costume pendjabi.

Petites pièces décrépites : petites salles de tribunal peut-être, certaines avec quelques personnes, d'autres presque vides. Je ne savais trop ce que je voyais : Rana ne parlait pas beaucoup. Puis nous arrivâmes dans la salle principale et Rana prit une attitude respectueuse. Il me trouva un siège, me fit m'asseoir et resta debout derrière moi, près de la porte. Haut plafond à poutres, pavés de marbre. Des livres, truffés de bandes de papier, s'entassaient sur des plateaux ou dans des paniers à même le sol. Des avocats en veste noire étaient debout à la barre devant des lutrins, et des assistants apportaient sans cesse plateaux et dossiers. Deux juges étaient assis sous un dais de tissu brun à franges, tel un emblème de majesté. « Quel est le numéro de l'arrêté ? » demanda l'un d'eux en tournant les pages d'un gros livre. Derrière les juges et leur dais, des rideaux voilaient les fenêtres gothiques ; des arcs gothiques surmontaient les portes. Et de nouveau, en voyant la méticuleuse décoration gothique victorienne de la salle, les motifs moghols sur les portes latérales, la balance de la justice au-dessus de la cheminée (qui accueillait maintenant des radiateurs électriques ou à gaz), je me dis que c'était dans ces bâtiments publics que les architectes de l'Empire britannique, ici comme ailleurs sur le sous-continent, avaient donné le meilleur d'eux-mêmes, soignant des détails qui ne se remarquaient peut-être pas individuellement mais ajoutaient à l'effet général. Immobiles en cette saison automnale, les ventilateurs aux larges pales ne pendaient pas du plafond ; ils étaient fixés verticalement sur les murs.

Le juge commença à lire son verdict, marmonnant un anglais que j'avais du mal à saisir, répétant parfois certains mots. Il statuait contre un commissaire qui avait fait taire les haut-parleurs d'une mosquée : « Il ne saurait être admis. Il n'est pas dans son pouvoir... »

On pouvait comprendre — dans cette belle salle, avec les juges sous un dais et les avocats en noir à leur lutrin, avec le cérémonial des débats et du jugement, et les lois toutes imprimées dans de gros livres —, on pouvait comprendre, malgré tout ce qui allait mal dans le pays, que Rana eût conçu cette idée de la pureté du droit, telle que je l'avais perçue dans ses propos.

Pendant quelques années, il avait voulu être policier. Par souci de sécurité, pour se protéger au Pendjab où la police avait un tel pouvoir sur les gens simples. Il avait dix ou onze ans quand il avait découvert ce pouvoir de la police. Alors qu'il roulait insouciant à vélo sur la voie publique, il avait provoqué un accident entre un pousse-pousse et une voiture. La police était venue le chercher chez lui pour l'emmener au commissariat. C'était dans la petite ville où la famille de Rana vivait avant de déménager à Lahore. Son père et sa mère n'étaient pas à la maison ; ils étaient partis dans le village du père de Rana voir un parent très malade ou qui venait de mourir. Rana avait fait prévenir un de ses oncles qui avait répondu qu'il arrivait aussitôt. Rana en informa le sergent, et celui-ci lui dit très sèchement : « Va t'asseoir là-bas. » Un peu plus tard, alors que Rana attendait encore l'arrivée de l'oncle, le sergent lui ordonna : « Va laver mes assiettes et ma cuiller. » Rana, sans réfléchir aux conséquences, rétorqua : « Non, je suis radjpoute. »

Qu'ils fussent radjpoutes, de l'ancienne caste guerrière hindoue, était l'orgueil de sa famille et de son clan. Son nom, Rana, attestait cette origine, et l'orgueil lui était venu dans le village paternel. Il s'y rendait souvent avec son père lorsque celui-ci avait encore ses terres. Et, où qu'ils aillent, les gens les traitaient avec déférence. Ils disaient au père de Rana : « Rana Sahib, que vous êtes bon de venir nous rendre visite. » C'étaient des paysans qui travaillaient sur son domaine. Ce respect exaltait Rana, qui finit par y prendre plaisir. Ainsi avait-il su ce qu'être radjpoute voulait dire.

Voilà pourquoi, lorsqu'au commissariat de la petite ville le sergent lui avait demandé de laver ses assiettes et sa cuiller, Rana avait été capable de faire front et de répondre : « Ce travail ne me plaît pas. Je ne veux pas le faire. »

Le sergent ne lui fit rien. Il aurait pu ; il aurait pu se montrer brutal. Peut-être était-ce l'attitude de Rana, ou le fait que son oncle allait arriver. L'oncle dut payer quand il se présenta : cinq cents roupies au sergent pour qu'il étouffe l'affaire, et encore cinq cents roupies au propriétaire du pousse.

Au moment où ils quittaient le commissariat, le sergent dit à l'oncle de Rana : « Attendez une minute. » Il raconta l'histoire des assiettes et de la cuiller et ajouta : « Ce gamin n'a que dix ans mais c'est déjà un gounda. » Un voyou. L'oncle, bien qu'il approuvât la conduite de Rana, lui dit quand ils furent dehors : « Voilà comment se conduit la police. A l'avenir tu as intérêt à être prudent. »

C'était cet incident qui avait décidé Rana à devenir policier. Peu après, la police fit une descente chez un voisin. Rana redoubla d'envie d'être policier : il serait protégé, sa famille aussi ; et, naturellement, c'était un emploi dans l'Administration. Rien de plus sûr. A treize ou quatorze ans, il commença à envisager très sérieusement son avenir dans la police. Il sentait en lui l'instinct du pouvoir. Puis un jour tout changea.

Il avait un cousin ASI, sous-inspecteur adjoint, dans un petit village à une soixantaine de kilomètres de Lahore. C'était un grade subalterne, mais Rana avait toujours été fier de son cousin, l'avait toujours considéré comme un homme arrivé. De même que dans le village de son père il avait fini par se sentir fier d'être radjpoute et fils de propriétaire terrien, de même avoir un cousin ASI, quand il commença à comprendre ces choses-là, lui donnait un sentiment de « supériorité ». A seize ou dix-sept ans, il décida d'aller rendre visite à ce cousin. Sans raison particulière ; il voulait simplement saluer cet homme arrivé, se trouver en sa présence. Dans le commissariat de son cousin, il vit des hommes menottés, des hommes enchaînés. Il vit que la police avait été formée pour traiter les gens ordinaires en criminels. Il se souvint que, bien qu'il fût très gentil avec ses amis, son cousin se montrait très dur avec sa famille. Ce que vit Rana lui déplut ; il décida qu'il ne voulait pas de ce genre de pouvoir. Il renonça à son rêve de devenir policier. Il le nourrissait depuis très longtemps ; il n'avait rien à mettre à la place.

249

Peu après, le père de Rana vendit ses terres du village pour se lancer dans les affaires. L'entreprise échoua presque aussitôt, il perdit tout. Et Rana découvrit alors que le respect dont il jouissait dans le village en tant que fils de son père avait disparu ; même les parents proches marquaient de la distance. Il ne voulut plus voir personne. Il sentait que son rêve de pouvoir sur les gens était mauvais.

Son père l'arracha à cette mélancolie. Il insista pour que Rana fît des études supérieures. Il avait toujours cru à l'éducation. Il disait à Rana quand il était petit : « Je te tuerai ou je te chasserai de la maison si tu ne vas pas à l'école. » Il disait aussi : « Être illettré c'est la mort. Savoir lire et écrire, c'est la vie. »

Il suggéra à son fils de s'inscrire à la faculté de droit. Des ruines de sa fortune, il parvint à arracher cinq cents roupies par mois pour payer les frais de scolarité. Peu à peu, dans l'étude du droit, Rana trouva une sorte de consolation philosophique. Il s'initia ainsi à une autre idée du pouvoir.

C'est ce dont il parla lorsqu'il vint me voir avec un ami, quelques jours après notre visite du tribunal. « Plus je connaissais le droit plus il me semblait que le pouvoir n'appartenait pas au policier. Quiconque a les moyens, est instruit et conscient de ses droits peut se montrer ferme, peut faire face à n'importe quelle situation. »

Ses études de droit durèrent trois ans. Vers la fin de cette période, il tomba amoureux d'une fille, et après avoir terminé ses examens il décida d'aller passer quelque temps loin de sa famille. Il se rendit à Islamabad et dans les villégiatures de la montagne : Murree, Kaghan, Naran. La fille ne l'épousa pas, elle se maria avec quelqu'un qui avait de l'argent. Il ne lui en tint pas rancune ; il était encore fier qu'elle l'ait aimé. Et de nouveau, ce fut son père qui l'arracha à sa mélancolie. Il retrouva Rana dans l'une des stations d'altitude et lui dit : « Ça suffit comme ça. Rentre t'inscrire au barreau. »

C'est alors que Rana, qui avait étudié le droit, commença à découvrir la vie juridique. Il estimait avait fait de lui-même quelqu'un d'instruit et de sensible. Il comptait que les gens le respecteraient pour cela, respecteraient sa susceptibilité. Mais quand il commença son stage de six mois, il s'aperçut que nul ne lui manifestait le moindre respect. Ses supérieurs le traitaient en employé ou en coursier : en tâcheron. Il changea de cabinet. Son nouvel employeur lui dit : « Je vais vous payer quinze cents roupies au début. Au bout de quinze jours, je vous donnerai deux mille roupies. Et au bout de quatre à six mois l'argent deviendra subsidiaire. » Rana n'obtint pas même les quinze cents roupies initiales. Non que l'avocat n'aimât pas Rana ; il l'aimait beaucoup au contraire ; simplement il ne voyait pas de raison de le payer.

« L'argent est devenu subsidiaire dans un autre sens », dit Rana.

« Le problème avec Rana, c'est que ce n'est pas un béni-oui-oui », intervint Sohail, l'ami qui l'accompagnait.

« Maintenant je me conduis en béni-oui-oui. A quatre-vingts pour cent », dit Rana en souriant. Il se sentait plus à l'aise : il avait terminé sa journée de travail, il ne portait pas son costume noir d'avocat. Il pouvait se permettre de petites plaisanteries.

En dehors des avocats il y avait aussi les employés du tribunal, à qui il fallait verser de petits pourboires pour qu'ils fassent ce que la loi exigeait d'eux. « Ça fait partie du travail », disait son patron, mais Rana n'était pas d'accord. Puis il y avait les clients. Ils voulaient des avocats ayant de l'expérience ou une réputation. Les meilleurs clients exigeaient des défenseurs qui parlaient anglais mieux que Rana ; au Pakistan, l'anglais est la langue du droit. Et pour couronner le tout, il y avait les juges. Rana trouvait qu'ils ne se souciaient pas assez des mots et du sens des mots. Ils n'attachaient d'importance qu'aux personnalités.

La première affaire que Rana eut à traiter seul devant un tribunal était une demande de mise en liberté sous caution. La loi stipulait, estimait Rana, que lorsque les organes vitaux n'avaient pas été atteints et que les blessures n'étaient pas graves, le prévenu devait être remis en liberté. C'est ce qu'il plaida. « Jeune homme, dit le juge, avez-vous fini ? » « Oui, monsieur le président », répondit Rana. « Je vais rendre ma décision dans quelques minutes. » Rana avait à peine tourné les talons que le juge le rappela sèchement : « Votre requête est rejetée », dit-il.

Rana regagna le bureau de sombre humeur. Il parla d'abandonner cette branche de la profession. Et qu'un avocat plus ancien du cabinet obtînt le lendemain du même juge la remise en liberté de son client n'eut rien pour le rasséréner.

Lorsque, enfant, il pensait au pouvoir, il rêvait de l'exercer. Désormais, il voyait le pouvoir de l'autre côté, d'en dessous. Un jour qu'il était au tribunal d'instance, on amena deux garçons de dix et douze ans et leur mère, inculpés de trafic de drogue. La mère pleurait. Rana alla lui parler. Elle dit que le policier qui l'accusait ainsi que ses fils la harcelait depuis quelque temps pour qu'elle couche avec lui. Rana l'avait crue.

« Il y a deux sortes de gens qui vivent bien au Pakistan, dit Sohail. Les gens qui ont un nom et les gens qui ont de l'argent. Tous les autres sont des insectes, des vers de terre. Ils n'ont aucun pouvoir, aucun moyen d'agir. Le pouvoir est entre un nombre limité de mains, et l'argent aussi. »

Un jour, Rana en eut assez. Il voulait quitter le Pakistan, partir. Il se disait — avec une curieuse ignorance délibérée des lois sur l'immigration — qu'il irait en Angleterre pour y travailler, y améliorer son anglais, y approfondir sa connaissance du droit. Quand il se rendit au consulat britannique pour demander un visa, l'employé du guichet ne le laissa pas terminer son histoire, il lui lança dédaigneusement son passeport. Rana n'avait pas oublié l'insulte : il mima en parlant le geste du fonctionnaire. Mais que pouvait-il y faire ? Il lui fallait rester où il était, s'accrocher au droit.

Il lui arrivait maintenant de dire à son père qu'il allait essayer le droit pendant encore un an. Et son père répondait « Tu as consacré beaucoup de temps au droit. Tu ferais mieux de t'y tenir, parce qu'au moins tu gagnes quelque chose. »

Il vivait désormais sur les nerfs. D'autant qu'à toutes les tensions de la profession s'ajoutaient les difficultés de la vie quotidienne.

Autrefois, il y avait quantité de transports en commun à Lahore, de beaux autobus Volvo. Alors ils — ces « ils » inconnus, qui étaient responsables de tant de choses — volèrent la climatisation, les tapis et les coussins. Puis ils se mirent à voler les pièces des moteurs. Le dépôt regorgeait aujourd'hui de bus inutiles. Et on ne trouvait plus que des minibus dans la rue. De quinze sièges seulement, alors que vingt ou trente personnes patientaient à l'arrêt.

« J'attends parfois une heure, dit Rana. Comment reprocher aux gens de vouloir prendre la justice en main ? de vouloir prendre la Kalachnikov. Il faut des conditions minima pour vivre — il faut donner aux gens la possibilité de se nourrir, de voyager commodément, d'avoir d'autres perspectives.

— Les gens ne connaissent pas leurs droits », commenta Sohail.

Rana ferma les yeux en hochant la tête. Il était l'aîné de dix enfants. Jadis, pour assurer sa sécurité et celle de sa famille, il rêvait d'exercer un pouvoir sur les gens. Maintenant il parlait de leurs droits.

Je l'interrogeai sur sa mère.

« C'est une femme simple, du village. » Ç'avait été un mariage arrangé, une affaire de caste radjpoute. « Elle me dit seulement d'attendre. D'attendre encore et toujours. »

Un des grands avocats de Lahore m'avait suggéré d'aller à Hira Mandi, le Marché aux Diamants, le quartier des chanteuses et des danseuses, le quartier des prostituées. Le cérémonial des tribunaux supérieurs avait gagné le cabinet de l'avocat. Chaque fois qu'il entrait dans leur bureau, tous les employés et assistants se levaient, les yeux fixés sur lui. Ce respect du rang et de la personnalité était ce qu'avait espéré Rana dans le monde judiciaire, et ce qu'il souffrait de n'avoir pas obtenu. Pour ma part, j'y vis tout autre chose. Je sus immédiatement, à tout ce qui l'entourait et à ce que je lisais dans les yeux des gens, que cet avocat était un homme de poids. Il avait un très bon guide du Marché aux Diamants pour moi. Un de ses clients, dit-il, connaissait bien l'endroit. Et ce client était là, dans le bureau personnel de l'avocat : un grand gaillard en tunique couleur pêche, longue et ample.

Les danses et les chants commençaient tard. Mon guide devait venir me prendre à l'hôtel à onze heures ce soir-là. Il arriva avec quinze minutes de retard. Il était plus gras qu'il ne le paraissait assis dans le bureau de l'avocat. Un homme athlétique l'accompagnait, et lorsque nous arrivâmes devant la camionnette dans l'allée de l'hôtel, deux autres hommes y étaient assis : l'un, basané, le visage grêlé, portait une casquette de base-ball, l'autre, costaud, une barbe de plusieurs jours, arborait un tricot aux rayures rouges et bleues.

Le Marché aux Diamants se trouvait dans la vieille ville fortifiée, au-delà du Mall, derrière la mosquée de Chah Jahan. Il était étrange — au terme seulement d'une brève course en voiture — de voir les filles dans les pièces éclairées tandis que les hommes déambulaient sans cesse dans les rues sombres, au milieu de la poussière et des décombres omniprésents, des boutiques d'alimentation et des confiseries.

Mon guide à la longue tunique marchait d'un pas autoritaire. Les gens le connaissaient. C'était son quartier ; l'avocat avait raison. « C'est le terroriste de ce quartier », dit l'homme au tricot rouge et bleu. Quand mon guide saluait quelqu'un, l'homme au tricot expliquait : « C'est un petit terroriste. »

Nous avancions de la sorte, le long des pièces éclairées, les musiciens assis par terre et les filles en groupes ou solitaires, circonspectes, inquiètes, inexpressives. Les pièces éclairées étaient toujours surmontées d'un balcon où se tenaient tantôt des filles, tantôt des jeunes gens. « Leurs agents », expliqua mon guide. Il offrait tout ce qui se présentait : confiseries, nourriture, jusqu'aux filles. Partout on apercevait des ruines humaines : lépreux, hommes réduits à presque rien.

Ils voulurent que je goûte à une friandise au lait. Ils la prirent à l'éventaire d'une boutique : nulle objection, une soumission souriante. Je la goûtai avec eux, nerveusement. Puis nous entrâmes dans un restaurant renommé. L'endroit était vaste. Poulets et cabris mitonnaient dehors dans des marmites. On essuya pour nous une table et des chaises dans une arrière-salle. Comme dans la Rome antique — où une célèbre mosaïque figurait sur le sol des débris de nourriture jetés par les convives — ils jetaient les os par terre quand ils avaient fini de les ronger. Le gros homme à la longue tunique buvait la sauce du ragoût de poulet et de cabri à l'aide de morceaux de naan[1]. Puis, comme pour manifester son pouvoir, il alla se resservir dans les marmites dehors.

Quand il revint, je demandai : « Combien de terroristes dans ce quartier ? » Son ami au tricot rayé me répondit avec un clin d'œil : « Un seul. » Le gros homme évoqua son séjour à Londres, à Whitechapel. Il y avait connu, dit-il, deux terroristes africains ou noirs.

À la fin, ils se lavèrent les mains à un robinet au-dessus d'un évier et se séchèrent les doigts à une serviette. Le gros homme désigna la fille sur le calendrier près de l'évier. « Elle vous plaît. Vous voulez la baiser ? » Manger l'avait rendu expansif. « Vous baisez à mes frais. J'ai de l'argent », dit-il en se tapotant la poche.

Nous reprîmes notre promenade le long des pièces éclairées. Il était difficile de ne pas être inquiet ou effrayé, avec toutes les histoires d'enlèvement et de torture de femmes et de filles.

Pour la première fois, nous vîmes une jeep de la police s'avancer précautionneusement dans la ruelle étroite.

« Les flics, c'est zéro », dit le gros homme.

Tous approuvèrent.

---

1. Galette de pain sans levain. (*N.d.T.*)

« Ils arrivent à minuit et demi, quand tout ferme », ajouta le gros homme.

Il avait des ennuis avec la police. Il était inculpé d'assassinat et avait passé un an en prison avant d'être mis en liberté sous caution. Voilà pourquoi il se trouvait ce matin-là dans le bureau de l'avocat.

« La justice, c'est zéro, ajouta-t-il. Les lois, c'est zéro. Les lois, c'est seulement pour les pauvres, pas pour les riches. »

Nous montâmes les marches d'un cinéma. Le hall était vide ; le cinéma paraissait fermé. Le gros homme montra les photos sur les panneaux d'affichage et son ami au tricot dit : « Toutes ces filles sont des pros. » Là encore comme s'ils me les offraient. J'étais embarrassé, expliquai-je. L'ami — une connivence soudaine, inattendue, surgissant entre nous — ajouta : « Je sais très bien ce que vous voulez dire. »

Nous retournâmes à la camionnette. Une loque absolue la surveillait. L'homme sortit de l'obscurité et, ratatiné, la peau sur les os, à peine humain, demanda de l'argent, que, sans un mot mais sans mépris, les hommes lui donnèrent.

« Dernière tournée », annonça le gros homme.

De nouveau nous parcourûmes lentement les ruelles en tous sens. Des hommes riches venaient chercher des filles pour les ramener chez eux, dirent-ils. Tout à la fin de notre dernier passage, désignant un homme mince au teint sombre, en *shalwar-kamiz* sombre, qui tirait, l'air drogué, sur une cigarette, le gros homme déclara : « Un courtier. Ces trois-là. » Il voulait dire les filles dans la pièce éclairée. L'homme basané était debout dans la rue sombre juste devant la pièce.

« Maintenant, où est-ce que vous voulez aller ? » demanda le gros homme. « Je rentre à l'hôtel », répondis-je à leur déception unanime.

Autrefois, j'aurais été excité jusqu'au vertige dans un endroit pareil. Avant trente-cinq ans, les prostituées m'attiraient et je les recherchais. Ce n'était pas tant le plaisir, néanmoins, qui marquait mes souvenirs de ce temps-là, que l'apaisement après l'ivresse. Les hommes dans la camionnette pouvaient croire à un faux-semblant de ma part — au Pakistan les prostituées ont une place reconnue dans la vie de la bourgeoisie et de l'aristocratie : il n'y aurait eu aucun déshonneur pour moi —, mais les bordels ne me tentaient plus. Mon idée de la satisfaction sexuelle avait changé.

Le gros homme saisit une carte en forme de bouteille qui reposait contre le pare-brise. C'était un portrait de Nawaz Sharif, le chef de l'opposition, taille épaisse engoncée dans une chemise longue et un gilet déboutonné. « C'est mon chef », dit le gros homme. Le personnage découpé était en fait le chef de tous les occupants de la camionnette. Je me trouvais, à ma grande surprise, en compagnie d'hommes politiques à leur manière.

La politique, la répression sexuelle, la cruauté et les femmes captives, la musique et la crasse, les lépreux en décomposition et la nourriture étalée : que d'idées et de sensations contradictoires dans ce quartier des plaisirs. Il fallait se méfier de tout, tout refuser.

Le gros homme ne mentait pas, appris-je par la suite. Il était aussi important qu'il le prétendait. Il faisait ce que les gens importants font dans ce genre de quartiers, et certains voulaient sa peau. Nous aurions parfaitement pu nous faire tirer dessus ce soir-là, de l'une des fenêtres sombres des étages supérieurs.

CHAPITRE 20

Rana dans son village

Un vendredi, jour de congé hebdomadaire — qui n'avait été déclaré tel qu'en 1977, lors d'une surenchère de promesses islamiques entre un Premier ministre et ses concurrents, et dont on pouvait dire que le Premier ministre était sorti à la fois vainqueur et vaincu : il avait été destitué peu après, jugé et pendu, mais le vendredi était resté jour de repos officiel —, un vendredi donc, n'ayant pas à porter son costume et sa cravate noirs d'avocat, Rana m'emmena dans le village ancestral de son père.

Son père n'y possédait plus de terres. Mais le village était plein de parents, et Rana s'était arrangé pour qu'un oncle nous accueille. Cinq oncles de Rana possédaient encore toute la terre. Frères ou cousins, ils avaient tous le même grand-père. Il y avait quatre à cinq cents maisons dans le village, dit Rana. Chacune abritait huit à dix personnes, et jadis la plupart d'entre elles auraient travaillé sur les terres des propriétaires. Aujourd'hui, quelques villageois étaient partis à l'étranger, en Arabie Saoudite, au Koweit et ailleurs, d'autres avaient monté une entreprise individuelle : petits élevages de volailles, menues boutiques, une fabrique de glace. La vie s'y déroulait encore selon les usages anciens. Tout le monde se levait avant l'aube, quels que soient la saison et le temps. On travaillait jusqu'à midi. Les ouvriers agricoles emportaient leur repas aux champs ; ils ne rentraient pas chez eux avant la fin de la journée de travail.

C'étaient ces usages anciens et admirables que Rana voulait me montrer. Il se chargea lui-même de louer la voiture, celle d'un ami, qui en était également le chauffeur. Plus petit et plus corpulent que Rana, il était aussi jeune que lui mais déjà bien lancé dans la vie. Il avait une affaire à lui dans une petite ville. Il fabriquait et exportait des vêtements, encore à petite échelle, mais il avait des rêves. Ces rêves le rendirent bavard, jusqu'à ce que nous atteignions les mauvaises routes et que conduire devienne une épreuve.

La route longea quelque temps un canal bordé d'arbres, puis nous arrivâmes dans la plaine très plate du Pendjab. C'était le pays de Raiwind, dit Rana ; chaque été, des religieux érudits s'y retrouvaient. Plus que des érudits, c'étaient des missionnaires. Je me rappelai le rassemblement de 1979 : pareil à un immense champ de foire au milieu de la plaine ; les routes et les voitures scintillantes qui s'amenuisaient dans le lointain ; l'étendue mamelonnée des tentes ; le sol imprégné d'eau, aussi élastique qu'un matelas, qui à chaque pas se fendait en minuscules craquelures, immédiatement refermées dès que le pied se levait ; puis, dans l'espace clos des tentes, l'enfilade des piquets de tentes, inclinés en tous sens et reculant toujours plus loin, de plus en plus petits ; une grande foule frémissante assise dans la lumière aqueuse ; les fentes changeantes et très blanches, là où les toiles de tentes ne se rejoignaient pas parfaitement, et où le ciel apparaissait.

Le rassemblement de Raiwind avait lieu cette année-là à un moment où le pays tâtait pour la première fois de la terreur religieuse, sous la dictature du général Zia. Il avait pendu M. Bhutto, l'homme du vendredi ; puis il était allé à La Mecque faire le petit pèlerinage, pas le pèlerinage complet, bien qu'il fût rentré avec cent millions de dollars d'argent saoudien. Les administrations du Pakistan étaient tenues de s'arrêter pour toutes les prières prescrites ; des camions de fouetteurs étaient partout dépêchés pour punir les méchants. Les gens étaient apeurés. Certains, craignant de ne pas être assez bons, en faisaient toujours davantage ; et tout autour de Raiwind, même après les extases dans les tentes des missionnaires, sur le bord de la route des silhouettes disaient des prières supplémentaires.

Le pays — ce vendredi matin où nous roulions vers le village de Rana — était si plat et l'air si clair que l'on voyait les gens de très loin, deux ou trois villages en même temps : figures minuscules, qui pour certaines jouaient au cricket en cette matinée de congé, pour d'autres couraient ou marchaient. La netteté du détail et la petite taille des personnages réjouissaient l'œil. Les maisons, en briques d'argile, étaient de la couleur de la terre. De temps à autre, on apercevait les grosses cheminées effilées des fours à briques, entourés de tas de briques en désordre ou entamés.

Il y avait un raccourci, dit Rana. Si nous parvenions à le trouver nous atteindrions le village en une heure. Il n'arrivait pas à se rappeler où commençait le raccourci, et il ne savait pas en quel état il serait après les inondations. Nous commençâmes à nous informer. Rana avait raison. Il y avait un raccourci et deux ou trois personnes nous assurèrent que les inondations ne l'avaient pas trop endommagé. Mais le raccourci, quand nous y arrivâmes, n'avait rien d'une vraie route. Il était plein d'ornières et de grosses flaques, et à chaque village il y avait un embouteillage. Les boutiques, à ces carrefours de villages, étaient installées très en retrait ; c'était dans l'intervalle boueux où la foule se pressait que s'étalaient les marchandises. Cette illusion d'espace supplémentaire encourageait les gens à tenter des manœuvres compliquées et aggravait la confusion. En une occasion nous restâmes immobilisés pendant une dizaine de minutes, tant s'enchevêtraient les tongas et les charrettes à cheval, les voitures, les bicyclettes et les autocars.

La plupart des charrettes étaient conduites par de très jeunes garçons, assis sur l'extrême rebord de leur carriole et fumant comme des hommes, accentuant leur mouvement de roulis un peu plus qu'il n'était nécessaire et tenant les rênes avec une sorte de pétulance : le travail encore neuf et excitant, preuve de virilité. Sur un segment de route effroyable, caillouteux et fait à la va-vite, un garçon d'une dizaine d'années, le dos étroit, poussait vaillamment une charrette à bras derrière la carriole de son père. Il peinait, penchait d'un côté de la charrette puis de l'autre, la faisant louvoyer d'un bord à l'autre du chemin caillouteux.

« Que va-t-il advenir de ce garçon ? demandai-je à Rana.

— Son avenir est condamné », répondit Rana.

Au bout de deux heures de ce raccourci — encore des villages, encore des embouteillages — Rana dit que nous rentrerions par l'autre route.

Nous arrivâmes enfin à la petite ville dont dépendait le village, puis au village lui-même. Parcelles entourées de murs de briques ; caniveaux de part et d'autre de la route ; de nombreux bassins pour les eaux usées. Rana me désigna un bâtiment qui abritait, dit-il, l'école des filles, mais nous ne nous arrêtâmes pas. Nous gagnâmes directement la maison de l'oncle.

Il nous attendait, et quand nous entrâmes dans la cour extérieure où il accueillait ses hôtes nous le vîmes. C'était un homme mince au beau visage, tout de blanc vêtu hormis les chaussures noires — turban blanc, dhoti et kourtah blancs : vêtements campagnards —, et qui portait une barbe blanche bien taillée.

La petite maison se trouvait au fond de la cour : véranda au sol de terre battue dont le toit était soutenu par des colonnes de brique, et grande pièce au sol de terre battue, aux murs de ciment et aux portes de bois. Il y avait une natte de roseaux sur le sol poussiéreux de la véranda et un lit de cordes dans la pièce intérieure. Un ventilateur pendait du plafond de bois ; les poutres sur lesquelles reposait le plafond ressemblaient à des rails de fer. Un nouveau cadre de lit, pas encore tendu de cordes, était posé verticalement contre un mur. De gros clous dans un mur pour accrocher les habits ; deux niches murales, l'une au-dessus de l'autre.

Deux lits de cordes supplémentaires furent apportés pour nous par des hommes qui surgirent soudain, ainsi qu'un fauteuil de cordes pour Rana. Un cousin en dhoti et maillot de corps, une serviette sur son épaule nue, apporta ensuite du *lassi*, du babeurre, salé. Ce cousin était beaucoup plus petit que Rana ou l'oncle en blanc.

Un jeune garçon, soigneusement vêtu d'un shalwar-kamiz kaki et de sandales noires, mit le ventilateur en marche. Il faisait trop frais pour cela et nous l'éteignîmes. C'était un autre cousin, arriéré mental. Rana raconta son histoire : quand il avait environ un mois, un autre cousin avait accidentellement laissé tomber un bloc de glace sur lui ; il était dans cet état depuis lors. Peut-être la glace venait-elle de la fabrique qu'avait mentionnée Rana.

Le garçon avait une voix de stentor qu'il ne pouvait maîtriser. Il était plein d'égards pour les visiteurs et lorsqu'il se mettait à parler de sa voix tonitruante, il devenait le centre de l'attention, sous les yeux de l'oncle et le regard attendri de Rana.

D'autres personnes commencèrent à affluer, pour présenter leurs respects à Rana. Le *patwari*, le responsable du cadastre dans le village, arriva en motocyclette. Il était habillé, cérémonieusement, d'un costume shalwar-kamiz gris olive. C'était à sa manière un important responsable : sa position et ses fonctions avaient été définies à l'époque moghole ; les impôts fonciers étaient calculés à partir des documents qu'il établissait. Pourtant il ne fut pas présenté selon les règles ; et c'est sans dire un mot qu'il prit place dans la pièce.

Un haut mur de brique divisait la cour extérieure, où l'on recevait les visiteurs, de la cour intérieure de la maison familiale, où ceux-ci ne pouvaient se rendre. Une petite fille dans une longue robe verte à fleurs regarda furtivement à l'angle du mur, comme pour vérifier si les visiteurs annoncés étaient vraiment arrivés. En nous voyant elle se recula, comme effrayée. Un margousier poussait de l'autre côté de ce mur et la fumée d'un feu montait de la cour intérieure.

Une voix amplifiée s'approchait par la grand-rue du village. Elle venait d'un haut-parleur installé sur une camionnette qui vendait des couvertures pour l'hiver.

Notre chauffeur, le fabricant de vêtements, était étendu sur l'un des lits de corde, tout à fait à l'aise après le dur parcours. On eût dit qu'il connaissait le village, qu'il connaissait l'oncle de Rana, la maison, le lit même. Il parlait à Rana de son atelier de vêtements et de ses rêves d'exportation. Puis, par l'entremise de Rana, il s'adressa à moi. Il croyait que je pourrais l'aider, faire sa publicité. Son ourdou était émaillé de mots anglais inattendus : « modèles », « derniers modèles », « stylisme », « mannequins ».

On entendait revenir le haut-parleur. Ce n'étaient plus des paroles qu'il diffusait maintenant mais de la musique de film.

On apporta un houka. Le réservoir de cuivre ouvragé, applati à la base, reposait sur de petits pieds.

Au milieu de tous ces cousins qui brûlaient d'aider et de servir, Rana avait vraiment l'air d'un prince. Il ne marquait aucune hauteur à ses parents. Ses manières étaient parfaites. Il s'était hissé d'un ou deux échelons au-dessus d'eux, ou peut-être quatre ou cinq.

Un cousin apporta un fusil et des cartouches et proposa d'aller tirer. La « jungle » était proche, expliqua Rana — la « jungle » signifiant ici, comme dans le reste du sous-continent, non pas l'épaisse forêt tropicale, mais une variété plus simple de nature sauvage. Dans la pièce nue au sol de terre battue, le fusil et les cartouches faisaient figure de beaux objets, une touche de luxe, comme le houka, à l'intention des visiteurs. Mais ils rendaient aussi hommage à l'oncle de Rana. Il exploitait quatre-vingts hectares, entièrement en canne à sucre, et quatre cents personnes travaillaient pour lui. Plus précisément, expliqua Rana, tous ces gens étaient à sa disposition ; il pouvait se servir d'eux à son gré.

Les enfants jacassaient et des coqs se mirent à chanter, bien qu'il fût plus de midi. Un petit garçon en costume noir, déjà poussiéreux, s'encadra dans l'embrasure de la porte.

Notre déjeuner était prêt. Le lit de corde du milieu fut dressé debout contre le mur ; on apporta de la maison dans la cour intérieure des coussins aux couleurs vives, deux chaises et une table basse au plateau de formica. Quand l'homme qui la portait franchit le seuil on vit le cadre très simple de la table sous le joli plateau de formica à motifs, ainsi que les gros clous neufs qui traversaient le plateau et le cadre. Et soudain des tas de nouveaux venus s'activèrent. Une nappe — fleurs jaunes semées sur un fond rouge sombre — fut disposée sur la table de formica ; ils eurent beau la lisser, ils ne parvinrent pas à aplatir les arêtes et les creux des plis : « Cousu main », expliqua Rana. Et quand la vaisselle et le plateau arrivèrent, les aides se multipliant à mesure, Rana souligna : « C'est pour nous qu'on apporte ces choses. » Afin que les attentions de sa famille ne passent pas inaperçues ou ne soient pas considérées comme allant de soi.

Des œufs sur le plat, chacun dans une soucoupe de porcelaine ; une assiette de mangue en saumure ; un panier de parathas au blé complet enveloppés dans un tissu pour les tenir chauds ; du thé au lait, déjà sucré, dans une théière de porcelaine. Les parathas étaient frits dans du ghee ou beurre clarifié fait au village ; le blé, bien que moulu ailleurs, venait des champs alentour.

« Vous voulez peut-être vous laver les mains », proposa Rana.

C'est ce que nous fîmes dehors, à côté du mur de brique, un cousin versant sur nos mains l'eau d'une cruche. Seuls les visiteurs mangèrent. Les plus importants de nos hôtes s'assirent avec nous tandis que les autres nous servaient. Un homme, debout, tenait simplement la cruche d'eau.

Le repas était aussi bon qu'il le paraissait. Nous nous lavâmes de nouveau les mains. Puis ce fut le moment de partir dans la campagne, pour le tir promis. Un autre fusil était apparu, aussi méticuleusement entretenu que le premier.

La maison de brique voisine, aux murs aveugles, avec une porte ouvrant sur la rue, appartenait à un parent de Rana. En face s'élevait la cabane de pisé, plus petite, des ouvriers agricoles. Cette dernière était plus ouverte et deux ou trois personnes étaient étendues à l'ombre sur des lits de corde. Aujourd'hui à leur compte, ces gens auraient été naguère au service du propriétaire.

Dans la ruelle tapissée d'une épaisse poussière, les caniveaux, des deux côtés, étaient teints en vert par les déjections qui se déversaient des étables à buffles et des poulaillers. Dans une cour, une femme nettoyait une canalisation, les mains gantées jusqu'au poignet d'une épaisse gadoue verte.

Les champs commençaient dès la sortie du village. De temps à autre nous apercevions des petits groupes de trois ou quatre femmes qui regagnaient le village. De loin, on aurait cru un cortège nuptial. Elles étaient vêtues de rouge et de jaune et les paniers qu'elles portaient sur la tête étaient recouverts de tissus écarlates : on eût dit des paniers de fleurs ou d'offrandes cérémonielles. De près, les femmes étaient petites, maigres, boucanées : aucune relation apparente entre elles et les couleurs qu'elles arboraient. Parfois elles dissimulaient de leur voile le bas de leur visage. Nul cortège nuptial — c'étaient simplement des travailleuses qui rentraient des champs. Les couleurs vives étaient réservées aux femmes non mariées, expliqua Rana ; les femmes mariées portaient des teintes plus sourdes.

Nous vîmes une maison neuve en brique un peu plus loin, au milieu des champs. C'était une école. Un des oncles de Rana avait donné le terrain. Mais il n'y avait pas d'instituteur pour cette école ni pour les trois autres du village, dont l'école de filles que Rana avait indiquée à l'aller. Personne ne voulait venir enseigner au village, dit Rana. Les hommes à cause de l'« environnement », l'endroit n'offrant de distractions qu'aux gens du cru et rien aux étrangers. Quant aux femmes, elles redoutaient d'être enlevées par les gros propriétaires terriens. Bien que, comme je l'avais constaté, dit Rana, les propriétaires de ce village, qui étaient ses parents, fussent bons et aimables. L'école, quand nous arrivâmes plus près, se révéla à peine une carcasse : elle n'avait ni toit ni murs à l'arrière.

Nous marchions sur les diguettes séparant les champs. De temps à autre nous franchissions de petits fossés d'un bond. C'était le début de novembre ; il faisait frais, avec une légère brise. Les cultures étaient très diverses : canne à sucre presque mûre, haute mais pas encore prête à couper ; champs de jeune maïs ; emblavures moissonnées. Les champs de coton ressemblaient de loin à de vastes roseraies blanches et roses : rose des fleurs de coton et blanc de la ouate. Certains champs avaient encore leurs chaumes, d'autres avaient été labourés et inondés. Combien de temps allaient-ils rester sous l'eau ? demanda Rana à l'un des membres de notre escorte. Trois ou quatre jours, puis le canal d'irrigation serait fermé. « Comment s'effectue l'irrigation en Angleterre ? » interrogea Rana. Pour qui ne connaissait que cette plaine du Pendjab, il était difficile d'imaginer un pays où l'agriculture ne dépendait que de la pluie.

Nous étions maintenant loin du village, mais les champs n'étaient jamais entièrement vides. Des ouvriers rentraient chez eux ; de petits ânes, à demi cachés par leur haute et large charge d'herbe, trottinaient d'un pas assuré sur les diguettes piétinées et sèches. Parfois, des chiens bâtards nous regardaient à un ou deux champs de distance. Mal à l'aise, les sifflets de notre groupe les rendaient nerveux. Ils craignaient les cruautés associées à ces sifflets et se tenaient à distance.

Nous passâmes devant ce qui paraissait être un hameau : pâté de maisons de pisé ou de brique, bouses séchant sur les murs. Ce n'était pas un village, dit Rana, mais la demeure, les dépendances et les enclos d'un rameau de la famille qui s'était disputé avec la branche principale. Ils préféraient désormais ne plus « parler » à personne et vivaient seuls à cet endroit. Un moteur à deux temps pétaradait sous la véranda : une machine qui hachait du fourrage pour les animaux. « Le monde

261

moderne », dit Rana. Et malgré la querelle familiale il salua de la main l'homme et le garçon qui surveillaient le hache-paille.

J'avais cru que nous nous rendions dans la « jungle » pour tirer. Mais voilà que Rana envoya deux de nos compagnons dans un champ de canne où ils se mirent à couper des tiges. Nous les laissâmes à leur tâche et poursuivîmes notre chemin. Rana désigna un bâtiment sous des arbres à quelque distance. C'était notre destination : il y avait là un moulin à broyer où nous écraserions les cannes pour en boire le jus frais.

Nous continuâmes à marcher ; il y avait des gens partout. Nous vîmes ainsi une famille entière, cinq ou six personnes accroupies, qui coupaient des herbes hautes. Un garçonnet au dos nu, d'environ cinq ans, avec la curiosité de l'enfance, se dressa dans l'herbe haute pour nous regarder. Les autres, tête baissée, poursuivirent leur tâche.

« Ont-ils vraiment besoin du travail de ce petit garçon ? demandai-je à Rana.

— C'est dur de couper l'herbe », répondit-il.

Nous étions maintenant tout près du bâtiment sous les arbres qu'avait désigné Rana. Nous abandonnâmes la digue pour traverser un champ dénudé, encore détrempé dans les creux mais qui ailleurs durcissait et se craquelait. Les chiens de la maison commencèrent à japper, mais sans se montrer, et il me fallut quelque temps pour les apercevoir au milieu des buffles.

Le broyeur de canne à sucre se trouvait sur une légère éminence près d'un arbre ombreux. Une petite pile de tiges écrasées, blanchies et desséchées par le soleil, indiquait que l'on était venu là environ une semaine plus tôt. L'eau d'irrigation formait une mare qui nous séparait de la maison, des buffles, des chiens et des ombrages ; des bouses séchaient au sommet du mur extérieur en pisé.

Les deux coupeurs de canne arrivèrent à leur tour, le coupeur en chef portant le couteau et son aide les longues cannes sur l'épaule. On apporta de la maison un lit de cordes. On nous y fit asseoir, nous les visiteurs, à l'ombre maigre et diffuse de l'arbre, tandis que les autres préparaient le broyeur. L'un des hommes aux fusils avisa un oiseau gris jaune sur un arbre à une quinzaine de mètres. L'oiseau était posé tout au bout d'un rameau, comme s'il cherchait à voir ce que nous faisions. L'homme visa ; une terrible détonation ; mais l'oiseau s'envola indemne ; aucun autre coup de feu ne fut tiré. Oubliés les fusils, tout le monde s'affaira à préparer le jus de canne.

On lava le broyeur avec l'eau de la mare. On trouva la longue branche écorcée qui allait mouvoir la machine et l'une des extrémités fut insérée dans la fente prévue à cet usage. Cette hampe servait normalement de joug à une paire de bœufs qui tournaient en rond pour faire marcher le moulin. Quelqu'un de la maison vint aider et le pressage commença à la manière d'un jeu : trois hommes poussaient le joug comme s'ils étaient des bœufs tandis que les deux autres qui alimentaient la machine en canne à sucre se baissaient jusqu'au sol, bien qu'ils fussent déjà accroupis, chaque fois que le levier passait au-dessus d'eux.

On finit par obtenir une cruche pleine de jus gris, tiède, sans saveur prononcée ; peut-être fallait-il attendre un peu pour qu'un goût plus profond se développe. Rana en but un gobelet, versé par le même cousin qui tenait la même cruche, alors remplie d'eau, pendant le déjeuner. Le fabricant de vêtements but ensuite, puis tous les autres.

La fête était finie. Nous rentrâmes sans avoir tiré au fusil. Dans les villes du sous-continent, des petits marchands vendent dans la rue du jus de canne extrait de simples pressoirs manuels. Pour cette version de ce plaisir quotidien, pour boire du jus de canne frais dans les champs, toute une suite de villageois s'était mise au service de Rana ; et peut-être qu'une partie du plaisir venait du cérémonial, de la foule, du souvenir du temps jadis. Je demandai à Rana s'il allait enfant tirer avec son père quand ils venaient au village. Non, il était trop jeune. Son plaisir était de regarder les scènes paysannes. Il partait seul dans les champs.

Il portait un jama blanc — des pantalons bouffants — et un long manteau d'un brun doré. Son allure princière frappait encore plus dans la campagne ; jamais il ne m'était apparu aussi élégant et gracieux. S'il n'avait plus de terres, les villageois le servaient encore volontiers. C'était cette déférence de longues années durant qui l'avait rendu fier d'être radjpoute.

Je comprenais mieux ce qu'il avait dit à propos de sa double personnalité citadine. L'avocat de Lahore en costume et cravate noirs percevait le droit comme une humiliation quotidienne, alors qu'il s'attendait, dans sa noble profession, à une forme plus élevée des attentions qu'il recevait dans son village. L'homme ainsi dissocié s'irritait de tout ce qui n'allait pas dans son pays. Il disait toujours « dans mon pays », jamais « au Pakistan ». Sa maussaderie l'associait à la grande colère souterraine que les hommes politiques étaient encore rares à comprendre.

Au loin, nous entendions des haut-parleurs dans le village. Ils ne vendaient pas cette fois des couvertures. C'étaient les haut-parleurs de la mosquée, et le prédicateur, dit Rana, exaltait les vertus qui ne manqueraient pas d'échoir aux gens menant une vie simple, comme les villageois ; bien que, aurait pu dire Rana, l'avenir des enfants du village fût déjà condamné.

À l'entrée du village un garçon aux vêtements ocrés jetait de la terre à un âne attaché, qui répondait par des ruades.

Rana entra dans la cour intérieure de la maison de son oncle pour dire au revoir aux femmes de la famille. Nous n'avions rien vu d'elles, hormis la petite fille en robe verte au début de notre visite, qui de loin avait jeté un coup d'œil oblique aux étrangers.

Nous repartîmes ensuite vers Lahore et les deux côtés de la personnalité de Rana. Nous prîmes l'autre chemin, pas la traverse. Il y avait autant de villages le long de cette route que sur le raccourci, mais elle était pourvue d'une bande asphaltée. De la largeur d'un véhicule, il est vrai, ce qui ralentissait la circulation. Mais c'était le chemin le plus commode. Le parcours nous prendrait une heure et demie, dit Rana. Il nous fallut deux heures.

CHAPITRE 21

La guérilla

En 1945, à la fin de la guerre, lorsqu'il fut démobilisé de l'armée britannique des Indes, le père de Shahbaz décida de s'installer en Angleterre. C'était le genre de chose que certains princes indiens faisaient avant la guerre ; leur argent et leurs titres leur conféraient une sorte de dignité exotique, bien que l'Inde fût une colonie. Peut-être le père de Shahbaz imaginait-il que l'indépendance imminente de l'Inde et du Pakistan donnerait une dignité semblable à un émigrant musulman. D'autres musulmans du sous-continent partageaient cette conviction ; ils se méfiaient de l'indépendance pour diverses raisons, et s'établir en Angleterre, terre de droit, leur apparaissait comme une issue.

Aussi, bien qu'il fût né un an après l'indépendance, Shahbaz n'avait-il pas échappé aux tensions coloniales et raciales pendant sa jeunesse. Il avait fait ses études primaires et secondaires en Angleterre, et avait particulièrement souffert dans le collège privé où ses parents l'avaient mis en pension. Il était le seul Asiatique, le seul musulman, le seul qui ne mangeait pas de porc ni n'allait à la chapelle. Sa situation s'aggrava encore lorsque son père devint insolvable. Shahbaz, dont la scolarité n'avait pas été payée pendant trois trimestres, vivait dans la hantise d'être mis à la porte, et si la menace ne se concrétisa finalement pas, il se sentait à l'écart de ses camarades.

Le père de Shahbaz dut renoncer à s'établir en Angleterre et prépara son retour au Pakistan. Il créa une entreprise dans l'intérieur du Pendjab. A douze ou treize ans, Shahbaz y alla passer les vacances scolaires. Son père et lui rendirent alors visite à diverses familles féodales de la région. Ces « féodaux » étaient de grands propriétaires terriens qui possédaient des villages entiers. Les fils de certaines de ces familles avaient étudié en Angleterre, et les parents de Shahbaz s'étaient alors occupés d'eux. Shahbaz découvrit que sur leurs terres les fils de ces féodaux ne se conduisaient pas en diplômés d'Oxford ou de Cambridge. Ils traitaient leurs ouvriers et leurs paysans comme des serfs. Ces derniers touchaient les pieds de leur maître en signe de soumission et de bienvenue, de soumission plus que de bienvenue, et le seigneur ne les invitait pas à se relever. Shahbaz, frais émoulu des écoles anglaises, avait envie de pleurer.

Ses trois dernières années au collège privé furent une période très heureuse. Livré à lui-même, il passait ses congés chez des amis ou comme hôte payant. Il lui arriva ainsi d'être hébergé par un pasteur de l'Oxfordshire, avec la fille duquel il eut une aventure platonique. C'était la bonne vie ; et bien qu'il fût désormais plus anglais que pakistanais ou musulman, bien qu'il connût à peine le Pakistan, les poèmes qu'il commençait à écrire parlaient tous de la pauvreté, des mendiants et des infirmes et des gens de la rue.

Ses études secondaires terminées, il rentra au Pakistan, à Lahore, pour préparer un diplôme universitaire. Il s'intéressa à la politique locale ; il était hostile au pouvoir des généraux ; c'était un homme de gauche. Mais sa vie politique commença véritablement quand il retourna en Angleterre, où il s'était inscrit en licence de lettres dans une bonne université de province. On s'y passionnait pour la politique. C'était en 1968, l'époque « très émotionnelle », se rappelait-il vingt-sept ans après, du mouvement contre la guerre du Vietnam. Tout le monde disait que le système était « pourri » et qu'il fallait le changer. Il le disait ; de jeunes Sud-Américaines sexy le disaient. « Ça flirtait beaucoup. » La vie d'étudiant était « une sorte de carnaval ».

Il avait de bons amis pakistanais à l'université. Nombre d'entre eux faisaient des études de lettres comme lui ; c'était l'une des matières les plus faciles, peut-être la plus facile. Très politisé et très restrictif à l'époque, l'enseignement des lettres prônait le marxisme et la révolution plutôt que la multiplicité des lectures. Aussi, dans leur groupe de recherche marxiste, Shahbaz et ses amis lisaient-ils les textes révolutionnaires standard (et brefs) : Frantz Fanon, Che Guevara. Et s'ils étudiaient certains auteurs russes approuvés, ils ignoraient les romans de Tourgueniev, *Père et fils* (1862) ou *Terres vierges* (1877), qui décrivent des situations assez comparables à celles du Pakistan féodal mais dénoncent les simplifications révolutionnaires.

Lorsque je l'interrogeai à propos de Tourgueniev, Shahbaz répondit : « La littérature n'avait pour moi aucun rapport avec mon développement politique. » Comme si ses idées sur le marxisme et la révolution, si stéréotypées fussent-elles, lui étaient personnelles, faisaient partie de sa formation intime.

Les groupes pakistanais de recherche qui s'étaient constitués dans les diverses universités anglaises commencèrent à organiser des réunions communes toutes les deux semaines à Cambridge ou à Londres. A Londres, ils se rapprochèrent des groupes gauchistes indiens. Le quartier londonien d'Earl's Court regorgeait alors de bars et de restaurants où les activistes du monde entier se retrouvaient pour des discussions qui se prolongeaient toute la nuit dans une « grisante » atmosphère internationale.

Une cousine de Shahbaz faisait partie du groupe londonien élargi. Elle était allée à Cuba, avait coupé la canne à sucre pendant six semaines et rencontré « Fidel ». Shahbaz était à moitié amoureux de cette cousine. C'était une jolie fille, et ses récits de l'égalité qui régnait à Cuba et dans les services médicaux redoublèrent son attrait pour les idées collectivistes. Il s'enflamma pour la révolution. Mais quand elle eut quitté l'université, la jolie cousine commença à revenir en arrière. Non contente de faire couper ses cannes à sucre du Pendjab par des paysans, elle se prit d'une passion de mollah pour l'islam. « Elle a subi une complète régression », résuma Shahbaz comme s'il parlait d'un cas pathologique. Pour couronner cette régression, elle alla jusqu'à épouser un « salaud ». Et lorsqu'ils se retrouvent aujourd'hui à Lahore dans une réunion mondaine, elle ne reconnaît plus son cousin.

Mais Shahbaz allait bientôt tomber profondément amoureux d'une autre jeune Pakistanaise de sa propre université. Un amour apparemment partagé. « Nous voulions rentrer au pays pour faire la révolution ensemble. C'était merveilleux », dit Shahbaz, comme s'il s'agissait de faire l'amour ou de préparer un gâteau. Cette vision de l'avenir le soutint jusqu'à la fin de ses études universitaires. Mais lorsque vint le moment de faire ses bagages et de quitter sa maison pour aller rejoindre la guérilla, la fille refusa de suivre Shahbaz : « Elle n'a pas pu rompre politiquement avec sa famille », dit-il.

Cet amour réconforterait Shahbaz dans les déserts et les montagnes du Baloutchistan et de l'Afghanistan, pendant les dix longues années de guérilla où il se retrouva engagé, un peu à sa propre surprise, à la suite de ces discussions et soirées grisantes à Earl's Court, Cambridge et dans son université. Dix longues années de célibat, parce que même si un homme se battait au Baloutchistan pour les Baloutches, il devait se tenir à l'écart des femmes. L'adultère était une affaire des plus périlleuses chez les nomades. Il fallait se glisser dans la tente de la femme convoitée, l'éveiller sans réveiller le mari, l'emmener en traversant le campement et les troupeaux, lui faire l'amour, puis la ramener, tout cela sans être découvert. Ce genre d'adultère était une sorte de guérilla dans la guérilla, dit Shahbaz ; et bien que les séducteurs les plus habiles fissent les meilleurs combattants, Shahbaz préférait observer leurs exploits de loin. Mais ces aventures et ce long célibat étaient encore à venir.

L'un des sujets que son groupe marxiste aimait à discuter à l'université était la « question des nationalités » au Pakistan. Le Pendjab était la province dominante et les peuples des autres régions se sentaient laissés à l'écart. Iqbal, le poète qui avait proposé la création du Pakistan, avait cru, avec le zèle du converti, que l'islam fournirait une identité et une cause suffisantes aux populations du nouvel État, et que les notions historiques de clan et de caste (comme l'orgueil radjpoute de Rana) disparaîtraient. Iqbal se trompait. Les sentiments régionalistes bouillonnaient, en particulier à l'Est ; le Bangladesh n'allait pas tarder à faire sécession.

Le groupe marxiste de Shahbaz était persuadé que le marxisme et la révolution accompliraient ce que l'islam n'avait pas su faire. Shahbaz expliqua ainsi cette idée : « Il fallait une révolution depuis la base. De l'intérieur de toutes les nationalités. Et le processus révolutionnaire cimenterait les nationalités. »

Shahbaz ne trouvait pas cette idée trop abstraite ; elle s'inspirait des manuels marxistes et le groupe y réfléchissait depuis un an et demi. Ils savaient également où la révolution devrait commencer : au Baloutchistan, vaste province occidentale, désertique et presque vide. Peu nombreuse et arriérée, la population se composait surtout de nomades. Il y avait eu trois soulèvements depuis l'indépendance, et le mécontentement subsistait. Maintenir l'ordre dans cette région était difficile. C'était, en somme, l'endroit où, dans le langage plus abstrait et apparemment scientifique de la révolution, « la contradiction entre l'État et le peuple apparaissait le plus clairement ».

Le groupe était désormais dominé par un Indien d'Afrique du Sud. Sa famille avait émigré à Karachi et y avait une boutique. Il avait rencontré le groupe lors d'une visite à Londres. S'il était très jeune, dix-neuf ou vingt ans, il se prétendait marxiste de toujours et avait plein d'histoires de révolutionnaires et de guérilleros à raconter. Il disait que toute sa famille appartenait au Congrès national africain ; il était entré dans la clandestinité en Afrique du Sud. Mieux encore, tout jeune qu'il était, il avait vécu dans la clandestinité au Pakistan même, au Baloutchistan. Voilà qui clouait le bec aux marxistes pakistanais. Le Sud-Africain n'avait pas fait d'études et les membres du groupe étaient ravis de se voir reprocher leurs origines privilégiées.

Shahbaz le trouvait stimulant et « charismatique » (l'un des mots préférés de Shahbaz). Beau garçon, petit et très trapu, les yeux perçants, il n'avait pas de temps à perdre avec les problèmes personnels des gens. Pour lui, seule la cause comptait. Ce serait une relation de plus qui s'achèverait mal pour Shahbaz. Le Sud-Africain essaierait en effet de le tuer. Les yeux perçants qui attiraient Shahbaz se révéleraient les yeux d'un paranoïaque. Vingt-cinq ans plus tard, de retour en Afrique, au Zimbabwe, ayant renoncé aux guérillas, il se suicida après avoir essayé de tuer son fils. Mais cela aussi était encore à venir.

Un jour de 1969, à Londres, le Sud-Africain se montra particulièrement insultant envers les marxistes de l'université de Shahbaz. C'était sa manière de les tenir en main. Et pour finir il déclara : « Vous devriez cesser de parler et commencer à agir. Si vous êtes vraiment sérieux, vous devriez tout abandonner pour faire du Baloutchistan le foyer d'une révolution au Pakistan. »

Cela ressemblait à la révolution de l'intérieur des nationalités qu'avait analysée le groupe, et qui visait d'abord à unifier la nation. Bien plus ambitieux, le Sud-Africain envisageait une révolution totale. Il suivait, disait-il, le précepte de Lin Piao, le second de Mao pendant la révolution culturelle : les campagnes pouvaient servir de bases pour submerger les villes ; c'était dans les campagnes qu'il fallait engager la guérilla contre les villes, où se trouvait l'État.

Tous furent impressionnés par la vision du Sud-Africain. Le Che Guevara de l'Argentine, de Cuba et de la Bolivie, le Frantz Fanon des Antilles françaises, le Congrès national africain, et maintenant Lin Piao : si tard qu'ils soient venus à l'action politique, les membres du groupe de recherche de Shahbaz avaient le sentiment que toutes les grandes forces éprouvées de la révolution s'unissaient irrésistiblement en eux et pour eux. Tous commencèrent à rêver au Baloutchistan et à la guérilla.

L'année suivante, son diplôme en poche, ayant raconté à ses parents qu'il s'était inscrit dans une école de cinéma yougoslave, Shahbaz rentra secrètement à Karachi, y passa une nuit et, en train et en bus, gagna une petite ville du Baloutchistan. Ses camarades et lui furent accueillis par un Baloutche qui les conduisit dans un camp d'entraînement au milieu des montagnes. Le Sud-Africain s'y trouvait déjà, ainsi qu'un membre du groupe de Londres.

Le Baloutchistan ressemblait à l'Iran : plateaux désertiques et montagnes dénudées, très peu d'eau, très peu de végétation, et des températures extrêmes. Shahbaz allait y passer dix ans. Les trois premières années, ses camarades et lui apprirent la langue et tentèrent d'organiser des services sociaux pour les Baloutches.

À ce stade, son récit s'accéléra un peu trop à mon goût. J'eus l'impression en relisant mes notes que certains détails avaient été gommés. Je téléphonai à Shahbaz, qui accepta volontiers de me revoir. Je voulais en savoir davantage sur ces tout premiers jours au Baloutchistan, sur le tout premier jour.

« J'ai pris le train à Karachi. A l'arrivée, deux nomades m'attendaient sur le quai. Ils étaient plus courtois que ceux que je rencontrerais par la suite. Nous avons pris un autocar sur une quinzaine de kilomètres. Puis nous avons marché deux jours. C'était ma première randonnée en montagne. Un terrain très accidenté. Je portais un shalwar-kamiz, des souliers et un turban auxquels je n'étais pas habitué. Je n'étais pas davantage habitué à coltiner un sac à dos. En route, nous avons fait du pain, nous avons mangé du pain sec et j'ai passé ma première nuit à la belle étoile. C'était l'été. Nous couchions à même la terre. C'était épuisant. J'ai attrapé des ampoules. J'avais mal. Mon corps tout entier était douloureux. En arrivant au camp j'étais recru.

« Cinq jours auparavant, j'étais à l'université en Angleterre. Et me voilà soudain précipité dans un camp de trente à quarante nomades, armés jusqu'aux dents, qui parlaient une langue que je ne connaissais pas. C'était comme au cinéma. C'était comme rencontrer des Martiens. Je ne m'étais pas préparé mentalement au choc de cette rencontre. Cette première nuit, on m'a donné un fusil et on m'a fait monter la garde. Cinq jours plus tôt, j'étais à l'université en Angleterre... Ils ont tué une chèvre pour fêter mon arrivée. Nous avons mangé ce soir-là de la viande très grasse, très riche, qui m'a donné la colique. Et faire ses besoins dans la brousse s'est avéré difficile aussi au début. »

La lecture de Tourgueniev ne l'aurait pas préparé au Baloutchistan, mais l'aurait peut-être aidé mentalement, en tant que révolutionnaire, à affronter cette rencontre avec des Martiens.

L'endroit où était parvenu Shahbaz était un camp d'entraînement. Ce n'était pas encore la guerre ; elle ne commencerait que dans trois ans, après l'entraînement. Le leader baloutche de la région, le commandant opérationnel de Shahbaz, était un chef de clan. Les Baloutches étaient divisés en tribus, et les tribus en clans ; les rivalités entre clans et tribus rendaient très difficile à Shabaz et à tous les autres étrangers de se faire une idée générale de ce qui se passait.

Pendant les trois premières années, Shahbaz et les autres « s'intégrèrent ». (Il y avait un mot technique pour chaque chose que faisait un guérillero. C'était peut-être rassurant pour certains débutants qui, maintenant qu'ils étaient sur le terrain, dans l'immensité du Baloutchistan, risquaient de se sentir tout petits, voire inutiles.) Ils s'intégrèrent donc pendant trois ans. Ils apprirent la langue et organisèrent des services sociaux pour les nomades. La vie n'était pas facile pour Shahbaz quand ceux-ci nomadisaient. Il se nourrissait de pain sec et couchait à même le sol, sur un châle étendu sur l'herbe. L'été, ils construisaient des abris et dormaient en plein air. L'hiver, ils vivaient dans des grottes, sous un surplomb du rocher. L'hiver, les étrangers dormaient dans des sacs de couchage. Shabaz disposait aussi d'une radio, d'une machine à écrire et de livres. Lui et les autres avaient entreposé beaucoup de livres dans des grottes, mais quand le camp voyageait il ne pouvait en transporter que deux.

La vie était dure, mais Shahbaz et ses amis se sentaient « incroyablement créatifs » parmi ces nomades. En Angleterre, quand ils parlaient de la révolution, ils pensaient aux ouvriers et aux paysans. Ces Baloutches n'étaient assurément pas des ouvriers, et ils n'avaient rien de commun avec les paysans pendjabis, les seuls paysans que connût Shahbaz. Ces nomades n'avaient jamais été atteints par le monde moderne. Voilà pourquoi ils lui étaient apparus comme des Martiens au début. Ce n'était pas une attitude juste pour un révolutionnaire, il le savait bien, mais dans cette période d'intégration il songeait à ce qu'avait dit Mao : que les paysans étaient une page blanche et qu'ils devenaient tout ce qu'on pouvait inscrire dessus. C'était ainsi qu'il avait fini par considérer ses nomades ; bien que, en homme intelligent et équitable, il craignît de se montrer un révolutionnaire orgueilleux et peut-être même cruel, puisqu'il pouvait éduquer ces gens à son entière fantaisie.

Vingt ans après, il s'excusait ainsi : « On avait vraiment le sentiment d'être l'engrenage du changement dans la vie d'une nation. »

Shahbaz était un homme généreux. On disait au Pakistan que les Pakistanais, peu sûrs d'eux dans le monde extérieur, essayaient toujours de rabaisser leurs pareils. Shahbaz n'était pas comme ça ; il admirait aussi volontiers les Pakistanais que les autres peuples. Peut-être son isolement en Angleterre et les années passées dans un collège privé anglais lui avaient-ils donné à la fois le besoin d'être approuvé par les autres et une aptitude au culte du héros. De même qu'à Londres il s'était remis entre les mains du Sud-Africain, de même au Baloutchistan s'abandonna-t-il au chef de clan qui était son supérieur immédiat.

D'une famille de bergers nomades, le chef de clan était illettré. Il s'était battu pendant le soulèvement baloutche de 1963 contre le gouvernement militaire pakistanais. Shahbaz était émerveillé par son humilité, sa modération, son calme, son don de la parole. Avec le pur instinct de l'illettré, il pénétrait le caractère et l'humeur des gens, et dans n'importe quelle situation savait comment il fallait leur parler. C'était un chef naturel, et Shahbaz et les autres caressaient l'espoir qu'il deviendrait le Mao ou le Hô Chi Minh de la révolution baloutche, sinon même de la révolution pakistanaise.

Ils entreprirent donc de l'éduquer politiquement, croyaient-ils, de lui enseigner, comme le dirait Shahbaz vingt-cinq ans après, la pratique du monde et la politique révolutionnaire. Ils n'auraient pu rêver élève mieux disposé. C'était une preuve — cette fois dans le lointain Baloutchistan — de la justesse et de l'universalité de la révolution marxiste. Cela balaya leurs derniers doutes sur leur mission. Le chef de clan baloutche prit goût à son éducation « comme un canard à l'eau ». Shahbaz, s'il n'avait pas été si désireux de voir un homme qu'il admirait réagir positivement, triompher de cette épreuve essentielle, aurait été bien avisé de s'interroger davantage sur ce que l'illettré pensait de ce que l'on attendait de lui.

« Nous ne nous considérions pas comme des chefs, dit Shahbaz. Nous avions le sentiment de créer des chefs pour le peuple. »

Le marxisme de Shahbaz et son désir ardent de révolution étaient « émotionnels ». Ce qui intéressait, au contraire, le Sud-Africain, estimait Shahbaz, c'était le pouvoir. Peut-être voulait-il (à mon avis, du moins), devenir au Baloutchistan ce que, en tant qu'Indien, il ne pouvait pas être en Afrique du Sud, au Congrès national africain ou ailleurs. Et Shahbaz, à sa généreuse manière, trouvait l'appétit de pouvoir du Sud-Africain normal, parce qu'il avait « des aptitudes de chef ». Le pouvoir, par conséquent, était quelque chose que le monde devait au Sud-Africain.

Il y avait un autre étranger que Shahbaz admirait et dont il se sentait particulièrement proche. C'était un jeune chrétien de Karachi, fils d'un officier supérieur de l'armée de l'air. Membre du groupe de Londres, il avait abandonné ses études de comptabilité pour rejoindre les révolutionnaires. Il était émotionnel comme Shahbaz ; il était intelligent et cultivé ; il pleurait facilement, comme Shahbaz. Il pleurait devant la pauvreté et l'injustice qu'il voyait. Chrétien au Pakistan, il avait vécu une bonne partie de sa vie en étranger ; il était peut-être aussi étranger (bien que Shahbaz ne l'ait pas dit) que Shahbaz après toutes ses années en Angleterre. Ce garçon avait un grand sens de l'humour et « un rire fantastiquement sonore ». Shahbaz se le rappelait très mince, très brun, très bengali d'allure.

En parlant de ce garçon, Shahbaz plongea dans la mélancolie. Il avait été tué six ans après son arrivée au Baloutchistan, la troisième année de l'insurrection. Il avait rendez-vous dans une petite ville avec quelqu'un en qui il avait confiance, et celui-ci le livra à l'armée. Son adjoint, un Baloutche, fut capturé avec lui. L'armée dissimula son arrestation pour ne pas alerter les rebelles. Ils apprirent plus tard qu'il avait été interrogé et torturé des semaines durant, puis jeté d'un hélicoptère. Ne pas savoir quand il avait été tué les tourmentait. Pourtant, bien qu'il parlât du garçon avec tristesse, Shahbaz n'eut jamais l'idée de rechercher sa famille.

La révolution commença, après trois ans de préparatifs, par des douzaines de soulèvements dans toutes les régions sauvages du Baloutchistan. Et, miraculeusement (pour quelqu'un de si émotionnellement attaché à l'idée de révolution), le désert où errait (et souffrait) Shahbaz devint, en langage technique de guérilla, une zone libérée. La révolution était dirigée par des chefs de clan, comme celui qu'admirait Shahbaz, transformés en chefs de guérilla. C'était une guerre dispersée, qui traduisait les divisions tribales et claniques. La tribu à laquelle était attaché Shahbaz comptait cinq ou six groupes de combat différents. Il dirigeait un camp pour l'un de ces groupes, qui rassemblait de cinquante à deux cents guérilleros. Sa mission n'était pas de se battre mais d'éduquer les gens de sa région, de leur donner une formation médicale, d'arbitrer les conflits et (curieusement, pour un ancien élève de collège chic anglais) de régler les problèmes d'agriculture et d'élevage.

Il devint vite évident, après la sécession du Bangladesh, que le gouvernement de M. Bhutto allait mater les Baloutches et leurs chefs tribaux avec une extrême sévérité. Il dépêcha, estimait Shahbaz, jusqu'à cent mille soldats au Baloutchistan. A Londres, le Sud-Africain les avait éblouis avec Lin Piao et sa théorie, issue de la révolution culturelle chinoise, selon laquelle la guérilla dans les campagnes submergerait les villes. Ce qu'ils n'avaient pas prévu, ce à quoi nul mémento marxiste ou révolutionnaire ne les avait préparés, c'était qu'une armée professionnelle bien entraînée allait broyer avec une puissance irrésistible les structures sociales fragiles d'un peuple nomade.

Les appréhensions de Shahbaz, sa stupéfaction le tout premier jour en découvrant les « Martiens » du Baloutchistan, étaient néanmoins un pressentiment de ce qui allait se passer, quelque vigoureusement qu'il l'ait étouffé par la suite, à l'aide des pensées de Mao. Les nomades n'étaient pas les ouvriers ou les paysans enracinés de la littérature marxiste. C'étaient des vagabonds, sans bagages ou presque ; il était possible de les balayer.

En racontant son histoire, Shahbaz n'insista guère sur cet aspect des choses. Aussi, lorsque j'allai le revoir quelques jours après, lui demandai-je de me parler un peu plus de la désagrégation des nomades.

« Les gens mouraient partout. Ils avaient perdu leurs moyens d'existence et leur famille. L'économie d'une famille nomade est si fragile. Elle dépend des troupeaux. Il suffit donc de détruire les animaux. Ce qu'ont fait les soldats. Ils rassemblaient les moutons et les chèvres par milliers au cours de grandes rafles et les abattaient à l'arme automatique. Et une fois que vous faites ça, les gens n'ont plus rien pour vivre. »

Si l'armée ne manœuvrait pas l'été, à cause de la chaleur excessive, elle lançait ses opérations l'hiver, et à la fin du deuxième hiver la révolution au Baloutchistan était pratiquement terminée. Toutes les soirées et les amours londoniennes, toutes les discussions des textes révolutionnaires sacrés avec de jeunes Sud-Américaines sexy, tous les préparatifs et toute l'éducation au Baloutchistan avaient très vite été réduits à néant.

Shahbaz se retrouva un moment dans l'une des rares zones libérées qui résistaient encore. Il en était désormais le seul cadre administratif. Le Sud-Africain était parti peu après le début des combats. Shahbaz ne s'en était pas inquiété. Il avait encore confiance en lui et il savait que le Sud-Africain était chargé d'une mission importante en Europe : réunir des fonds (bien que Shahbaz ne précisât pas qu'ils provenaient de Russie, d'Allemagne et d'Inde) et alerter la presse de gauche. Le Sud-Africain maintint le contact mais ne revint pas.

Toute la publicité qu'obtint le Baloutchistan à l'étranger était due au Sud-Africain, mais elle se réduisit à bien peu de chose. Le Baloutchistan ne devint jamais l'une des grandes causes internationales de la gauche. Peut-être à cause de l'effondrement rapide de la révolution ; peut-être aussi en raison du silence qui entourait au Pakistan l'insurrection et les opérations de l'armée. Le gouvernement ne disait rien ; aucun journal pakistanais ne publiait quoi que ce soit ; et les journalistes qui mentionnaient le Baloutchistan étaient jetés en prison. Si les révolutionnaires des villes distribuaient un petit bulletin clandestin, élégamment intitulé *Djabal*, « montagne » en baloutche, ce n'était guère qu'une feuille polycopiée et brouillonne qui ne paraissait qu'une fois par mois. Nul doute qu'il ne ressemblait que trop à ce qu'il était, une voix criant dans le désert ; et son message n'eut guère d'écho.

À la fin du deuxième hiver de la contre-offensive militaire, le chef de clan baloutche — en qui Shahbaz et les autres avaient vu un possible Hô Chi Minh ou Mao de la révolution baloutche — décida de quitter le pays pour entreprendre avec les débris de ses nomades abandonnés et miséreux une longue marche jusqu'en Afghanistan. Il y eut un temps vingt-cinq mille de ces réfugiés, dit Shahbaz ; pour la plupart des femmes et des enfants qui n'avaient plus d'hommes pour les nourrir.

L'hiver suivant, le jeune chrétien de Karachi, le garçon « au grand sourire et au grand rire », qui pleurait pour les pauvres et préparait à Londres un diplôme d'expert-comptable, était capturé, torturé et jeté d'un hélicoptère.

L'armée les traquait toujours plus impitoyablement. « C'était terrible, dit Shahbaz. Les massacres, la famine, les bombardements. Voir tant de ceux que vous aviez éduqués et entraînés mourir devant vous. » Mais jamais il ne douta de la cause. « Non. Les désastres me rendaient plus sage. »

Il lui fallait sans cesse décider du sort des différents groupes de non-combattants. Devait-il les expédier au nord en Afghanistan ou à l'est dans le Sind, ou les garder sur place ? Une région entièrement dépeuplée risquait en effet de ne plus mériter le nom de zone libérée.

L'armée surveillait toutes les routes. Shahbaz était étroitement assiégé dans sa zone libérée. Extraordinaire paradoxe — après avoir passé tant de temps à organiser une guérilla dans les campagnes —, il fallait désormais faire venir la nourriture des villes, clandestinement.

Toujours partant, toujours passionné, malgré l'échec et la tragédie autour de lui, Shahbaz considérait encore la révolution comme un élément essentiel de son développement personnel. « Ce fut, dit-il, une période intensément créative. »

Ils manquaient surtout de blé. Les boutiquiers hindous, chassés des villes après la partition, avaient été remplacés par des Baloutches qui, plus ou moins parents des insurgés, affrétaient des caravanes de chameaux. Ces caravanes, qu'escortaient parfois des guérilleros, devaient franchir les barrages de l'armée. Les désastres se multipliaient, surtout l'hiver, pendant les offensives des militaires. Combattants et boutiquiers se faisaient capturer avec la précieuse nourriture. Shahbaz et les siens devaient souvent se contenter d'un seul repas tous les deux jours. Ils voyageaient avec des bouts de pain dans les poches. Cela leur permettait de tenir.

L'armée investit un hiver les montagnes où Shahbaz et son groupe se terraient. Ils n'eurent que le temps de fuir. Ils se déplaçaient la nuit pour éviter d'être repérés par les hélicoptères de l'armée. Avec des vivres en abondance, toutes leurs réserves, qu'ils ne pouvaient se permettre d'abandonner. Shahbaz et ses hommes se cachèrent une journée entière dans un petit village de nomades qui les nourrirent et les soignèrent, puis le soir ils reprirent leur chemin. L'armée ne se servait plus seulement d'hélicoptères mais disposait désormais d'éclaireurs réguliers et de pisteurs baloutches. Ces traqueurs conduisirent les soldats au village. Ils posèrent des questions : « Qui était ici hier soir ? Qui a fait toutes ces traces qui convergent vers les maisons ? » Les nomades furent massacrés jusqu'au dernier, seize personnes au total.

La nouvelle, quand il l'apprit, bouleversa Shahbaz des semaines durant. Plus stoïques, les Baloutches qui l'accompagnaient essayèrent de le consoler.

« La vie nomade est dure, expliqua Shahbaz, aussi ont-ils une grande aptitude à accepter les calamités. J'ai appris d'eux le stoïcisme et la patience. »

Trois ans après — les rouages imbriqués de toutes les tragédies antiques et de toutes les vengeances sanglantes du Pakistan poursuivant leur broyeuse besogne — M. Bhutto, qui avait lancé l'armée contre les Baloutches, était destitué par un général, jugé et pendu. Ce général décréta une amnistie, mettant ainsi fin à la guerre au Baloutchistan.

Shahbaz était alors en Afghanistan avec les autres réfugiés. Il était venu à pied du Baloutchistan à travers les montagnes. Il y avait deux camps de réfugiés baloutches dans le sud de l'Afghanistan. Le chef de clan, l'ancien commandant de Shahbaz, s'y trouvait encore et jouissait toujours d'une grande influence. Le mouvement révolutionnaire disposait également de plusieurs appartements à Kaboul, et Shahbaz faisait la navette entre ces appartements et les camps de réfugiés.

C'est à Kaboul que Shahbaz retrouva le Sud-Africain, six ans après leur séparation. Les révolutionnaires — ceux qui avaient survécu ou s'intéressaient encore à la cause — s'étaient réunis dans la capitale afghane (havre particulièrement sûr depuis l'occupation russe) pour discuter de l'avenir du mouvement. Shahbaz et certains de ses camarades voulaient aussi interroger le Sud-Africain sur ce qu'il avait fait en Europe pendant six ans et sur ce qu'était devenu l'argent qu'il y avait récolté.

Ce furent des discussions acharnées, de « terribles disputes ». A la fin, Shahbaz et le Sud-Africain ne s'adressaient plus la parole. Puis le Sud-Africain commença à dire que Shahbaz et les autres étaient des traîtres ; ils avaient trahi la révolution et méritaient la mort. Shahbaz fut très choqué. Et davantage encore quand le chef de clan — en qui il avait vu un futur Mao ou Hô Chi Minh — le convoqua pour lui dire qu'il ne pouvait plus garantir sa sécurité : le Sud-Africain avait maintenant décidé de l'empoisonner. Shahbaz préféra laisser les Baloutches se débrouiller avec le Sud-Africain. Il repartit dans les montagnes. C'est ainsi qu'il prit congé des deux hommes qu'il avait le plus admirés.

Le mouvement avait désormais éclaté. Les Baloutches en avaient assez des étrangers. La révolution ne les intéressait plus ; ils étaient devenus séparatistes. Le Sud-Africain finit par regagner Londres. Où Shahbaz retourna à son tour, quittant ses montagnes pour prendre un avion à Kaboul. A Londres, il renoua le contact avec ses parents, qui s'étaient sentis trahis, et se réconcilia avec eux.

Depuis la guerre, il était sourd d'une oreille ; il avait perdu toutes ses dents ; il avait contracté une hépatite qui lui interdisait de boire une seule goutte d'alcool. Il avait tous les ans des crises de malaria.

« Je n'ai aucun regret, dit-il. Ça a été et ce sera toujours la période la plus créative, la plus stimulante de ma vie. Jamais je n'ai eu autant d'énergie, jamais je n'ai autant appris. Le résultat final m'a déçu, mais ça ne me rend pas amer. »

La conclusion était inattendue. N'avait-il pas le sentiment — rétrospectivement, et sans parler de ses parents ou des Baloutches — d'avoir abusé de ses privilèges et de s'être trahi intellectuellement ?

« Non. J'ai atteint ma maturité quand tout ça avait lieu.

— Tout ça ?

— Les guérillas dans tout le tiers monde. »

Telle était sa conception de l'éducation, la conception étrangement coloniale des Pakistanais de sa génération, bien qu'ils fussent nés après l'indépendance. L'éducation n'était pas pour eux quelque chose que l'on développe en soi, pour répondre à ses besoins personnels. On y accédait en voyageant au loin, sans craindre d'en payer le prix, et lorsque l'on touchait au but de son voyage, il suffisait de s'abandonner au courant.

Il croyait n'avoir pas été un marxiste conventionnel. Il n'avait pas voulu imposer le modèle marxiste standard aux Baloutches. La culture tribale, estimait-il, avait beaucoup d'aspects positifs qu'il fallait préserver, comme le système juridique et la propriété collective des pâturages. Mais la structure tribale était désormais entièrement détruite. Le droit traditionnel avait disparu ; plus de tribunaux ; les grandes familles étaient déchirées par des centaines de vendettas. La situation était donc bien plus mauvaise au Baloutchistan qu'en 1970, lorsqu'il était parti de Karachi, en train, en bus et à pied, pour y porter la révolution.

Telle est l'histoire que me raconta Shahbaz de longues heures durant. Les récits de ce genre ne peuvent certes éviter les ellipses et les raccourcis, mais en relisant mes notes les jours suivants, certaines lacunes me frappèrent. Nul sentiment du temps qui passe, bien que Shahbaz eût vécu sept ans au Baloutchistan et en Afghanistan. Jamais il n'était question de l'eau ; les paysages étaient à peine esquissés. Et les nomades étaient absents. Eux à qui on avait apporté le marxisme, eux dont le pays avait été ravagé, ils n'étaient pas là, fût-ce à titre de figurants. Seuls avaient une réalité le chef de clan baloutche, le Sud-Africain et le jeune chrétien au grand rire.

Ce que je lui dis des nomades surprit Shahbaz. Il n'y avait pas pensé et n'avait aucune explication à donner. Il les avait à l'esprit en racontant son histoire : « Je les vois, les nomades, tout le temps. Mais il se peut que ma description ait été partiale. »

Quant à l'absence de durée, il l'expliqua ainsi : « Tout ça a duré dix ans. C'est difficilement résumable. Les gens ici ont du mal à apprécier la durée. Le temps s'écoule lentement pour beaucoup et il leur est difficile d'établir des repères. Les gens ne sont pas habitués aux changements rapides, et leur attitude envers le temps s'en ressent. Leur vie a changé — spectaculairement —, mais ç'a été un processus très lent, très pénible. Je ne crois pas que ce soit l'islam. Les gens n'ont pas le réflexe de se rappeler le moment où les antennes paraboliques sont arrivées dans leur village ou celui où ils ont vu leur première fille nue sur MTV. »

Ce qu'il me dit de l'eau me parut d'autant plus déconcertant qu'il n'en avait pas du tout parlé jusque-là : « Tout était dominé par l'eau. Trouver de l'eau était la chose la plus importante du monde. Les nomades savaient où il y en avait, mais pas en quelle quantité, ni si elle était claire, ou s'il y en aurait assez pour une centaine d'hommes et leurs animaux. Ou s'il y aurait des sources, des rivières ou des mares. Nous envoyions donc des éclaireurs s'informer. Et ceux-ci revenaient parfois à cinq heures en disant que l'eau n'était pas bonne ou qu'il n'y en avait pas suffisamment, et nous devions continuer à marcher dans la nuit. C'était la même chose pour les militaires. Les écarts de température étaient énormes. »

Le vécu et les émotions étaient présents, mais rien n'en avait transparu dans le premier récit. Comme si, dans cette histoire de révolution, il avait cherché à réduire les gens à leurs fondements marxistes. (De même que les fanatiques islamiques voulaient que les convertis se réduisent à la seule foi, sans les distorsions de l'histoire et des traditions.) Les Baloutches n'avaient été pour lui que des nomades, des unités, et le chef de clan qu'un chef, pas un homme avec des sentiments et des qualités humaines.

Il s'était montré aussi dur envers lui-même ; il avait omis une bonne part de ses souffrances, qui avaient été énormes. Il avait eu le tympan crevé par une explosion dès le tout début ; et ses oreilles avaient saigné pendant des mois. L'hépatite le tourmentait ; chaque crise durait deux mois, et rendait les longues marches « tuantes ». La maladie était due à l'eau malsaine ; les nomades y étaient moins sujets (c'était probablement pour cette raison qu'il n'avait jamais mentionné l'eau la première fois). Pas de jus de fruits pour soulager l'hépatite ; la nourriture se réduisait largement au pain et à la viande, avec parfois des lentilles, parfois du lait et du beurre clarifié, aux effets dévastateurs.

Tout cela, il l'avait tu : détails secondaires, comme les visages et les costumes des nomades, et les tentes, les chameaux et les bagages, ou le paysage.

« C'était un récit très personnel, dit-il. Je parle très rarement de ces expériences. » Plus tard, il ajouta : « Je n'ai pas mentionné mes propres souffrances parce que les gens avec qui j'étais souffraient davantage. »

Bien que refoulées, les souffrances étaient présentes. Elles surgirent quand il raconta ce qui s'était passé ensuite.

Le chef de clan qu'il admirait s'était querellé avec le *sardar*, le chef de la tribu. Le sardar n'avait pas voulu « poursuivre le mouvement » et la tribu était maintenant gravement divisée. Le chef de clan était rentré dans sa région, où il subsistait misérablement. Son peuple était dans la misère.

« Il faut se rappeler que les gens sont totalement appauvris à cause de la perte de leurs troupeaux. C'est par milliers qu'ils descendent dans le Sindh et le Pendjab pour gagner un peu d'argent au jour le jour. La vie économique de la tribu, comme des autres tribus, est détruite. » Les sardars bloquaient le développement. « Ils sont avides. Ils réclament des subventions. La vie économique des sardars a été détruite elle aussi. Plus de troupeaux à eux, plus de moutons donnés par les gens de leur tribu. Le sardar dépend donc aujourd'hui des subsides du gouvernement. »

L'Afghanistan, grâce à l'occupation russe, avait offert un refuge sûr aux réfugiés baloutches pendant l'insurrection. Mais la guerre d'Afghanistan s'était révélée catastrophique pour le peuple baloutche. Un million de réfugiés afghans s'étaient en effet abattus sur le Baloutchistan comme autant de criquets. Ils étaient arrivés avec leurs vastes troupeaux et repeuplaient le pays. Ils abattaient les arbres et leurs animaux paissaient les meilleurs pâturages. Impuissants, les Baloutches étaient devenus minoritaires dans leur propre pays.

« Ces réfugiés étaient des Pathans. Les Pathans occupent donc maintenant au Baloutchistan une position beaucoup plus forte que les Baloutches. Ils ont apporté leur vision intégriste — *madrassas* [écoles coraniques] et ainsi de suite —, totalement étrangère à la culture baloutche. Tout ça est arrivé après la guerre. Aujourd'hui encore, des amis viennent nous dire à quel point la situation est devenue mauvaise là-bas. »

Pourtant, il ne se jugeait toujours pas responsable. Il se voyait toujours comme un porteur de vérité.

« L'idéologie est née du mouvement de 1968. Mais c'était un besoin local. Il fallait que je fasse quelque chose pour mon pays, surtout après la perte du Bangladesh. Aujourd'hui les gens qui croient avoir la réponse sont les fondamentalistes. »

CHAPITRE 22

Le pénitent

Les fondamentalistes, les « fondos » comme les appellent les anglophones du Pakistan, faisaient désormais sentir leur présence. Ils étaient encore à l'arrière-plan, mais se poussaient sans cesse plus avant, exigeaient toujours davantage.

Le sous-continent indien avait subi une partition sanglante pour que naisse le Pakistan. Il y avait eu des millions de morts, et encore plus de déracinés, de part et d'autre des nouvelles frontières. Plus de cent millions de musulmans avaient été abandonnés du côté indien, mais pratiquement tous les hindous et tous les Sikhs avaient été chassés du Pakistan pour créer la république entièrement musulmane du rêve poétique désinvolte d'Iqbal.

Voilà qui aurait dû suffire. Mais les intégristes réclamaient davantage. Il ne leur suffisait pas que cette vaste portion du pays ancien ait cessé, après tant de millénaires, d'être l'Inde et — comme l'Iran, comme les pays arabes — ait été finalement purgée des religions antérieures. Il fallait désormais purifier les peuples eux-mêmes du passé, de tout ce qui, dans les vêtements, les usages et la culture, les liait encore à leur terre ancestrale. Les fondamentalistes voulaient des gens transparents, purs, réceptacles vides de la foi nouvelle. C'était une impossibilité : jamais des êtres humains ne pouvaient être ainsi vierges. Mais les divers groupes intégristes se présentaient comme le modèle du bien et de la pureté, comme les vrais croyants. Ils disaient suivre les règles anciennes (surtout à propos des femmes) ; tout ce qu'ils demandaient aux gens, c'était d'être comme eux et, puisque toutes les règles ne faisaient pas l'unanimité, de suivre les mêmes règles qu'eux.

Le plus important de ces groupes fondamentalistes était la Djamaat-i-Islami, l'Assemblée de l'islam, fondée par un docteur de la loi fanatique, Maulana Maudoudi. Avant la partition, il s'était opposé à l'idée de Pakistan, pour d'étranges raisons. Le poète Iqbal avait déclaré en 1930 qu'un État indien musulman distinct libérerait l'islam indien de « l'empreinte que l'impérialisme arabe était contraint de lui donner ». Maudoudi caressait l'ambition exactement opposée : il trouvait qu'un État indien musulman serait trop restrictif, suggérerait que l'islam avait accompli sa tâche en Inde. Maudoudi voulait que l'islam convertisse et recouvre toute l'Inde, et le monde entier. Une importante raison plaidant pour la création du Pakistan, avait dit Iqbal, était que l'islam constituait en Inde plus qu'ailleurs « un ciment du peuple ». Ce n'était pas l'avis de Maudoudi. Il ne trouvait pas que les musulmans du sous-continent et leurs dirigeants politiques fussent d'assez bons musulmans pour quelque chose d'aussi précieux qu'un État entièrement islamique. Encore trop souillée du passé indien, leur croyance n'était pas assez pure.

Maudoudi était mort en 1979, mais la Djamaat considérait toujours que le peuple du Pakistan et ses dirigeants n'étaient pas d'assez bons croyants. Si l'État musulman d'Iqbal avait connu tant de calamités, ce n'était pas la faute de l'islam mais de ceux qui se prétendaient musulmans. Selon le raisonnement intégriste, ce genre d'échec était nécessairement dû à un islam erroné ou tiède. Et la Djamaat avait beau jeu de dire — sa cause toujours neuve — que l'islam n'avait jamais été vraiment appliqué depuis l'origine, et qu'il était grand temps d'essayer. La Djamaat montrerait la voie.

Le siège et la congrégation de la Djamaat occupaient onze hectares à Mansoura, juste à la sortie de Lahore, sur la route de Multan. La communauté comptait quelques pénitents, qui expiaient des péchés d'importance diverse.

Muhamad Akram Randjha, l'un de ces pénitents, avait cinquante-huit ans. Tout pénitent qu'il fût, et dévot, ce n'était pas un solitaire. Il vivait à Mansoura dans une maison de location avec son assez nombreuse famille. C'était un homme d'origine féodale. Propriétaire de deux cents hectares, son père était un homme riche qui jouissait déjà d'une certaine influence politique au temps des Anglais. Mais Muhamad Akram n'avait pas fait d'études. La raison en était qu'il avait eu la typhoïde très jeune et que son père avait fait vœu, s'il s'en sortait, de ne jamais l'envoyer dans une école laïque mais de l'instruire dans le Coran. Le garçon se rétablit ; mais le père oublia une moitié du vœu, de sorte que son fils, s'il reçut d'un mollah une instruction religieuse sommaire, grandit en jeune féodal sans contraintes, passant son temps à cheval, à s'exercer à la lance et à pratiquer le polo, à jouer et à courir les filles, à fréquenter les fêtes locales.

À vingt-trois ans, Muhamad Akram se trouva mêlé à une grave querelle de famille à propos d'une femme et de terres. La femme était l'une de ses cousines, une femme instruite, la première de la famille à obtenir un diplôme universitaire. A la mort de son père, elle hérita de deux cent quarante hectares. Elle avait vingt-trois ans. Son oncle, le frère de son père, un homme traditionnel, voulut la contraindre au purdah ; il voulut également la marier à son fils de huit ans. Elle refusa. Elle avait étudié à Lahore au collège Queen Mary, célèbre école mixte dirigée par des chrétiens, et était habituée à la liberté. Elle était aussi amoureuse du frère de Muhamad Akram, son cousin. Agé de vingt-six ans, d'une beauté peu commune et beau parleur, il était déjà marié et père de deux fils. Mais elle s'enfuit avec lui et devint sa deuxième épouse.

Furieux, l'oncle (au fils de huit ans) menaça de massacrer le rameau familial de Muhamad Akram. Dans la plus pure tradition féodale de l'endroit, et l'oncle avait du pouvoir dans la région. Muhamad Akram alla lui demander pardon. « Ne nous tue pas. Je promets que nous allons rechercher mon frère et la fille, et nous te la ramènerons. »

Muhamad Akram retrouva le couple fugitif à Karachi. Il leur demanda de rentrer à Lahore. Là, avec trois ou quatre hommes de la famille, il enleva la fille sous la menace d'une arme. Nullement intimidé, le mari de celle-ci, le frère de Muhamad Akram, porta plainte contre les ravisseurs. Cette manifestation de courage, cette intervention de la loi dans une brutale querelle féodale à propos de terres et d'honneur, dut être inattendue. Et c'est alors — peut-être pour résoudre les problèmes imbriqués de terres et d'honneur, avant que la police ne fasse son devoir — que la femme enlevée fut abattue. On ne détermina jamais qui était l'auteur exact du meurtre.

Tous les ravisseurs furent arrêtés et jugés. Les tribunaux ne perdaient pas de temps — c'était en 1960, du temps du général Ayoub — et moins de deux mois après le meurtre les ravisseurs étaient tous les cinq derrière les barreaux. Muhamad Akram fut condamné à quatorze ans de prison, une vie entière.

À la prison de la ville de Multan, où on l'envoya purger sa peine, on lui proposa de partager la cellule d'un bandit fameux de Lahore, membre de la tribu des Goudjars (au risque, dont on ne lui parla pas, de subir des violences sexuelles), ou celle du secrétaire général de la Djamaat-i-Islami. Muhamad Akram choisit le prisonnier politique.

Les deux hommes parlèrent. En quelques mois, Muhamad Akram changea radicalement. Il se mit à lire les œuvres de Maulana Maudoudi. Il comprit la fausseté et la vacuité de ses habitudes féodales. Sa conversion en prison à la cause de la Djamaat devint célèbre. Il ne tarda pas à entreprendre des études. Baccalauréat, licence ès lettres — le jeune féodal ne voulait pas s'arrêter. La légende s'empara du prisonnier repenti ; sa peine fut réduite de quatorze à six ans, et le jour même de sa libération son diplôme de maîtrise en littérature ourdou arrivait par la poste.

Le fils de Muhamad Akram conclut ainsi l'histoire de la conversion de son père (plus longue dans son récit que la tragédie de la fille assassinée) : « Entré en prison comme féodal, il en est sorti révolutionnaire musulman. »

Muhamad Akram attendrait néanmoins douze ans avant de s'établir dans la communauté de la Djamaat à Mansoura. Il commença par s'inscrire à la faculté de droit, avec l'aide d'un avocat renommé qui l'avait défendu lors de son procès en 1960.

(J'avais rencontré cet avocat en 1979. Très riche, fou de religion, débordant de vanité, il aspirait au pouvoir politique. C'était une époque très religieuse — M. Bhutto avait été démis et pendu, partout des commandos de fustigeurs islamiques étaient dépêchés pour châtier les méchants (et on se précipitait en foule au spectacle), et tout s'arrêtait pour les prières — et l'avocat croyait bon de faire étalage de sa piété. Il marmonna des prières tout le temps de notre entretien, en faisant claquer les grains de son chapelet, tandis que j'affectais de ne rien remarquer. « Vous allez croire que je devrais être dans un monastère », dit-il. « Je ne crois rien de semblable », répondis-je : je n'avais aucune intention de l'encourager. Il fit claquer les grains, reprit ses marmonnements en faisant sonner son chapelet de temps à autre, puis, bandant sa piété encore un peu plus, ajouta : « Je suis ivre de Dieu. »)

Non content d'aider Muhamad Akram à entrer à la faculté de droit, cet homme devint son conseiller spirituel de fait. Aussi, lorsqu'il ouvrit son premier cabinet d'avocat dans sa région natale de Sargodha, Muhamad Akram commença-t-il à militer politiquement pour la Djamaat. C'était une rupture avec le passé ; les féodaux de l'endroit avaient toujours soutenu jusque-là les gens au pouvoir.

Mais le passé n'était pas enterré pour autant. Les vendettas sanglantes n'étaient pas entièrement terminées. En 1975, les comptes furent enfin apurés avec le frère de Muhamad Akram, celui qui quinze ans auparavant avait porté plainte contre les ravisseurs de sa femme et les avait ainsi fait tous envoyer en prison. Le frère, qui avait alors quarante et un an, fut abattu par des inconnus. Quatre ans après, Muhamad Akram emménageait dans la communauté de la Djamaat à Mansoura ; deux ans plus tard, il y faisait venir son fils ; puis l'année suivante, en 1982, le reste de sa famille. Cette année-là, le fils du frère assassiné de Muhamad Akram tua quelqu'un de l'autre bord ; et Muhamad Akram, sans en préciser la raison, abandonna la politique.

La sécurité, la piété, la pénitence et la cause de la Djamaat se fondaient désormais pour eux tous à Mansoura. C'était devenu leur univers.

On n'évoquait jamais le meurtre dans la famille de Muhamad Akram. « Nous n'avons pas le courage n'en parler à mon père », expliqua Salim, son fils unique, conçu l'année de l'assassinat et né la première année de l'incarcération de son père dans la prison de Multan.

À trente-quatre ans, haut fonctionnaire des douanes, Salim avait acquis une stature personnelle. Pour lui le drame — la conversion et le repentir de son père, ses études en prison — marquait le début de l'ascension intellectuelle de la famille. Un samedi après le travail (vendredi étant désormais le jour de congé légal — hommage hebdomadaire à M. Bhutto, le Premier ministre pendu — et samedi le premier jour de travail de la semaine), il vint me chercher pour me conduire à Mansoura. Grand, il portait une cravate et une veste de tweed léger (pour l'hiver de Lahore), et à certains de ses propos je compris qu'il s'attendait à ce que je sois étonné qu'un homme vivant à Mansoura porte des vêtements « modernes » de ce genre. Il arriva dans sa voiture de fonction, avec chauffeur, et sur le siège arrière s'étalaient *The Economist* et d'autres magazines sérieux.

J'eus le tort de ne pas accepter sa proposition de mettre la climatisation. Le soir tombait et je craignais de prendre froid. Mais c'était aussi l'heure de pointe. Et lorsque nous atteignîmes Mansoura, après tous les feux et dans la poussière et les gaz d'échappement brunâtres qui embrumaient la grand-route d'un bout à l'autre du parcours, j'étouffais complètement.

J'avais beaucoup entendu parler de Mansoura et de son atmosphère de forteresse, et je m'attendais à un endroit plus dissimulé. Mais c'était juste là, au bord de la grand-route, dans la chaleur, la poussière et les fumées, avec des éclairages au néon ; et à l'entrée, à gauche, comme une affirmation immédiate de leur identité, les fidèles faisaient leur prière du soir dans la mosquée de la Djamaat, sous une sorte de bâche ouverte, qui devait leur servir d'abri contre le soleil ou la pluie.

Salim se hâta d'ôter sa cravate et de jeter sa veste sur le siège arrière, et avant de se joindre à la prière, il demanda au chauffeur de faire reculer un peu la voiture pour que je puisse mieux voir. Un petit garçon en shalwar-kamiz miniature priait avec beaucoup d'énergie, en rebondissant, sautant de long en large, de toute la souplesse de ses membres.

Il faisait nuit quand la prière s'acheva. Salim m'emmena visiter les lieux. Un panneau affichait une carte du lotissement ; chaque maison portait un numéro et une liste à droite indiquait les noms des occupants. Ce genre d'ordre était inhabituel au Pakistan, me dit Salim ; c'était un autre aspect du modernisme de la Djamaat qui suscitait des réticences.

Loin des lumières de la mosquée, nous marchions sur des sentiers défoncés. Nous arrivâmes au célèbre hôpital, construit pendant la guerre en Afghanistan. Les gens en parlaient avec révérence, mais la salle d'attente ou des urgences que me montra Salim, derrière une porte branlante donnant sur une allée sombre, était mal éclairée et vide. Elle semblait à peine terminée et pourtant déjà installée dans le laisser-aller pakistanais. La bibliothèque-unité de recherche, bourrée d'ordinateurs modernes, était fermée jusqu'au lendemain matin. Mais la boutique de cassettes était ouverte. Elle vendait les discours de Maulana Maudoudi et un certain nombre de films sur le Cachemire, dont l'un, en anglais, s'intitulait *Écrasez l'Inde*. Salim, tel un enfant dans un magasin de jouets, se mit à acheter, peut-être pour des amis, désignant une cassette, puis une autre ; et à la fin, le vendeur rangea ses acquisitions dans un petit sac en plastique blanc, moderne.

Nous gagnâmes ensuite la maison familiale. Muhamad Akram louait à un membre de la Djamaat cette bâtisse étroite, à deux niveaux. Il y avait deux endroits où nous pouvions parler, dit Salim : la salle à manger et son bureau. Le bureau, à l'étage, n'avait pour seuls meubles que des tapis et de coussins.

Puisqu'il me fallait une table pour écrire, je demandai à voir la salle à manger. Elle se trouvait de l'autre côté d'un dégagement étroit et encombré d'où partait l'escalier. Des sacs de paddy étaient entassés dans le couloir ; de l'un d'eux, crevé ou ouvert, des grains dorés avaient coulé sur le sol de ciment. Le riz venait de « la ferme », dit Salim ; la famille cultivait donc encore des terres à Sargodha. La pièce était étroite et peu profonde. Les meubles y occupaient tout l'espace, et l'éclairage fluorescent, juste au-dessus de mes yeux, me pesait littéralement sur le front. Vingt grands fauteuils sculptés, ensemble du plus pur style féodal rustique (ou bourgeois indonésien) s'adossaient contre les murs : douze dans la partie salon, qui se faisaient face six par six de part et d'autre de larges tables basses, tandis que les huit autres, serrés à presque se toucher, entouraient la table des repas.

On attendait des visiteurs, dit Salim, à en juger peut-être par la manière dont les sièges étaient disposés. Aussi — longeant les sacs de riz, entrevoyant cette fois-ci au passage les serviteurs dans l'arrière-salle, les maigres ombres dépenaillées de toute maison pakistanaise, même ici à la Djamaat — nous montâmes les marches de ciment, raides et étroites, qui menaient au bureau-bibliothèque de Salim.

C'était une pièce minuscule d'à peine plus d'un mètre carré et d'environ deux mètres cinquante de haut, ou du moins en donnait-elle l'impression. L'atmosphère y était chaude et poussiéreuse ; la pièce était entièrement fermée, le sol couvert de tapis et de traversins, comme l'avait dit Salim, les murs doublés d'étagères. La moitié du mur face à la porte était remplie de ces collections islamiques aux reliures ouvragées que j'avais appris à reconnaître à Qom. Les autres rayonnages étaient plus éclectiques. Mais je cessai bien vite de regarder les livres. Je commençais à étouffer dans l'air vicié, renfermé. J'allais me sentir mal. Un purificateur d'air était posé sur une sorte de pouf ou de tabouret ; Salim le mit en marche, mais il faudrait un certain temps avant que l'effet se fasse sentir.

Je demandai qu'on ouvrît une fenêtre. Salim appela le domestique, qui m'apportait un des grands fauteuils de la salle à manger en montant à tâtons l'escalier étroit, abrupt, derrière son encombrant fardeau. Il entra dans la pièce, posa le fauteuil et poussa la fenêtre. La fenêtre coulissante au cadre métallique semblait bloquée. Salim prêta la main, ou plutôt un doigt, au serviteur, lequel, à force de pousser, finit par l'ouvrir. Il y avait un grillage derrière la fenêtre ; aucune vue. La circulation grondait sur la route de Multan. L'air extérieur, poussiéreux, était presque aussi chaud que celui de la pièce. Le domestique tira le fauteuil près de la fenêtre ouverte, et je restai assis un moment à reprendre mon souffle, un peu à la manière dont les dévots, contre les grilles de la tombe d'un saint, s'imprégnaient des émanations salutaires. La fenêtre donnait sur le toit plat du rez-de-chaussée ; voilà qui expliquait la forte chaleur dedans comme dehors.

Salim était un fanatique de cricket. Il connaissait le nom de lanceurs indiens mineurs, oubliés, de Trinidad : S. M. Ali, Inshan Ali, Imtiaz Ali, Rafiq Djoumadine. Cet hommage m'était destiné, je le savais, bien qu'il fût ambigu : tous les lanceurs qu'il mentionnait étaient musulmans, et il connaissait bien mieux leur carrière que moi.

Le serviteur monta de nouveau l'escalier, cette fois avec du thé et des pakoras, beignets épicés chauds, et une confiserie au lait et aux

amandes, condensée et solidifiée, parfaitement délicieuse et inattendue :
au milieu des dévotions étriquées de cette maison de la Djamaat, un
artiste s'était épanoui dans la cuisine.

Puis arriva le père, le pénitent, dans un shalwar-kamiz d'un brun
pâle qui m'apparut la couleur de la résipiscence. Plus petit que son fils,
et corpulent, l'escalier l'avait fatigué. Il n'avait que cinquante-huit ans,
mais dans sa famille — Salim se montra aussitôt plein de déférence —
il était le patriarche ; et il remplissait parfaitement ce rôle.

Il s'assit sur le tapis, tout près de mon fauteuil, presque à le toucher,
et leva les yeux sur moi, avec une extraordinaire confiance. Sa peau
brune était claire et douce ; son front lisse brillait comme après des
années d'onctions quotidiennes. Il voyait mal d'un œil ; on l'avait opéré
de la cataracte l'année précédente. Il n'entendait pas bien non plus.
L'air affable, il se penchait en avant lorsque je parlais et, ses lèvres
entrouvertes découvrant de petites dents saines, semblait sourire.

Salim expliqua qui j'étais et ce que j'étais venu faire à Mansoura.

Et les voilà partis, le père et le fils, à m'expliquer le credo de Mansoura. Ils voulaient un État islamique. Le Pakistan n'était pas un pays
islamique. La création d'un État pour les musulmans sur le sous-continent ne suffisait pas. Seul méritait le nom d'islamique l'État où l'homme
le plus juste gouvernait et, comme aux premiers jours de l'islam,
conduisait la prière du peuple.

Cela ressemblait à ce que j'avais entendu en 1979, à l'époque du général Zia, qui avait essayé d'islamiser le pays ; mais, comme tant d'autres
avant lui, faute de savoir transformer sa foi personnelle en appareil
d'État il s'était finalement contenté d'instaurer une tyrannie personnelle. On le taxait maintenant d'hypocrisie. Mais, après tout ce qui
s'était passé, le rêve se perpétuait à Mansoura, le rêve de rétablir l'âge
d'or des tout débuts de l'islam, lorsque, pure et gouvernable, l'assemblée des fidèles était unie derrière son Guide.

Le père et le fils, tel un duo concertant, échangèrent des idées sur cet
âge d'or de l'islam. Après les discours dans la voiture sur le modernisme de la Djamaat en matière de costume et d'organisation, après la
veste de tweed et la cravate, *The Economist* et le cricket, il était étrange
de voir Salim, le haut fonctionnaire des douanes, communier mot pour
mot avec son féodal de père.

Savais-je, demanda le père de Salim, que l'un des premiers califes
s'était vu reprocher l'extravagance de son manteau ? En posant la question, le père leva les yeux vers moi et approcha son visage à toucher le
mien. Salim, plus décontracté, sirotant son thé, picorant un pakora, à
demi étendu sur le tapis et s'appuyant sur un coussin, continua l'histoire. Le calife répondit à son censeur qu'un parent avait donné tout le
tissu dont il disposait pour faire ce manteau. Imaginez, dit Salim. Imaginez, reprit son père. Imaginez le souverain d'un empire englobant le
monde entier ; et pourtant, acheva Salim, un membre de l'assemblée
pouvait lui poser une question pareille. (Ainsi, dans cette vision de l'âge
d'or, les cartes pouvaient être redistribuées et la simplicité de l'assem-

285

blée islamique, unique et gouvernable, pouvait être mise en regard de sa récompense : un empire planétaire.)

Non, non, dit Salim, un État musulman n'était pas un État islamique ; beaucoup de gens faisaient cette erreur. Non, non...

Il fut interrompu par le domestique, une des ombres pakistanaises, qui apportait de nouveaux pakoras, cette fois des morceaux de choux frais enrobés d'une pâte aux pois chiches et frits, chauds et croustillants sous la dent, puis tendres et délicieux. Derrière le serviteur apparut le jeune fils de Salim, Muhamad — menu, habitué à être le centre de l'attention, hardi puis timide et collant, avec de grands yeux sombres et la pâleur de Mansoura. Son père le cajola ; son grand-père le cajola ; on lui offrit des pakoras. Mais il ne voulut pas rester et redescendit avec le domestique.

Et le général Zia, la terreur islamique de 1979, n'en avait-il pas fait assez ? leur demandai-je. Que restait-il donc à accomplir ?

Beaucoup de choses, répondit Salim. Il fallait se débarrasser de ce qui restait de l'influence hindoue, et (c'était peut-être la lecture de *The Economist*) du colonialisme britannique. Et la question du mariage, ajouta le père. Le Coran disait qu'un homme pouvait se marier quatre fois ; mais ces groupes de femmes essayaient maintenant de fausser le droit familial musulman. Il parlait en homme blessé, privé de son dû ; il leva les yeux vers moi avec son expression pleine de douceur et se plaignit comme s'il était certain que j'étais disposé à l'aider. Et aussi la question de l'usure ; il fallait faire quelque chose contre ça.

L'Iran et le Pakistan, reprit le père, étaient néanmoins les pays les plus proches de l'idéal musulman ; on ne pouvait pas le leur enlever. Salim était d'accord pour l'Iran, auquel on ne pouvait reprocher que ses querelles avec ses voisins. Il y avait aussi le Soudan ; c'était assurément un pays qui avançait vers l'islam ; mais Salim n'était pas sûr à propos du Soudan.

Voulait-il au Pakistan quelque chose comme les gardiens iraniens de la révolution ? Étendu sur les coussins, Salim répondit avec une certaine sévérité qu'un État religieux devait encourager le bien et empêcher le mal. Tous les pays avaient des forces de police pour faire ça. Ne craignait-il pas que cela n'empiète sur la liberté des gens ? Le libre arbitre n'existait pas dans l'islam, dit Salim. Et son père, le visage lisse, ajouta avec bienveillance que le mot même d'« islam » voulait dire obéissance, soumission.

Comment l'État définirait-il ce qui était islamique ? demandai-je. Ce problème avait donné bien des difficultés au général Zia, malgré son Conseil de l'idéologie islamique. Il y aurait discussion, répondit Salim. Et il ajouta, étrangement, qu'il n'était pas nécessaire que tout le monde fût d'accord. Lui, par exemple, n'était pas toujours d'accord avec son père. Celui-ci, étrangement aussi, déclara : « Il y a de la liberté dans l'islam. » Ce qu'ils voulaient, poursuivit-il, c'était un État dans lequel tout le monde acceptait volontairement l'islam, de tout cœur. Et je commençai à comprendre comment la liberté et la soumission pouvaient aller de pair.

« On n'a jamais essayé l'islam », dit Salim.

Je m'attendais à demi à entendre cela. « L'islam réprouve-t-il la vanité ou l'orgueil ? demandai-je.

— Oui », répondit Salim. Ses yeux se firent incertains, aussi liquides et fondants que ceux de son fils.

« Comment pouvez-vous faire un tel reproche aux millions d'hommes qui vous ont précédés ? Comment pouvez-vous dire qu'ils n'étaient pas bons ? Comment pouvez-vous avoir cette prétention vous-mêmes ? »

J'avais touché un point sensible.

« Nous pouvons seulement être aussi bons que nous le pouvons », dit le père.

Le petit Muhamad, le fils de Salim, reparut. Il avait commencé d'aller à l'école, dit son père.

« Il apprend déjà le Coran », ajouta le père de Salim.

Ils lui demandèrent de réciter les sourates liminaires. Bien que ravi de cette requête, il s'accrocha à son grand-père en se serrant contre lui et il fallu le prier un peu plus avant qu'il ne commence à déclamer les paroles de sa voix enfantine. Le visage de Salim débordait de fierté ; et il y avait de la fierté aussi dans le bon œil du vieil homme.

« Il va apprendre le Coran entier par cœur, dit Salim.

— Le Coran entier, acquiesça le vieil homme, reprenant son duo avec son fils.

— Combien de temps lui faudra-t-il ? demandai-je.

— Cinq ou six ans », répondit Salim.

Je ne pouvais pas rester davantage. J'avais beaucoup de mal à respirer. En bas, les serviteurs, maigres, sombres et loqueteux, derrière les sacs et le paddy répandu. Dehors, les gaz d'échappement et la poussière de la route de Multan. Le chauffeur de Salim me reconduisit à l'hôtel. Salim ne m'accompagna pas.

Le vendredi suivant, jour de congé du pauvre M. Bhutto, je retournai à Mansoura. Cette fois en plein jour, et je découvris que l'enceinte, que fermait une sorte de barrière de parking et qui grouillait de barbus désœuvrés en habits du vendredi, était plus vaste que je ne le croyais : un petit campus. L'endroit était aussi beaucoup plus poussiéreux. Un nuage de poussière et de gaz d'échappement bruns était suspendu au-dessus de la grand-route complètement défoncée et non pavée qui longeait le lotissement.

La maison de Salim paraissait plus modeste de jour : une construction villageoise fruste, avec un appentis ou un garage d'un côté et d'autres petits ajouts. De nombreux domestiques, maigres, pauvres et tellement différents des farauds barbus en habits du vendredi à l'entrée, attendaient les ordres à l'extérieur et à l'intérieur de la maison.

Un bel homme à la chevelure ondulée et soignée se montra si amical et accueillant que je le pris pour un parent de Salim. C'était l'un des serviteurs de la famille, et il était amical parce qu'il m'avait vu six jours auparavant. Il me dit que Salim et sa femme étaient encore à la prière et il me conduisit — les sacs de riz de la « ferme » toujours dans le couloir, l'un d'eux éventré — au bureau par l'étroit escalier de ciment. Un tissu voilait la fenêtre, et le purificateur d'air marchait. Je demandai au domestique de brancher le climatiseur, ce qu'il fit.

Salim arriva en kourtah-shalwar blanc, ample costume de repos en coton. Nous examinâmes en détail l'affaire d'enlèvement de son père. Cette histoire obsédait Salim ; elle avait marqué son existence. Enfant, pendant les six premières années de sa vie, il était allé une fois ou deux par an voir son père dans une prison de Multan. Puis, lorsque celui-ci en était sorti, toute la famille avait vécu douze ans ensemble à Sargodha, avant que le père ne déménage à Mansoura. Salim avait vingt-deux ans lorsqu'il avait rejoint la communauté. Adulte, il n'avait vécu seul que trois ans.

Ses sentiments religieux s'étaient développés en dehors de la communauté. « Ici on ne vous bouscule pas, dit-il. Nous avons une antenne parabolique (ce qui ne plaisait guère à la Djamaat). Parfois nos dames "reçoivent". » Ils voulaient dire qu'elles recevaient des étrangers, ce que l'islam strict interdisait.

Sa femme, Tahira, arriva à son tour. La veille, à l'hôtel, quand elle était venue me voir avec Salim, elle était pétulante. Cette fois, son expression avait quelque chose d'éteint. Peut-être l'absence de maquillage ; la Djamaat n'approuvait pas le maquillage. Elle était jolie, néanmoins, et le bas de son corps avait la lourdeur que donne la maternité aux femmes de sa classe, à cause des longues couches après chaque naissance et de la nourriture très riche qu'elles mangeaient.

Elle s'était sentie mal à l'aise en arrivant à Mansoura, dit-elle. Elle aurait aimé une meilleure maison. Les trois ou quatre premières années elle avait été un peu contrariée, pas du tout satisfaite. Mais maintenant tout allait parfaitement bien, bien qu'elle eût souhaité une chambre à part pour les enfants. Elle aurait aimé une maison comme celle de Sargodha, avec un vrai salon, une vraie salle à manger et une vraie chambre d'amis.

« Ici nous avons beaucoup de domestiques. Quatorze ou quinze. Beaucoup d'hôtes. Très ennuyeux.

— Ce qu'elle voulait vraiment, intervint Salim, c'était une maison nucléaire.

— Maintenant ça va. Je m'y suis habituée. Je ne souhaite rien de plus. »

Le climatiseur poussa un *whoumf* et s'arrêta avec un couinement. Une panne de courant : et un silence s'installa sur tout Mansoura, comme dans une vallée de montagne juste après une tempête de neige. Une porte dont je ne soupçonnais pas l'existence fut poussée à gauche de la fenêtre voilée : elle donnait sur le toit plat. L'été il devait faire très chaud là-haut, une chaleur peut-être insupportable.

La sœur de Salim fit son entrée. Une entrée dans les règles. Grosse femme portant un shalwar d'un kaki doré, elle avait la tête et le visage entièrement recouverts d'un tissu de coton pâle et léger, orné çà et là d'un petit motif. Elle évoquait Claude Rains enveloppé de bandes dans le vieux film charmant *L'Homme invisible* ; et peut-être, comme Claude Rains, s'était-elle emmaillotée pour dissimuler un vide.

Elle avait adopté la réclusion du purdah, expliqua Salim (bien que le purdah strict lui eût interdit l'accès au bureau de Salim). Je pouvais lui demander tout ce que je voulais à propos de Mansoura et de la religion, dit Salim ; c'était comme ça dans la famille. Lui-même n'avait pas fait ses prières pendant les cinq premières années de son séjour à Mansoura. Il priait maintenant, mais personne ne l'y avait obligé.

La sœur avait vingt-sept ans ; elle était donc née un an après la libération de son père. Elle ne pouvait absolument pas dire pourquoi elle avait choisi le purdah. Un jour, elle avait simplement eu le sentiment qu'elle devait le faire. Et elle se sentait beaucoup plus calme désormais. Elle n'ajouta pas grand-chose ; peut-être n'avait-elle rien d'autre à dire.

Peut-être n'y avait-il nul mystère, rien à élucider ; peut-être que des endroits comme Mansoura, par les prières et les formes extérieures de la piété, et la répétition des formes, et la conscience de soi qui finissait par imprégner les gens à force de vivre simplement là (Mansoura ressemblait à Oxford à cet égard : c'était un sujet de conversation inépuisable pour les résidents), peut-être que des endroits comme Mansoura, capables d'éteindre Tahira, la femme de Salim, pouvaient en même temps donner à des gens très simples cette possibilité de vivre en constante représentation. Il n'était pas difficile d'imaginer les scènes théâtrales auxquelles avait donné lieu le purdah de cette sœur de Salim. « Etes-vous au courant ? La sœur de Salim songe au purdah. » « Elle va adopter le purdah. » « Elle a adopté le purdah. » « C'est une question que tout le monde me pose. Je me suis simplement dit un jour que je devrais adopter le purdah. Je me sens beaucoup plus apaisée maintenant. »

Muhamad, le fils aîné de Salim, qui allait apprendre tout le Coran par cœur, entra ; accompagné d'Ahmed, le fils cadet.

Puis vinrent des visiteurs. Un jeune couple. La femme était très jolie ; l'homme, gros et fort, tout jeune qu'il était, avait l'air de quelqu'un d'important. La jeune femme dit qu'elle était d'une famille d'hommes politiques. J'avais lu son nom dans les journaux. Salim était d'origine féodale ; il avait des relations.

C'était la première fois qu'elle venait à Mansoura, dit la femme. Elle ne voulait pas y aller, parce qu'elle ne croyait pas que ça lui plairait. Comment quelque chose qui la privait de liberté pourrait-il lui plaire ? Et pourtant, bien que de grande famille, elle avait abandonné ses études pour se marier.

« C'était contre les coutumes de la société », expliqua son mari. Et, le propos paraissant sévère, même à ses yeux, il ajouta : « Dans une autre société ç'aurait été différent. » Comme si tout cela se résumait au destin personnel de sa femme.

Nous parlâmes — éternel sujet — du Pakistan.

Le mari déclara à sa manière carrée que l'État moderne cédait la place à des « fiefs séparés », comme dans le passé. Et, toujours aussi direct, que ce serait bon pour les affaires. C'était sans regret qu'il envisageait la mort de l'État. Et je pouvais voir comment pour lui, avec son éducation tribale, l'État moderne n'était qu'un fardeau sans compensations, un gaspillage d'énergie, une série de pièges.

Toutes les idées — de liberté et de perte de la liberté, de religion et d'État — étaient liées. Voilà où aboutissait le rêve de converti d'Iqbal, le rêve de la pure république musulmane : à cette régression vers la mort de l'État dans la région dont cet homme était originaire, et ici même à Mansoura.

Les serviteurs finirent par apporter du thé par l'escalier incommode. L'électricité revint. Et bientôt il n'y eut plus rien d'autre à dire. Nous avions épuisé le sujet de Mansoura. La sœur de Salim, observant le purdah à sa manière, était redescendue inaperçue.

CHAPITRE 23

La perte

La plupart des musulmans du sous-continent avaient vécu la partition de 1947 comme une grande victoire, « comme Dieu », m'avait dit un homme à Lahore en 1979. Maintenant, les journaux rapportaient tous les jours des histoires de massacres dans le grand port de Karachi, où nombre des immigrants musulmans de l'Inde, citadins de la moyenne et de la petite bourgeoisie, s'étaient installés après la création du Pakistan. Près d'un demi-siècle après, les descendants de ces gens, qui se sentaient encore étrangers, non représentés, trompés, sans pouvoir, avaient pris les armes pour livrer à l'État une guérilla sans merci.

Selon le projet de converti d'Iqbal, l'islam devait offrir à tous une identité suffisante. Mais les gens du Sindh (la province où se trouvait Karachi) n'avaient pas envie que leur pays, tout vide et désertique qu'il était, fût envahi par des étrangers plus instruits et plus ambitieux. L'antique pays de Sindh avait toujours été légèrement à part. Les gens y avaient une histoire, une langue et des allégeances féodales particulières. Ils avaient érigé des barrières politiques, flagrantes ou cachées, contre les étrangers de l'Inde, les *mohadjirs*. Et au Pakistan les mohadjirs n'avaient nul autre endroit où aller.

La partition, naguère source de joie, était devenue une blessure pour certains de ces mohadjirs. Pour certains, son souvenir était encore vivant.

Salmane, un journaliste, était né en 1952. Les événements qui s'étaient déroulés pendant quatre jours en 1947 dans la ville de Djalandhar, aujourd'hui dans le Pendjab indien, l'obsédaient et il s'efforçait inlassablement de les reconstituer. Au cours de ces quatre jours, entre le 14 et le 18 août 1947, au tout début de l'indépendance de l'Inde et du Pakistan, sa grand-mère avait été assassinée dans sa maison de Djalandhar, ainsi que d'autres membres de la famille. Le 14 elle vivait encore, sous la protection de voisins hindous. Le 18, le père de la mère de Salmane, qui se cachait ailleurs, se rendit à la maison, demeure bourgeoise indienne autour d'une cour, et la trouva vide : du sang éclaboussait les murs mais il n'y avait aucun cadavre.

Le grand-père de Salmane s'enfuit. Il devait avoir la cinquantaine à l'époque. Il parvint à monter dans un train allant au Pakistan — à une petite distance de là, sur des lignes très fréquentées seulement quatre jours auparavant. Le train fut attaqué en route. Le grand-père arriva à Lahore enseveli sous des cadavres. C'était l'un des rares rescapés.

Salmane apprit cette histoire à quinze ans. Jusqu'alors il avait vécu dans l'idée que les hindous et les Sikhs étaient le mal absolu. Mais quand il entendit ce récit, il ne ressentit aucune colère. C'était trop effroyable pour la colère. Peu importait alors qui étaient les auteurs des massacres.

Le sang sur les murs d'une maison qu'il ne connaissait pas (Salmane n'était jamais allé à Djalandhar ou en Inde) et ne pouvait qu'imaginer, l'absence des corps : les détails, ou le vide du détail, d'un temps où il n'était pas né, tourmentaient Salmane, devenaient l'arrière-plan de sa vie au Pakistan. Il lui arrivait de s'interroger des minutes durant, quand l'épisode lui revenait à l'esprit, sur la manière précise dont les gens de la maison avaient trouvé la mort. Avaient-ils été coupés en morceaux ? Avaient-ils été — horrible pensée — violés ?

Un oncle lui avait raconté d'autres histoires de cette époque : l'oncle (et d'autres certainement) retranché derrière des barils de pétrole et raillant les émeutiers hindous et sikhs, qui refusaient l'éclatement de l'Inde :

> *But kay rahé ga Hindoustan !*
> *Bun kay rahé ga Pakistan !*
>
> Divisé sera l'Hindoustan !
> Fondé sera le Pakistan !

Dans les années soixante, ces récits, de massacres et d'émeutes, commencèrent à lui rester sur le cœur : « Nous avons tellement perdu pour ce pays, et voilà ce que nous lui faisons maintenant. »

Ils avaient néanmoins connu une longue période sereine dans le nouveau pays. Si la famille avait tout perdu à Djalandhar, le père de Salmane, ingénieur des travaux publics, travaillait dans l'Administration — il se trouvait au Baloutchistan au moment des émeutes de Djalandhar — et il y avait donc de l'argent tous les mois. En 1952, l'année de la naissance de Salmane, son père quitta l'Administration pour se mettre à son compte. Pendant dix ans ou plus, son affaire prospéra. Il éleva sa famille dans la religion. Tous les rites étaient accomplis et l'on récitait le Coran. Enfant, Salmane connaissait nombre de prières par cœur. La religion faisait partie de la sérénité de son enfance.

En 1965, à treize ans, Salmane découvrit un islam d'un autre genre. C'était au moment de la guerre brève et indécise contre l'Inde. « Des chansons exhortaient les moudjahidines à partir à la guerre et leur promettaient le paradis, le ciel. Des gens de Lahore, armés seulement de bâtons, sont partis en foule livrer la guerre sainte à l'infidèle hindou. Il a fallu les refouler de force. Ils avaient été remontés par le mollah. A noter que le mollah n'avait pas pris la tête de ces gens. Il était resté bien à l'abri dans sa mosquée. »

C'est ainsi que Salmane fut initié à l'idée de *djihad*, de guerre sainte. C'était un concept spécifiquement musulman, expliqua-t-il : « Dans le christianisme, le Christ est mort pour tous les chrétiens. Il leur assure le paradis. Dans l'islam, Mahomet peut seulement plaider en faveur de ses ouailles. Allah prend seul la décision finale en fonction des bonnes actions. Et il n'est pas d'action plus méritoire que le djihad au nom d'Allah. » Formule nullement métaphorique. « Le texte du Coran doit être pris tout à fait au pied de la lettre, c'est même un blasphème d'y voir une allégorie. Le Coran attache une grande importance au djihad. Mahomet a dit — ce n'est pas dans le Coran, c'est l'une des traditions — : "Si tu es témoin d'un usage non islamique, mets-y fin par la force. Si tu n'as pas le pouvoir de le faire cesser, condamne-le verbalement. Sinon, condamne-le dans ton cœur." J'ai toujours su ça. Je crois que cette tradition donne au musulman le droit d'agir avec violence. »

En 1965, il vit pour la première fois cette idée prendre une forme publique, dans la rue. Et bien qu'il ait vu des gens faire des « sottises », il comprenait à la fois leur besoin de s'acquérir du mérite en tant que disciples de Mahomet et leur peur de l'enfer.

« Subir éternellement la flagellation de flammes ardentes, et le feu par-delà l'imagination. Boire du pus. C'est très imagé dans les traditions. Le Coran mentionne juste le feu et l'éternité du châtiment. »

En 1968, à seize ans, il était élève de première année à l'Institut national des sciences de Lahore, Salmane se retrouva dans une foule de ce genre. *Time* ou *Newsweek* avait publié une critique d'un livre intitulé *Le Prophète guerrier*. Deux ou trois exemplaires du magazine avaient circulé à l'Institut. Personne n'avait vu le livre mais les étudiants décidèrent d'organiser une manifestation de protestation. C'était pendant un intervalle entre les cours ; ils étaient assis dehors. Tous avaient reçu une solide éducation religieuse comme Salmane. Personne ne prit la tête du mouvement ; ils eurent spontanément l'idée d'une manifestation publique, et ils devinrent une foule. Salmane les suivit, bien qu'il se rappelât très clairement, d'un bout à l'autre, qu'il n'avait rien trouvé d'hostile à l'islam ou au Prophète dans l'article. Il faisait beau, c'était l'hiver, la meilleure saison à Lahore, et ils crièrent des slogans contre les États-Unis et détruisirent un minibus ou deux.

Le mollah qui en 1965 avait enflammé ses fidèles et les avait envoyés au front se battre avec des bâtons était resté à l'abri dans sa mosquée. Se battre n'était pas son affaire. Son rôle était d'embraser les foules, de leur évoquer avec autant de précision et de passion que possible les récompenses du djihad et les horreurs de l'enfer.

Il me rappelait ce mollah dont quelqu'un d'autre m'avait parlé, qui avait été enrôlé, avec d'autres mollahs, pour faire campagne comme M. Bhutto en 1977. Ce mollah était petit et gros, sans aucune prestance, et connu pour n'être guère digne de confiance. Mais quelle importance ? C'était un merveilleux prédicateur, doté d'une voix puissante. Il y avait le couvre-feu à l'époque, mais il était assoupli (et devait l'être) pour les prières du vendredi. Les fidèles qui se rendirent à la mosquée du mollah, outre les prières, entendirent des histoires de l'histoire musulmane, d'héroïsme et de martyre, de la voix fameuse du mollah et dans son merveilleux style déclamatoire. Il les invita à se montrer dignes du passé, à s'engager dans le djihad et à ne pas ignorer les forces du mal autour d'eux : « Dites à l'ennemi : "Lancez vos flèches et nous leur opposerons notre poitrine." » Ça ressemblait à de la poésie, et d'autant plus irrésistible que nul ne pouvait l'analyser. Les mots ne voulaient rien dire en soi, mais ils rendirent les gens fous. Et à la fin de ces prières du vendredi, le couvre-feu du pauvre M. Bhutto était devenu inopérant. Les fidèles s'en repartirent pleins de haine religieuse, et bien décidés à s'acquérir quelque mérite supplémentaire au ciel en envoyant M. Bhutto au diable.

Qu'importait que le mollah ne fût pas fiable, ni moral d'aucune manière. Il ne se proposait pas comme guide spirituel. Sa mission était de tenir les gens en éveil, au besoin de les enflammer, de concentrer leur pensée sur l'enfer et le ciel, et de leur dire que le moment venu seul Allah les jugerait. C'était un aspect de l'État religieux — l'État créé pour les seuls convertis, où la religion ne relevait pas de la conscience personnelle — que le poète Iqbal n'avait pas envisagé : un tel régime serait toujours manipulé, facile à saper, plein de pure crapulerie.

Il y avait autre chose qu'Iqbal n'avait jamais envisagé : que dans le nouvel État la nature de l'histoire se corromprait, et qu'avec cette corruption de l'histoire, la vie intellectuelle du pays serait inévitablement diminuée. Les mollahs occuperaient toujours le devant de la scène, ils limiteraient les recherches. Toute l'histoire de cette terre antique cesserait de compter. Dans les livres d'histoire ou d'« instruction civique », le passé du Pakistan se réduirait à un épisode de l'histoire de l'islam. Les envahisseurs musulmans, et surtout les Arabes, deviendraient les héros de l'histoire du Pakistan. Les peuples locaux y seraient à peine présents, dans leur propre pays, ou seulement comme de misérables anonymes balayés par les propagateurs de la foi.

Quelle effroyable mutilation de l'histoire ! Vision de converti ; c'est tout ce qu'on peut dire en sa faveur. L'histoire est devenue une sorte de névrose. Trop de choses doivent être ignorées ou déformées ; il y a trop de fables. Ces fables ne se trouvent pas seulement dans les livres ; elles modèlent la vie des gens.

« L'islam ne se voit pas sur mon visage, dit Salmane à propos de cette névrose. Nous nous sommes presque tous inventé, nous les musulmans du sous-continent, des ancêtres arabes. Nous nous disons presque tous *séids*, descendants de Mahomet par sa fille Fatima et son cousin et gendre Ali. D'autres, comme ma famille, ont inventé un homme appelé Salim Al-Rai. D'autres encore un certain Qoutoub Chah. Tout le monde a un ancêtre venu d'Arabie ou d'Asie centrale. Je suis persuadé que mes aïeux devaient être des hindous de caste moyenne ou basse, et malgré leur conversion n'ont jamais fait partie du courant dominant musulman. En lisant Ibn Battuta et les premiers voyageurs arabes, on sent toute leur condescendance à l'égard des convertis. Ils donnent par exemple le nom arabe d'un personnage et ajoutent aussitôt : "Mais il est indien."

« Cette invention d'une ascendance arabe s'est généralisée. Elle a été adoptée par toutes les familles. A entendre les gens, on croirait que ce grand et merveilleux pays n'était qu'une jungle sauvage, que nul être humain n'y vivait. Tout cela s'est renforcé au moment de la partition : ce sentiment de ne pas appartenir au pays, mais à la religion. Un seul peuple au Pakistan a du respect pour sa terre, et c'est le peuple sindhi. »

C'est dans tout cela qu'avait baigné l'enfance sereine de Salmane. Ces fables et ces illusions, qui dans une certaine mesure étaient aussi les siennes quand il était petit, allaient devenir le sujet de son œuvre d'écrivain. Elles ne s'imposèrent pas d'emblée ; il fallait pour cela un regard d'adulte ; prendre un peu de distance avec soi-même.

Mais adolescent déjà, Salmane avait commencé à comprendre qu'il était un peu à part. A peine quelques mois après avoir suivi la manifestation de potaches contre *Le Prophète guerrier* (persuadé d'un bout à l'autre qu'elle était injustifiée), en participant pendant ce petit djihad d'un après-midi à la destruction d'un minibus ou deux, quelque chose s'était produit qui l'avait perturbé.

C'était le ramadan, le mois du jeûne. On lui avait dit, et il l'avait cru, que s'il priait toute la nuit, un jour particulier du dernier décan, il serait purifié de tous ses péchés, il deviendrait un homme nouveau. On lui avait dit qu'il se sentirait plus léger ; c'était resté gravé dans sa mémoire. Cette année-là, la fameuse nuit était celle du vingt-septième jour. Son frère, sa sœur et lui, et le reste de la famille, avaient veillé en priant. Le matin, il ne se sentit aucunement différent. Il s'attendait à une grande sensation de légèreté. Il fut déçu, mais il n'eut pas le courage d'en parler à aucun des siens.

Sa déception, et l'inquiétude qui l'accompagnait, fut peut-être d'autant plus grande à ce moment-là que, après une quinzaine d'années de prospérité, l'entreprise paternelle de travaux publics commençait à battre de l'aile. Les affaires marchaient toujours, mais le père de Salmane avait fait une série d'erreurs de jugement. Salmane allait encore à l'école ; les problèmes de son père devaient le tourmenter.

Deux ou trois ans après — l'affaire paternelle allant de mal en pis — un autre incident se produisit, cette fois à la fin du ramadan. L'Aïd est la grande fête qui conclut le jeûne et les prières de l'Aïd sont toujours dites en commun. Le père de Salmane était parti en voiture à la mosquée qu'il fréquentait habituellement, tandis que Salmane et son frère se rendaient à pied dans une mosquée du voisinage. « Quelle perte de temps, dit Salmane à son frère.

— Surtout quand on y croit même pas.

— Comment ? Toi aussi ?

— Notre sœur aînée ne croit pas non plus. Tu ne le savais pas ? »

Salmane avait beaucoup d'estime pour l'intelligence de son frère.

L'inquiétude qu'il éprouvait à l'idée de perdre la foi disparut. Il n'eut plus le sentiment de trahir les victimes des émeutes de 1947 à Djalandhar.

Si les trois enfants de la famille avaient tous perdu la foi, le père de Salmane devenait plus dévot et plus intolérant à mesure que ses affaires périclitaient. Quand Salmane était enfant, la famille ne manquait jamais de célébrer le *Bassant* ou fête du printemps. Le père de Salmane l'interdit désormais : c'était non islamique, dit-il, un vestige du passé hindou ou païen. Il eut de grandes disputes avec sa fille quand elle revint de Karachi, où elle vivait. Loin d'être aussi calme que Salmane et son frère, elle disait ce qu'elle pensait, et les discussions devaient être très animées. Un jour que son frère était aussi présent, le père de Salmane finit par lancer : « Laisse-la tranquille. C'est une renégate. Ce n'est pas la peine de discuter avec elle. » Et il sortit furieux.

Son père voulait qu'il fût ingénieur. Mais Salmane n'était pas bon en mathématiques, et juste avant son vingtième anniversaire il s'engagea dans l'armée. Il s'intéressait maintenant aux armes. S'il n'avait plus la foi, c'était le parfait soldat pakistanais : il brûlait de partir en guerre contre l'Inde, malgré la défaite essuyée l'année précédente au Bangladesh.

« Je me disais que nous, ou plutôt moi, personnellement, je devais venger le meurtre de mes grands-parents et de mes deux tantes. C'était un sentiment très froid, bien que permanent. Comme un assassin endurci préparant son centième crime. Je n'étais nullement excité ou poussé par l'émotion. C'était simplement quelque chose que je devais faire. Je ne mentionnais jamais mes grands-parents, mais je parlais très fort de partir en guerre contre l'Inde. Avec mes compagnons de l'armée, pas à la maison. »

Au bout de deux ou trois ans, ce sentiment l'abandonna. Ainsi que son amour de l'armée. Il n'arrivait à avoir de conversation avec personne, et on lui reprochait de parler de livres et de faire de l'épate. Trois ans après, il parvint enfin à quitter l'armée pour entrer dans une multinationale à Karachi, grâce à un ami militaire dont l'oncle était le numéro deux de la société.

Ainsi Salmane se retrouva-t-il à Karachi, la ville des mohadjirs. La vie n'y était pas facile. D'abord hôte payant dans une famille, il put louer ensuite une petite chambre minable avec une cuisine. Il gravissait lentement l'échelle. Il avait un ami dans l'entreprise. Un jour qu'ils bavardaient, Salmane mentionna le *Reader's Digest*. L'ami éclata de rire. Salmane dit qu'il voulait s'instruire. Ravi, l'ami entreprit de le guider. Rétrospectivement, Salmane y voyait le début de son éducation.

Au bout de cinq ans il se maria, puis, comme son père, il abandonna la sécurité de son emploi pour se mettre à son compte. Le moment n'était pas très propice. Karachi avait beaucoup grandi depuis l'indépendance ; elle avait accueilli des immigrants de l'Inde et de toutes les régions du Pakistan ; et les tensions entre Sindhis, Pendjabis et mohadjirs étaient sur le point de s'envenimer.

En janvier 1987, moins de quatre ans après leur mariage, Salmane et sa femme perdirent toutes leurs économies. Un ami leur avait dit qu'à ce stade de leur vie ils devraient penser à l'avenir et faire des investissements. Ils avaient placé leur argent dans différentes sociétés de portefeuille ; en prenant soin, croyaient-ils, de répartir les risques ; mais un jour toutes ces sociétés s'évaporèrent. L'ami les avait convaincus d'investir dans une firme dirigée par des mollahs missionnaires. Ce n'étaient pas des militants ; ils voulaient seulement rendre bons les musulmans, ramener les brebis égarées dans le troupeau et faire de nouveaux convertis. « Vous n'avez peut-être pas la foi, avait dit l'ami, mais c'est la seule société qui soit vraiment fiable. » Salmane et sa femme y avaient placé l'essentiel de leurs économies.

À cette tragédie s'ajoutaient les tragédies de la rue. « Les choses allaient mal à Karachi et dans le Sindh à ce moment-là. Entre 1987 et 1989 des choses terribles se passaient à Karachi. Un motocycliste s'approchait la nuit d'un piéton solitaire et le poignardait dans le dos. Il a dû y avoir une cinquantaine ou une centaine d'attentats de ce genre. Une fois par semaine environ. Juste un incident isolé ici ou là. Je ne me rappelle pas avoir jamais lu qu'un seul poignardeur ait été arrêté. Ça me tourmentait de plus en plus.

« En juillet 1987, j'ai dû conduire ma femme à l'aéroport à deux heures du matin. Sur le chemin du retour je me suis retrouvé en panne d'essence. Je savais que je n'avais pas assez de carburant en partant, mais je pensais en acheter dans l'une des nombreuses stations-service. C'était une ville qui ne dormait jamais vraiment. Mais toutes les pompes étaient fermées par crainte des vols à main armée. J'ai accompagné ma femme à l'aéoport. La jauge était très basse. Pendant le retour, à environ deux kilomètres de chez moi, la voiture s'est arrêtée. Il devait être un peu plus de deux heures du matin. J'ai donc garé la voiture et je suis parti à pied.

« Je n'avais jamais ressenti une telle rage — elle bouillonnait en moi. Je me rappelle encore très distinctement que je regardais les murs au bord de la route pour savoir lequel était le plus facile à escalader, afin de m'échapper si j'étais attaqué. Puis j'ai entendu cette moto arriver de loin. *Pout, pout, pout.* J'ai été totalement terrifié. Et de ce tourbillon de pensées, la seule chose dont je me souvienne, c'est ce désir de m'enfuir, de sauter par-dessus un mur. Je ne sais pas pourquoi je suis resté. Le *pout, pout, pout* se rapprochait. J'ai regardé derrière moi. Le motocycliste était seul. Les assaillants se déplaçaient toujours par deux. Je savais donc que ce n'en était pas un. Mais la peur ne s'est pas dissipée. Je me suis arrêté. Et il est arrivé *pout, pout, pout.* "Qu'est-ce que vous faites dans la rue à une heure pareille ? m'a-t-il demandé en ourdou, sa langue. Ne savez-vous pas que c'est dangereux ?" Je lui ai expliqué. Il a demandé où j'allais et m'a dit : "Allez, montez. Je vous ramène." J'ai ri : "Vous dites que c'est dangereux. Mais qu'est-ce que vous faites, vous, dans la rue ?" "Je vais au consulat indien, pour être le premier de la queue pour les visas." À deux heures du matin ! Voilà ce que les gens devaient faire. Il avait sans doute de la famille en Inde. Il partait comme touriste. Pour fuir le danger. »

Salmane et sa femme parlaient alors de quitter Karachi pour retourner à Lahore. Cette expérience le décida. Dans la matinée il téléphona à sa femme : « Il faut absolument que nous partions », lui dit-il.

« Ce n'était pas vraiment de la peur. Peur pour ma propre vie. C'était la douleur de vivre dans une société injuste, cruelle. Tout s'effondrait. Comme si ces pauvres gens étaient morts en vain à Djalandhar. Qu'avaient donc payé de leur vie mes tantes et mes grands-parents ? Rien ? Il n'y avait en moi aucune amertume. Juste le sentiment de l'injustice de tout ça. »

Environ six mois après l'incident de la moto, des gens qui souffraient à Karachi, comme Salmane, organisèrent une manifestation pour la paix. Quelque cinq cents personnes qui avaient perdu l'espoir. C'était l'hiver, très beau et très agréable à Karachi. Les manifestants se souriaient et se saluaient. Beaucoup avaient des larmes dans les yeux.

« Il y avait un immense sentiment de fraternité, de communion. Pas de slogans. C'était juste une marche pour la paix à Karachi. Et tout du long j'avais ce bloc dans la gorge, l'impression que j'allais éclater en sanglots. Chacun de nous savait que nous étions associés dans ce chagrin pour tout ce qui arrivait à la ville. Autrefois chacun éprouvait ce sentiment pour la ville. Et les gens disaient — les Pendjabis et les Pathans — que c'était une ville au grand cœur, particulièrement bonne pour ses habitants les plus pauvres. »

Cette année-là, la première semaine de septembre, trois cents personnes furent massacrées à Hyderabad, la deuxième ville du Sindh. Des tireurs non identifiés ouvrirent le feu et en une quinzaine de minutes tuèrent ces trois cents personnes. C'était un épisode de la guerre des mohadjirs. Tantôt c'étaient les mohadjirs qui tuaient, tantôt c'était l'armée. Salmane rencontra des amis ce jour-là. « Tu as l'air malade, lui dirent-ils. Quelqu'un est mort ? » « Non, non, répondit-il. Personne n'est mort. »

Ce jour-là, Salmane et sa femme décidèrent de quitter Karachi. Il leur fallut trois mois pour régler leurs affaires.

La vie n'était pas facile pour Salmane. Les besoins intellectuels réduits du pays n'offraient guère de possibilités à l'écrivain, ne l'encourageaient pas à s'épanouir. Ce qu'il faisait était médiocrement rétribué.

Il devint une sorte de vagabond. Il trouvait désormais une consolation dans les lieux sauvages. Du moins le pays lui offrait-il cela : de grandes étendues de désert ou de montagne où un homme pouvait croire que personne n'était jamais venu avant lui.

Le vieux tourment ne l'avait pas quitté : les quatre premiers jours de l'indépendance en 1947, du 14 au 18 août, et la maison vide de Djalandhar aux murs ensanglantés.

Il n'était pas encore allé en Inde, mais il commençait à y songer. Il y avait un voyage qu'il voulait faire. Il le commencerait un 11 août, et dans la station climatique himalayenne de Solan. De Solan, le 11 août

1947, sa tante (qui serait assassinée une semaine plus tard) avait écrit à son mari que la situation devenait très dangereuse et qu'il devait venir la chercher aussitôt pour la ramener à Djalandhar. Il la ramena par le train. Il dirait plus tard (il était l'un des survivants) que la haine et la tension dans le compartiment étaient palpables. Mais ils étaient arrivés sans encombre à la maison de Djalandhar le 14 août.

Tel était le voyage que Salmane voulait refaire, à ces dates-là, s'il parvenait à obtenir un visa indien. « Pour marquer le début de cette chose. »

CHAPITRE 24

L'homme du Nord

Pathan du clan des Youssoufzai, Rahimoullah portait le nom de son clan comme patronyme. Si certaines familles Youssoufzai — les fils de Youssouf — disposaient d'arbres généalogiques allant jusqu'à l'ancêtre fondateur, Rahimoullah ne pouvait remonter que trois générations en arrière. Son grand-père, dit-il, en saurait davantage.

Le passé se réduisait au souvenir ; les gens étaient incapables de mesurer ou d'établir le passé antérieur à ces souvenirs familiaux. Le temps ressemblait ici à une rivière ; difficile de déterminer un point précis du flux. Les gens ne connaissaient pas toujours leur âge exact. Rahimoullah disait être né en 1953, mais son certificat de naissance indiquait 1954. Quant à son jeune serviteur, petit, basané et souriant, avec de belles dents solides et une luxuriante toison noire, il pouvait avoir dix-huit, dix-neuf ou vingt ans ; personne ne le savait au juste.

Le père de Rahimoullah était né en 1918 (selon son fils) dans une famille de paysans pauvres. Son père et sa mère moururent peu après sa naissance (peut-être à la suite d'une épidémie, bien que Rahimoullah n'en ait rien dit). Dès qu'il le put, le jeune orphelin gagna sa vie comme berger : il gardait les troupeaux des autres. Il se débrouilla pour faire quelques études jusqu'à treize ou quatorze ans ; il atteignit ainsi le niveau de la quatrième. Quand il eut l'âge requis, il s'engagea comme cipaye dans l'armée britannique des Indes. C'était un grand blond aux yeux bleus de plus d'un mètre quatre-vingts. Pendant la Seconde Guerre mondiale, il servit en Égypte et en Libye. En 1953, il faisait partie du détachement de l'armée pakistanaise qui prit part au couronnement de la reine Élisabeth. Quand il prit sa retraite, il était *soubedar*, officier subalterne, dans le train.

Ç'avait été une belle et longue carrière. Mais à peine avait-il regagné son village qu'il fut rappelé sous les drapeaux à cause de la situation au Bengale. On l'envoya à Chittagong dans la réserve. Le Pakistan perdit la guerre ; le Bengale fit sécession et devint le Bangladesh ; l'armée pakistanaise déposa les armes. Ainsi, tout à la fin de sa carrière militaire, alors qu'il avait déjà pris sa retraite, le père de Rahimoullah fut fait prisonnier de guerre. Sa famille ignora longtemps s'il était mort ou vivant. Enfin une lettre de lui arriva du camp de prisonniers de Rampour, en Inde.

Lorsque, quelque deux ans plus tard, il revint dans son village, le père de Rahimoullah se lança dans l'action sociale. Il encouragea la création d'un service d'autocars ; il fit campagne pour que l'électricité soit amenée dans le village ; il créa le premier moulin ; il convainquit les gens de construire leurs propres voies d'accès ; et il organisa le nettoyage du village. A la fin des prières du vendredi, à la mosquée il faisait des collectes d'argent pour diverses causes. Des membres de sa famille le lui reprochèrent : « Tu demandes l'aumône. C'est déroger à ton rang. » « Non, non, répondait-il. Je travaille pour Dieu. » Certains devaient lui en tenir rigueur parce que, lorsqu'il se présenta aux élections locales, il fut battu, tandis qu'un autre membre de la famille était élu.

Le père de Rahimoullah aurait aimé que son fils fût officier dans l'armée, et il fit tout son possible, avec ses moyens limités, pour lui donner une bonne éducation : jusqu'en cinquième à l'école en langue anglaise du cantonnement de Peshawar, puis deux ans dans un pensionnat catholique de Jhelum et enfin trois ans dans une école militaire créée par les Anglais. Mais à la fin, tout solide gaillard et joueur de basket-ball qu'il était, l'armée le refusa pour raisons médicales : sa vue n'était pas assez bonne.

À la grande déception du père comme du fils. « Tu n'y peux rien, dit le père. A la grâce de Dieu. » Il décida alors que son fils deviendrait médecin. Et pendant plus de deux ans Rahimoullah étudia les sciences, d'abord sur place, puis au collège universitaire parsi de Karachi. Aux examens, Rahimoullah manqua la mention d'un point ou deux, ce qui lui interdisait de s'inscrire en médecine.

C'est à ce moment-là que son père fut fait prisonnier. Seule une partie de sa solde était versée à sa famille (le reste lui étant conservé pour son retour). Rahimoullah dut renoncer à ses projets d'avenir et revint au village pour s'occuper des siens. Ce dut être pour lui une période sombre ; le monde semblait s'être entièrement fermé devant lui. Puis, quand son père revint, le monde se rouvrit lentement et d'une manière totalement imprévue.

Lorsqu'il étudiait à Karachi — hébergé par un cousin plus âgé —, Rahimoullah, pour subvenir à ses besoins, travaillait de six heures du soir à deux heures du matin comme correcteur dans un journal. Cela lui rapportait cent quatre-vingts roupies par mois, six livres, et lui laissait le temps de suivre les cours pendant la journée. Il avait ainsi pris goût à la presse. Maintenant qu'il devait enfin entrer dans la vie active, ayant dû renoncer à ses projets initiaux, il chercha du travail dans les journaux. Il devint rédacteur, fit des reportages. Il travailla successivement pour plusieurs quotidiens, à Karachi et à Lahore, et gravit lentement les échelons de la profession.

La guerre d'Afghanistan et ensuite le long conflit entre factions rivales lui permirent de percer. Pathan de la province frontière, il connaissait les problèmes et les hommes. Il était très demandé et travaillait beaucoup pour des organisations étrangères. Il était devenu, croyait-il, l'un des journalistes les mieux payés du Pakistan.

Bien que rien à ses yeux ne valût le prestige d'un officier de l'armée, il pouvait estimer s'être racheté. Sur un terrain proche du village ancestral — le village qui une vingtaine d'années auparavant n'avait pas voulu de son père pour édile — Rahimoullah et son frère cadet avaient construit une vaste et élégante demeure pour leur nombreuse famille. La maison avait été bâtie en dehors du village, parce que celui-ci était surpeuplé, et elle était achevée depuis douze ans : Rahimoullah avait alors trente ans à peine ; par conséquent, malgré les obstacles, sa réussite avait été rapide.

Les murs de ciment brut étaient décorés d'une série de cartouches verticaux ovales dont les bordures rehaussées formaient un feston en haut et en bas. Peinte en vert et en jaune, la haute et imposante porte principale surmontée d'une grille hérissée de pointes était flanquée de colonnes revêtues de marbre. En dessous de la grille pointue était gravé en pachtô, la langue des Pathans, le mot *Abri*, tandis que les noms de Rahimoullah et de son frère étaient gravés en ourdou sur les piliers.

Une deuxième grille métallique protégeait la cour intérieure, sur laquelle donnaient la maison familiale d'un étage et le château d'eau. C'était dans la cour extérieure que les étrangers étaient reçus. Là, chaque vendredi, les villageois qui avaient un service à demander venaient solliciter Rahimoullah. Celui-ci, basé désormais à Peshawar, à deux heures de voiture, se faisait un devoir de les y accueillir tous les vendredis. Par ce travail socio-politique, il poursuivait consciemment l'œuvre de son père et honorait sa mémoire.

La famille avait parcouru un énorme chemin en un siècle, ainsi que l'attestaient symboliquement ses résidences successives. En haut du village ancestral (et sans eau), dans la montagne, à trois kilomètres seulement de chez Rahimoullah, se trouvait la masure où était né le père de Rahimoullah. Beaucoup plus bas, près de la mosquée, s'élevait la demeure beaucoup plus spacieuse où celui-ci s'était installé après sa retraite de l'armée. Plus bas encore se dressait la maison avec cour — jadis magasin et demeure d'un hindou, rappel, comme dans tous ces villages, de la purification ethnique de 1947 — où le père de Rahimoullah avait son étable et ses entrepôts ; par la suite, ses enfants y avaient construit six boutiques qu'ils louaient.

Le père de Rahimoullah était allé en Libye, en Égypte, à Londres, au Bangladesh ; Rahimoullah allait et venait entre le village et Peshawar, après avoir vécu à Karachi et à Lahore ; son frère cadet avait gagné beaucoup d'argent dans les Émirats arabes unis. Ils avaient eu besoin du monde extérieur ; ils s'en étaient nourris ; sans lui ils auraient croupi sur place. Mais c'était dans cet endroit sacré, engorgé — où les champs étaient aussi petits que les distances et dont la surpopulation avait contraint et Rahimoullah et son père à changer de demeure — qu'ils avaient choisi de revenir pour s'affranchir du monde, en quelque sorte, être vraiment eux-mêmes, et se faire finalement enterrer.

Les Pathans disposaient d'associations funéraires dans les grandes villes et jusque dans les pays étrangers où ils émigraient. Leurs tombes

302

étaient décorées et nullement aussi sobres que l'islam le décrétait. Et les femmes, obéissant à de vieux sentiments tribaux, rompaient le strict purdah des Pathans pour aller au cimetière réciter des versets du Coran et y laisser de l'argent que les pauvres venaient ramasser ensuite. Elles disposaient aussi des drapeaux, des images et du sel sur la tombe des gens qu'elles voulaient particulièrement honorer.

Rahimoullah et son frère avaient construit cette grande bâtisse neuve environ deux ans après la mort de leur père. Le père était donc mort en sachant que son fils aîné avait finalement réussi. La maison se dressait au bord d'un terrain de deux hectares, qu'ils avaient acheté parce qu'il se trouvait près de la grand-route et du canal d'irrigation. En tout, ils possédaient quelque dix hectares, dont une bonne partie de terres *barani*, non irriguées, qui ne donnaient qu'une récolte par an.

La cour des étrangers se trouvait sur la gauche de la porte principale, la maison des hôtes au fond de la grande cour de terre. Pavée de dalles de marbre disposées en motifs, la véranda ou loggia aux colonnes et aux arches de brique était une version beaucoup plus riche de la cour des hôtes chez l'oncle de Rana — le jeune avocat né à la campagne — dans le village près de Lahore. Comme souvent dans le sous-continent, on pouvait distinguer les origines paysannes de constructions plus princières. Là de terre battue, le sol de la pièce principale ouvrant sur la véranda était ici de mosaïque ; les gros clous sur le mur et les niches s'étaient transformés ici en hauts placards vitrés. Là où le mobilier se réduisait à deux ou trois châlits tendus de cordes, on trouvait ici deux vrais lits en bois à la tête sculptée, une grande table de salle à manger entourée de dix chaises appareillées, ainsi que des tables latérales et un ensemble de six fauteuils.

L'oncle de Rana se sentait tenu à l'écart, et pourtant il avait des terres, et de l'influence à sa manière : des gens du village dépendaient de lui. La maison des hôtes masculins de Rahimoullah permettait donc de se faire une petite idée des strates de révérence dans le pays, et de comprendre la grande distance qu'avaient parcourue son père et lui. Cette ascension expliquait les allées et venues silencieuses dans la cour ce vendredi matin. Expression des différents niveaux reconnus de familiarité, certains se tenaient debout dehors sous le soleil de ce début d'hiver ; d'autres étaient debout dans la véranda ; d'autres encore s'étalaient dans les fauteuils de la pièce intérieure. Les visiteurs ne parlaient pas longtemps au maître de céans ; à quoi bon d'ailleurs, Rahimoullah devait savoir ce que la plupart d'entre eux voulaient. Ce qu'offraient en fait ces visiteurs du vendredi matin, c'était leur présence.

Rahimoullah parla des récoltes et du temps. La mousson avait apporté de l'eau en abondance, mais les propriétaires de terres barani attendaient la pluie pour commencer à semer le blé. Lorsque la situation devenait grave, les gens se rendaient aux champs pieds nus et priaient pour que tombe la pluie. Ils récitaient des prières spéciales, surtout pour faire venir l'eau et parfois aussi pour écarter les maladies. Et il y avait d'autres rites encore, plus anciens ceux-là.

« Par exemple, pour qu'arrive la pluie, on noircit le visage de quelqu'un et on lui fait faire le tour des maisons en demandant l'aumône, puis on prépare de la nourriture que l'on distribue aux pauvres. On va peut-être faire ça très bientôt. Il y a ici des gens très superstitieux. »

Le frère cadet et le fils aîné de Rahimoullah apportèrent du thé, des biscuits et un plat de crème de blé sucrée. « Êtes-vous heureux ? » demanda le frère, grand gaillard aux larges épaules et au teint rose. C'était sa salutation, sa manière de se montrer courtois. Il ne dit rien d'autre, se tint civilement à nos côtés quelques instants, puis se retira.

Un petit homme basané et moustachu entra et, sans un mot, s'assit dans l'un des fauteuils. Il portait le béret de feutre beige, en forme de galette, de la frontière et des montagnes. C'était le *nai*, le coiffeur, dit Rahimoullah, et il était venu voir si quelqu'un de la maisonnée avait besoin de se faire rafraîchir les cheveux ou raser. Il s'appelait Qaim Khan et se présentait tous les vendredis, et parfois même d'autres jours ; il y avait un certain nombre de familles auxquelles il proposait ainsi ses services. Cela expliquait l'aisance avec laquelle il était entré s'asseoir, alors que d'autres attendaient visiblement. Il portait un shalwar-kamiz bleu pâle et un gilet de coton écru. Rahimoullah, son frère et son fils étaient habillés de pêche clair ; la couleur évoquait la propreté et le repos. Pour le coiffeur, au contraire, le vendredi était un jour de travail particulièrement chargé, et le bleu qu'il portait pouvait plus aisément dissimuler la crasse et l'usure.

D'ailleurs, m'expliqua Rahimoullah, le coiffeur ne se contentait pas de couper les cheveux. Il avait d'autres tâches, et était tout le temps disponible. Il se chargeait de faire la cuisine lors d'un mariage ou d'un deuil ; il apportait alors ses grandes marmites et ses divers ustensiles, construisait un feu dans la cour, et cuisait du riz et d'autres mets simples en grandes quantités. Il servait aussi de messager : il allait porter les invitations aux mariages et annonçait les décès. Il pouvait aussi effectuer les circoncisions. Qaim Khan avait un talent supplémentaire, héritage familial : il chantait et jouait de la flûte, et on lui demandait parfois de se produire. Sa femme chantait aussi. Celle-ci, ainsi que la mère et la sœur de Qaim Khan étaient également toujours à la disposition des autres femmes, pour porter leurs messages ou les accompagner quand elles sortaient.

Dans la communauté indienne transplantée à Trinidad, à l'autre bout du monde, le coiffeur du village (là où il existait des villages indiens) avait des tâches rituelles de ce genre (mais pas autant) il y avait encore une cinquantaine d'années, pendant ma jeunesse. Ce qu'expliquait Rahimoullah m'était donc à demi familier ; et il me semblait remarquable que dans une société coloniale aussi brassée et éclatée ait resurgi cette forme ancienne de messager, d'intermédiaire et de marieur, et que dans cet autre monde des gens de cette caste, plutôt subalterne, se soient ainsi déclarés comme tels.

Le nai que décrivait Rahimoullah ressemblait aussi à certains égards, me semblait-il, au coum villageois du Java converti : l'homme qui lavait et enterrait les morts, et faisait également office de cuisinier — hindou de basse caste intégré tel quel dans l'islam. Bien que le coum eût été investi de la dignité de diriger la prière de la communauté musulmane — comme si dans ce nouvel avatar il détruisait les anciennes notions de castes —, ses autres fonctions faisaient toujours manifestement partie — cinq cents ans plus tard — du vieil ordre hindou.

Semblablement, ici à la frontière, le nai tel que le décrivait Rahimoullah semblait procéder directement du passé hindou, mille ans après la conversion (bien qu'ici aussi les origines raciales et l'histoire fissent l'objet de fantasmes et d'une névrose généralisée). Dans la salle de réception, à voir Rahimoullah et le nai en costume bleu, le premier grand, cultivé et gracieux, l'autre petit, noir de peau et le regard respectueux, il m'apparut que, si la religion ancienne avait perdu pied, l'ordre social antique avait été réincorporé, avec de menus ajustements, dans la nouvelle religion. Comme si sur le sous-continent l'idée de caste était indéracinable.

Qaim Khan n'avait ni terres ni maison. Quoique nombre de nais fussent désormais à l'aise, ils étaient rares à posséder un logement en propre. Qaim Khan aurait beaucoup aimé acheter un terrain pour y construire une maison, mais il n'avait pas assez d'argent. Pour en gagner davantage il lui faudrait partir. Il ne voyait pas d'inconvénient à aller dans des villes voisines comme Mardan ou Peshawar, mais — il parlait par le truchement de Rahimoullah — il ne souhaitait pas trop s'éloigner. Ce qu'il voulait vraiment, c'était vivre et travailler ici, au village.

Quand je lui demandai — toujours par l'intermédiaire de Rahimoullah — s'il n'aimerait pas quitter le village pour ouvrir son propre salon de coiffure, il fixa Rahimoullah, familier et néanmoins respectueux, comme si la question venait de lui, et il commença à se recroqueviller. Il répondit que s'il allait à Peshawar ou à Karachi et qu'il y trouvât du travail, il pourrait gagner au maximum trente-cinq roupies par jour, moins d'une livre. Impossible de faire des économies dans ces conditions. Un certain nombre de ses amis et parents étaient partis à Karachi. Lui-même s'y était rendu une fois. Il avait travaillé pour un parent du village qui avait un salon de coiffure. Serviteur de cette famille, il gagnait douze cents roupies par mois, quarante livres. Ça n'était pas assez pour lui, et il était donc revenu.

Il était allé à l'école jusqu'à l'âge de huit ou neuf ans, jusqu'au cours moyen. Il avait eu une fille, et celle-ci était morte. Telle était son histoire. Il n'avait rien à ajouter, et il se contenta ensuite de rester dans son fauteuil, sans dire ni faire quoi que ce soit.

Rahimoullah m'emmena visiter la cour familiale. C'était un grand honneur ; le purdah était strict ici. Mais deux maçons faisaient des travaux à l'extérieur de la maison et nul doute que les dispositions avaient été prises pour assurer le purdah. La maison de brique, où vivaient quinze personnes au total, avait deux niveaux. Au rez-de-chaussée — je me tenais à une certaine distance — une grande véranda au sol pavé de marbre et aux embrasures de brique en plein cintre donnait derrière sur quatre pièces. On atteignait l'étage et la citerne d'eau (surmontée d'une antenne de télévision) par un escalier extérieur en ciment sur la gauche. Les appartements des femmes se trouvaient à l'étage, et des claustras de béton en masquaient la véranda.

La cour, non pavée, poussiéreuse, était pleine d'arbres fruitiers, plantés apparemment au hasard et qui ne donnaient pas l'impression d'un verger. Lits, tables, bidons, paniers et tout un bric-à-brac de meubles étaient éparpillés sous les arbres. Une hutte miniature servait de poulailler. Dans un coin de la cour, il y avait un puits avec un couvercle de ciment et un moteur électrique. La cuisine était dans un autre coin, et du bois coupé s'empilait sur le toit plat.

À part, dans un petit espace dégagé, se trouvait le four en terre traditionnel de l'Inde du Nord, le *tchoulha* : encore une chose que les immigrants indiens avaient emportée à Trinidad cent ans auparavant et que j'avais connue enfant. Dans la cour familiale de Rahimoullah, et bien que le tchoulha eût ici un autre nom, je retrouvai donc des fragments de mon passé. Jusqu'au désordre — lits, bidons, paniers — qui ressemblait à celui des maisons de ma grand-mère.

Je demandai à Rahimoullah si les maçons qui travaillaient à la maison allaient aussi paver la cour. Je posai cette question à cause du désordre apparent ; celui-ci paraissait provisoire ; j'avais l'impression que tout ce qui s'entassait là allait bientôt être de nouveau rangé ailleurs, à sa place. Mais non, dit Rahimoullah, non, c'était très bien ainsi. Et si sa réponse me parut étrange sur le moment, un peu plus tard je compris : les gens de la maison savaient où trouver chaque chose.

Le fils cadet de Rahimoullah sortit de la maison et courut vers moi, en me mitraillant d'un pistolet imaginaire. « Toi ! Toi ! Tu es un policier britannique ! » Peut-être était-ce à cause de la télévision, ou de ma veste ; à moins que son père ne lui ait parlé de l'invité.

Les enclos des animaux se trouvaient à l'arrière de la maison principale. Juste au pied des murs se dressaient les tas de fumier et commençaient les champs. Les deux hectares attenants, de terres irriguées, étaient cultivés par des métayers. Canne à sucre, maïs, fourrage, légumes : la moitié de toutes les récoltes revenait à la famille.

Nous — Rahimoullah et moi, ainsi que le petit groupe qui s'était attaché à nos pas — nous dirigeâmes vers le canal principal, en marchant sur les murs de ciment neufs du canal d'irrigation ou de drainage, entre les champs de canne à sucre ; c'était ici la récolte la plus rentable. A quelques champs de là, nous aperçûmes le champ de canne d'une autre famille et sa maison basse de brique et de pisé. C'était la maison d'un coiffeur, me dit-on. Pas Qaim Khan, un autre coiffeur.

« Une famille riche ? » demandai-je.

Non, non, répondirent-ils en chœur, comme si la pauvreté de la famille à la maison de brique et de pisé était notoire.

Le grand canal se révéla plus petit que je ne m'y attendais. Mais il paraissait propre et bien entretenu — soudaine touche d'ordre —, et l'eau courante était rafraîchissante à voir. Il était bordé de jeunes arbres. C'était l'Administration qui s'occupait du canal, et même des arbres. L'eau et les arbres au premier plan, et les champs bigarrés et bien tenus qui s'étendaient au loin sous le soleil offraient des perspectives profondes et romantiques. L'ouverture et l'espace surprenaient après les routes encombrées du vendredi, le fouillis des boutiques, les bicyclettes et les piétons se rendant au marché. Et pourtant l'impression de foule subsistait dans la fragmentation en menus lopins de la précieuse terre irriguée.

Je demandai si le coiffeur, Qaim Khan, faisait partie du clan des Youssoufzai. Non, répondit Rahimoullah ; Qaim Khan n'avait pas de terres, et c'était la terre qui comptait. Seuls les Pathans de sang noble possédaient la terre, et ils préféraient en acquérir ici, si élevé qu'en fût le prix, plutôt que d'acheter une maison en ville, bien qu'une habitation à Peshawar représentât un bien meilleur investissement. Il y a peu de temps encore, coiffeurs et autres artisans, charpentiers, forgerons, bijoutiers, blanchisseurs, tisserands, n'avaient pas le droit de posséder des terres. Ils pouvaient maintenant acheter des terrains à bâtir, mais il était rare qu'ils aient des propriétés agricoles. Ils ne faisaient pas partie de ce que Rahimoullah appelait le courant dominant ; les mollahs se situaient au-dessus d'eux ; et les Pathans de sang noble occupaient le sommet. Rahimoullah n'y attachait pas grande importance ; mais il était intéressant de trouver dans sa présentation le mollah légèrement dévalorisé.

« Puisqu'il vit parmi les Pathans et qu'il doit survivre dans cette société masculine et très dure, dit Rahimoullah, le nai finit par se prendre pour l'un d'eux, et il s'efforce de suivre les mêmes normes et les mêmes principes. Un artisan pourra toujours dire : "Nous sommes pathans", et être accepté comme tel en dehors de la province, mais le Pathan de sang noble ne le considérera pas ainsi. Il ne laissera pas une de ses filles l'épouser. »

Ainsi devisions-nous tandis que, par les digues en ciment du petit canal, notre groupe regagnait la demeure de Rahimoullah et la cour extérieure. Quand nous fûmes de nouveau dans la maison des hôtes, parmi les lits et les fauteuils, il évoqua la conception pathane de l'honneur. Il en était fier. Quand nous nous étions rencontrés, à l'hôtel de Peshawar, c'est ce dont il m'avait parlé. Il m'avait raconté l'histoire d'une jeune Pathane qui s'était enfuie avec un serviteur de la famille. Le couple avait été capturé — nul refuge possible pour eux dans la province frontalière —, attaché à un arbre et fusillé, tandis que la police assistait sans rien faire à la scène.

Rahimoullah entreprit cette fois de m'exposer le code de l'honneur des Pathans. Langue, territoire, hospitalité, asile, vengeance : l'honneur s'étendait à tous ces domaines. Bien que dans certains détails le code fût purement local, cette conception de l'honneur était commune à tout le sous-continent. C'était quelque chose que j'avais toujours compris, ayant grandi dans la communauté indienne de Trinidad. C'était l'une des choses qui valait à cette communauté une réputation criminelle dans les années trente. Et je savais que le meurtre ne se réduisait pas toujours au meurtre. Lorsque les gens savent au tréfonds d'eux-mêmes que les gouvernements sont mauvais et qu'ils ne peuvent se fier à aucune loi ou institution, l'idée d'honneur devient vitale. Sans elle, ceux qui n'ont ni voix ni représentation dans la société ne sont rien. Les pauvres, en particulier, ont besoin de cette idée.

« Hier seulement quelqu'un a été tué, dit Rahimoullah. Pour venger la mort d'un poète local assassiné il y a quatre ans. Son fils avait engagé des tueurs. Ils ont attendu quatre ans. Ils auraient pu patienter vingt ans. »

Mince, le teint sombre, coiffé d'une toque blanche, un vieillard ridé était assis dans l'un des fauteuils. Il donnait l'impression d'écouter, mais je ne sais pas ce qu'il comprenait au juste. C'était un cousin, dit Rahimoullah, peut-être par simple politesse. Le vieil homme avait un fils à Dubaï qui voulait revenir au village. Le vieil homme croyait que Rahimoullah pourrait l'y aider ; c'était pour cela qu'il était là.

Un jeune homme basané de petite taille, à la chevelure ondulée, vêtu d'un shalwar-kamiz gris, entra.

« Vous connaissez ce garçon ? » me demanda Rahimoullah.

Le jeune homme me serra la main. Il avait la main humide et froide. Kimat Goul était le serviteur, le seul, de Rahimoullah. Il s'occupait du bétail. Il nous avait accompagnés lors de notre promenade le long du canal parce qu'il allait chercher du fourrage pour les buffles et les vaches dans le champ de canne. Il habitait dans la maison des hôtes ; il y dormait et y regardait la télévision. Le poste était posé sur la grande table de salle à manger ; Rahimoullah l'avait acheté pour lui à Peshawar.

Kimat Goul était orphelin et personne ne savait quand il était né ; il pouvait avoir dix-huit, dix-neuf ou vingt ans. Son père s'était remarié et il était donc entièrement seul. Il avait vécu chez des parents avant d'arriver chez Rahimoullah ; puis il avait quitté son maître pour aller vivre à Karachi. Tout le monde ici allait à Karachi. Les gens aimaient leur pays et le village, mais la région ne pouvait les nourrir. Kimat Goul n'était pas resté longtemps à Karachi, et il était revenu chez Rahimoullah.

« C'est un coiffeur », dit quelqu'un en anglais. Un autre nai, donc. Il était d'ailleurs le frère de Qaim Khan, le coiffeur en bleu de tout à l'heure.

« Il veut devenir chauffeur, intervint Rahimoullah. Il me dit : "Je conduirai votre voiture." Mais j'ai déjà un chauffeur. Kimat Goul gagne six cents roupies, et il est logé, nourri, habillé, sans compter la télé. Il est arrivé tout petit chez nous. S'il reste avec nous, nous arrangerons son mariage et nous lui procurerons une maison. Nous avons trois maisons, deux ici et une au village. Pour le mariage, il se trouvera une fille parmi ses parents. Il doit s'en tenir à ses parents. Il pourra se marier, mais il faudra qu'il paie pour cela — en vêtements et en ustensiles de ménage. »

À Karachi, Kimat Goul avait travaillé dans un salon de coiffure. Ce n'était pas un bon emploi. Et il y avait des troubles à Karachi. Il était dangereux de se déplacer dans la ville pour chercher un autre travail. Il avait habité une localité appelée Landhi, puis une autre, du nom de Sher Shah : Karachi se réduisait pour lui à ces deux noms et au souvenir du danger. Même se rendre au travail était risqué. Les gens se faisaient tuer. Un policier de ses relations, un certain Ayoub, avait ainsi été assassiné.

Après avoir vaqué à ses occupations, Qaim Khan, l'homme en bleu qui coiffait Rahimoullah le vendredi, revint à ce moment-là et s'assit, la bouche ouverte, dans un fauteuil. Peut-être n'écoutait-il même pas. Nul doute qu'il connaissait l'histoire par cœur.

Il y avait souvent des grèves, poursuivit Kimat Goul, qui parlait toujours de Karachi. Personne ne venait au salon. Il n'y avait pas de travail. Il était donc rentré au village.

Il était pieds nus. Noire, épaisse et luisante, sa chevelure ondulée lui tombait dans le cou. Il avait une voix profonde, presque tonitruante. Il portait une bague au petit doigt de la main gauche. Pour prévenir les douleurs. C'était un anneau d'argent, qui tranchait sur sa main très sombre. L'homme basané à la toque blanche, qui avait un fils à Dubaï, portait aussi un anneau semblable pour garder ses doigts en bonne santé.

« Je suis le seul à ne pas mettre de bague, dit Rahimoullah.

— Êtes-vous heureux ici ? demandai-je à Kimat Goul.

— Je suis heureux, répondit-il de sa voix extraordinaire (et Rahimoullah traduisit). Mais dans quel autre endroit pourrais-je aller ? »

Il y eut des rires dans toute la pièce, et Kimat Goul rit à son tour, en découvrant ses grandes dents. Il n'aimait pas la coiffure, dit-il, bien qu'il connût bien le métier. Il préférait nourrir le bétail.

C'était l'heure des prières de midi. Rahimoullah se leva et, s'enveloppant dans son grand châle ou tchador couleur sable, sortit dans la cour des hôtes inondée de soleil et, tout au bout, tourna derrière le bouquet de petits bougainvillées et autres menus arbustes — qui deviendrait peut-être un jour une vraie haie bien opaque — pour disparaître dans la cour familiale.

Un peu plus tard, les deux hommes qui travaillaient sur la façade de la maison, le maçon et le fils de l'employé de magasin, vinrent s'asseoir sur un lit de cordes sous l'arcade de la véranda et partagèrent leur repas avec Kimat Goul, le berger et serviteur qui demeurait là et regardait la télévision.

Après le déjeuner — épais *rotis* de blé complet, légumes, poulet, pilaf de mouton, pommes et raisins — nous parcourûmes à pied la courte distance jusqu'à Shamozai, le village ancestral de Rahimoullah. Juste devant la grille de la maison une fillette jouait dans la poussière : la première fille, la première personne de sexe féminin que je voyais depuis mon arrivée. Le purdah n'allait pas tarder à lui tomber dessus ; et le reste de sa vie s'écoulerait dans ce vide où le temps était dépourvu de sens.

Non loin de là, dans une cabane ouverte sur un côté, des hommes fabriquaient du sucre brun et nous nous arrêtâmes pour regarder. La canne était broyée dans un simple moulin d'acier actionné par des bœufs. Le jus de canne mijotait dans une grande poêle en fer ; dessous, dans une sorte de tunnel, brûlait un feu de détritus, de bois et de pulpe sèche de canne. Le soleil brillait dehors et il faisait très chaud dans la cabane. Un homme ôtait l'écume couleur crème et la versait dans des paniers d'osier à l'aide d'une louche au long manche ; de temps à autre il râclait l'intérieur du pot noir avec un râteau. Il fallait environ deux heures et demie pour faire le sucre, granuleux et aromatique, délicieux tel quel, sans aucune comparaison avec le produit raffiné.

Bien que la région fût pauvre, les sucriers venaient de l'extérieur, me précisa Rahimoullah. Les gens du coin, avec leurs idées très personnelles de l'acceptable, ne voulaient pas faire ce travail pénible dans une chaleur torride.

Au pied d'une chaîne de montagnes, Shamozai était un village spectaculaire, enserré sur trois côtés par des pentes rocheuses, abruptes et anguleuses. Vision cubiste de loin : toits plats, murs plats, rochers, soleil et ombre, comme autant de motifs juxtaposés. La maison où était né le père de Rahimoullah en 1918 se dressait tout en haut. Un chemin étroit et sinueux descendait la colline escarpée. Vers le bas, à côté de la mosquée, se trouvait la maison où s'était retiré le vieux cipaye ; pas très loin non plus du bassin circulaire aux degrés de pierre qu'alimentait le torrent dévalant de la montagne.

Le site — les montagnes, le torrent et le réservoir — avait quelque chose de très spécial. De sacré, même, comme les sources chaudes de Pariangan à Sumatra, où l'on racontait que le peuple Minangbau était sorti de la terre ; comme le sol volcanique au pied du mont Merapi, imprégné, disait le poète Linus, des émanations des monuments hindous et bouddhistes ensevelis à quelques pieds sous la surface. Nul doute que cet endroit avait toujours été habité ; sous la surface, ici aussi, des ruines devaient faire remonter l'histoire humaine très loin dans le passé.

Il y avait foule dans la rue principale : partout des enfants et encore des enfants, longs cheveux raides, visages barbouillés et petits membres maculés de poussière, comme si les maisons du village ne pouvaient plus les contenir. Ils donnaient presque une touche de fantaisie au lieu, tant les montagnes à pic qui l'enfermaient paraissaient désolées. Un nai de quarante-cinq ans avait déjà dix enfants ; un paysan huit. Toutes les familles qui en avaient les moyens s'étaient installées en dehors du village, mais Rahimoullah y comptait encore d'innombrables parents ;

il ne cessait de serrer des mains. On eût dit que la rue étroite, bordée d'une douzaine de boutiques, petites, sombres et basses, au sol parfois de terre battue, était un prolongement de la demeure familiale.

Sur le chemin du retour, nous passâmes devant la maison de la famille de sa femme : un puits au bout de la ruelle, un mur de brique sans autre ouverture qu'une porte entrebâillée par laquelle on apercevait l'étable derrière l'habitation. Cette famille était autrefois plus riche que celle de Rahimoullah, elle possédait davantage de terres ; et elle aussi avait déménagé à l'extérieur du vieux village. Mais elle était moins instruite, et Rahimoullah et son frère avaient pu lui racheter des terres.

Si Rahimoullah avait choisi sa femme, c'était son père qui avait arrangé le mariage. Parente éloignée, il lui arrivait d'aller chez lui, de même qu'il fréquentait sa maison, celle au mur aveugle devant laquelle nous nous trouvions. Elle respectait le purdah, mais comme leurs familles voisinaient, ils pouvaient se voir. Mais pas davantage. Tout ce qu'il lui disait, quand elle venait chez lui, c'était « Bienvenue ». Ils ne firent vraiment connaissance que le troisième soir de leurs noces. Tous deux étaient très timides. Il ne savait quoi dire et ne put que balbutier : « Comment vas-tu ? Es-tu contente ? Comment te sens-tu dans ton nouveau foyer ? » Elle ne répondit rien. Maintenant elle habitait tout près d'ici, dans la nouvelle demeure que Rahimoullah et son frère avaient construite, et sa vie était complètement réglée.

Un personnage imposant, en toque blanche, nous attendait dans la maison des hôtes. C'était Moutabar Khan, un autre cousin de Rahimoullah. Après avoir passé toute sa vie active hors de la province frontière, il rentrait cette fois-ci définitivement, pour s'occuper des huit hectares que possédait sa famille en plusieurs parcelles dispersées. Né à Shamozai en 1930, il était parti pour Karachi à seize ans. Il arborait une grande barbe divisée en trois mèches jaune, noire et grise : on eût dit un acteur grimé pour le dernier acte. Quand il évoqua sa vie dans le monde extérieur, il en fit un récit tellement comprimé qu'elle apparaissait comme une sorte de parenthèse.

Cette vie, telle qu'il la raconta, se réduisait à deux lieux, Karachi et Dubaï ; à ses deux employeurs, un grainetier hindou à Karachi et un Arabe qui possédait un verger à Dubaï ; et à l'argent qu'il avait ainsi gagné. Pas de détails, pas d'images, aucune impression du temps qui passe, de la vie qui s'écoule. Mais le temps n'était ici qu'un flux indistinct ; et, aux yeux des villageois, Moutabar Khan apparaissait comme un homme qui avait mené l'aventure jusqu'au bout, pour en revenir sain et sauf. Il incarnait leurs rêves, et c'était très attentivement que la petite foule assise sur les lits de la maison des hôtes l'écoutait. Leur journée de travail terminée, le maçon et son aide, les vêtements maculés, étaient présents : par courtoisie et par simple fraternité, ils passaient là quelques instants avant de rentrer chez eux.

Moutabar Khan parla de Karachi. « Je me rappelle encore avec tendresse le temps que j'ai vécu à Karachi, dit-il (dans la traduction de Rahimoullah). On pouvait dormir en toute sécurité même sur le trottoir. Je ne crois pas que la ville puisse jamais retrouver une pareille paix. » Voilà ce que Karachi représentait pour lui.

Il se faisait du souci pour les Pathans qui y habitaient. Rahimoullah m'avait dit qu'ils étaient deux millions, que Karachi comptait plus de Pathans que Peshawar ou Kaboul.

« Il y en a tellement, dit Moutabar Khan. Ils préféreront mourir plutôt que de revenir.

— Il y a trop de monde ici, alors ? demandai-je.

— Il y a trop d'enfants dans les écoles. Ils n'ont pas la place de s'asseoir. Mais nous croyons que les enfants sont des dons de Dieu et qu'il ne faut pas les empêcher de venir au monde. Allah pourvoira à leurs besoins. Quand un enfant est conçu, Allah a déjà décidé que cet enfant doit naître. »

CHAPITRE 25

L'empreinte du pied d'Ali

Le matin, dans la campagne autour de Peshawar, des silhouettes drapées dans des tchadors se tenaient debout devant les maisons basses en briques sur le toit plat desquelles s'entassaient des fagots ; la fumée des cuisines se mêlait à la brume. Dans les champs plats et glacés, des parcelles de canne à sucre tropicale voisinaient avec de petits vergers aux fruits plus septentrionaux. Quelques champs étaient bordés d'une ou deux rangées de minces peupliers hybrides qui donnaient une ombre maigre. Ils étaient aussi cultivés pour le revenu ; le peuplier pouvait être coupé au bout de quatre ans ; on en faisait des allumettes. C'était ici une culture nouvelle, et liée à l'histoire récente : jusqu'à sa sécession en 1971, le Bangladesh fournissait toutes les allumettes du Pakistan.

Une voiture de l'hôtel me conduisit à Rawalpindi. A Attock, la boueuse rivière Kaboul se jetait dans l'Indus bleu : un confluent d'un kilomètre et demi de largeur et l'une des grandes scènes fluviales du sous-continent. C'était là que prenait fin la province frontière et que commençait le Pendjab. J'aurais aimé m'arrêter pour regarder, mais il n'était pas question de stationner ou de flâner sur le pont. Et à mesure que se poursuivait mon voyage, en voiture jusqu'à Rawalpindi, puis en train jusqu'à Lahore, à mesure que le paysage, toujours surpeuplé, devenait plus plat, les idées pathanes que Rahimoullah m'avait présentées me paraissaient de plus en plus lointaines. L'honneur et la patrie, l'asile et la vengeance, la réclusion des femmes et la stricte observance religieuse : ces notions exigeaient un cadre particulier, leur propre univers clos. Mais les Pathans étaient contraints à l'émigration ; ils avaient besoin du monde extérieur ; et avec l'expatriation leur conception de l'honneur risquait de se déformer. Peu d'entre eux étaient instruits ou qualifiés ; et le code clanique, qui leur apportait une protection, pouvait également en faire des prédateurs. C'était un aspect de leur réputation dans le monde extérieur, le revers de leur réputation de soldats.

Dans le hall de l'hôtel de Peshawar, cet avis était peint sur un panneau : *RÈGLEMENT DE L'HÔTEL : Il est interdit d'introduire des armes dans l'hôtel. Les gardes du corps personnels sont tenus de déposer leurs armes au service de sécurité de l'hôtel. Nous vous remercions de votre coopération. La direction.* Et, en arrivant à Lahore, la première chose qu'on me raconta, ce fut une histoire d'enlèvement à la mode de la province frontière.

313

Ahmed Rachid, journaliste dont j'avais fait la connaissance et propriétaire, avec un associé, d'une mine de charbon dans l'intérieur du Penjab, m'apprit, en effet, que trois des jeeps de la mine avaient été volées et six hommes enlevés. En plusieurs temps. Avaient d'abord été capturés, dans la ville de Sargodha, une jeep et ses deux passagers. Dix jours après, était parvenue une demande de rançon : deux lacks, deux cent mille roupies. Ahmed avait dépêché deux hommes en jeep pour négocier avec les ravisseurs. Furieux qu'il n'ait pas envoyé l'argent, les kidnappeurs s'étaient emparés des deux hommes et de la deuxième voiture. Ayant compris le message, Ahmed avait alors envoyé deux de ses employés avec la rançon, à bord d'une troisième jeep, Mais les ravisseurs, loin d'être apaisés, avaient pris les deux employés en otages et confisqué l'argent ; ils exigeaient maintenant vingt lacks supplémentaires, quarante mille livres sterling.

Ahmed, en bon journaliste, était très excité par cette affaire, par ce joli sujet d'article qui lui était en quelque sorte livré à domicile. Et avec le détachement du reporter il trouvait même plutôt drôle la manière dont les événements s'étaient succédé : les hommes disparaissant deux par deux dans le piège tendu par les ravisseurs de la province frontière. Il était allé trouver l'armée et les services de renseignements, seuls à pouvoir l'aider. Et il estimait maintenant — ce qui n'allait pas être drôle pour les hommes enlevés — que les tractations pourraient se prolonger de longs mois. Il était important de poursuivre les discussions pour empêcher que les hommes enlevés ne soient emmenés de l'autre côté de la frontière. Parce qu'alors tout serait terminé ; on ne retrouverait ni les jeeps ni les hommes.

Là où il n'y avait pas de droit, pas d'institutions fiables, le code de l'honneur protégeait les gens. Mais à l'inverse, lorsque le code était trop fort le droit ne pouvait s'imposer. Dans la province frontière, comme l'hôte pathan de Salim Randjha me l'avait dit à Mansoura, l'État moderne dépérissait, était devenu superflu. Les gens commençaient de nouveau à vivre avec l'idée de clan et de fief ; et c'était bon pour les affaires.

À quelque cinq cents kilomètres au sud, aux confins du Pendjab et du Sind, se trouve l'ancienne principauté de Bahawalpur. Du temps des Anglais, il y avait plus d'un demi-millier de ces États semi-indépendants, et environ soixante-dix d'entre eux — dont Bahawalpur — étaient assez importants pour que leurs souverains aient droit au titre d'altesse.

C'était l'un de ces petits royaumes nés au milieu du dix-huitième siècle, lors de l'éclatement de la puissance musulmane dans le sous-continent. Il était bordé sur cinq cents kilomètres à l'ouest et au nord par l'Indus et son affluent le Satledj. Ces grandes rivières d'un côté — le Satledj au cours ravagé et sinueux large de plusieurs kilomètres — et le désert de l'autre protégeaient le territoire de Bahawalpur contre les Sikhs du Nord et les Mahrattes hindous du Sud. En 1838, les Anglais firent de Bahawalpur un protectorat, et les nababs de Bahawalpur connurent enfin la sécurité de l'Empire. Ils régnèrent jusqu'en 1954, date à laquelle la principauté fut incorporée dans le Pakistan.

Les nababs avaient espéré que leur État deviendrait indépendant après le départ des Anglais en 1947. C'était pure folie de leur part. Bahawalpur comptait en 1941 moins d'un million et demi d'habitants, des serfs pour la plupart. Mais le nabab, après un siècle de tranquillité sous la protection britannique, se faisait une idée chimérique de son autorité. Et lorsqu'il perdit son État, il lui fut impossible de continuer d'y vivre en citoyen ordinaire. Nul doute que dans sa conception du pouvoir il n'y eût aucune place pour des citoyens libres ; il ne pouvait y avoir qu'un dirigeant et des dirigés. Aussi abandonna-t-il Bahawalpur pour l'Angleterre, en emportant une bonne partie de sa fortune. Il acheta une maison dans le Surrey, où il vécut jusqu'à sa mort en 1966.

Il laissa à Bahawalpur de nombreux enfants, reconnus ou non, trois palais, un harem désœuvré et désemparé, quelques écoles et collèges, et l'ambitieux Projet de la vallée du Satledj. Ce projet, mis en œuvre par des ingénieurs britanniques à l'aide d'un prêt du gouvernement de l'Inde anglaise, avait apporté l'irrigation dans le désert et ouvert de vastes territoires à l'agriculture. La terre était offerte pour presque rien à qui voulait la cultiver. Les populations locales étant trop atones pour s'intéresser à ce pari dans le désert, des colons plus intrépides arrivèrent du Pendjab. La réussite de l'entreprise tripla les revenus de l'État et fit du nabab un homme très riche. Ce fut l'un des facteurs qui l'incita à songer à l'indépendance.

La dynastie de Bahawalpur, à la suite de divers accidents, géographiques et historiques, avait finalement duré deux siècles. Si elle n'avait jamais été grandiose ni créatrice (en dehors du Projet de la vallée du Satledj), des histoires romanesques avaient fini par s'attacher à elle. On racontait qu'elle descendait des Abbassides qui avaient régné glorieusement à Bagdad jusqu'à l'invasion mongole du treizième siècle. Une branche de cette maison s'était alors enfuie dans le Sind, qui faisait partie de l'Empire abbasside, et — à en croire cette légende — s'y était morfondue cinq siècles durant avant de s'emparer de la grande étendue de désert qui était devenue la principauté de Bahawalpur.

L'*Encyclopaedia of Islam*, dans sa dernière édition revue et corrigée, rejette cette version : l'Abbas de Bahawalpur, dit-elle, n'a rien à voir avec l'Abbas des Abbassides. En un sens, peu importe que l'anecdote soit vraie ou non ; l'important, c'est le crédit qu'y accordent les gens du coin, et la physionomie qu'elle donne à l'histoire locale. Le vieux royaume hindou du Sind fut le premier territoire du sous-continent à tomber aux mains des musulmans : les Arabes s'en rendirent maîtres au huitième siècle. La conquête, faite principalement pour le butin, fut une entreprise tout à fait délibérée et méthodique. La première expédition fut lancée en 634, juste deux ans après la mort du Prophète et trois ans avant la conquête de la Perse. Et il y eut huit autres offensives contre le Sind avant sa capture définitive en 710. Le calife organisa

315

personnellement ce dernier assaut depuis la Syrie. La chronique du treizième siècle qui célèbre cette conquête, le *Chachnama*, quelque romanesque et poétique qu'elle soit par endroits, est un récit de massacres, de pillages et d'asservissement aussi effroyable que *La Guerre des Gaules* de César. Mais la conquête du Sind peut être vue sous plusieurs angles, et l'annexion des Abbassides par la dynastie de Bahawalpur se relie également aux origines de la puissance arabe et musulmane dans le sous-continent. C'est l'un des symptômes de la névrose fondamentale des convertis.

Quelle que soit la vérité de l'histoire abbasside — et quoi qu'il se passât ailleurs dans le monde au vingtième siècle —, le dernier nabab de Bahawalpur revendiquait fanatiquement cette ascendance. A Bahawalpur et au Pakistan, et dans tout le sous-continent, il était un Arabe de la lignée des Abassides et un conquérant, un homme qui tirait sa richesse du pays mais n'en faisait pas partie. Il portait le fez pour proclamer ce fait, et obligeait ses courtisans à s'en coiffer pour les maintenir à leur place (et il faut tout un apprentissage pour garder sur la tête ce couvre-chef en forme de pot de fleur). Un jour qu'il se promenait en voiture dans la campagne, le nabab aperçut au loin l'un de ses courtisans sans son fez. Dès que le courtisan le vit, il se mit à courir, et le nabab de lui donner la chasse. Le pauvre homme, abdiquant toute dignité et à cet instant redoutant plus que tout le nabab et sa fameuse baguette, quitta la route pour s'enfoncer dans un champ de canne aux feuilles coupantes comme des rasoirs, où il se cacha.

La religion arabe, la langue arabe, les noms arabes, le fez : douze cents ans après la conquête du Sind, cette affirmation de séparation, d'autorité impériale, raciale et religieuse : il n'y a probablement jamais eu d'impérialisme comparable à celui de l'islam et des Arabes. Les Gaulois, après cinq cents ans de domination romaine, avaient pu recouvrer leurs dieux et leurs cultes anciens ; leurs croyances n'étaient pas mortes, elles survivaient juste en dessous de la surface romaine. Mais l'islam s'efforce d'effacer le passé ; c'est même un article de la foi ; les croyants finissent par ne révérer que la seule Arabie ; il n'y a rien à quoi ils puissent revenir.

Le nabab se considérait comme un Arabe et un conquérant. Une autre facette de lui-même comprenait la véritable autorité. Et de même qu'il faisait s'abaisser ses courtisans devant lui, de même il était prêt à s'abaisser devant l'autorité britannique suprême. Il y avait un résident anglais qui supervisait les choses et, en outre, le nabab confiait à des Anglais les postes officiels importants.

Lui qui avait le teint particulièrement sombre (il était surnommé « Noiraud » à l'école, m'avait-on dit) était obsédé par les femmes blanches. Lui qui d'un côté revendiquait frénétiquement son ascendance prétendue, souhaitait par ailleurs s'abolir racialement. Il voulait passionnément avoir des enfants blancs ou hybrides. Trois de ses femmes étaient anglaises et une quatrième anglo-indienne. Il lança ainsi une mode : nombre de ses sujets partirent à l'étranger se marier avec des femmes blanches. La dernière épouse anglaise du nabab était connue localement sous le sobriquet de Lady O, parce que les fonctionnaires britanniques et l'aristocratie de Bahawalpur la trouvaient vulgaire.

Il envoyait tous les fils qu'il reconnaissait au collège Aitchison, l'école instituée à Lahore par les Anglais pour les fils de princes (où dans sa jeunesse il était surnommé « Noiraud »). Mais nul n'ignorait qu'à ses yeux ses enfants hybrides étaient extraordinaires, magiques. On raconte qu'il avait emmené deux de ses fils nés de concubines locales dans un lieu saint quelque part dans le désert pour qu'ils y soient élevés comme gardiens du tombeau. La chose est possible ; il disposait d'un pouvoir absolu dans sa principauté. Mais l'histoire n'est peut-être pas vraie. Le nabab avait plein d'épouses, de concubines et d'enfants ; leurs jalousies et leurs souffrances n'avaient pas laissé de susciter toutes sortes de racontars.

Un journaliste de Bahawalpur qui avait connu l'une des femmes du harem me dit : « Dans le palais il avait un bâtiment séparé pour les épouses anglaises et leurs enfants. Si les épouses indiennes connaissaient l'existence des Anglaises, ces dernières ignoraient tout de leurs rivales indigènes. Quand il voulait aller au harem, le nabab leur disait qu'il partait en tournée. Parfois pendant trois jours, parfois pendant une semaine. C'était un départ dans les règles : les gardes, la Rolls Royce, le corps des méharistes, qui assuraient sa protection personnelle. Il se contentait en fait de faire le tour de son palais, qui était vraiment énorme, comme un vieux fort, pour entrer dans le harem, de l'autre côté, à l'arrière. »

Il avait eu plus de trois cent quatre-vingt-dix femmes. La plupart n'avaient couché avec lui qu'une fois ; mais pas question pour elles d'avoir ensuite des relations avec un autre homme. Certaines étaient devenues hystériques, d'autres lesbiennes. Dans le harem, il avait toujours seize ou dix-huit femmes à sa disposition.

« Il entrait dans le harem une badine à la main. Les femmes se précipitaient sur lui, le tiraient par ses vêtements, et il les repoussait de son bâton jusqu'à ce qu'il vît celle qu'il voulait et qu'il désignait alors à l'eunuque. Lorsqu'il revenait de ses voyages à l'étranger il arrivait dans le harem avec des malles en fer, et les femmes devenaient folles. Elles lui avaient demandé des combinaisons, des robes de soie, des plumes, et elles se les arrachaient. Pour ses épouses anglaises il se fournissait chez Tiffany, Cartier, Garrard. Les vendeurs venaient lui proposer des bijoux quand il était en Angleterre. Pour lui-même il achetait des scènes de la campagne anglaise, et il ne manquait jamais de se faire portraiturer par des peintres anglais. »

Un jour, une lettre sur plateau d'argent — le détail suggère les intrigues de palais et les commérages enfiévrés — apprit à l'épouse anglaise préférée que le nabab avait un harem indien. Et lorsque le pauvre homme alla rendre visite à sa favorite, il la trouva qui prenait le thé avec le harem au complet.

« Quand l'armée occupa le palais, elle découvrit toute une collection de godemichés. Environ six cents. Les uns en terre cuite, d'autres achetés en Angleterre qui fonctionnaient avec des piles. Les soldats creusèrent une fosse pour les enterrer. Il y avait aussi plein de magazines pornographiques. Le nabab était devenu impuissant très tôt. Par blasement. Quelqu'un qui était entré un jour dans le harem à un mauvais moment le vit qui besognait une femme hurlante à l'aide d'un godemiché. »

Le palais principal, fermé depuis onze ans, tombait en ruine. Comme d'autres biens princiers du sous-continent, il faisait l'objet de procès et était sous scellés : les nombreux héritiers du nabab se le disputaient. La façade avait encore fière allure mais les termites en rongeaient l'intérieur ; leurs excréments accumulés au fil des ans avaient fendu la porte d'entrée qu'ils scellaient hermétiquement. On disait qu'il y avait dix-neuf voitures de collection dans le garage, dont cinq Rolls Royce dessinées exprès pour lui dans les années trente ; elles étaient toutes mangées de rouille et reposaient sur des briques.

Quand je quittai l'avenue pour faire le tour du palais, les gardes me hélèrent à grands cris. Je ne tardai pas à comprendre pourquoi. A l'arrière, la fenêtre d'une chambre de l'étage avait été fracturée et le grillage arraché : l'œuvre de voleurs — un des thèmes du sous-continent. Le jardin était à l'abandon : arbustes épineux du désert, hautes herbes à éléphants, palmiers dattiers poussant dans les tuyaux et les rigoles — un jardin surréaliste, comme dessiné pour le palais tombant en ruine, avec une allée centrale aux bordures et au gravier d'une netteté incongrue.

Loin dans le désert se trouvait l'enclos désolé — entretenu par des générations de gardiens de cimetières — abritant les tombes lourdes et emphatiques des quatorze souverains de Bahawalpur et de leurs femmes. Les mausolées des favorites ressemblaient à des belvédères — dentelles de marbre aux incrustations et aux bossages floraux de style moghol. Deux des épouses anglaises du nabab avaient droit à ces tombeaux.

Ce fut le petit-fils de l'une de ces épouses qui me conduisit au cimetière. Le nabab adorait sa grand-mère, me dit Azhar Abbassi ; elle le conseillait également dans certaines affaires d'État. Un peu plus tard, il me montra une petite photo jaunie ; en raison du purdah, il n'existait pratiquement aucune photo de sa grand-mère. C'était le portrait, peut-être réalisé par un professionnel avant qu'elle n'épousât le nabab, d'une femme mince en robe mi-longue des années vingt ou trente, assise de côté, les jambes croisées ; son joli visage respirait l'assurance. C'était la fille d'un officier britannique de l'armée des Indes, et il était étrange de penser qu'elle avait choisi de conclure ce marché très particulier avec la vie, pour ainsi dire, qui impliquait une sorte de disparition, puis cette tombe dans le désert. Peut-être était-elle morte empoisonnée, à cause des jalousies de la cour ; ou encore des suites d'une opération réalisée non dans un hôpital — jaloux, le nabab exigeait un purdah très strict

318

—, mais au palais, sur une table de salle à manger. Là encore, bien des histoires circulaient.

Le nabab avait reconnu dix fils. Azhar Abbassi, qui m'avait montré le cimetière, était le fils du troisième, qui lui-même avait quatre femmes. Azhar ne savait comment se dépêtrer de tous les problèmes d'héritage issus de l'imbroglio familial. Ces mariages musulmans multiples, souvent comiques vus de l'extérieur, causent des souffrances inouïes à la plupart des protagonistes ; et ces souffrances se perpétuent parfois de génération en génération, comme une maladie, les gens ayant apparemment tendance à transmettre les maux — la jalousie, le tourment, l'abandon — qu'ils ont subis.

Bien que pratiquement blanc — ses ancêtres ayant épousé des Européennes depuis plusieurs générations — et Australien de cœur, Azhar était néanmoins musulman. Je lui demandai ce qu'il pensait de ses origines, lui qui était racialement si divorcé du Pakistan.

Il répondit qu'il voulait émigrer au Canada ou en Australie : « Mon grand-père était un prince indien. C'est terminé. Un prince indien — la belle affaire ! »

Et tout cela reposait sur le servage. La mise en culture du désert, le harem, les coûteuses épouses anglaises, les bijoux de Londres, la demeure dans le Surrey, les Rolls Royce qui rouillaient dans le garage du palais, les tableaux de scènes champêtres anglaises : tout cela était le tribut des plus pauvres des pauvres, accumulé, penny par penny, comme les excréments des termites. Les villageois appartenaient à leur propriétaire terrien, qui exerçait sur eux un pouvoir presque aussi absolu que celui du nabab sur ses sujets. Ces gens étaient fouettables à merci ; leurs filles et leurs femmes violables à volonté. Le serf savait qu'il ne devait jamais tourner le dos à son maître. Il s'éloignait de lui à reculons, se déplaçait de côté lorsqu'il le rencontrait : des générations de servitude avaient abouti à ce ballet de crabe devenu instinctif qui déconcertait le visiteur de prime abord.

Bahawalpur n'avait été qu'un protectorat britannique, jamais les Anglais n'y avaient imposé leurs lois. La sharia régnait toujours ; et une cruauté antique — dissimulée sous les haillons et les huttes de la campagne, sous l'aspect de la simple pauvreté — avait survécu à cent ans de présence britannique. Certaines histoires évoquaient les plantations antillaises de la fin du dix-huitième siècle ou la Russie du début du dix-neuvième. Même à l'époque du nabab, pourtant attentif à ce genre d'abus, la femme d'un dignitaire avait fait fouetter à mort un garçon de douze ans.

On me raconta cette histoire récente :

« C'était une femme baloutche. Serve, elle avait été littéralement achetée par son propriétaire féodal à l'âge de dix ans. Elle avait été sa maîtresse, la maîtresse de son fils, et lorsque son petit-fils voulut la prendre à son tour elle s'enfuit avec son amant pour se réfugier sur notre ferme. Nous étions aussi des féodaux. Nous subîmes de très fortes pressions, mais je savais que si nous la rendions elle serait punie de la manière la plus bestiale. Son maître violait les serves, les humiliait lorsqu'elles désobéissaient, les tuait parfois, les détruisait physiquement. Il les humiliait en les enchaînant dans une étable comme des animaux ; il les faisait sodomiser, il leur faisait manger des excréments. Il avait une soixantaine d'années.

« Je savais que si nous restituions cette femme, ils lui couperaient le nez et les jarrets. Et elle le savait aussi. Elle nous supplia de ne pas la rendre. Pendant les négociations avec son maître, qui était très puissant politiquement et, ironiquement, appartenait au parti libéral, on nous demanda d'obtenir qu'elle abandonnât son fils de six ans : "C'est une question d'honneur pour nous. Si vous ne nous donnez pas la femme, remettez-nous le garçon."

« Je dus la convaincre de renvoyer son fils. Elle se mit à pleurer. Elle s'agrippa à mes pieds, en disant : "Vous êtes puissants. Vous pouvez garder mon fils." Je lui répondis que nous le pouvions pas.

« Elle se résigna à livrer l'enfant. C'est incroyable la manière dont elle para le petit garçon. Et deux inconnus vinrent le chercher. Elle lui fit revêtir ses plus beaux habits et lui dit qu'il devait partir avec eux ; elle le rejoindrait, il n'avait rien à craindre. Chaque fois qu'il éclatait en sanglots, elle lui disait qu'elle allait le suivre, qu'elle viendrait bientôt. Elle le poussa vers les hommes. C'étaient de grands gaillards en *lungi*, avec de grosses moustaches. "Va avec eux, dit-elle. Je te suis. Tu vas rencontrer la famille de ton père." L'enfant était terrifié. Il ne cessait de se retourner. Elle, impassible, sans une larme, lui disait : "Va. J'arrive." Elle lui répéta "J'arrive" jusqu'à ce qu'il disparût. Alors elle se mit à pleurer. Ils n'allaient pas tuer l'enfant. Ils l'élèveraient sur la ferme. Ils en feraient un serf de plus. »

C'était arrivé six ans auparavant. Et par hasard, quatre jours avant mon arrivée à Bahawalpur, « justice » avait été faite. Le grand propriétaire, le violeur de ses serves, avait été abattu. Pas par un serf, pas par quelqu'un qui voulait venger les brutalités de toute sa vie, mais par la milice d'une secte, un gang religieux qui se taillait un nouveau territoire : un autre type de fief en formation, aspect de la guerre intestine que se livraient désormais dans cette région du sud du Pendjab et du Sind la milice religieuse, les extrémistes sindhis, les mohadjirs et les anciens féodaux : djihad contre djihad, guerre sainte contre guerre sainte.

La milice religieuse avait commencé à s'implanter sur le territoire du propriétaire féodal. Un jour qu'ils avaient rencontré ce dernier, les miliciens avaient tiré en l'air, pour lui montrer leur mépris et affirmer leur pouvoir. Il avait fait tuer l'un d'eux pour venger l'affront et les mettre en garde. Et voilà qu'il venait d'être tué à son tour. Il avait été criblé de tant de balles — de Kalachnikov, comme il se doit — qu'il était resté de lui « plus de trous que d'homme ».

C'étaient les mots mêmes de la vieille femme qui m'avait raconté cette histoire. Son existence avait été à demi détruite par les obsessions sexuelles de la cour du nabab. Son mari avait été l'un des courtisans, l'un de ceux qui avaient élevé les fils du prince. Le visage de la femme exprimait l'hystérie de toute une vie. Elle n'avait plus goût à rien, pas même à sa belle demeure. Et en évoquant la mort du féodal, cet homme qui incarnait la violence dont elle se sentait environnée, en employant ces mots — « plus de trous que d'homme » —, elle éclata d'un rire qui découvrit ses dents.

Ibn Battuta, le voyageur arabe du quatorzième siècle qui voulait visiter tous les territoires musulmans du globe, passa environ sept ans dans l'Inde islamique à partir de 1335. Il commença son séjour indien par ce qui était alors la province du Sind.

Lors de son périple, Ibn Battuta était tributaire de la munificence des divers despotes dont il visitait les royaumes. Il connaissait les formes ; il savait donner des présents pour en obtenir de plus importants en retour. (Il offrit ainsi au gouverneur du Sind un esclave blanc, un cheval, des raisins secs et des amandes.) Les souverains honoraient en lui le religieux et le savant, tandis qu'en bon mollah sachant se tenir à sa place il les considérait comme les seuls défenseurs légitimes de la foi. Il ne cherchait pas à voir plus loin, bien que les barbaries de Delhi — exécutions et tortures quotidiennes aux audiences publiques du sultan — aient tout de même fini par lui paraître insupportables ; surtout quand quatre esclaves de la cour furent chargés de l'escorter en permanence : connaissant les usages de l'endroit, il comprit qu'il risquait d'être exécuté d'un jour à l'autre.

En Inde, il parle constamment d'esclaves, hommes et femmes ; il dit quelque part qu'il ne peut voyager sans eux. Les esclaves font partie du paysage. (À Aden, il avait vu des esclaves utilisés comme animaux de trait ; il le note simplement comme une nouveauté.) Mais c'est seulement au détour d'une phrase que l'on peut se faire une idée de la campagne et de la servitude sur laquelle repose la gloire du sultan de Delhi et de ses dignitaires. Pendant quelques mois, et en hommage au visiteur qu'il était, un fonctionnaire local attribua à Ibn Battuta les revenus d'un village de Bahawalpur : cinq cents dinars. Cette somme ne tombait pas du ciel : elle venait des champs et des serfs qui les cultivaient ; ces gens toujours présents à l'arrière-plan mais dont Ibn Battuta ne dit jamais un mot. (« Nous nous préparâmes alors pour le voyage vers la capitale, quarante jours de marche au travers d'un pays entièrement inhabité. ») Plus tard, à la cour sanguinaire de Delhi, on lui accorderait les revenus de cinq villages. Dans son livre il est sans cesse question de sommes calculées en récoltes : jusqu'à la dotation d'un mausolée, par exemple.

Ainsi, il est extraordinaire de constater qu'à Bahawalpur et alentour — où, par-delà la mémoire humaine, le temps est un flux non mesuré et non mesurable, et où les structures du servage, laissées intactes par l'Empire britannique, ont été réaffirmées à l'indépendance par la république musulmane en dehors de l'histoire rêvée par le poète Iqbal —, à Bahawalpur, donc, on peut presque retrouver le quatorzième siècle et peut-être même le huitième, au début de la domination musulmane. C'était pour ces revenus du servage, après tout, que la conquête avait été entreprise.

Ibn Battuta connaissait la petite ville d'Uch, bâtie autour d'un vieux temple de la fertilité qui attirait encore des fidèles. Je m'y rendis un matin. La route sortant de Bahawalpur, ombragée sur de nombreux kilomètres par des *chicham* (arbres de la famille des *dalbergia*) et des acacias sauvages, traversait de riches terres irriguées : coton, canne à sucre, moutarde ; une sucrerie ; des ateliers d'égrenage du coton. Avant l'irrigation, ce n'était qu'un désert ; et çà et là, parmi les champs verts et plats, de petites dunes de sable gris-brun montraient à quoi devait ressembler autrefois la région. Pare-chocs contre pare-chocs, des camions en route pour Karachi, à huit cents kilomètres au sud, avaient formé un lent convoi, par crainte des dacoïts, des bandits, du grand désert du Sind.

Ceinte d'une muraille de pisé, Uch se dressait sur un grand tertre auprès d'une rivière morte. Le tertre suggérait l'antiquité du lieu : les débris accumulés au fil des siècles de multiples Uch antérieures. Ibn Battuta y avait admiré de « beaux bazars et de beaux bâtiments » en 1335 ; mais il voyait les choses à sa manière, selon ses propres références, et peut-être n'avait-il vu qu'une version de ce que je voyais : des palmiers, des ânes, les rues qui montaient et descendaient, des enfants, des ordures, des caniveaux luisants en plein air et les tombeaux des saints.

Le premier de ces sanctuaires guérissait les maux de dos ; la base du mur extérieur de briques avait été polie par les dizaines de milliers de suppliants qui y avaient frotté leur échine douloureuse. A l'intérieur, les colonnes de bois qui soutenaient le toit ressemblaient à celles des temples hindous ; c'était peut-être un hasard ou un style associé aujourd'hui à la magie ou à la vertu ancienne du site. La tombe du principal saint musulman était un grand tertre vert ; les moindres saints, enterrés par la suite à l'entour, se contentaient de dalles blanches plus petites.

Le deuxième sanctuaire, plus important, accueillait les femmes qui voulaient des enfants. Il s'enorgueillissait, détail fabuleux, d'une empreinte du pied d'Ali : Ali, le gendre et le cousin du Prophète. Son empreinte creusait une colonne de granit noir. Cette colonne avait été rapportée de Bagdad par un saint musulman qui, avec l'aide de djinns, esprits puissants, s'était transporté par les airs jusqu'à Uch, juché sur un mur. Le tombeau dans l'enclos était celui de la femme du saint. L'enclos, sombre, au pavé sombre, était imprégné d'une pénétrante odeur de vieille huile. Au fil des siècles, les petites lampes à huile, mèches de coton plongées dans de menus récipients de terre cuite, que les fidèles déposaient encore en offrande, avaient transformé une partie du sanctuaire en grotte noire. Les femmes exaucées revenaient accrocher des berceaux ou inscrire leur nom. Celles qui avaient eu des jumeaux offraient des échelles miniatures. Il y en avait une ce matin-là, en bois blanc tout neuf.

Quiconque avait voyagé dans le sous-continent et visité de vieux temples hindous pouvait reconnaître dans la colonne de granit intaillée le *lingam*, l'emblème phallique de Shiva. Les histoires de djinns, de l'empreinte d'Ali et du saint qui avait volé sur un mur depuis Bagdad plongeaient le visiteur dans un moment historique encore vivant : le passage de l'ancienne religion à la nouvelle.

Le sanctuaire abritait aussi une petite mosquée sous un arbre gigantesque — tronc énorme aux multiples branches noueuses. Les gardiens du tombeau, qui n'étaient pas à une merveille près, assuraient que la mosquée avait été construite par Muhammad ibn-Qasim, qui avait conquis le Sind en 710 ; et que l'arbre datait de la même époque ; Muhammad ibn-Qasim avait vu cet arbre.

L'arbre n'était peut-être pas si vieux et la mosquée était assurément très postérieure. Mais en attribuer l'édification à Muhammad ibn-Qasim permettait de célébrer la conquête — les croyants ne se considéraient plus comme conquis — et de revendiquer le site ancien pour la religion nouvelle. De même qu'à Java, six ou sept cents ans plus tard, la foi nouvelle avait annexé l'allégorie hindoue-bouddhiste-jaïn du grand méditateur, le *tirthankara*, le « passeur », métaphore de celui qui atteint à une conscience supérieure, pour en tisser une histoire plus littérale. Le passeur était devenu Kalijaga, le « gardien de la rivière » : un grand maître lui ayant ordonné de l'attendre au bord d'une rivière, il avait obéi si fidèlement que des lianes avaient poussé tout autour de lui, jusqu'au moment où le maître était revenu le délivrer pour qu'il répandît le message de l'islam.

Le *pir* d'Uch, héritier de la sainteté et du lieu, était un descendant du saint qui avait été transporté de Bagdad sur le mur par les djinns et avait répandu l'islam dans le territoire conquis. Homme de pouvoir, le pir actuel avait de nombreux fidèles et sa sœur avait épousé le plus important propriétaire terrien de la région. Ainsi agissaient les féodaux : ils s'alliaient aux industriels et aux dynasties religieuses comme celle du pir — la religion, l'argent et la terre s'unissant pour dominer.

Le pir était parti dans le Sind ce jour-là. Ses *mourids*, ses disciples, l'avaient fait venir pour arbitrer une affaire de meurtre. Techniquement, le Sind était un pays de droit, mais les gens n'avaient guère confiance en l'appareil de l'État, et les ouailles du pir préféraient s'en remettre à son jugement.

Les femmes qui étaient venues voir le pir ce jour-là devaient donc attendre, et elles étaient accroupies dans sa cour au soleil comme des volailles. C'étaient des paysannes, des serves, possessions de leurs propriétaires terriens et de leurs maris, aucunement protégées par le droit, la coutume ou la religion. Elles vivaient au milieu de la cruauté et avaient à demi perdu l'esprit. Le pir était leur seul lumière et elles étaient venues le voir parce qu'elles étaient possédées par des démons.

323

Le pir passait pour venir à bout des démons qui s'introduisaient dans ces femmes et faisaient d'elles des objets de crainte, roulant les yeux et la tête et crachant des mots orduriers d'une voix anormale. Le pir savait déloger les démons en punissant les corps dans lesquels ils nichaient.

Un journaliste de Bahawalpur m'avait dit qu'une cérémonie spéciale était organisée chaque printemps dans la cour du pir. Ses disciples, originaires principalement du Sind, affluaient ce jour-là pour une sorte de pèlerinage. Le moment venu, ils s'étendaient dans la cour et le pir sautillait sur eux. Il avait un pied-bot, déformation congénitale des pirs d'Uch ; et il guérissait les malades de chacun de ses pas pesants.

Dans le grand salon de la maison, où veillaient des servantes satisfaites et courtoises, qui se considéraient manifestement comme des privilégiées, était suspendu — et c'était inattendu dans cette ville pouilleuse du désert — un grand lustre de Waterford. Il y avait des photographies des ancêtres du pir, et d'autres du pir actuel avec des présidents du Pakistan, des ambassadeurs étrangers et le dernier nabab de Bahawalpur — ce dernier adossé à un traversin, le teint sombre, apparemment respectueux mais les yeux durs, et coiffé de son grand fez.

CHAPITRE 26

La guerre

Les camions allant à Karachi par l'« autoroute » nord-sud traversaient en convoi le désert du Sind. A cause des dacoïts, des bandits. Et de fait, quelques jours à peine après que j'avais vu ce convoi roulant lentement, pare-chocs contre pare-chocs, à la sortie de Bahawalpur, un incident dans les faubourgs de Karachi fit la une du quotidien du soir de Karachi : *Dacoïtisme sur l'autoroute* : des dacoïts avaient attaqué un camion, et ses deux passagers avaient été blessés dans la fusillade.

Mais les dacoïts du Sind n'étaient pas toujours ce qu'ils semblaient être. Un policier de ma connaissance avait eu son premier poste dans une région infestée de dacoïts. Un pays sauvage : des forêts marécageuses, arrosées par les crues annuelles de la rivière, d'un côté de la grand-route ; et de l'autre, la montagne, des rochers et le désert. C'était un coin très pauvre : huttes de paille et de pisé dans la campagne, et petites maisons en brique de deux pièces dans les bourgades : dix à douze personnes par maison, la plupart des gens n'ayant, dans cette désolation, d'autre occupation que de regarder les années passer.

Les dacoïts étaient presque aussi misérables que leurs victimes. Puis le jeune policier, qui venait d'être nommé chef de subdivision, découvrit que c'étaient les propriétaires terriens locaux qui dirigeaient en fait les bandits. Ils les protégeaient, et, en échange, les dacoïts leur servaient, gratuitement, d'hommes de main. Un nervi réclamait normalement quinze cents roupies par mois, trente livres ; disposer gratis de deux, trois ou quatre tueurs était donc une bonne affaire ; sans compter une part du butin des opérations les plus importantes. Les dacoïts étaient recherchés pour de graves accusations, y compris de meurtre, et les féodaux pouvaient les livrer à n'importe quel moment. D'autant que l'armée — « en permanence dans le Sind pour prétendument combattre les dacoïts » — était toujours là pour abattre le bandit que le féodal avait « donné ».

Le jeu avait ses règles. Le féodal, en shalwar-kamiz amidonné, escorté de ses estafiers enveloppés (ainsi que leurs armes) dans leur tchador, arrivait un matin au poste de police à bord de son 4 × 4 Nissan — emblème de l'autorité féodale. Accompagné d'une délégation de villageois, il venait se plaindre des dacoïts. Le même seigneur se présentait un autre jour pour dire que le dacoït que la police avait arrêté n'était pas le bon. Et le policier qui ne voulait pas céder ou qui se montrait agressif risquait fort d'être « muté ».

Le policier qui m'avait raconté cette histoire était frais émoulu de l'école de police et de l'école d'administration, où il avait reçu une formation de dix-huit mois. « Une survivance de l'époque coloniale britannique : un peu d'équitation, un peu de tir, un peu de travail scolaire, des notions très théoriques sur le monde extérieur. En réalité, ils savaient parfaitement que le policier qui réussirait serait celui qui passerait toutes sortes d'accords et de compromis, celui qui chasserait avec la meute. »

Une semblable dislocation avait été le lot des mohadjirs, les musulmans qui avaient quitté l'Inde en grand nombre après l'indépendance pour s'installer dans le Sind féodal. Ils avaient fait campagne plus que n'importe qui d'autre pour la création d'un État musulman distinct, et ils étaient venus au Pakistan et dans le Sind comme si c'était leur propre pays. Pour découvrir que celui-ci appartenait à d'autres, qui n'étaient pas disposés à le leur abandonner. Les mohadjirs étaient devenus la cinquième nationalité du Pakistan, après les Baloutches, les Pathans, les Pendjabis et les Sindhis. Une nationalité sans territoire. Voilà pourquoi, une génération ou deux après, commença la guerre de Karachi. Les mohadjirs voulaient un territoire à eux, ils voulaient que Karachi leur revienne : n'y étaient-ils pas majoritaires ? Leur passion, leur sentiment d'injustice, avait une dimension quasi religieuse ; c'était comme une répétition de l'agitation de leurs pères et de leurs grands-pères cinquante ans auparavant en faveur du Pakistan.

La guerre durait depuis plus de dix ans ; elle avait fait vingt mille morts, disaient les mohadjirs. Ce n'était pas une guerre bien définie, les mohadjirs contre l'État : la ville était trop grande et trop diverse. Les gouvernements avaient cherché à utiliser les passions des différents groupes ; la guerre d'Afghanistan avait distribué des armes à tout le monde. Et maintenant, il existait deux factions mohadjirs militantes et mutuellement hostiles ; il y avait les nationalistes sindhis et les féodaux sindhis ; les groupes religieux, sunnites et chiites, tous prêts à tuer ; il y avait les services secrets ; il y avait les gangs de la drogue, les gangs du crime et ceux de l'immobilier. La ville des immigrés aux multiples facettes était en guerre contre elle-même. Même l'armée n'avait pu faire face : en vingt-neuf mois de présence, elle n'avait pas accompli grand-chose et il avait fallu la remplacer par les Rangers, une force frontalière semi-militaire.

Plaidant pour un Pakistan purement musulman, le poète Iqbal déclarait en 1930 : « L'idéal religieux de l'islam est organiquement lié à l'ordre social qu'il crée. Rejeter l'un entraînera fatalement le rejet de l'autre. » C'était la vision du converti : la foi suffisait à fonder une identité et un État. C'était l'idée même qui avait fait venir les mohadjirs au Pakistan. Dans cette perspective romantique d'Iqbal, rien ne laissait prévoir le carnage, le pillage et le chagrin de la partition ; ni l'abandon de plus de cent millions de musulmans en Inde ; ni le conflit qui allait commencer quarante ans après à Karachi. Ou ce titre à la une d'un journal : *Fermeture des magasins. Coups de feu en l'air pour protester contre les massacres d'hier — LA TENSION RÈGNE A GOULBAHAR, L'ABAD ET KORANGI.*

Goulbahar, Liaquatabad et Korangi étaient de vastes bidonvilles mohadjirs. La guerre, qui avait commencé par la protestation de la bourgeoisie mohadjir, avait gagné jusqu'aux bas-fonds.

« Hier, le frère du Premier ministre de la région a été tué », me dit le rédacteur en chef d'un journal en ourdou, que j'avais rencontré par hasard au club de la presse. « Aujourd'hui, la police a raflé trois mille jeunes gens d'un quartier particulier. Certains d'entre eux seront torturés. Leurs familles doivent verser une rançon de vingt-cinq mille roupies [cinq cents livres]. C'est donc la terreur et l'appauvrissement. Vous devriez voir la ville la nuit. Elle change complètement. C'est comme une ville occupée. Sortez donc voir la police en action, les barrages et les fouilles. Mais il faut du courage. »

Petit homme doux de quarante-deux ans, le rédacteur en chef était un sympathisant de la cause des mohadjirs, bien qu'il n'en fût pas tout à fait un lui-même. Il était memon, membre d'une communauté commerçante de langue goudjerate. Sa famille et lui, estimait-il, avaient souffert en tant qu'étrangers dans le Sind. Les entreprises familiales, dans l'assurance et les produits pharmaceutiques, avaient été nationalisées ; la nationalisation avait servi à ruiner les affaires des non-Sindhis. Et lui-même, en raison de la « terreur » sindhi dans son université, n'avait pas pu passer sa maîtrise.

Il avait déménagé quatre fois. Pour se protéger non seulement contre l'armée mais aussi contre le mouvement militant mohadjir, le MQM. Le MQM, qui recrutait de plus en plus dans les couches inférieures de la communauté mohadjir et qui perdait une partie du soutien des classes moyennes, était devenu aussi brutal que ses ennemis. Comme tant d'autres organisations d'opprimés, la réussite l'avait également rendu autoritaire. Son chef actuel ne supportait aucune critique. Le rédacteur en chef memon, tout favorable à la cause qu'il était, faisait parfois paraître des articles qui offensaient le chef du MQM. Au point que ce dernier avait une fois « interdit » le journal pendant deux semaines. Le rédacteur en chef avait dû ensuite lui écrire une lettre personnelle dans laquelle il « implorait son pardon » ; et après cela il lui avait fallu publier des excuses trois jours d'affilée.

Le rédacteur en chef persévérait néanmoins dans sa tâche. Il avait du courage.

« Comprenez bien que lorsque je pars de chez moi le matin je ne suis pas sûr que je rentrerai le soir. »

Père de famille de trente-six ans, Abdoul appartenait au mouvement mohadjir. Ce n'était pas un boutefeu. Il avait un discours mesuré et était tout de blanc vêtu : pantalon blanc, chemise blanche ; sur lui, c'était comme la couleur du deuil. Replié sur lui-même, le visage dépourvu d'expression, les yeux sans vie : c'était un homme assommé et brutalisé par la longue guerre. Si Nousrat, un ami commun, ne nous avait pas présentés, je ne crois pas qu'il aurait voulu parler de Karachi ou de la guerre.

Son père et son grand-père étaient originaires de Simla, où ils étaient traiteurs de l'armée britannique. Sa mère venait de Meerut. Ils étaient arrivés en 1947, et son père avait ouvert un atelier de réparation pour les postes de radio et de télévision. L'entreprise avait prospéré. Il fallait lui arracher les détails un par un ; il n'avait pas de vision d'ensemble de sa vie ou de son passé.

« Comment vont les choses aujourd'hui à Karachi ? demandai-je.

— Très bien.

— Pourquoi ?

— C'est le gouvernement qui s'en charge.

— De quoi ? Des meurtres ?

— Oui.

— En quoi est-ce bien ?

— Ce sont essentiellement les gens de langue ourdou qui meurent, et c'est le sacrifice. Quand on veut quelque chose il faut donner autre chose. Vingt lacks [deux millions] sont morts pour la création du Pakistan. Nous devons faire des sacrifices pour nos droits.

— Il pense à une nation mohadjir, intervint Nousrat. Ils parlent maintenant de séparatisme. »

Abdoul ne pouvait expliquer ce qui l'avait amené à cette position. Il y a dix ans, il avait commencé à trouver que les choses n'allaient pas. Un policier de la circulation pendjabi lui avait fait des ennuis et lui avait réclamé cinquante roupies, alors qu'au même moment il laissait partir un chauffeur pendjabi, qui avait pu s'expliquer dans sa langue.

N'était-ce pas une minuscule broutille ?

Il ne répondit pas directement : « Regardez ce que fait la police quand elle perquisitionne les maisons mohadjirs à Golimar. Ils brisent les portes. Ils emmènent les hommes et maltraitent les femmes. Il y a deux mois, j'ai vu un corps dans un sac de jute et ça m'a bouleversé.

— C'est très fréquent, dit Nousrat. C'est une plaisanterie, en fait. Si on voit un sac de jute dans la rue, invariablement il contient un cadavre ou des débris humains.

— Qu'est-ce qui donne du courage aux gens maintenant ? demandai-je à Abdoul.

— Ils se battent pour leurs droits et ils sont prêts à tout.

— La religion les soutient ?

— Qu'est-ce que la religion a à voir là-dedans ? Qu'est-ce que l'islam vient faire ici ? Ils sont musulmans eux aussi.

— Est-ce que Dieu est avec vous ? demanda Nousrat.

— Dieu est du côté de la vérité et de la justice. »

Mais les mollahs de son quartier, bien qu'ils fussent mohadjirs, « n'abordaient pas ce thème.

— Par prudence ? demandai-je.

— Ce n'est pas ça. Ils ne parlent pas de l'actualité.

— Comment communiquez-vous avec le mouvement ?

— Nous nous rendons mutuellement visite le soir.

— Et la police ?

— Elle a constitué un réseau d'indicateurs, répondit Abdoul. Des marchands ambulants qui vendent du pop-corn, des bonbons et des glaces. Il y a plein de nouvelles têtes dans les rues du quartier. Des mohadjirs et d'autres qui ne le sont pas. »

Abdoul avait quatre frères et quatre sœurs, toutes mariées. Un de ses beaux-frères était mort, un autre était chômeur, un troisième dessinateur et le dernier travaillait dans une entreprise de peinture ; ils gagnaient difficilement leur vie.

« Je vous sens malheureux, lui dis-je.

— Non. Vous ne pouvez pas dire que je suis malheureux.

— Il a de grandes difficultés d'argent, expliqua Nousrat. Sa femme a failli mourir en donnant le jour à leur septième enfant. Il a cinq fils et il voulait une fille.

— Tout ce qu'Allah fera pour moi sera bon pour moi, dit Abdoul.

— De quoi parlez-vous avec vos amis ? demandai-je. Parlez-vous politique ?

— Nous ne parlons pas beaucoup ces temps-ci.

— C'est vrai, dit Nousrat. C'est dangereux.

— Alors de quoi parlez-vous ?

— On se demande combien sont morts aujourd'hui. Où la police a fait des descentes. Combien ont été arrêtés.

— Les gens ont cessé de se rendre visite dans ces localités [les quartiers de la ville touchés par les troubles], dit Nousrat. Est-ce bien la peine de courir le risque après onze heures du soir ? Vols de voitures, dacoïts, fouilles de la police, et de l'armée aussi, faux policiers et faux militaires en uniforme. N'importe quoi. Cinq cents roupies à chaque fois. Mieux vaut payer et rentrer chez soi. Et souvent on ne sait pas s'ils sont vrais ou faux. Ils peuvent mettre un pistolet dans votre voiture et dire qu'ils l'y ont trouvé. La vie se resserre. Il y avait un mariage hier qui a commencé à six heures au lieu de onze heures. Même si vous faites paraître un avis de décès dans les journaux, vous hésitez à donner votre adresse et votre numéro de téléphone. Parce que des voleurs risquent de venir vous présenter leurs condoléances. En fait, ils viennent repérer les lieux pour vous cambrioler plus tard.

— Comment croyez-vous que tout cela va finir ?

— Il va y avoir un grand chambardement, un affrontement général, et quelque chose sortira de tout ça.

— Pourquoi ne quittez-vous pas Karachi ? demandai-je à Abdoul.

— Non. Ma famille est ici, mes enfants y vont à l'école, et nous devons rester à Karachi en ces heures difficiles. »

Karachi était maintenant à ses yeux une ville mohadjir, sa ville.

« Croyez-vous que vous allez vous en sortir vivant ?

— Il y a eu des tirs ce matin encore. Chaque jour, je cours le risque de mourir.

— Qui tirait ?

— Quelqu'un. Des inconnus.

— Quand nous disons des inconnus, nous savons souvent qui c'est, fit remarquer Nousrat.

— Votre père parle-t-il de son passé à Simla ? demandai-je à Abdoul.

— Mon père dit souvent que les Anglais valaient mieux que ces gouvernements-ci. Il n'y avait pas d'injustices de ce genre. Mon père dit souvent que du temps des Anglais il y avait de petites lampes au kérosène dans les rues. Aujourd'hui les rues ne sont même plus éclairées. »

Seuls les petits éventaires vendant de la nourriture et des journaux étaient ouverts. Les magasins plus importants avaient baissé leurs rideaux de fer gris. Un jardin public avait été transformé en décharge ; dans une autre rue, les ordures n'étaient pas ramassées. Il y avait des slogans sur les murs.

C'était la partie de la ville la plus touchée par les troubles, et Mouchtaq, un professeur d'anglais, y vivait avec ses beaux-parents dans une maison à un étage. Les beaux-parents habitaient cette maison depuis vingt-cinq ans. La « colonie » (un mot du sous-continent) avait été l'une des premières à s'implanter à Karachi après l'indépendance et la grande migration venue de l'Inde. A l'époque, entre 1949 et 1950, c'était un quartier bourgeois, et la famille de Mouchtaq n'aurait pas eu les moyens ni l'ambition de s'y installer.

Mouchtaq était arrivé à Karachi en 1949. Il avait huit ans. Sa famille était originaire de Bénarès, où son père avait un magasin de vêtements « d'une certaine importance » : trois mètres sur cinq. Fonctionnaire à Delhi, le frère aîné de Mouchtaq avait choisi le Pakistan, et toute la famille avait émigré à sa suite. Avec très peu de choses. Ils n'avaient pas eu le droit d'emporter de bijoux ni d'argent, et ils n'avaient pas vendu la boutique de vêtements ; ils l'avaient laissée à des voisins et des parents. A ce moment-là, émigrer au Pakistan n'était plus ouvert à tous : il fallait des visas et des autorisations. N'ayant pu obtenir de visa pour Lahore, ils étaient allés à Karachi ; par le train, une ligne supprimée depuis pour des raisons stratégiques.

« Il y avait un grand charme et une grande ferveur en ce temps-là à se sentir des gens libérés, à se retrouver dans son propre pays, le Pakistan.

— Pourquoi croyiez-vous que c'était votre propre pays ?

— Parce ma famille avait voté et travaillé en faveur du Pakistan. Je ne sais pas si nos aînés connaissaient la signification de Pakistan[1] ou la théorie des deux nations [la théorie selon laquelle les hindous et les

---

1. Le mot Pakistan a été forgé en 1933 en combinant les lettres des provinces : P pour Pendjab, A pour Afghanistan (l'actuelle province frontalière du Nord-Ouest s'appelait alors la province afghane), K pour Kashmir (Cachemire), S pour Sind, Tan étant la fin de Baloutchistan. (N.d.T.).

musulmans formaient deux nations différentes], mais émotionnellement ils étaient attachés à l'idée du Pakistan. »

C'est le frère aîné de Mouchtaq qui faisait vivre la famille au début. Il avait trouvé un emploi de vendeur dans une société étrangère. La famille louait une petite maison de deux pièces, près de la prison centrale. Une maison de plain-pied en brique avec un toit de ciment. La cuisine et la salle de bains se trouvaient dans la véranda. Toutes les maisons du quartier étaient construites sur ce modèle, sur un petit terrain, généralement de soixante-quinze à quatre-vingt-cinq mètres carrés, et jamais supérieur à cent dix. L'endroit était plus surpeuplé que Bénarès, et de nouveaux arrivants ne cessaient d'affluer. Mais Mouchtaq et les siens étaient très heureux dans leur petite maison. Il croyaient qu'un avenir souriant les attendait.

L'histoire que Mouchtaq entreprit alors de raconter était celle de la réussite d'immigrants après des débuts difficiles. Son frère, qui avait fait vivre toute la famille pendant quelques annés, cessa de l'entretenir quand il eut treize ans. Mais Mouchtaq était désormais en mesure de subvenir à ses besoins. Il commença par travailler à temps partiel comme dactylographe et employé de bureau. Il trouvait ces emplois par les petites annonces des journaux et des bourses du travail. Il arrivait à gagner quatre-vingts roupies par mois, environ six livres. C'était plus qu'il ne lui fallait. Il s'inscrivit dans une école privée, le collège musulman du Sind. La scolarité coûtait quatorze roupies par mois, un peu plus d'une livre ; le trajet en autobus un anna, un demi-penny. Ces dépenses réglées et après avoir acheté ses livres et s'être offert un peu de ceci et un soupçon de cela, Mouchtaq pouvait remettre cinquante à soixante roupies à son père, qui était à la retraite et ne touchait pas un sou.

La lutte ne lui faisait pas peur. Karachi avait un climat agréable et offrait de nombreuses perspectives d'avenir. Les mohadjirs exerçaient leurs talents d'artisans et de commerçants, et peu à peu s'installaient à leur compte. En dépit des difficultés, Mouchtaq s'élevait lui aussi, mais à son propre rythme. A vingt ans, il entrait à l'école normale et devenait instituteur trois ans après. Puis, tout en enseignant dans un collège, il suivit des cours du soirs à l'université de Karachi et obtint sa maîtrise de littérature anglaise à vingt-sept ans.

Il y avait mis le temps, mais il était parvenu à son but. Fût-ce au prix de rester célibataire. C'était, dit-il, parce que personne dans sa famille ne l'avait aidé. Dans la culture mohadjir les mariages étaient généralement arrangés, et il n'y avait eu personne dans son nouveau pays, dans son nouveau cadre de vie, pour lui trouver une épouse. Respectueux des usages anciens qu'il était, il n'aurait pas su comment, il n'aurait pas eu l'effronterie de se mettre lui-même en quête d'une femme.

Mais il ne se sentait pas malheureux. Il avait quitté la maison de son frère (ses parents étaient morts) et il louait une chambre dans le District central (le quartier dont nous parlions tout à l'heure). Il était devenu maître de conférence dans une école de commerce et d'économie. Il gagnait cinq à six cents roupies par mois, vingt-cinq à trente livres, et son logement ne lui coûtait que le tiers de son salaire. Il avait donc de l'argent à dépenser et était très heureux. Il adorait fréquenter les cafés pour discuter avec d'autres mohadjirs et des Bengalis, grands amateurs de la vie de café.

Puis les choses commencèrent à mal tourner. Dans les années soixante, la capitale se transporta progressivement de Karachi dans la ville nouvelle d'Islamabad. Cela signifiait que les gens du Nord auraient davantage de postes dans l'Administration. Mouchtaq trouvait que ces gens du Nord, Pendjabis et Pathans, étaient socialement et culturellement différents des mohadjirs ; c'étaient des « étrangers ». Puis, en 1971, le Bangladesh fit sécession. Ce fut un cauchemar pour Mouchtaq : le Pakistan de 1947, pour lequel sa famille avait abandonné l'Inde, avait cessé d'exister.

« Nombre des amis bengalis qui avaient l'habitude de s'asseoir et de bavarder avec nous dans les cafés sont partis. Une partie essentielle de notre culture avait disparu. Les Bengalis étaient les pionniers du mouvement de l'indépendance, et l'on en arrive à la conclusion que l'on est abandonné et trahi. »

Le temps avait changé dans la dernière phrase, et la langue était devenue étrange, comme celle d'un autre. Comme une fracture dans son récit. Et la réussite dont il semblait parler se transforma en autre chose.

« Cette idée que vous arriviez dans votre propre pays était peut-être trop émotionnelle, lui dis-je.

— C'est effectivement ce que j'ai commencé à ressentir. »

Ces mots débondèrent son chagrin. Les musulmans restés en Inde étaient maintenant mieux lotis, dit-il. Ils avaient des lois, des députés et des ministres. Ce n'était pas tout à fait cela, fis-je observer. Dès lors que la création du Pakistan avait été réclamée, il fallait que la partition eût lieu ; sinon, l'État aurait dû consacrer toute son énergie à conserver son intégrité (et je pensais, sans le dire, que s'il n'y avait pas eu de partition toutes les grandes villes du sous-continent seraient aujourd'hui dans la situation de Karachi). Il n'écoutait pas ; derrière son visage absent, et maintenant angoissé, il était trop profondément absorbé dans sa propre vie et dans son propre malheur.

« Vous avez fait carrière ici. Vous n'auriez pu y parvenir si vous étiez resté là-bas. »

Alors, après avoir évoqué sa carrière de manière assez formelle, comme une série d'ascensions, il se mit à parler des terreurs de sa vie de professeur.

« J'ai découvert le MQM en 1982. Par ses graffiti à la craie sur les murs du collège, des écoles et des immeubles. Ça n'a plus cessé : slogans et contre-slogans. Il y avait deux groupes au collège, et leurs dirigeants venaient me demander d'interrompre mon cours pour que les étudiants puissent participer à des défilés ou des manifestations en ville. Ils avaient entre dix-huit et vingt ans, et employaient un langage menaçant, insultant ; en ourdou. C'étaient des gens de la petite bourgeoisie. Ils voulaient protester contre la cherté de la scolarité ou organiser une grève de solidarité parce qu'un étudiant avait été tué au Pendjab. J'étais horrifié. J'éprouvais un grand sentiment d'insécurité. Je suis allé trouver le directeur. C'était un homme de quarante-cinq à cinquante ans. Un homme de haute taille, un scientifique. Un mohadjir. Tout désemparé, il m'a dit : "Portons plainte auprès des autorités supérieures."

« En 1985, un chef local du parti, un homme de trente à trente-cinq ans, est venu dans le bureau du directeur. Il était bien habillé, instruit, peut-être avait-il fait des études supérieures. Je me trouvais dans le bureau du directeur et ce monsieur m'a prié de soutenir son organisation. "Que voulez-vous ?" lui ai-je demandé. "Je veux votre aide dans le déroulement de l'examen." Il réclamait ma complicité dans la salle d'examen, que je laisse les étudiants copier et tricher. J'ai répondu : "Non. Je ferai mon devoir." Le directeur se contentait d'écouter. L'entretien a duré un quart d'heure. Deux ou trois jours après, j'ai reçu une sorte de menace. Un étudiant m'a dit dans la véranda : « Vous ne vous êtes pas bien conduit. Vous risquez d'en payer les conséquences." »

Je lui demandai qui était ce garçon.

« Petite bourgeoisie. Dix-neuf ans. Sa famille habitait Orangi [un bidonville mohadjir d'environ un million deux cent cinquante mille habitants]. Je lui ai répondu : "Je ferai face aux conséquences." »

Nousrat, qui était présent depuis le début et intervenait quand il le jugeait nécessaire, dit à sa manière très particulière, à la fois innocente et brutale : « Il est naïf. Il enseigne la littérature à des étudiants indifférents et indignes, et il ne comprend pas ce qui a mal tourné dans sa propre vie. C'est une manière de souffrir sans même en connaître la cause. »

Mouchtaq souffrait énormément à son école depuis dix ans. Ironiquement, c'était l'époque de son mariage. Il s'était marié à quarante-trois ans.

« Je quitte la maison dans un état de grande agitation mentale, et je passe ma journée au collège et je rentre chez moi dans la même perturbation.

— Se passe-t-il quelque chose de particulier sur le chemin du retour ? Est-ce que des étudiants vous attendent ?

— Je tombe parfois dans la rue sur des étudiants qui provoquent des troubles.

— Quel genre de troubles ?

— Ils attaquent, ils brûlent des autobus. Tout près du collège. De 1987 à 1988, c'était le MQM qui commettait ces attentats. Des groupes de cinquante à cent personnes.

— Ont-ils perdu tout intérêt pour l'éducation ?

— Absolument.

— Vous trouvez ça humiliant ?

— En tant que professeur je ne suis pas traité... [Il laissa la phrase en suspens.] Ils se conduisent mal, n'assistent pas à mes cours. C'est dégradant pour les professeurs. Il y a quinze jours, deux étudiants sont venus au collège pour remettre leurs copies. Les étudiants d'un groupe rival les ont rossés. A coups de bâton. Ils n'avaient pas d'autres armes cette fois. Leur aspect m'a terrifié.

— Qu'aimeriez-vous faire maintenant ?

— J'aimerais les instruire.

— Mais vous venez de dire que ce sont des voyous », dis-je, stupéfait.

Mais Mouchtaq voulait simplement dire qu'il aimerait que le monde soit ainsi fait qu'il puisse réellement éduquer ses étudiants. Et quand je lui demandai de nouveau ce qu'il souhaitait faire, dans le monde tel qu'il était, il répondit : « Je crois maintenant que je veux quitter ce métier. J'ai cinquante-sept ans [cinquante-quatre, selon mes calculs] et ça fait vingt-neuf ans que je suis dans la profession. C'est le côté tragique de ma vie.

— Une vie gâchée ?

— On peut dire ça, parce que je n'ai rien accompli. »

La foi représentait encore l'unique lueur dans son existence. Il avait fait le pèlerinage et arborait la barbe du hadji. Avec sa barbe blanche, le shalwar-kamiz avait l'air sur lui d'une sorte de tenue sacrificielle religieuse.

Nousrat avait vécu auparavant de durs moments. Je l'avais rencontré en 1979, à l'époque de la terreur islamisante du général Zia. Musulman convaincu, Nousrat, qui travaillait au *Morning News*, avait essayé de faire des concessions aux fanatiques, au risque de quelques faux-pas. Et un jour qu'il s'était montré un peu imprudent, il lui arriva de graves ennuis. C'était le mohurram, le mois du deuil chiite, et il crut que ce serait une bonne idée de publier un article d'*Arab News* sur la petite-fille d'Ali, le héros des chiites. L'article évoquait en termes flatteurs sa beauté et ses réalisations artistiques. Mais les chiites en furent outrés : dire que la petite-fille d'Ali était jolie leur paraissait insultant et hérétique. Ils parlèrent d'organiser un défilé de quarante mille personnes et d'incendier le *Morning News*. Le journal fut fermé trois jours. Quant à Nousrat, il risquait d'être agressé à tout moment. Quand je repassai par Karachi quelques mois après cet incident, ses cheveux avaient viré au gris.

Quand nous nous quittâmes, il me demanda : « Vous serait-il possible de me trouver un endroit où je pourrai lire, écrire et étudier pendant cinq ans ? Parce que dans cinq ans, si vous me revoyez, je serai peut-être devenu marchand de ciment ou exportateur de prêt-à-porter. »

Ces mots, dans une période difficile, résumaient bien le personnage. Et, d'ailleurs, il avait fait une belle carrière comme responsable des relations publiques d'une compagnie pétrolière. Si l'extraction du pétrole était épargnée par les troubles, l'angoisse quotidienne de la vie à Karachi l'avait rendu cardiaque. Ses cheveux gris étaient devenus blancs, courts et rares, alors qu'il n'avait pas encore cinquante ans. Lui qui adorait l'hiver à Karachi et aimait alors arborer une veste de tweed, portait désormais une ample tunique en coton qui lui donnait un air frêle.

« Je vais vous raconter comment j'ai vécu le conflit interethnique alors que j'étais presque moribond à l'hôpital, en juin 1990. Je me trouvais dans l'USC, l'unité de soins cardiaques. C'est là qu'on vous admet en cas d'urgence ; ou vous en réchappez ou vous mourez.

« Karachi connaissait de sanglantes querelles intestines. Le MQM contrôlait la Metropolitan Corporation de la ville. La climatisation ne fonctionnait pas dans l'USC, et nous étions à la mi-juin. Les médicaments manquaient. Une bombe a détruit le standard téléphonique une nuit, et il y a eu un affrontement entre les médecins et des gens de l'extérieur, probablement des militants d'un parti politique, le PPP ou le MQM, qui voulaient que tout le monde se mette en grève. C'était mon cinquième jour dans l'USC.

« J'étais couché sur un lit métallique, tout près de la fenêtre. Le lit avait un matelas en mousse, et comme la climatisation ne marchait pas et qu'il n'y avait pas de ventilation, j'ai demandé qu'on enlève le matelas. Naturellement, ils ne voulaient pas, mais ils ont fini par s'y résoudre. Ils disaient que le sommier était très dur, en acier, mais j'ai répondu que ça ne me gênait pas. Le lendemain matin, le médecin m'a dit que le directeur de l'Institut était venu faire une visite surprise et qu'il n'apprécierait pas de voir le matelas posé là dans l'alcôve. J'ai répondu, furieux : "Je sais que le climatiseur du directeur fonctionne, et qu'il n'a aucun problème de santé. Je veux voir le directeur quand il arrivera, et je lui expliquerai tout ça."

« Nous avons demandé aux aides-soignantes d'ouvrir la fenêtre. Nous étions au premier étage et, disaient-elles, nous risquions d'être atteints par une balle. J'ai répondu que de toute façon les vitres n'étaient pas à l'épreuve des balles. Il fait une chaleur suffocante en juin.

« Un jour il y a eu une fusillade dehors. Je me suis levé de mon lit avec tout l'appareillage dont on m'avait harnaché et je me suis avancé furtivement de quelques pas pour jeter un coup d'œil sur ce qui se passait en bas. C'est plus tard que j'ai compris le risque que j'avais pris, non seulement à cause des balles mais aussi en me levant brusquement, ce que je n'étais pas censé faire.

« Un jour j'ai entendu des gens pleurer dans une alcôve vers onze heures du soir. A ce moment-là, je savais que l'on mourait dans ce service ; depuis mon arrivée, plusieurs patients étaient décédés. Cette fois-ci, l'aide-soignante et la famille, trois personnes en tout, se demandaient comment transporter le corps de l'hôpital à Orangi, où il y avait des troubles depuis plusieurs jours de suite et où se livraient des batailles rangées. C'était un quartier bouclé la nuit par les autorités locales. Et l'ambulance ne voulait pas courir le risque de s'y rendre.

« Orangi se trouvait à vingt-cinq kilomètres de là. La famille n'était pas riche et devait recourir aux transports en commun. Quelques jeunes hommes de l'USC ont proposé leur aide. Parmi les parents du mort il y avait une jeune fille, et j'étais préoccupé et furieux, pas seulement à cause de la situation et des bouclages répétés, mais parce que je craignais qu'il n'arrive quelque chose à cette fille à cette heure de la nuit. Je savais qu'à cette époque-là on enlevait fréquemment des gens pour leur extorquer une rançon ou même sans aucune raison apparente.

« Je ne cessais de dire au personnel, qui me suppliait de me reposer et de dormir, qu'il fallait absolument veiller à la sécurité de la jeune fille. "Pourquoi n'attendez-vous pas le matin pour emmener le corps ?" ai-je suggéré. Mais on m'a répondu qu'avec la chaleur de juin, les cadavres se décomposaient très rapidement. Je me sentais complètement impuissant. Je ne sais pas comment cette histoire s'est terminée. J'ai dû finir par m'endormir.

« Je suis incapable de l'expliquer, mais malgré tout ça j'étais heureux à l'hôpital parce que je m'y étais fait des amis et parce que le médecin qui me soignait était un ancien camarade d'école. »

Ehsan avait fait partie du mouvement mohadjir dans les années quatre-vingt. C'était alors un mouvement bourgeois, intellectuel — issu d'une organisation étudiante antérieure —, et il connaissait trois ou quatre de ses « idéologues », comme il disait. Il les trouvait très intelligents. Ils avaient chez les uns ou chez les autres d'intenses discussions, au cours desquelles ils dénonçaient avec une exaltation quasi religieuse les injustices faites à la communauté et à leur ville, Karachi. Un peu comme l'endoctrinement des mollahs lors de la prière du vendredi ? suggérai-je. Plutôt à la manière des chiites luttant pour leurs droits, corrigea Ehsan.

Leur premier objectif était de vaincre les partis religieux dans les universités. La politique à l'université était importante au Pakistan parce que, sous le régime militaire, c'était souvent la seule vie politique qui fût autorisée. Et que le mouvement étudiant mohadjir voulût combattre les partis religieux était d'autant plus ironique que c'était la foi qui avait amené les mohadjirs au Pakistan, et que c'était dans ces organisations religieuses que la première génération d'immigrés s'était sentie le plus à l'aise. Mais il y avait longtemps de cela ; les générations suivantes avaient fini par comprendre ce qui se cachait derrière la foi.

Ç'avait été une vraie guerre, avec des armes à feu ; les deux camps ayant été, à des moments différents et pour des raisons différentes, encouragés et armés par le gouvernement. Dans l'université d'Ehsan, il y avait quatre ou cinq combattants mohadjirs reconnus ; des étudiants d'autres facultés leur prêtaient main-forte à l'occasion. Ehsan était très lié avec deux de ces combattants. Tous deux venaient d'une famille instruite et étaient « extrêmement aliénés », leur caractéristique la plus saillante aux yeux d'Ehsan : ils prenaient leur formation idéologique très au sérieux et étaient prêts à mourir pour la cause.

Ehsan faisait des études de sciences avec l'un des combattants et chaque jour, après les cours, ils allaient chez ce garçon. Cet ami, le combattant, mesurait un peu plus d'un mètre soixante-dix ; gros, très physique, il avait des mains larges et fortes, les mains d'un homme agressif, estimait Ehsan.

Le père de cet étudiant était un haut fonctionnaire qui disposait d'une vaste demeure fournie par le gouvernement, quelque neuf cents mètres carrés (la famille de Mouchtaq, à son arrivée au Pakistan en 1949, devait se contenter d'une maison de soixante-quinze mètres carrés). Le père avait aménagé pour ses cinq enfants une vaste salle d'étude remplie d'encyclopédies, d'ouvrages religieux et scientifiques. C'était une famille bourgeoise qui croyait en l'éducation et était beaucoup plus riche que la plupart des autres membres du mouvement. L'ami d'Ehsan n'était pas aussi bon élève que ses frères, mais les quatre garçons de cette famille militaient tous activement dans le MQM.

Ehsan se trouvait là un jour, vers le coucher du soleil, avec son ami et l'un de ses frères, lorsqu'une violente fusillade éclata dans la rue : des AK-47 et toutes sortes d'armes à feu. Ehsan était désormais habitué aux fusillades, mais celle-ci était vraiment excessive. Pourtant, ce qui le surprit le plus, ce fut de voir entrer la mère avec un AK-47 qu'elle remit à son combattant de fils, l'ami d'Ehsan. Il monta sur le toit de la maison — c'était un bâtiment à un étage — prit position et riposta. La bataille dura cinq à dix minutes, qui parurent beaucoup plus longues à Ehsan. Ehsan avait déjà vu son ami se servir d'armes à l'université ; ce dernier en plaisantait et disait qu'Ehsan était un trouillard. Mais Ehsan n'imaginait pas que la mère fût aussi engagée dans le mouvement. C'était une forte femme en shalwar-kamiz, pas belle mais très affectueuse et toujours prête à apporter à manger aux amis de ses fils. Il ne l'imaginait pas avoir le moindre commerce avec les armes, et il ne savait même pas qu'il y avait un fusil d'assaut dans la maison.

Ehsan comprit alors que la violence n'allait cesser de s'aggraver et que son ami finirait par avoir des ennuis. Son attitude envers le mouvement commença à changer. Puis un jour, lors d'une réunion chez l'un de ses amis idéologues, on leur demanda à tous de jurer sur le Coran fidélité au mouvement et à son chef. Fruit d'un grand sentiment de détresse et de manque, le chef était désormais un immense personnage public : selon la formule d'Ehsan, il organisait des manifestations de six heures qui se prolongeaient jusqu'à minuit, et mettait en branle des millions de gens.

Prêter serment de fidélité ne plaisait guère à Ehsan, mais il n'eut pas besoin de refuser. Il put en effet quitter le Pakistan à ce moment-là et son absence dura cinq ans. Quand il revint, la ville n'était plus sous l'emprise du MQM. L'armée était installée à Karachi et le MQM était entré dans la clandestinité. Le mouvement obéissait toujours à son chef, mais celui-ci était loin, en exil à Londres, bien que la distance le rendît plus magique encore. L'ami d'Ehsan faisait partie des militants passés dans la clandestinité. Par la suite, il dit à Ehsan au téléphone qu'il était en fuite, après avoir été faussement accusé du meurtre d'un autre membre du parti. Et lorsqu'ils se retrouvèrent — curieusement dans la vaste demeure familiale — tout le monde éclata en sanglots : Ehsan, son ami et la mère de celui-ci.

L'ami avait toujours de grosses mains, mais il avait perdu du poids. Il était prêt à jurer sur le Coran qu'il n'avait pas commis le meurtre dont on l'accusait. La chose s'était produite à un moment où il était traqué par la police ; il était obligé de déménager sans cesse. Puis il s'était débrouillé pour trouver du travail sur un navire de commerce. Les officiers devaient se douter de sa situation parce qu'ils lui faisaient laver les toilettes et le pont ; et il lui fallait obéir. Il détestait cette tâche de tout son sentiment de caste mohadjir, et il s'en plaignit encore à Ehsan. Il voulait partir à Londres pour y commencer une nouvelle vie. Il était devenu critique à l'égard du MQM et il savait que s'il restait au Pakistan il serait arrêté ou tué. Il demanda à Ehsan de lui trouver un avocat en Angleterre pour qu'il demande l'asile politique.

La mère, le boutefeu à l'AK-47, avait changé elle aussi. L'armée, la police et le gouvernement étaient résolus à détruire son fils, disait-elle. « Faites quelque chose pour l'aider », supplia-t-elle Ehsan. Ses opinions et ses sentiments n'étaient plus les mêmes. Elle allait jusqu'à reprocher au MQM de ne pas suffisamment aider les familles des garçons qui avaient été tués ou vivaient dans la clandestinité, comme son fils.

Mais tout finirait par s'arranger pour elle. Ses autres fils, en dépit des circonstances, avaient commencé d'assez belles carrières. Et le combattant parviendrait à trouver refuge à Londres.

En cinq ans, le MQM, né dans des familles comme la sienne, avait changé. Il avait cessé d'être un mouvement bourgeois et, en gagnant les classes inférieures, l'amertume s'était transformée en rejet absolu. Les combattants et les organisateurs se recrutaient maintenant parmi les pauvres d'Orangi et de Korangi, qui n'avaient rien à perdre, ou presque. A ce stade — et quoi qu'ait pu vivre la famille de l'ami d'Ehsan — les flammes étaient insatiables.

L'armée avait tenu Karachi pendant près de deux ans et demi. Entre-temps, le MQM avait été déclaré organisation terroriste et ses chefs étaient devenus des terroristes en fuite. La férule militaire avait encore aggravé l'amertume des mohadjirs, et cette amertume atteignit son paroxysme quand la force frontalière semi-militaire, les Rangers, remplaça l'armée. Des quartiers entiers continuaient d'être bouclés et perquisitionnés. Puis les services secrets provoquèrent une scission du MQM, et l'anarchie s'ajouta à la terreur. Personne désormais ne savait plus au juste qui tuait qui.

Le journaliste Hassan Jafri, lui-même descendant de mohadjirs, couvrait les troubles à l'époque : « Ce que nous voyions, d'autres reporters et moi, c'étaient des tas de cadavres. Presque quotidiennement. »

Leur première source d'informations étaient les services d'ambulances. Les journalistes vérifiaient ensuite auprès du MQM pour savoir si les morts appartenaient au mouvement. Si c'était le cas, le MQM déclarait qu'ils avaient été torturés à mort par la police ; tandis que celle-ci assurait qu'ils avaient été tués au cours d'« engagements ».

« Mille huit cents personnes ont été tuées cette année. Chaque jour, donc, on retrouve des cadavres dans la rue. Un et deux, deux et deux, trois et trois. Lorsque j'ai commencé, c'était répugnant. On pouvait voir un corps jeté négligemment dans une morgue d'hôpital. Il y a environ cinq mois une fusillade a éclaté à Korangi. Ça s'est passé le matin. Je crois que cinq types ont été tués. Ils étaient dans la morgue de l'hôpital Jinnah. Ils gisaient sur ces dalles de béton. Nus, tous, et les corps commençaient à sentir. Un homme avait la partie entre le cœur et l'épaule complètement arrachée. Un autre avait pris une explosion sur la main et l'os principal était à nu. L'un d'eux avait une expression de choc, comme figée sur son visage. Il avait les yeux grands ouverts et la bouche ouverte aussi. Parce que les cadavres avaient été apportés très tard à l'hôpital, environ six heures après l'incident, les expressions étaient très figées. L'instant de leur mort était inscrit sur tout leur corps. »

Hassan Jafri s'était rendu à la morgue pour compter les cadavres et voir en quel état ils se trouvaient. Il était, « à un certain niveau », à présent immunisé contre ce genre de spectacles. Mais il estimait que c'était son devoir de journaliste de constater personnellement les choses, parce qu'il était important de voir « le visage de la violence ».

« Un autre meurtre dont je me souviens est celui de l'inspecteur Bahadour Ali. Son véhicule est tombé dans une embuscade et il a été tué avec six autres policiers. Bahadour Ali a reçu presque deux douzaines de balles. C'était un grand gaillard et son corps était totalement détruit.

« Les idées et les mots n'ont rien à voir avec ça. Tout ce qui reste en fin de compte, c'est un cadavre. Le cadavre d'un fils, d'un frère, d'un mari. »

La peur dominait maintenant la vie des gens, disait Hassan Jafri. Les militants du MQM avaient peur ; la police pouvait frapper à leur porte à n'importe quel moment. Les policiers avaient peur ; ils savaient qu'ils étaient des cibles. Les chauffeurs de taxi avaient peur.

Les policiers étaient débordés de travail. La peur les rendait brutaux. Les hommes venaient pour la plupart du Pendjab et de l'intérieur du Sind ; ils vivaient loin de leurs familles. Ils risquaient quotidiennement leur vie pour un salaire minuscule : deux mille six cents roupies par mois, cinquante livres.

Hassan Jafri accompagnait souvent les policiers dans leurs rondes nocturnes à bord de leurs véhicules blindés. Un soir à Liaquatabad, un quartier dangereux tenu par le MQM, un agent de police du Pendjab, la trentaine, hagard et manifestement de service depuis de longues heures, lui dit : « Travailler dans le District central, c'est pire que de vivre en enfer. » Puis la situation s'aggrava encore : les terroristes se mirent à utiliser des lance-roquettes. Hassan Jafri cessa alors de se joindre aux rondes de nuit de la police.

La guerre était maintenant devenue générale, et chaque fois qu'un combattant du MQM mourait, un autre le remplaçait. Les autorités prétendaient qu'ils n'étaient que deux mille ; c'était absurde, estimait Hassan Jafri. Les noms de nouveaux guérilleros apparaissaient soudain dans les rapports de police ; ils restaient des noms sans visage jusqu'à ce qu'ils soient arrêtés ou tués ; puis de nouveaux noms surgissaient. Les nouvelles recrues se voyaient d'abord confier peu de chose ; puis leurs missions devenaient plus importantes, jusqu'à ce qu'elles soient entièrement aspirées. Hassan Jafri connaissait un garçon de vingt et un an qui se considérait déjà comme marqué par la mort. Il avait volé tant de voitures, tué tant de gens, commis tant de vols que jamais il ne pourrait redevenir normal.

« Il vient d'une famille très instruite. C'est le plus improbable des terroristes. Vous voyez, le cycle est sans fin. Naissance et renaissance se succèdent. Ma plus grande crainte aujourd'hui, c'est que nous devenions un pays sinistré. Il y a maintenant beaucoup de gens comme moi, instruits, conscients, qui envisagent sans crainte d'abandonner le Pakistan. Moi je ne tiens pas à me retrouver mohadjir dans un autre pays. Mes parents sont nés dans un pays ; moi dans un autre ; je ne veux pas que mes enfants naissent dans un troisième. »

Ces paroles étaient un commentaire équitable, quelques générations après, de la proposition de création du Pakistan faite en 1930 par Mohamed Iqbal : les poètes ne devraient pas conduire leur peuple en enfer.

Iqbal est enterré dans l'enceinte de la mosquée de Chah Jahan à Lahore ; et des soldats veillent sur sa tombe. Une rhétorique ou un sentimentalisme de ce genre est toujours inquiétant ; il dissimule quelque chose. Et la tombe, avec ses motifs moghols, serait une sorte de sacrilège artistique si, juste de l'autre côté de la rue, le grand fort moghol de Lahore (la fenêtre des appartements impériaux apparaît dans certaines des plus belles miniatures mogholes) ne tombait pas en poussière ; si, dans cette même cité de Lahore, les jardins moghols de Shalimar et les tombeaux de l'empereur Jahangir et de son épouse n'étaient entièrement en ruine ; si, en revenant quatre siècles encore en arrière, au treizième, les tours émaillées de céramiques aux couleurs délicates des tombes d'Uch à Bahawalpur, l'un des plus beaux monuments islamiques du sous-continent, n'étaient pas à moitié délitées ; si, plus loin encore dans le passé, les environs immédiats de la ville bouddhiste de Taxila, qu'avait vue Alexandre le Grand, et dont il subsistait naguère des restes fabuleux, n'étaient pas transformés littéralement en carrière ; si le Pakistan, toujours à la poursuite de chimères impérialistes islamiques, n'était pas responsable du pillage définitif des trésors bouddhistes de l'Afghanistan.

Au cours de sa brève existence, l'État religieux d'Iqbal, encore à demi plongé dans le servage, encore profondément inculte, mutilant l'histoire dans ses manuels scolaires, et défaisant l'entité politique qu'il était censé servir, n'a eu de cesse qu'il ne transforme le pays en désert culturel. La gloire — sous toutes ses formes — devant venir d'ailleurs.

Post-scriptum malaysien

Soulever la coquille de noix de coco

CHAPITRE 27

Vieux habits

À Kuala Lumpur, en 1979, j'avais changé plusieurs fois d'hôtel en quelques jours avant de m'installer au Holiday Inn. C'était l'endroit le plus calme que j'eusse pu trouver, et le cadre me plaisait. Sur la gauche s'étendait le champ de courses, et l'on apercevait au loin les collines de Kuala Lumpur. Autour de l'hippodrome et devant l'hôtel se déployait la riche verdure des tropiques humides : la végétation mêlée de l'Asie, du Pacifique et du Nouveau Monde, souvenir des grandes explorations européennes et des colonies de plantation. C'était la végétation même que j'avais connue à l'autre bout du monde, à Trinidad.

Mais ce qui me paraissait familier devint vite étrange. A deux pas du Holiday Inn, une petite boîte jaune était encastrée dans un mur ou une haie. Un autel chinois, me dit-on. Des offrandes y étaient disposées ; peut-être par les chauffeurs de taxi chinois qui desservaient l'hôtel.

Et le champ de courses n'était pas vraiment un hippodrome. Je voyais parfois des chevaux qu'on y entraînait au point du jour, avant le lever du soleil, mais jamais une course. Les samedis et dimanches après-midi, des Chinois (pour la plupart) arrivaient en voiture pour remplir la tribune. La piste, verte et inondée de soleil, rayée d'ombres noires, immobiles, restait vide. Toutes les demi-heures, les haut-parleurs commentaient une épreuve et la foule de la tribune entrait en transe, comme si elle assistait à une course réelle. Les courses étaient réelles, mais elles se déroulaient ailleurs. Les spectateurs de la tribune regardaient des écrans de télévision ; et ils étaient venus exprès à l'hippodrome, étrange simulacre d'une journée aux courses, parce que c'était le seul endroit de Kuala Lumpur où les paris fussent autorisés. La Malaysia était divisée racialement entre Malais et Chinois ; le gouvernement était agressivement malais et musulman ; les jeux d'argent étaient interdits par l'islam, et cette effervescence le week-end au champ de courses n'était qu'une concession clémente aux Chinois, joueurs fanatiques.

J'avais fait la connaissance de Shafi, Malais de trente-deux ans originaire d'un village du Nord-Est, région encore pastorale et pauvre. Si l'on pouvait dire qu'il avait réussi, qu'il s'était élevé socialement par-delà toutes les attentes de son père et de son grand-père, il débordait de rage. Shafi et tous les Malais comme lui avaient le sentiment d'avoir pratiquement perdu leur pays. Les Malais, estimaient-il, s'étaient trop longtemps assoupis dans leurs villages. Tout poussait trop facilement dans la terre chaude et fertile ; la vie ancienne de la rivière et de la forêt était trop riche et trop pleine. Il suffisait de jeter une graine, dit un jour Shafi, et elle poussait ; de plonger un hameçon nu dans l'eau et un poisson mordait. Bercés par cette munificence de la terre, les villageois n'avaient pas vu ni compris à quel point depuis un siècle ils avaient été supplantés par les Chinois et d'autres. Ils s'éveillaient maintenant, à la fin de ce siècle, pour découvrir que les Malais ne constituaient plus que la moitié de la population et qu'un nouveau mode de vie s'était développé tout autour d'eux, auquel ils n'étaient pas préparés.

Les Malais comme Shafi, partagés entre les deux modes de vie, ne laissaient pas d'éprouver des craintes et des frustrations de toutes sortes. C'était trop dur à supporter seul, et en 1979 l'islam s'était chargé de relayer cette colère générale. Les Malais de la génération de Shafi étaient devenus des croyants passionnés, leur foi exaltée par les missionnaires islamiques, particulièrement actifs en 1979, avec la révolution iranienne et la terreur islamisante du général Zia au Pakistan. Les missionnaires vantaient les réussites de l'islam dans ces pays et promettaient des succès semblables aux autres peuples, pourvu qu'ils aient la foi. L'univers missionnaire islamique vivait dans une parfaite autarcie ; la propagation de la foi était son objectif premier ; et — comme pour le voyageur du quatorzième siècle Ibn Battuta — dès lors que la religion triomphait, peu importait la situation particulière des fidèles.

Shafi venait me voir au Holiday Inn. Ce n'était pas un hôte de tout repos. Il n'aimait pas les endroits de ce genre et ne cachait pas ses inquiétudes à propos de la nourriture : qui sait si elle n'avait pas été préparée par des non-musulmans, chinois ou indiens ? Il y avait d'autres choses qui le gênaient : le modeste petit bar, où le soir « The Old Timers » (des Malais de Kuala Lumpur et un ou deux Indiens) chantaient des airs pop ; le défilé de mode à l'heure du déjeuner le vendredi, le jour de congé, où les gens venaient voir les Indiennes et les Chinoises balancer les épaules et évoluer de leur pas glissé dans l'atmosphère confinée et un peu étouffante du restaurant ; et la minuscule piscine, sous la baie vitrée du café, où des Blanches s'exposaient en maillot de bain.

Mais Shafi avait cessé de voir — et n'avait peut-être jamais vu — ce qu'il refusait. Il ne pouvait même pas dire, par exemple, comme je le découvris un jour en le lui demandant, si les femmes qui se rôtissaient au soleil au bord de la piscine étaient jolies. Quand il était arrivé à Kuala Lumpur, jeune écolier, il s'était senti très nerveux, étranger. Maintenant il se tenait à l'écart, bien ancré dans ses certitudes. Ses idées étaient néanmoins parfois confuses ; son islam devait supporter trop de choses. Ainsi, une certaine pureté régnait dans son village de Kota Barou ; la vie qu'il y avait connue était la pureté même, qu'il avait maintenant perdue ; et pourtant il voulait châtier ces villages, les convertir pleinement, les purifier de ce qui avait survécu des anciennes coutumes hindoues. C'était devenu une dimension de sa cause. L'islam missionnaire qu'il prônait maintenant lui avait donné un rêve impossible de pureté musulmane. De cette pureté naîtrait la puissance, et les comptes seraient apurés avec le reste du monde.

Seize ans après, le Holiday Inn était environné de tours d'acier et de béton. Le terrain coûtait cher. Impossible de reconstituer la vue de l'hippodrome que j'avais connue ; elle était devenue presque mythique, comme les sept collines avant la construction de Rome. Et dans tout Kuala Lumpur d'autres immeubles étaient en projet. Derrière l'hôtel où j'étais descendu, on creusait de l'autre côté de la rue un trou immense, assez vaste pour édifier tout un bloc d'habitations ; hommes et machines y semblaient nanisés ; des rampes descendaient d'un niveau à l'autre, du sol rouge à une terre pâle et sèche. Le verdoiement tropical composite de l'époque coloniale était désormais supplanté par un style international, mélangeant l'acier, le verre, la pierre, le béton et le marbre ; et le climat même semblait transformé. Il faisait froid dans les grands immeubles climatisés et la chaleur extérieure surprenait toujours un peu ; il était agréable pour le visiteur de jouer avec ces changements de température. En 1979, la Malaysia était riche ; aujourd'hui, elle était extraordinairement riche.

Je me demandai quels avaient été les effets sur Shafi de ce bouleversement. Je savais qu'avant de se lancer à plein temps dans le mouvement des Jeunesses musulmanes, il avait été le directeur général d'une affaire de bâtiment malaise. Il était très jeune pour ce poste mais rares étaient alors les Malais ayant l'esprit d'entreprise. La société avait essuyé des déboires ; la construction était aux mains de grosses firmes en Malaysia. Shafi avait alors monté sa propre affaire. Sans succès. Parce que, disait-il, ses ouvriers chinois l'avaient laissé tomber, ainsi d'ailleurs que presque tout le monde. Cet échec qui le rongeait avait coloré ses idées religieuses. Et je me demandais si la grande richesse nouvelle du pays et les encouragements que le gouvernement prodiguait aux Malais pour qu'ils se lancent dans les affaires n'avaient pas incité Shafi à effectuer une nouvelle tentative. Il avait maintenant quarante-huit ans, le milieu de la vie, et sa carrière, quelle qu'elle fût, devait être plus ou moins définitivement tracée.

Mais il me fut impossible de retrouver sa trace. Les gens qui l'avaient connu autrefois avaient perdu contact avec lui. Il était devenu prédicateur, me dit-on ; il était tout le temps en déplacement ; le joindre était difficile.

Puis, un matin, on m'emmena dans une communauté islamique de la banlieue de Kuala Lumpur pour rencontrer un homme qui disait être Shafi et prétendait se souvenir de moi. C'était un lotissement architecturé : maisons de ciment à un étage, peintes de neuf ; rues pavées ; jardins et voitures. Quoi que les résidents pussent dire de l'austérité de leur vie, ils faisaient clairement partie du Kuala Lumpur huppé.

Nous dûmes chercher la maison de l'homme qui disait s'appeler Shafi. Quand nous la trouvâmes, il s'avéra que je ne connaissais pas cet homme. Il prétendit brièvement, et seulement brièvement, et sans grande conviction, qu'il se souvenait de moi.

La quarantaine, l'air heureux et désœuvré, il goûtait manifestement la vie de la communauté. Sa maison, sur deux niveaux, disposait au rez-de-chaussée d'une vaste entrée, dégagée et bien meublée, où, avec une sérénité toute villageoise, il était en train de jouer, au milieu de la matinée, avec un de ses jeunes enfants, endormi et chancelant. C'était une forme d'ostentation : dans ce genre de communauté, les choses les plus simples pouvaient s'afficher comme des actes religieux ou vertueux, dispensant au croyant un plaisir spécial — de l'ordre de la récompense.

La grande autoroute que le gouvernement avait construite était mauvaise, débita-t-il d'un ton mécanique : elle ouvrait le pays au vice. Et d'enchaîner que la langue officielle du pays devrait être l'arabe ; l'anglais n'était pas l'idiome des musulmans. Mais il avait raconté ces choses tant de fois — il essayait, à quatre pattes, de faire jouer l'enfant avec l'un de ses nombreux jouets — qu'il parlait par cœur, sans énergie.

J'eus l'impression que c'était par pur désœuvrement qu'il avait prétendu être Shafi. Il essayait seulement d'attirer l'attention. A quoi bon être intégriste et dangereux et vivre dans une communauté si personne ne le remarquait.

Et, en fait, Shafi, qu'en fin de compte je ne parvins pas à rencontrer parce que aucun de ses anciens camarades n'y tenait particulièrement, était devenu aux yeux de ces derniers une sorte de fainéant du même genre. Lui qui autrefois était au cœur du mouvement des Jeunesses musulmanes de Malaysia, mouvement qui s'efforçait d'éveiller les Malais par l'islam, était désormais en marge, bien qu'il fût resté fidèle à ses anciennes croyances. Qu'on leur rappelât son existence embarrassait les gens ; c'était un homme qui avait poussé à l'extrême la notion de vie religieuse.

D'autres idées avaient changé entre-temps aussi. En 1979, se lamentant sur le village de son enfance, Shafi avait décrit les Malais comme un peuple pastoral, tropical. C'était, avait-il dit une fois, un peuple « intemporel » ; il voulait seulement dire qu'ils n'avaient guère le sens du temps. Ils n'avaient pas l'esprit commercial ; ils n'avaient pas l'énergie des Chinois, qui venaient d'un pays « à quatre saisons ». Il avait incorporé ces idées — curieusement coloniales — dans sa vision religieuse globale. Ce n'étaient pas des idées que les Malais appréciaient maintenant.

« Tout ça a été évacué, m'expliqua un jeune avocat. Presque détruit. Et remplacé par l'idée que les Malais sont un peuple commerçant, industriel et novateur. Ce sont des mots que l'on n'aurait pas employés autrefois à leur propos. »

Le gouvernement avait fait tout son possible pour orienter les Malais vers les affaires, et il y était parvenu avec les deux dernières générations. Les inquiétudes raciales qui s'exprimaient seize ans auparavant avaient été englouties par la grande richesse nouvelle, et des hommes nouveaux étaient apparus des deux côtés. Tel était le message que proclamaient l'acier, le béton et le verre autour du Holiday Inn, ainsi que l'autoroute percée dans la forêt qui avait désenclavé les villages et des régions entières. Un voyage dans l'intérieur, qui demandait de six à huit heures par les anciennes routes reliant nombre des vieilles bourgades et plantations coloniales, ne prenait plus que deux heures et demie et ne révélait presque rien de ce passé.

« Je crois qu'on a télescopé le temps », commenta l'avocat.

En 1979, ils étaient tous jeunes dans le mouvement des Jeunesses musulmanes. Le chef, Anouar Ibrahim, l'homme à qui ils s'en remettaient tous, l'homme qui leur conférait leur assurance, n'avait que trente-deux ans, l'âge de Shafi.

Nasser, à qui Shafi m'avait présenté, n'avait, lui, que vingt-cinq ans. C'était le benjamin de l'équipe ; et physiquement il était encore plus frêle que Shafi. Frais émoulu de l'université de Bradford en Angleterre, où il avait obtenu un diplôme de relations internationales, il avait été choqué par la liberté sexuelle de l'Angleterre et ne voulait pas que la jeunesse malaise en soit infectée.

Nasser comptait parmi ses ancêtres un cheikh malais établi à La Mecque. Un cheikh était un guide, et ce cheikh conseillait les pèlerins venant de Malaisie. Ce genre d'assistance spirituelle n'était sans doute devenu une profession rémunérée à part entière qu'après les années 1830, lorsque la vapeur, remplaçant la voile, avait rendu le voyage depuis la Malaisie plus rapide et plus sûr. L'ancêtre de Nasser avait donc dû faire ce travail auprès des pèlerins dans la seconde moitié du dix-neuvième siècle.

Vers la fin du dix-neuvième siècle (selon mes supputations) cet ancêtre était revenu en Malaisie, dans une ville minière où les Chinois étaient majoritaires, à une vingtaine de kilomètres au nord de Kuala Lumpur. L'arrière-grand-père de Nasser, le fils de cet homme, se maria à douze ans. En 1934, à un âge très avancé, il fonda un journal en langue malaise pour inviter ses compatriotes à se prendre en main. Il prêchait dans le désert. Après lui la famille déclina ; la tradition intellectuelle s'éteignit. Il n'y avait pas beaucoup d'argent à gagner dans l'enseignement ; l'agriculture rapportait davantage.

Le grand-père de Nasser, plutôt que d'enseigner la religion, se lança dans la riziculture, sur trois hectares. Le père de Nasser devint garde forestier dans l'administration des Eaux et Forêts. Il n'avait reçu qu'une éducation primaire standard, jusqu'à la sixième, mais il lisait le journal tous les matins avant de partir au travail. Ce journal joua un grand rôle : ce fut la principale nourriture intellectuelle de Nasser. Nasser avait sept frères, il était le quatrième de huit enfants, et c'est à huit ans qu'il commença à lire le journal, comme son père, une initiative inhabituelle de la part d'un enfant malais.

Ainsi, par la suite, Nasser, le fils du garde forestier, fut en mesure d'aller à Bradford préparer un diplôme de relations internationales. Et maintenant, seize après, à seulement quarante et un ans, il dirigeait un holding qui gérait les diverses affaires de huit sociétés.

Les bureaux de Nasser occupaient une enfilade de pièces dans un gratte-ciel. L'ombre de ce gratte-ciel tombait sur la tour de verre vert de l'autre côté de l'avenue, laquelle en paraissait plus étroite. Et l'éclat du milieu de l'après-midi tropical, dur et cuisant dans la nudité des champs et des rues, s'adoucissait dans cet espace étroit, protégé, si bien que la lumière et le climat de Kuala Lumpur semblaient parfaits.

Nasser, portant maintenant lunettes, et moins frêle qu'en 1979, était vêtu avec un chic de cadre : pantalon, ceinture, souliers havane, chaussettes assorties, large cravate à la mode, grosse montre ronde à son poignet fin. Son assistant personnel était un jeune Sikh, grand et doux. Dans la salle d'attente principale et dans l'antichambre de plusieurs bureaux, des avions blancs, maquettes pareilles à des jouets, reposaient sur des tiges argentées. Le holding de Nasser avait des intérêts dans une compagnie aérienne qui exploitait des lignes intérieures régulières.

C'était une extraordinaire transformation, et le personnage se montra accueillant et aimable ; il ne cessa de me proposer ses services. Comme si la grande entreprise moderne conférait une ampleur nouvelle aux bons vieux usages villageois. En 1979, la franchise des jeunes gens du mouvement m'avait touché ; ils ne cachaient rien, ils ne se vantaient pas. Nasser semblait avoir conservé cette franchise. Il se souvenait de ce qu'il était en 1979 ; il n'enjolivait pas les choses. Et, de son propre chef, il évoqua les démons intérieurs — les phobies, le manque de confiance — que, jeune Malais venant d'une petite ville, il avait dû exorciser avant de devenir l'homme que j'avais maintenant devant les yeux.

Ce qu'ils demandaient à la religion en 1979, le simple pouvoir, la simple autorité le leur avait procuré depuis.

La transformation de Nasser commença grâce à Anouar Ibrahim, le chef des Jeunesses musulmanes. Il était évident en 1979 qu'Anouar était destiné à de grandes choses. Et lorsque commença son ascension, Anouar s'adjoignit les services de Nasser.

Vers la fin de 1981, Anouar décida qu'il en avait assez fait pour le mouvement de jeunesse : les conférences, la sensibilisation, la contestation. Le moment était venu, se dit-il, de passer à autre chose. Il rallia le parti malais au pouvoir, devint l'un de ses candidats aux élections de 1982, et chargea Nasser — désormais titulaire d'une maîtrise en relations internationales de l'université de Bradford — d'organiser sa campagne électorale. Anouar remporta son élection et fut nommé secrétaire d'État auprès du Premier ministre. Il dit à Nasser, abasourdi : « Suismoi, deviens mon secrétaire personnel. » Nasser avait vingt-huit ans ; jusque-là, l'autorité se tenait pour lui « de l'autre côté du guichet » ; il n'avait jamais rêvé d'une telle dignité, collaborateur d'un ministre du gouvernement...

Il fut le secrétaire personnel d'Anouar pendant sept ans. Au cours de ces sept années, Nasser dépouilla ses phobies et ses doutes. Il rencontra des gens de toute sorte ; il vit fonctionner le gouvernement de l'intérieur. Et Anouar ne cessa jamais de le traiter en ami, ne cessa jamais de lui donner de l'assurance.

« Je m'en souviendrai toujours », dit Nasser dans sa salle de conférence, où nous déjeunions en bavardant.

Au bout de sept ans, Nasser démissionna de son poste de secrétaire d'Anouar. Il retourna en Angleterre et obtint en deux ans un diplôme de droit. A son retour, grâce à son expérience au gouvernement, il obtint le poste de premier vice-président d'un conglomérat chinois. Deux ans plus tard, dûment initié aux « vraies affaires », il se mettait à son compte.

Je l'interrogeai sur les idées de 1979, les idées de Shafi sur l'excellence des usages villageois, leurs idées communes sur la religion.

Nasser répondit, en homme qui avait préparé son dossier : « Shafi était un homme d'affaires. Mais il avait échoué dans les affaires. D'où sa vision romantique du kampung. A l'époque, nous parlions de la religion d'une manière théorique. Maintenant, nous considérons l'islam comme un mode de vie pratique. Aujourd'hui, c'est le monde réel que j'affronte. Mes connaissances antérieures m'aident — ce que je peux faire, les limites de ma liberté, dans quelle mesure j'entends adhérer à une philosophie purement capitaliste. J'ai divers contrats avec l'Administration, et des affaires en dehors du gouvernement. Il y a un certain type de comportement que je ne peux tolérer : la corruption, verser des dessous de table, sortir les gens, leur procurer des femmes, fermer les yeux sur des actions immorales pour obtenir un contrat. C'est le critère. Le critère pour un musulman, c'est quand il affronte la réalité, quand il fait un choix. Jusque-là il a toujours raison. Il est dans l'utopie. »

Peut-être songeait-il à Shafi. « Et ils peuvent causer des ennuis parce qu'ils sont convaincus d'avoir toujours raison ? suggérai-je.

— Ils peuvent causer des ennuis. Quand je suis dans le monde des affaires je dois faire face à des choix, à des problèmes, à des gens — d'un genre que je n'aurais jamais pu imaginer. Des gens qui veulent une participation dans votre société — en échange d'un projet. Dans le monde réel des affaires, la concurrence ne connaît pas de limites. A ce stade elle contredit les valeurs que nous voulons créer dans la société. »

Nasser jugeait qu'il avait été éduqué par le mouvement des Jeunesses musulmanes ; et il restait fidèle à cette éducation. Sans doute le pouvoir et l'autorité avaient-ils révélé ses qualités latentes pour faire de lui ce qu'il était ; mais il fallait reconnaître aussi que c'était la religion qui lui avait donné le premier coup de pouce décisif.

« Le Malais n'a plus de complexe d'infériorité, dit Nasser. Il n'est plus la grenouille sous la coquille de noix de coco. » C'était un dicton malais : la grenouille prend l'intérieur d'une coquille de noix de coco pour le ciel.

Un samedi, je me rendis à Kuala Kangsar par la nouvelle autoroute.

Les Anglais avaient fondé dans cette petite ville le célèbre Collège malais pour les fils des chefs locaux, sur le modèle des écoles similaires du sous-continent indien. Des garçons de toute origine le fréquentaient maintenant. Nombre de carrières importantes avaient commencé au Collège malais. Anouar Ibrahim, dont le grand-père tenait un restaurant de village à Penang, et dont le père était infirmier, était allé au Collège malais. Il avait dû passer un concours d'entrée ; à cette époque-là, les garçons de sang royal n'y étaient pas astreints.

Kuala Kangsar était également la résidence de la famille royale du Pérak. Il y avait un grand palais neuf, blanc, riche et emphatique, à la salle du trône climatisée. Il y avait aussi un vieux palais de bois, en réalité une maison longue traditionnelle sur pilotis, étroite et sombre, pleine d'ornements chantournés, avec d'épaisses lames de parquet, et une brise rafraîchissante qui se faufilait de tous côtés. C'était aujourd'hui une sorte de musée. Mais on pouvait aisément la dépouiller par l'imagination de ses photographies et de ses cartes encadrées — ombre fraîche et abritée à l'intérieur ; brousse et lumière aveuglante au-dehors —, pour replonger dans ses rêves d'enfant, rêves enfouis d'abri et de sécurité.

Sur une colline dominant le fleuve Pérak, et presque à l'entrée de l'enclave royale, se trouvait la maison de Radjah Shariman, sculpteur et prince, parent lointain de la famille royale. Cette spacieuse demeure de la fin des années quarante était meublée dans le style malais : sièges en rotin, étoffes aux couleurs vives et fleurs en tissu.

Le sculpteur était petit, un mètre soixante-huit, et très mince, à la manière résorbée des Malais. Son visage n'avait guère d'expression ; la nature de son œuvre ne s'y lisait pas. Avec des métaux trouvés çà et là — il y avait une forge dans la cour derrière la maison — il créait des figures martiales d'une grande férocité, de soixante centimètres à un mètre de haut, aux lignes nettes et fluides ; et, dans le paysage pacifique et apaisant, les personnages en métal noir de la maison donnaient un sentiment de malaise.

Le sculpteur vivait dans un monde d'esprits. Il fabriquait aussi des kriss, des dagues malaises ; c'était l'un des aspects de sa fascination pour le métal. Les kriss trouvaient eux-mêmes leur vrai possesseur, expliqua le sculpteur ; ils repoussaient les gens qui ne les possédaient pas véritablement. Il avait un conseiller spirituel, et aurait aimé que je le rencontre ; mais le temps manquait. L'univers animiste indonésien paraissait de nouveau proche. A plus d'un égard nous étions tout près ici du commencement des choses, avant le passage aux religions révélées.

Le sculpteur avait une gouvernante chinoise d'un certain âge. Sa famille l'avait abandonnée toute petite, parce qu'à l'époque les familles chinoises se débarrassaient des filles dont elles ne voulaient pas. C'étaient généralement des Malais qui les adoptaient. La gouvernante du sculpteur était la deuxième Chinoise adoptée par des Malais que je voyais ce jour-là. Les relations entre les deux communautés s'éclairaient ainsi d'un jour nouveau ; et je regardai désormais les Chinois différemment.

En 1979 je cherchais surtout l'islam, et je n'avais vu les Chinois de Malaysia que de l'extérieur, comme les énergiques immigrants qui suscitaient la réaction des Malais. Cette fois-ci, en songeant à ces deux gracieuses femmes et à leur adoption de conte de fées dans une autre culture, je commençai à comprendre à quel point les Chinois étaient peu protégés au siècle dernier et au début de celui-ci : chez eux, l'empire s'écroulait au milieu des guerres civiles, à l'extérieur, on les rejetait — vomis par leur pays, tentant de s'implanter partout où ils le pouvaient, toujours étrangers, isolés par la langue et la culture, ne survivant qu'à force d'énergie aveugle. Lorsqu'ils avaient commencé à prendre conscience d'eux-mêmes, lorsque l'aveuglement s'était progressivement dissipé, il avait dû leur falloir autant de certitudes philosophiques ou religieuses qu'aux Malais.

Kuala Lumpur était fabuleux pour le visiteur : si riche, si neuf et si brillant, si plein de bâtiments publics et de splendides intérieurs nouveaux, si débordant d'énergie. Une nouvelle banque venait d'ouvrir dans un immeuble neuf, créée par deux frères, des Chinois. Ils n'avaient que la quarantaine et étaient partis de rien. A en juger par l'apparence, l'un était tout étincelles, un causeur ; quand il parlait, son visage s'empourprait. L'autre, qui portait des lunettes, était plus calme : il écoutait, avec l'air d'un médecin. J'avais néanmoins le sentiment qu'au moment d'agir, le calme devait être le plus audacieux. A les entendre, les projets paraissaient très simples, une simple affaire de logique. Pour eux, l'argent avait cessé d'être simplement de l'argent ; les affaires étaient devenues davantage une forme d'expression de l'énergie, et essentielles pour cette raison même.

C'était Philip qui m'avait présenté les deux frères. Philip était le secrétaire de leur entreprise. Il était chinois, lui aussi, et aussi jeune que les hommes pour lesquels il travaillait. Il donnait l'impression d'une profondeur inhabituelle ; et je découvrirais qu'il avait dû se forger cette sérénité, qui contribuait à sa séduction ; elle recouvrait une grande souffrance accumulée durant l'enfance.

Le père de Philip s'était marié deux fois. Philip était né du second mariage et jugeait que sa mère n'avait pas été bien traitée. Ce qu'il avait vu enfant lui avait beaucoup déplu. Il brûlait de réparer les torts dont sa mère avait pâti, mais il était émotionnellement à la dérive, jusqu'à ce qu'à quinze ans il se convertît au christianisme.

C'était arrivé dans son école, un collège de missionnaires dirigé par les frères de Plymouth, installés en Malaysia depuis quelque quatre-vingt-dix ans. Il allait très mal lorsqu'un jour, tout à fait par hasard, il était allé assister à un service religieux. Apprendre que Dieu était un père aimant l'avait bouleversé : cette révélation, estimait-il, lui avait donné sa place dans le monde.

« C'est assez ironique, expliqua-t-il, parce que j'aurais plutôt cru

351

éprouver de la révolte pour ce genre de religion : je venais d'une famille éclatée et je n'avais plus de père depuis l'âge de huit ans. Et cette idée de la grâce, dans la parabole du fils prodigue, le père qui attend et serre contre son cœur son fils repenti. La grâce : amour et faveur immérités accordés à quelqu'un qui n'en est pas digne : ç'a été quelque chose de très fort.

« Je dois beaucoup à la foi. La foi m'a donné des certitudes et une identité. Qui suis-je ? Chinois mais pas vraiment Chinois. Dans un programme de culture chinoise je serais complètement perdu. Anglais mais pas Anglais. Je ne suis jamais allé en Angleterre. Ce sont les Écritures qui ont déclenché mon amour passionné pour la lecture, encore très fort aujourd'hui. »

À cette époque, 1966 et 1967, l'islam n'était pas la force de prosélytisme qu'il est devenu maintenant ; ce n'était qu'une religion parmi d'autres. Au moment de sa conversion, Philip songeait davantage à son avenir : il voulait absolument devenir avocat, se lancer dans une profession libérale.

« Je me souviens d'avoir entendu ma mère dire : "C'est si difficile d'avoir avoir affaire aux avocats." J'ai décidé qu'un jour je serai avocat et que j'en ferais voir de toutes les couleurs à mes clients. Je voulais compenser les insuffisances de ma famille. Il y avait des médecins dans la première famille de mon père. La seconde, dont je faisais partie, n'avait pas si bien réussi. Je voulais disculper ma mère, lui faire sauver la face.

Elle vénérait les idoles chinoises. Les gens comme elle se tournaient maintenant vers une nouvelle forme de bouddhisme japonais.

« C'est très fréquent de voir les familles chinoises rejeter leurs dieux pour adopter ce nouveau bouddhisme japonais, qui repose sur de fortes traditions humanistes. Je suis content pour eux qu'ils se soient affranchis de ces dieux domestiques. »

Les gens qui connaissaient sa foi et ses inclinations intellectuelles se demandaient comment il pouvait travailler dans une banque. Il leur répondait : « Ce que je comprends du christianisme, c'est que nous ne refusons pas le monde. Nous sommes dans le monde mais pas de ce monde. »

C'était surtout par habitude que sa mère rendait hommage aux divinités domestiques. Elle leur allumait des bâtons d'encens et leur présentait des offrandes ; cela faisait partie de son train-train quotidien.

« Déjà, quand j'étais enfant, cela n'avait pas de sens pour moi. Quand le moment est venu d'abandonner ces rites, nous les avons juste dépouillés comme de vieux habits. Nous n'avions pas peur que les dieux nous punissent. A quatorze ou quinze ans j'éprouvais un sentiment de manque : un vide, une vacuité. C'est difficile à formuler. Ce fut providentiel pour moi de tomber sur ce service religieux. La deuxième génération de Chinois a dû se poser la question : qui suis-je, par-delà mon foyer, ma formation, mon diplôme ? Ces interrogations étaient plus vitales pour la deuxième génération. La première avait trop à faire.

Pour les Chinois, ce qui compte, c'est la fortune, les circonstances dont ils ont hérité, mais aussi la question : suis-je seulement le fils de mon père ? »

CHAPITRE 28

Un nouveau modèle de Malais

Le père de Nadèja était né vers 1940 dans un kampung malais. Nadèja ne se mit jamais en quête du village paternel ni ne s'intéressa aux origines de sa famille. Celle-ci devait être très ordinaire et Nadèja ne voyait pas l'intérêt d'entreprendre des recherches. C'étaient, dit-elle, « des paysans ou quelque chose comme ça ». Elle était sûre qu'ils habitaient une maison en bois au milieu d'un champ de riz et qu'ils élevaient des poules dans l'arrière-cour. Il n'y avait certainement pas un seul livre au foyer.

Mais, dès l'enfance, le père de Nadèja attacha une grande importance à l'éducation. Il savait — un aîné qu'il admirait avait dû le lui expliquer ou il l'avait entendu dire dans une conversation — que pour un garçon comme lui l'éducation était la seule manière de s'en sortir. Il était intelligent et il travailla dur à l'école, pour finalement obtenir une bourse au grand Collège malais de Kuala Kangsar.

C'est à Kuala Kangsar qu'il aperçut la jeune fille qui deviendrait la mère de Nadèja. Il tomba amoureux d'elle en la voyant se promener un jour en compagnie d'un chaperon. Il ne lui fut pas difficile de découvrir qui elle était et où elle habitait : les garçons du collège connaissaient toutes les demoiselles de la ville. Il engagea une correspondance avec cette jeune fille, qui correspondait d'ailleurs déjà avec d'autres garçons du collège. C'était la manière admise dont garçons et filles nouaient des relations à Kuala Kangsar ; ils n'étaient pas libres de se rencontrer.

La jeune fille vivait à Kuala Kangsar chez sa grand-mère. Son père était policier à Kuala Lumpur. Elle venait d'une vieille famille déchue. Jadis, ils avaient beaucoup de terres mais ils n'en tiraient pas bien parti et ils les perdirent peu à peu. Au jeu. Ils avaient le jeu dans le sang. Après le mois de jeûne, toute la famille se retrouvait, parfois avec des amis, pour jouer au poker deux jours et deux nuits durant. Nadèja grandit en croyant que c'était normal, que c'était ce que tout le monde faisait à la fin du ramadan.

« Ils étaient décadents, dit Nadèja. Ils croyaient que ça durerait éternellement. Le problème, c'est qu'ils n'étaient pas instruits. De mon temps, les riches ne faisaient pas d'études. »

Écho familier : ce que disait Nadèja de la Malaisie était également vrai du Trinidad de ma jeunesse, jusque dans les années quarante. A l'époque, les riches et les Blancs de l'endroit, dans l'ensemble, ne faisaient pas d'études ; cela figurait parmi leurs privilèges. Ils n'en avaient pas besoin. La société agricole coloniale n'exigeait pas de compétences particulières — il n'était pas nécessaire que les gens soient particulièrement efficaces, opiniâtres ou remarquables.

« Quand je pense à l'époque coloniale, dit Nadèja, j'imagine que les Malais passaient leur temps à traîner sans faire quoi que ce soit de constructif. Tandis que d'autres — les familles chinoises qui exploitaient les mines d'étain, les planteurs de caoutchouc, anglais pour la plupart — gagnaient de l'argent. Je crois que c'était alors comme ça. Les Anglais, qui étaient les maîtres de la colonie, et les Chinois. Les Malais ne s'intéressaient pas aux affaires. Il ne leur restait que l'Administration ou l'enseignement. Mais cela demandait beaucoup de travail. Aussi choisissaient-ils la solution de facilité. Ils ne connaissaient rien d'autre. C'étaient les grenouilles sous la noix de coco. »

Mais le père de Nadèja devait prendre au sérieux ses études au Collège malais ; c'était sa seule issue. La jeune fille qui deviendrait la mère de Nadèja n'avait pas ce souci. Les filles de son milieu n'étaient pas obligées d'aller à l'école si elles ne le souhaitaient pas ; et la mère de Nadèja n'y alla pratiquement pas. Elle savait lire et écrire, et cela lui suffisait. Elle ne se jugeait pas ignorante pour autant. Et d'ailleurs, elle avait reçu de sa famille une autre forme d'éducation, plus exclusive : elle avait appris la loyauté et ce que Nadèja appelait les vertus d'antan ; elle avait appris à bien se comporter en public : à ne pas faire l'importante, à ne pas montrer ses sentiments. Elle était devenue une personne très accomplie dans son genre : Nadèja voyait sa mère comme un personnage impérieux, à l'ancienne mode.

La fortune familiale était déjà largement dissipée lorsque la jeune fille correspondait avec le père de Nadèja. Quand les terres et l'argent avaient disparu, les riches d'autrefois n'avaient aucune raison de demeurer à Kuala Kangsar ; ils émigraient, presque à la manière des villageois, vers les villes. Ainsi, en 1958, à l'âge de dix-huit ans, la jeune fille quitta sa grand-mère et ses deux tantes de Kuala Kangsar pour aller vivre à la capitale avec son père, le haut fonctionnaire de police.

La capitale offrait davantage de liberté, et pour la première fois le père de Nadèja et elle purent se rencontrer plus à loisir. Ils durent parvenir à un arrangement, parce que le père de Nadèja partit faire des études en Europe, et lorsqu'il revint, la jeune fille l'attendait et ils décidèrent de se marier. Les parents de la jeune fille donnèrent leur accord, mais à contre-cœur. S'ils n'avaient plus d'argent, ils avaient encore un nom, et le père de la fiancée occupait désormais un rang très élevé dans la police. Le père de Nadèja, malgré ses études au Collège malais et le diplôme obtenu à l'étranger, conservait à leurs yeux la tare d'être un petit villageois.

Pendant sa jeunesse, Nadèja avait toujours su que son père était un paysan et sa mère tout autre chose. C'était une relation inégale que la leur, bien que, de l'avis de leur fille, elle ait fini par s'équilibrer en fin de compte. Le père était un homme tranquille, ce qui dut faciliter les choses. Nadèja se rappelait néanmoins une dispute : elle avait entendu son père déclarer à sa mère que ses parents ne l'avaient jamais jugée digne d'elle, mais, dit-il, si elle avait fait un mariage selon leurs vœux elle ne serait jamais sortie du Pérak.

« C'est probablement vrai », conclut Nadèja.

Et le plus étrange, même pour Nadèja, c'est que le moment venu de songer au mariage, elle fit comme sa mère : elle aussi épousa un jeune villageois ambitieux.

« Tu es en train de faire la même chose que moi », lui dit sa mère en guise d'avertissement.

Nadèja travaillait dans une société de Bourse de Kuala Lumpur — la Malaysia avait changé — et le jeune homme était l'un de ses collègues de bureau. Il n'était pas beau, mais Nadèja n'aimait pas les beaux garçons. Son père n'était pas beau, et cela, pensait-elle, avait dû influencer inconsciemment son choix. La beauté seyait aux femmes mais pas aux hommes.

Ce qui l'attirait chez ce jeune homme, c'était son ambition, une ambition pratique et méthodique, sans rien d'utopique. Il disait, par exemple : « Untel part l'année prochaine. J'ai donc de bonnes chances d'obtenir ce poste. » Il savait qui étaient ses rivaux et il préparait ses manœuvres longtemps à l'avance. Très froidement.

« Je n'avais aucun but, expliqua Nadèja, et je me suis dit qu'il prendrait la situation en main et que je finirais peut-être par arriver à quelque chose.

— Rien d'autre ne vous attirait en lui, à part l'ambition ? lui demandai-je.

— Il aimait à bien s'habiller. »

Les origines villageoises de ce garçon ne gênaient pas Nadèja. Il lui semblait bien dans sa peau. Mais ses attitudes politiques ne lui plaisaient pas. Il soutenait le gouvernement et le parti malais au pouvoir parce que, estimait-il, ils avaient beaucoup fait pour les gens comme lui. A ce moment-là, le gouvernement s'en prenait aux juges, ce qui préoccupait Nadèja.

« Ça m'est égal, dit le jeune homme. Ce qui importe vraiment aux gens, c'est l'argent, avoir le ventre plein, une maison, un toit. »

L'argument dégoûta Nadèja, mais elle se dit qu'elle avait eu une jeunesse confortable, contrairement à lui, et qu'elle aurait tort de lui en vouloir. Elle comprenait aussi qu'il ne s'intéressait pas aux idées mais aux choses tangibles. Tout cela finirait par l'exaspérer, mais elle décida alors, malgré ses appréhensions, de l'épouser pour sa franchise. Elle voyait en lui une sorte d'homme nouveau, de Malais nouveau modèle. Ils se fiancèrent.

« Je crois que ce que je voulais surtout, c'était me marier. Toutes mes amies se mariaient et il me semblait que c'était la chose à faire. C'était mon tour. Ça faisait partie de la vie. »

Un jour, au détour de la conversation, son fiancé lui dit qu'il voulait l'emmener au kampung pour lui présenter sa grand-mère. Ses parents s'y trouveraient également ce week-end-là. Nadèja les avait rencontrés à maintes reprises, à Kuala Lumpur. Ils n'étaient pas désagréables, mais elle ne les aimait pas particulièrement. Bien que ce fussent des gens instruits qui vivaient dans la capitale depuis une trentaine d'années, leur conversation était très ordinaire, le plus futile des bavardages. Ce n'étaient pas les beaux-parents qu'elle aurait choisis. Mais à l'époque son souci premier était de se marier. C'était, croyait-elle, son devoir de femme : elle n'envisageait l'avenir qu'aux côtés d'un mari. Plus tard, après avoir divorcé, ses idées changeraient.

Le kampung se trouvait dans l'État de Negri Sembilan. Pour s'y rendre, il fallait prendre une autoroute, puis une route qui se transformait en piste toujours plus boueuse. Nadèja eut l'impression de s'enfoncer profondément dans l'intérieur du pays. L'atmosphère était beaucoup plus moite qu'à Kuala Lumpur, le climat plus humide. Les habitations devenaient toujours plus simples. Elle remarqua tout cela, et bien qu'elle en comprît les implications ses craintes ne furent pas assez fortes pour lui faire rebrousser chemin. Le paysage était à demi familier ; c'était ainsi qu'elle imaginait la campagne dont venait son père. D'ailleurs, depuis le début de cette relation, c'était une partie d'elle-même qui voyait et ressentait les choses, et une autre qui agissait et parlait.

La maison se dressait au milieu de l'habituel lopin villageois. Il n'y avait pas de chemin pour s'y rendre. Les parents de son fiancé étaient déjà arrivés. Eux aussi étaient venus de Kuala Lumpur par la route, et leur voiture avait laissé des traces dans l'herbe, des traces boueuses. La maison elle-même, bien qu'une partie fût construite sur pilotis (dans le style traditionnel des kampungs), n'était pas l'habitation villageoise traditionnelle : elle avait déjà été rénovée et agrandie, et ses murs n'étaient pas faits de bambou tressé. Nadèja vit quelques volailles devant la maison, puis elle en aperçut d'autres sous les pilotis de la partie ancienne du bâtiment. Ce détail la frappa parce qu'à Kuala Lumpur elle n'avait pas l'habitude de voir des poules courir autour des maisons.

« Oh, dit-elle à son fiancé, elle élève des poules. » « Elle » étant la grand-mère.

« Elle aime les œufs frais, expliqua-t-il. Ils ont meilleur goût. »

Ces paroles firent à Nadèja l'effet d'une fausse note. Elles lui parurent défensives. Il n'avait pas besoin de se justifier en disant que les œufs avaient meilleur goût frais. C'était la première fois qu'elle le voyait mal à l'aise. Le moment passa ; elle le refoula au fond de son esprit.

Il y avait dix personnes au déjeuner. Deux tantes célibataires faisaient le service. Traitées en domestiques, elles étaient censées s'occuper de la grand-mère. Celle-ci était aussi laide que son petit-fils, se dit Nadèja ; mais la vieille femme était si ridée qu'il était impossible de se rendre compte exactement à quel point elle était vilaine. Elle ne parla guère pendant le repas ; à quoi bon, d'ailleurs ? Elle était la matriarche, tous la traitaient avec le plus grand respect. Ce devait être l'usage du Negri Sembilan, estima Nadèja : la population venait de Padang, à Sumatra, et en avait importé ses coutumes claniques matriarcales. Nadèja, quant à elle, en tant que fiancée n'était pas tenue de beaucoup parler ; il lui suffisait de prendre un air timide. Ce déjeuner se passa donc pour elle sans encombre. Il y avait plein de petites photos sur les murs : les enfants de la famille à diverses étapes de la vie.

Un oncle assistait à ce déjeuner. Membre du parti malais au pouvoir, il avait des responsabilités locales. A table, il parla politique : une quelconque affaire concernant la circonscription. Ses propos donnèrent à Nadèja une vision nouvelle du mouvement malais. Elle qui ne s'était jamais interrogée à ce sujet commença à comprendre comment son fiancé voyait les choses. Elle commença à comprendre — à en juger par toutes sortes d'indices : la maison, les rénovations, la familiarité de la conversation politique, l'assurance générale — qu'elle était au milieu de gens pour lesquels le monde avait changé concrètement. Ils avaient vu des transformations positives se produire dans leur village, leur foyer et leur vie personnelle. Ils avaient vécu une ascension.

« Autrefois, dit Nadèja, quand on allait à KL, on voyait le club, les magasins ; et les seuls Malais à habiter cet univers étaient la famille royale, les aristos. Et nous nous disions : c'est notre pays et ils [les Chinois] s'en sont emparés. Dans le kampung, j'ai compris pourquoi la politique jouait un si grand rôle dans la vie des Malais. Lors de nos discussions au bureau, j'avais un point de vue théorique. Lui parlait de choses concrètes, d'événements réels. »

Ce qui la frappa particulièrement, c'était l'optimisme des convives. Un tel optimisme dans une famille était nouveau pour elle. Et elle se rendit compte aussi que, pour cette famille-là, son fiancé incarnait l'idée de réussite, leur réussite, la réussite des Malais.

« Vous considéraient-ils comme un élément de sa réussite ? demandai-je à Nadèja.

— Je ne l'envisageais pas sous cet angle.

— Êtes-vous tombée un peu amoureuse de lui à ce moment-là ?

— Non.

— Vous vous leurriez, alors ?

— Peut-être croyais-je avoir part à cet avenir dont ils parlaient. Peut-être. »

Après le déjeuner, quelque chose arriva qu'elle nota mais refoula, comme elle avait refoulé ses appréhensions à propos des poules dans la cour et de la remarque sur le goût des œufs frais.

« Nous sommes passés au salon. La salle à manger se trouvait dans la partie ancienne de la maison, sur pilotis, le salon dans la partie neuve. Trois marches plus bas — cela faisait partie de leur ascension. La grand-mère a fait signe à mon fiancé de venir près d'elle. J'ai cru qu'il allait prendre le siège à côté d'elle, mais il s'est assis par terre à ses pieds. Il y avait un tapis. Tout était neuf dans cette aile. Dans la salle à manger le sol était recouvert d'une natte en roseau ou en bambou, je ne me rappelle plus au juste. Qu'il s'asseye ainsi par terre m'a surprise. Puis je me suis dit que ça faisait partie de la culture du Negri Sembilan. Ils sont connus pour leur fidélité aux traditions du clan. Je n'ai pas voulu en parler, de peur qu'il ne s'imagine que cela me gênait. Ce qui n'était pas le cas. Et je croyais aussi qu'il avait suffisamment confiance en lui pour faire face à la situation. Au fond, tout ça n'a que l'importance qu'on lui donne. »

La visite dura environ quatre heures, de midi à un peu moins de seize heures. Le mariage eut lieu deux mois après.

La mère de Nadèja avait des doutes. « Tu es en train de faire la même chose que moi », disait-elle. Elle n'avait rien contre son gendre ; elle ne voyait simplement pas comment Nadèja s'intégrerait. Elle n'aimait pas les parents du jeune homme. Ceux-ci, non contents de considérer Nadèja et les siens comme des snobs, se croyaient obligés de leur rendre la pareille ; et juste avant le mariage il y eut une sorte de dispute entre les deux familles.

Le mariage malais s'inspire des vieilles coutumes hindoues. Les familles commencent par échanger des présents. Si celle de la promise envoie cinq cadeaux, celle du jeune homme doit en offrir sept ; il doit toujours y avoir une différence de deux. Ce sont des dons symboliques : confiseries, argent. La mère de Nadèja voulait qu'une partie des présents de son gendre soit composée de pièces d'or plutôt que de billets de banque. Pour des raisons esthétiques : les pièces d'or feraient plus bel effet. La mère du jeune homme refusa ; elle n'avait pas le temps d'aller à la banque pour changer les billets en pièces.

« En fait, c'était très grossier de sa part. Parce qu'il faut se plier aux demandes de l'autre partie. Tout le monde doit se montrer gracieux. On ne veut pas blesser l'autre avant de se marier. C'est la coutume malaise : on cède, on doit se montrer aimable. »

Mais l'expérience de ses amies avait appris à Nadèja qu'il y avait presque toujours des affrontements avec les beaux-parents lors des mariages. A cause de la rivalité entre les familles ; et Nadèja préféra considérer l'histoire des pièces d'or comme un aspect de cette rivalité. Mais sa mère fut plus brutale : c'étaient de mauvaises manières, dit-elle, et le signe d'un manque de savoir-vivre.

Nadèja se rendit dans le kampung de son mari six ou sept fois après leur mariage. Jamais elle n'y prit goût. La vie au village n'était ni simple ni idyllique, comme d'aucuns le prétendaient. La compétition y régnait. Lors de sa deuxième ou troisième visite, il ne fut question que de la nouvelle voiture du voisin : le prix, la couleur qui n'était pas belle, et « Je parie qu'il ne l'a pas payée de sa poche ». Les deux vieilles filles qui s'occupaient de la grand-mère ne s'aimaient pas. Il n'y avait pas beaucoup d'hommes célibataires dans le kampung et les tantes n'avaient désormais presque aucune chance de se marier. L'une, que

Nadèja aimait bien, était résignée. L'autre était méchante, aigrie par la manière dont la vie l'avait traitée.

Il n'y avait aucune activité culturelle dans le kampung en dehors de la religion. Les cinq prières quotidiennes rythmaient les jours. La mosquée était le seul lieu de rencontres sociales.

C'était sans doute parce qu'il y avait tant de récriminations, de doléances et de comparaisons dans le village, estimait Nadèja, que son mari était devenu si ambitieux — pour s'échapper. Elle s'étonnait qu'il ne remarquât pas autant qu'elle la mesquinerie des villageois. Il ne se prêtait pas au commérage, n'y sombrait pas ; mais il l'acceptait. Cela faisait partie de son kampung, qui faisait partie de lui-même. D'ailleurs (bien que Nadèja ne l'ait pas dit), sa société de Bourse, à Kuala Lumpur, mobilisait tout le côté professionnel de sa vie.

Après leur mariage, ils habitèrent chez les parents de Nadèja. Une grave erreur, jugea-t-elle rétrospectivement. Son mari, qui était ambitieux et passablement gâté par sa famille, s'y sentait oppressé, s'irritait de ne pas dominer sa propre vie. Très vite, l'exaspération s'exprima de part et d'autre. La mère de Nadèja ne critiquait jamais son gendre personnellement ; il ne critiquait jamais non plus ses beaux-parents personnellement. Il attaquait seulement leur mode de vie, ce qu'ils faisaient, les gens qui leur plaisaient. Il n'aimait pas voir Nadèja feuilleter *Vogue*. « Pourquoi lis-tu ces sottises ? » disait-il. Lui, Malais nouveau modèle, dévorait des livres de gestion : *Les Choix financiers*, *La Gestion est un jeu*, des ouvrages sur la Bourse.

« Il était sorti ce jour-là avec des clients. Il avait bu. Je ne me rappelle plus la discussion que nous avons eue, mais à ce moment-là nous ne nous entendions plus du tout. Il m'a frappée. J'ai riposté. Je lui ai dit de partir. Ce qu'il a fait. Et c'est alors que nous avons commencé à parler de divorce. Tout s'est fait par l'intermédiaire d'avocats. Il n'est jamais revenu. »

Nadèja était enceinte. Ils ne pouvaient donc divorcer immédiatement. L'islam n'autorise pas le divorce si la femme est enceinte : l'enfant doit naître légitime. Ils arrivèrent néanmoins à une sorte d'arrangement ; mais trois semaines après, il revint sur sa décision et refusa de divorcer. Peut-être poussé par ses parents, croyait Nadèja. Ils avaient de l'amour-propre, et il se peut qu'ils aient voulu lui rendre la vie dure. Ce fut effectivement pour elle une période difficile. Pendant trois ans elle se retrouva entre deux chaises, ni mariée ni divorcée. Et elle eut du mal à obtenir la garde de l'enfant.

Elle pensait maintenant qu'elle avait trop attendu du mariage. Elle avait espéré, plus qu'elle ne l'imaginait, compenser ainsi ce qu'elle avait perdu. On était joueur du côté de sa mère, et à la mort de son grand-père maternel la famille se retrouva sans un sou. Tout un mode de vie, tout ce qui pour elle allait de soi s'effondra. Elle disait cela au début comme une sorte de plaisanterie. Mais pour elle ce fut vraiment une calamité. Puis de nouveaux coups s'abattirent sur la famille : son frère cadet mourut ; l'entreprise de son père commença à péricliter ; ses parents eurent des problèmes conjugaux.

Fille d'une mère impérieuse et bien née, Nadèja éprouva un grand vide avant même d'avoir vingt ans. Et plus tard, quand elle partit à Londres, elle s'aperçut que nombre des jeunes Malaises qui y vivaient étaient comme elle. Des filles de sa connaissance, qu'elle croyait riches et heureuses, entrèrent dans une secte ; elles cachaient en fait un grand manque. Leur gourou leur réclamait de l'argent ; elles le considéraient comme un personnage divin doté de pouvoirs spéciaux.

« Les Malais aiment ces gens aux pouvoirs spéciaux parce qu'ils ne croient pas que les choses soient le fruit de nos propres actions. Ils s'imaginent qu'en engageant un bomoh ou chamane ils vont tout arranger. Tous les gens que je connais sont religieux. Ils ont une grande foi. Ils croient que parce qu'ils sont nés musulmans ils ne risquent rien. Si l'on naît sans religion, on s'interroge sur sa place, sur son rôle. Si l'on est musulman, on s'entend dire dès le début que l'on fait partie d'un vaste ensemble. A l'école, quand les petites Malaises vont suivre leurs cours d'instruction religieuse, les petites Chinoises ont récréation. Ainsi commence-t-on à différencier les gens.

« Un ami de mon père est en train d'ouvrir son capital au public. Il a une entreprise de plastiques. Il a commencé par faire des emballages, maintenant il fabrique des sièges en plastique moulé, et il est devenu soudain très riche. Aisé il y a peu, il est aujourd'hui incroyablement riche. Et chaque année, il ne manque pas de faire la *umra* [le petit pèlerinage], pour rendre grâce à Dieu. Il se dit : "C'est certainement de la chance. Je ne suis pas différent des autres. Dieu doit m'aider." Je suis sûre qu'il est persuadé de ne rien faire de déterminant. Voilà pourquoi il n'en revient pas de sa chance. Depuis dix ans, les choses naissent du néant. »

Tel était le besoin sur lequel elle avait fondé son mariage ; telle était sa foi dans l'énergie et l'ambition de son homme nouveau de mari. Pourtant elle ne lui parlait jamais de religion. Il ne s'intéressait pas particulièrement à la spiritualité : il accomplissait les rites, pas davantage.

Elle se rendait maintenant compte qu'elle avait été trop exigeante à son égard. Elle qui comptait sur sa force s'était aperçue qu'il manquait d'assurance à sa manière. « C'était vraiment effrayant. J'insiste d'abord sur le manque d'assurance parce que sinon il n'aurait pas été tributaire de sa famille dans tous les domaines. » C'était avec sa mère qu'il parlait de sa carrière, pas avec Nadèja. Jamais il ne mentionnait à sa femme ses problèmes financiers. Tout allait bien pour lui maintenant. Il avait réussi. Il dirigeait une société de Bourse, et il avait épousé une fille de son propre État de Negri Sembilan. Il avait refait sa vie, et Nadèja croyait qu'il regrettait peut-être encore son incursion dans l'inconnu qu'elle représentait.

« Ç'a dû être un cauchemar pour lui, dit-elle. Il vit encore sous une coquille de noix de coco. Et quand il est sorti de son élément, ce qu'il a vu ne lui a pas plu. »

On pouvait sans doute en dire autant d'elle.

CHAPITRE 29

Le fils du bomoh

Le bomoh — guérisseur, chamane ou magicien — avait un an de plus que le siècle. Son père avait quitté la Chine vers la fin du dix-neuvième siècle, dans l'hémorragie de pauvres et de gens sans protection qui fuyaient l'empire en décomposition, pour atterrir dans l'une des îles de l'archipel indonésien, alors sous la domination hollandaise. Il s'y était établi et avait épousé (officiellement ou non) une Indonésienne. Ils avaient eu neuf fils.

Très pauvres, ils avaient fini par émigrer dans un État du nord de ce qui était alors la Malaisie britannique. Le huitième fils n'avait presque pas eu d'enfance. Il commença à travailler très jeune ; à treize ou quatorze ans, il conduisait un camion. La vie n'était pas facile ; et c'est vers cet âge que le côté mystique, indonésien, de sa personnalité commença à se révéler. Il devint conscient de ses pouvoirs et entreprit son apprentissage de bomoh. Il dut trouver un maître ou quelqu'un qui l'encouragea d'une manière ou d'une autre, mais je ne posai pas la question et l'on ne m'en dit rien.

Cet apprentissage du métier de bomoh débuta vers 1914-1915 (tandis que, au loin, l'Europe livrait la grande guerre qui, indirectement, affaiblit les Empires britannique et hollandais en Asie ; et que, un peu plus près de chez lui, Gandhi, après avoir passé vingt ans en Afrique du Sud, retournait en Inde avec ses idées politico-socio-religieuses très particulières). Le jeune homme apprit très vite. A dix-sept ans, il devint bomoh à part entière ; et il exerça pendant près de soixante-dix ans. Il avait une importante clientèle, ainsi que des disciples. S'il y avait un certain nombre de choses qu'il ne pouvait plus faire quand il devint infirme, jamais ses pouvoirs de bomoh ne le trahirent.

Il se maria deux fois, à cinq ans d'intervalle, avec deux sœurs malaises. Il eut dix-sept enfants au total, et tous vivaient dans la même maison.

Né en 1955, Rachid était le huitième fils du bomoh. Il fut envoyé dans de bonnes écoles locales dès le début, et à dix-huit ans — avec toute la tendresse possible pour les sentiments de son père et tout son respect pour ses pouvoirs de bomoh — Rachid commença à s'éloigner des pratiques magiques paternelles et des rites de la maison. Avec l'éducation et la conscience de soi-même, Rachid avait fini par éprouver le même genre de besoin philosophique et spirituel que Philip, le Chinois converti au christianisme ; et, de fait, adoptant et répétant les propos de certains amis d'école, Rachid parla et se conduisit quelque temps en chrétien, même chez lui.

Puis il découvrit l'islam et le Coran, et il s'en tint là. Il devint musulman dans son for intérieur, sans se convertir dans les formes, et prit le nom arabe de Rachid. Il avait entamé et abandonné plus d'une carrière depuis. A quarante ans à peine il était allé loin et vite, comme le pays. Il avait connu, de près ou de loin, bien des univers spirituels différents.

Les gens soumettaient toutes sortes de problèmes à son père, dit Rachid. Ils payaient souvent en nature : quatre ou cinq poulets, des fruits ; mais pas pour solde de tout compte. Le paiement se poursuivait ensuite sous la forme d'un tribut volontaire et régulier.

On venait simplement pour recevoir sa bénédiction, soigner des douleurs ou faire bénir des amulettes. Rachid se souvenait qu'un adepte des arts martiaux, maître de jiu-jitsu jouissant naguère d'une célébrité locale, était venu s'agenouiller devant son père pour qu'il lui accordât la force intérieure. Le bomoh était connu pour sa grande vigueur. Il était petit, un mètre soixante-quatre, mais bien bâti. Il pouvait plier des clous de quinze centimètres entre le pouce et l'index, sans avoir à entrer en transe, ce qu'il devait faire habituellement pour régler les problèmes des gens.

Quand il était ainsi en transe, ceux qui voulaient recevoir sa bénédiction s'agenouillaient devant lui, et il leur touchait le front, les épaules, le plexus solaire. Puis il les faisait se tourner pour leur toucher l'arrière du crâne et les épaules. Quand les gens avaient des douleurs, il touchait la partie souffrante du corps.

Tous les ans, les adeptes du bomoh venaient chez lui en pèlerinage et apportaient des amulettes à bénir. C'étaient des gens de toutes les communautés et de toutes les classes : riches, pauvres, instruits, ordinaires. A huit ans, Rachid avait entendu toutes sortes de langues pendant l'un de ces pèlerinages : anglais, malais, chinois de Hokkien, chinois baba ou malais.

Le bomoh entrait en transe et ôtait sa chemise. Il commençait alors à trembler, parce qu'à ce moment-là il était en communion avec le dieu de la neige, l'une des trois divinités dont il tirait ses pouvoirs. Ses assistants lui tendaient un paquet de bâtonnets d'encens enflammés. Il avait besoin des flammes pour se réchauffer, et il donnait l'impression d'esquisser les contours de son corps avec les bâtonnets d'encens. Au bout d'une minute environ, quand il était suffisamment réchauffé, il rendait les bâtonnets à ses assistants. Ils le revêtaient alors de sa chemise spéciale et le recouvraient de son manteau. La chemise était importante ; seul le bomoh pouvait la porter ; il l'avait bénie sur l'autel du sanctuaire.

Quand il s'asseyait, ses assistants lui donnaient un verre d'eau. Il prononçait quelques incantations, soufflait sur l'eau, la buvait et la recrachait. On lui passait alors son épée. C'était une épée véritable, d'un mètre cinquante et à double tranchant. Il sortait la langue et y faisait de son épée une incision assez profonde pour que le sang coule. Ses assistants lui passaient alors une par une les bandes de papier jaune pour les amulettes, et il faisait couler du sang de sa langue sur chaque feuille. Il continuait de les bénir ainsi, en perdant du sang tout du long, jusqu'à ce que la mère de Rachid dise : « Ça suffit. » Il avait ainsi béni une centaine de bandes de papier.

L'épée rangée, on l'enveloppait dans une couverture et, toujours en transe, il donnait ses consultations. Les femmes voulaient savoir si elles trouveraient un mari, les hommes s'ils auraient des maîtresses. Les femmes maltraitées par leur mari demandaient conseil. De même que les mères ou les pères dont les enfants avaient mal tourné.

Le bomoh parlait une langue que Rachid ne comprenait pas. C'était le javanais particulier qu'il avait rapporté de l'île indonésienne où il était né. Il parlait aussi mandarin. C'était seulement en ces occasions, et dans cette transe, que le père de Rachid s'exprimait en mandarin.

L'épée était spéciale, réservée au bomoh. Un assistant entra en transe un jour et essaya de se couper la langue avec l'épée. Celle-ci refusa de couper. Quand le bomoh fut vieux, néanmoins, il permit à l'un de ses assistants de couper sa langue avec l'épée. (Mais l'expression de Rachid était ambiguë. En regardant mes notes plus tard, je fus incapable de déterminer si les assistants se coupaient la langue ou s'ils se servaient de l'épée pour couper la langue du bomoh.)

Les assistants étaient des disciples du bomoh. Ils n'habitaient pas chez lui, mais se tenaient à son entière disposition. Ils venaient tous les jours à la maison, et il leur fallait travailler. Une de leurs tâches consistait à nettoyer l'autel. Ils n'étaient d'aucune manière les employés du bomoh ; non contents de n'être pas payés, ils devaient lui apporter des offrandes. Parfois ils lui remettaient de l'argent — que le bomoh refusait.

Il n'y avait pas de statues sur l'autel, seulement un tissu jaune, avec la représentation des trois déités du bomoh dans un triangle : le dieu de la neige et de la montagne au sommet, les divinités du feu et de l'épée à la base. La neige, le feu, l'épée : le rituel du bomoh suivait cet ordre. Il disait souvent à ses enfants qu'il avait des maîtres. Un en Chine et un autre en Indonésie, et (tout comme ses fidèles venaient chez lui en pèlerinage une fois par an) il faisait régulièrement son propre pèlerinage auprès de ces maîtres. Par des voies astrales. Rachid ne mettait jamais son père en doute ; il voyait aucune autre manière d'expliquer les pouvoirs manifestes de son père.

Les épouses du bomoh — la mère de Rachid et sa tante — étaient des *Baba-Nonya*, Chinois d'origine qui avaient adopté la culture et la langue malaises. A la maison on faisait de la cuisine baba, sino-malaise : une nourriture très épicée, que l'on mangeait avec les mains. Ils ne se servaient pas de baguettes.

La mère de Rachid, toute chinoise qu'elle était, révérait un ancêtre malais, le Datuk. Comme bon nombre d'autres Babas. Elle disposait sur l'autel ses offrandes à ce Datuk. C'étaient des plats malais : *rendang ayam*, curry de poulet, *rendang daging*, curry de bœuf, riz gluant : de la nourriture à manger avec les mains.

Une fois par mois, toute la maisonnée se faisait percer les joues par le bomoh à l'aide d'une aiguille en acier. C'était une forme de purification. Il y avait une aiguille différente pour chacun ; plus l'enfant était grand, plus l'aiguille était longue et grosse. Le premier enfant à avoir les joues percées devait endurer l'épreuve le plus longtemps — jusqu'à ce que tout le monde en ait fini. Parfois, en certaines occasions, on prenait des photos de la famille : les dix-sept enfants et leurs mères, tous avec une aiguille dans les joues.

Jusqu'à la fin de la deuxième guerre, le bomoh et sa famille vécurent dans un kampung, dans une maison villageoise traditionnelle. Ils déménagèrent ensuite dans une zone de repeuplement et s'installèrent dans une maison d'un étage avec une terrasse. C'était là qu'avait grandi Rachid. Il y avait trois chambres au premier et une autre en bas. La mère de Rachid et une ou deux de ses sœurs occupaient la chambre du bas ; un oncle et toute sa famille une des chambres de l'étage. Tous les garçons dormaient sur le palier. Une vingtaine de personnes vivaient en permanence dans la petite maison. Et en plus le bomoh exerçait sa profession au rez-de-chaussée, dans le salon, qui servait également de temple.

Les pouvoirs du bomoh étaient bien connus dans le voisinage, et les gens prenaient garde de ne pas contrarier la famille. Sa réussite se traduisait aussi par un certain rang social dans la communauté, dont il s'efforçait de se montrer digne. Il veillait soigneusement à sa tenue lorsque, de temps à autre, pour se détendre de son travail de bomoh, il se rendait en ville dans l'un de ses clubs chinois. Il s'habillait alors dans le style colonial, en costume et nœud papillon. Il faisait une partie de cartes et fumait une pipe d'opium à l'occasion. L'un de ses frères était opiomane, qui mourut de son vice. Le bomoh n'avait, quant à lui, rien d'un toxicomane.

Le bomoh n'était jamais allé à l'école. Lui seul savait combien il en avait souffert dans son enfance et sa jeunesse, à cette époque lointaine avant et pendant la Première Guerre mondiale. Depuis, dans ce monde transformé, il voulait que tous ses enfants, les filles comme les garçons, reçoivent l'éducation nécessaire. Il avait fait de son mieux pour chacun d'entre eux.

Rachid fut envoyé dans une école primaire locale, puis dans l'une des écoles secondaires coloniales les plus réputées de la région. Rachid n'en dit rien, mais il avait dû avoir le sentiment d'accéder à une autre sphère en arrivant au lycée. Chez lui, Rachid était fier des pouvoirs de son père, et il aimait qu'on en parle autour de lui ; mais il n'en fit jamais mention au lycée. Jamais ne lui vint à l'idée d'y « frimer » à propos de son père.

C'est dans cette école que Rachid découvrit les autres religions. Un jeune Tamoul sympathique l'entraîna un jour dans « une discussion très fondamentale » sur les grands problèmes. « Prends Hitler, dit-il. Regarde toutes ces brutalités. Tu crois que ces gens-là vont s'en tirer impunément à leur mort ? Et qui va les punir d'après toi ? Dieu va les punir. Tu crois peut-être qu'on est tous là pour rien ? »

Le jeune Tamoul était chrétien. Il n'imposa pas trop sa foi à Rachid. Il se montrait seulement très amical, et c'est à cause de ce garçon que Rachid suivit à l'école un cours d'instruction religieuse. Il commença en même temps à lire la Bible de Jacques Ier. La langue lui plut, le rythme des histoires, le mouvement. D'autres jeunes Chinois faisaient de même. C'étaient des bouddhistes, comme Rachid, qui demandaient davantage que ce que le bouddhisme de leurs parents pouvait leur offrir.

La petite maison à terrasse de Rachid était pleine de rites, avec le temple paternel au rez-de-chaussée, ses fêtes, le pèlerinage annuel, et le culte quotidien que sa mère rendait à son Datuk malais. Mais ces rites ne pouvaient apporter de réponse aux grandes questions qui commençaient à agiter Rachid. Les trois divinités de son père n'offraient rien qui ressemblât à l'« amour œcuménique » (ce furent ses mots) qu'il découvrait dans le christianisme. L'« amour œcuménique », semblable à l'idée de grâce qui avait conquis Philip, le Chinois converti au christianisme. Les déités de la neige, du feu et de l'épée, et les rites du temple ne lui proposaient aucune philosophie comparable, aucune « vue d'ensemble ». Ce qui se passait dans le temple de son père relevait de la vie privée. Des gens venaient juste là, jour après jour, pour soumettre au bomoh leurs problèmes pratiques.

Et Rachid ne pouvait interroger son père sur ce qu'il faisait. Il était inconcevable, par exemple, qu'il lui demandât si Dieu existait. Son père était un bomoh ; il avait des pouvoirs mystiques. Le questionner sur la religion, exprimer des doutes, c'eût été de l'irrespect, et c'était la dernière chose que Rachid eût voulu lui témoigner.

L'un des frères de Rachid était sur le point de se convertir au christianisme ; il allait régulièrement à l'église. Et Rachid suivait un cours d'instruction religieuse au lycée. Chez eux, dans le salon de la maison avec terrasse, où se dressait l'autel du temple, il leur arrivait désormais le soir de chanter des cantiques ensemble. Pendant ce temps, pour se détendre, le bomoh regardait la télévision. Qu'ils chantent des cantiques dans son temple ne le gênait pas ; il n'y faisait pas attention.

À l'école, Rachid et le jeune Tamoul avaient de nombreuses conversations sur Jésus et la Trinité. Rachid n'était pas entièrement converti, mais il disait à qui voulait l'entendre : « Pourquoi ne lis-tu pas la Bible ? » Il prêchait les gens à la manière dont le jeune Tamoul l'avait entrepris : il leur parlait du but de la vie.

Il aborda ainsi l'une des bonnes élèves du lycée, une jeune Pathane qui l'attirait. « As-tu jamais lu le Coran ? » lui demanda-t-elle.

À l'époque, il avait des préventions contre l'islam. Il trouvait que c'était une religion arriérée : la religion des Malais, qu'il jugeait alors arriérés. Mais il voulait avoir un sujet de conversation avec la jeune fille. Il se mit donc à lire le Coran, dans la traduction de Marmaduke Pickthall. L'introduction du chapitre liminaire le fascina : c'était pour lui l'équivalent du Notre-Père. Il aimait aussi que Dieu fût constamment appelé « le Très Bienfaisant » et « le Tout Miséricordieux ». Cela contredisait la conception qu'il avait de l'islam et de l'épée.

Mais il avait des doutes. L'idée de la polygamie et ce que ses lectures lui avaient appris de la position des femmes dans l'islam ne lui plaisaient pas. Il demanda à la jeune Pathane pourquoi le Prophète avait épousé plus de quatre femmes, et celle-ci ne put lui répondre. Il continua néanmoins de lire le Coran, qui parlait de plus en plus à son cœur. Le Coran le rendait humble. Il aimait les allusions répétées à la direction spirituelle de Dieu et au besoin qu'en avait l'homme. « Montre-moi le droit chemin » : ces mots, le cinquième verset de la première sourate, le pénétrèrent profondément.

Il commençait à se considérer comme musulman. Être musulman, c'était professer qu'il n'y avait d'autre dieu que Dieu, et que le Prophète était son messager. Cela aurait dû créer des problèmes dans son esprit à propos des pratiques chamanistes de son père. Mais pas du tout. Pour Rachid, ce que son père faisait n'avait rien de commun avec la religion.

Il voyait toujours la jeune Pathane. C'était pour lui une musulmane authentique, un exemple, et il se mit à suivre ses habitudes alimentaires. Il était maintenant capable de réciter des versets du Coran. Cela ne lui parut pas suffisant ; il décida de lire le Coran convenablement, en arabe. Aussi entreprit-il d'apprendre l'alphabet arabe malais ; au bout de deux ans, il déchiffrait le Coran.

Rachid avait désormais des problèmes à la maison. Ses parents n'appréciaient pas qu'il refusât de toucher au porc, de tenir les bâtonnets d'encens et d'accomplir les rites devant l'autel. Il refusait aussi de manger des aliments cuits et même des fruits qui avaient été déposés sur l'autel. Pour éviter les affrontements, il s'éclipsait quand les rites commençaient. Ses parents savaient qu'il finirait un jour par prendre un nom musulman. Cela les ennuyait beaucoup. C'étaient des taoïstes bouddhistes, et en tant que bomoh son père avait une position dans la communauté. Rachid se montrait aussi conciliant que possible ; il évitait les discussions. Il ne voulait surtout pas les blesser.

Tout cela se passait en 1973. Rachid était dans sa dix-huitième année.

Je me rappelai, en entendant son histoire, que quatre ans plus tôt, en 1969, il y avait eu de terribles affrontements raciaux en Malaysia entre Chinois et Malais. J'interrogeai Rachid sur ces événements.

« Nous avons tous été touchés, dit-il. J'étais en quatrième. Les émeutes ont commencé le 13 mai. J'avais un peu plus de treize ans. Treize ans et demi. Je me rappelle être allé à l'école en vélo pour trouver l'endroit désert ; les rues étaient désertes. Puis nous avons vu des gens revenir vers nous, et ils m'ont tous crié : "Rentre chez toi ! Rentre chez toi !" C'était très tôt le matin. Vers huit ou neuf heures tout le monde savait ce qui se passait. »

La famille avait dû survivre pendant plusieurs mois avec ce qu'il y avait à la maison. Riz, poisson salé, haricots noirs en saumure. Pas le moindre aliment frais. Le père de Rachid n'avait pas d'économies. Le couvre-feu interdisait à ses fidèles de venir. Aucun revenu, nul tribut. Ce fut une période très difficile pour la famille. Au bout de quelques semaines le couvre-feu fut levé, mais la peur était si grande que trois mois durant les gens ne sortirent pas de chez eux. On racontait que des Malais raflaient des Chinois, les entassaient dans des camions, les exécutaient puis jetaient les corps à la décharge. Circulaient aussi des histoires de Malais massacrés à la hache par des gangsters chinois.

Peu à peu, les choses se calmèrent. Les cours reprirent dans les écoles. Le bomoh, né dans une île indonésienne au siècle dernier d'un père chinois et d'une mère malaise, avait toujours connu la haine malaise, la fureur raciale malaise. Et pourtant, peut-être en raison de son métier, qui lui amenait des malades et des suppliants de toute sorte, les gens restaient pour lui des gens. Il refusait de croire que des êtres humains pussent cesser d'être humains, et il le disait à ses enfants. Il refusait de croire aux histoires qu'on lui rapportait de soldats malais fusillant des Chinois aux quatre coins du pays. Jamais il ne se montrait vindicatif ou amer.

Mais ce ne dut pas être facile pour lui, quatre ans après cette terreur, de voir son fils devenir musulman, prendre le nom de Rachid et se tenir à l'écart des vieux rites de la maison. Que ses deux fils chantent des cantiques à propos de Jésus dans le temple ne l'avait pas gêné. Mais devenir musulman, c'était autre chose. Il y voyait sans doute un rejet de la famille. Si le bomoh pouvait accueillir les émeutes avec philosophie, l'antagonisme entre Malais et Chinois était profond ; on ne pouvait le faire disparaître comme par enchantement. Officiellement, en Malaysia, être musulman c'était être malais.

Et, bien que Rachid n'en ait dit mot, c'étaient les émeutes de 1969 qui avaient donné son impulsion au mouvement malais et au regain de l'islam parmi la jeunesse.

Vingt personnes habitaient la maison, et Rachid (lorsqu'il entra dans le second cycle du secondaire) ne pouvait commencer à étudier que vers minuit, quand, la télévision éteinte, tout le monde allait se coucher. Il s'installait dans le fauteuil paternel de bomoh, dans le salon, le fauteuil sur lequel s'asseyait son père lorsque, parfois en transe, il recevait les gens et donnait ses consultations, et il étudiait ou lisait ou écrivait pendant trois ou quatre heures. C'était là, sous les divinités de la neige, du feu et de l'épée, qu'il lisait Shakespeare, Jane Austen et Dickens, qu'il rédigeait ses devoirs et bûchait ses examens. Jamais il n'avait le sentiment de mener une existence difficile ; cette idée lui vint bien plus tard, quand la vie devint plus facile.

Ses études secondaires terminées, il quitta à jamais la maison familiale pour aller à l'université de Kuala Lumpur. Il s'incrivit en lettres, un choix apparemment léger ; mais — à en juger par son récit — il allait surtout à l'université pour y jouir de sa liberté. Il subvenait à ses besoins. Les frais de scolarité étaient peu élevés. Et il gagnait assez d'argent pendant les grandes vacances pour payer sa chambre à l'université : il donnait des leçons particulières ; il faisait des petits boulots dans les médias et la publicité.

Il ne prenait pas ses études au sérieux. Il assistait si peu aux cours que la deuxième année l'administration de l'université lui posa un ultimatum. Un paternel directeur d'études indien l'aida à se ressaisir et il obtint son diplôme en fin de compte, bien que sans mention. Pendant les trois ans qu'il passa à l'université, il ne rentra qu'une fois à la maison, pour une semaine. C'était la deuxième année. Ses études terminées, à la fin de la troisième année, il commença à travailler à plein temps à Kuala Lumpur ; l'idée de revenir chez lui ne l'effleura même pas.

Son léger diplôme de lettres ne l'aida pas à trouver un emploi, aussi finit-il par faire à plein temps ce qui l'occupait pendant les vacances. Ce qui avait été excitant au début ne tarda pas à se révéler fastidieux. Il gagnait sa vie, mais menait une existence confuse et désordonnée. Sans l'islam — qui comptait de plus en plus, et avait compté même à l'université — sa vie n'aurait pas eu de sens.

Un jour qu'il se rendait à son travail en voiture, un agent de la circulation lui fit signe de s'arrêter. Il baissa la vitre et demanda : « Il y a quelque chose qui ne va pas ? » L'attitude de Rachid exaspéra le policier. « Comment ça, "Il y a quelque chose qui ne va pas ?" C'est "Qu'est-ce qui ne va pas, *Monsieur l'agent* ?" qu'il faut dire. » Et il commença à verbaliser.

Ce policier était indien. Nul n'ignore à Kuala Lumpur — dit Rachid — que les Indiens deviennent arrogants quand ils ont du pouvoir. Et, sans que Rachid l'ait précisé, il est très possible que le policier indien se soit montré particulièrement dur avec lui parce qu'il était chinois. Rachid se dit alors : « J'aurai ma revanche. Tu ne perds rien pour attendre. »

Rachid décida à ce moment-là d'entrer dans la police, d'« investir dans le pouvoir ». Ce fut une décision soudaine, mais nullement précipitée. Depuis quelque temps déjà, en effet, il rêvait de porter l'uniforme de la police, pour obtenir le respect et se protéger des gens comme l'agent indien et les vigiles qui le chassaient des places de stationnement réservées aux dignitaires.

J'appris alors que le frère aîné de Rachid avait un poste élevé dans la police. Ce frère avait bien vingt ans de plus que lui ; il n'avait pas dû le voir beaucoup. Entré dans la police comme simple agent — autre fils à avoir hérité l'énergie et le dynamisme du bomoh —, il était monté en grade, pour devenir d'abord inspecteur, puis inspecteur principal. Rachid se souvenait enfant que ce frère était venu à la maison dans son uniforme d'inspecteur. A un moment donné, le commissariat du quartier avait cherché à le joindre — le bomoh n'avait pas encore le téléphone — et un brigadier vint à la maison et salua l'inspecteur devant toute la famille. Cela avait beaucoup excité les enfants. Rachid se rappelait également le pistolet de l'inspecteur.

« L'idée d'endosser cet uniforme avec les trois ficelles sur l'épaule me donnait une décharge d'adrénaline. A la réflexion ça a l'air stupide, mais à l'époque c'était réel. Une fois qu'on avait le pouvoir [et Rachid racontait cette histoire maintenant qu'il disposait de confort, de sécurité et d'influence], c'était entièrement différent. »

Après ses années trop libres à l'université et sa carrière confuse de travailleur indépendant par la suite, Rachid éprouvait aussi de nouveau un besoin d'ordre et de discipline, voire d'embrigadement. Il crut qu'il trouverait cela dans la police. Et bien que son insécurité, son agressivité et son appétit de pouvoir fussent alors bien réels, une partie de lui-même se rendait compte que cette perspective allait à l'encontre de son éducation.

« Mon père et mon frère disposaient de formes différentes de pouvoir. Mon frère avait de l'autorité ; mon père le respect dû à ses dons, et aussi à sa grande générosité. C'est pour ça, lorsque les émeutes éclatèrent, que nous avons connu des moments très difficiles. Nous n'avions pas d'économies. Mon père achetait quatre ou cinq pains au boulanger parce qu'il n'avait pas le cœur de lui dire non. Et c'est ce que je fais aujourd'hui quand vient le boulanger. Et la règle était de donner plus que le prix du pain. Il n'acceptait jamais la monnaie. Il disait "Avec ces gens-là, il ne faut pas se montrer regardant." »

C'était un an avant que Rachid entrât dans la police. Cinq cents candidatures avaient été retenues, sur une quantité initiale bien plus élevée. Après les examens physiques et scolaires, deux cent cinquante postulants furent convoqués. Cent passèrent le cap des entretiens approfondis. Diverses épreuves et des tests d'intelligence en éliminèrent encore une moitié. Les vingt élus furent envoyés à l'école de police ; Rachid était parmi eux.

Une nouvelle coupe de cheveux l'attendait à l'école de police : dès leur arrivée le coiffeur de l'école leur rasa la tête. Rachid était entré dans la police pour avoir du pouvoir. Sa première expérience d'élève policier fut cette humiliation rituelle.

Et, les deux mois suivants, lui et les autres furent livrés à la merci des brigadiers et des agents. La formation des policiers n'avait pas changé depuis le temps des Anglais. La moindre faute — comme de parler pendant l'exercice — pouvait être sévèrement punie, par une heure de marche au pas redoublé, en pleine chaleur, avec l'équipement au complet et en tenant un fusil M-16 dans une position qui provoquait rapidement des douleurs insoutenables au triceps et au coude.

Au bout de ces deux mois, il était assurément devenu discipliné. L'appétit de pouvoir, les constantes petites envies de prendre sa revanche le moment venu avec les brigadiers et les agents qui le rudoyaient, s'étaient consumés. Il ressentait même de l'estime pour les hommes qui l'avaient formé.

C'est diplômé et dûment nommé à son premier poste qu'il alla voir son père. Sa première visite depuis des années. Rachid était sûr que le bomoh serait fier de lui ; et le bomoh fut effectivement très fier de son fils.

« Il était ravi de me recevoir, dit Rachid. A ses yeux, son fils était transformé. Il ne fut plus question de ma conversion à l'islam. Je lui avais envoyé une photo de moi en uniforme, avec l'insigne à mon nom, mon nom musulman : RACHID. Et il l'avait accrochée au mur du salon. »

Être policier ne se réduisait pas à porter l'uniforme et à recevoir le salut. C'était voir sans cesse, dans le quartier difficile où il avait été nommé, des morts, des cadavres mutilés, la cruauté. Rachid en eut vite assez. Il se fit muter aux renseignements généraux. Il n'avait rien envisagé de tel dans ses fantasmes de pouvoir ; mais il savait maintenant que dans la police, c'était là que se cachait le vrai pouvoir. Ce nouveau métier ne lui plut pas. Il n'avait plus goût au travail de policier.

Il songeait au droit. A l'école de police, un de ses instructeurs lui avait dit qu'il raisonnait comme un bon avocat. Il ne l'avait pas oublié ; et, après moins de quatre ans dans la police, il démissionna, prit un emploi alimentaire dans une entreprise et s'inscrivit à la faculté de droit. Il avait enfin trouvé sa voie ; le droit mobilisa tous ses instincts ; sa réussite fut immédiate. Le boom malaysien lui avait permis toutes ces tergiversations, tous ces changements ; dans une période antérieure il aurait dû se montrer plus prudent, se contenter de ce qu'il avait trouvé.

« Bien que je sois aujourd'hui en contact avec les sources du pouvoir, toute l'excitation qui me consumait autrefois a disparu. Rétrospectivement, j'ai le sentiment que toutes les étapes que j'ai dû franchir étaient nécessaires. Les étapes de mon enfance, les conditions dans lesquelles j'ai grandi, les occasions, tout ça m'a aidé à devenir indépendant. »

Sa formation l'avait rendu très positif. Il n'était pas du genre à geindre et à récriminer. A son avis, ce n'était pas par atavisme chinois ; il avait des amis chinois qui geignaient et récriminaient. Non, cela venait de son père. Il ne l'avait jamais entendu se plaindre. Bien qu'il souffrît d'une hernie très pénible, il n'en parlait à personne. Pas plus que de sa colonne vertébrale qui lui causait des douleurs incessantes.

Rachid alla le voir quelques mois avant sa mort. Il avait quatre-vingt-huit ans. Grabataire, il était décharné. Il avait perdu quinze à vingt kilos. Il avait rétréci.

« Père, tu es devenu si maigre, dit Rachid.

— Tout va bien, répondit le bomoh. Ça va. » Mais il avait des larmes dans les yeux.

Rachid, en voyant son père si près de la mort, pensa à son enfance difficile et à tout ce qu'il était parvenu à accomplir. Ses enfants, nés pour la plupart en des temps peu prometteurs, avaient tous une belle situation.

« Quand je rêvais de pouvoir, dit Rachid, même avant d'entrer dans la police, lui exerçait un pouvoir réel. [En tant que bomoh.] Auprès de lui, j'étais, toutes ces années-là, infantile. Je n'accepte aucune critique à son sujet, même de membres de la famille. Ce qu'il faisait, nous l'avons vu de nos propres yeux. Il n'avait pas besoin de proclamer ses pouvoirs. Il se peut que j'aie une affinité directe avec mon père. Il était un huitième fils. Je suis son huitième fils. Ma mère me dit que je suis le portrait exact de mon père. Ma mère n'a pas le compliment facile. Elle ne passe pas son temps à flatter les gens. »

Le père de Rachid ne demandait à personne de le suivre dans sa voie de bomoh, ou de professer sa foi. Il voulait seulement que ses enfants accomplissent les rites. Sa conversion à l'islam l'interdisait à Rachid. Mais il lui plaisait que sa mère observât les rites, et que, à la mort de celle-ci, d'autres membres de la famille aient poursuivi le culte de son esprit, le Dutuk malais, dans sa cuisine, et procèdent désormais aux rites sur l'autel familial.

CHAPITRE 30

L'autre monde

Séid Alwi, le dramaturge, était resté à l'écart du boom malaysien. Les auteurs de pièces malaises ne gagnent pas des fortunes, et Séid avait fait de ce genre d'écriture sa vocation. Pourtant — une recette par-ci, un droit d'auteur par-là —, il était parvenu au fil des ans à mettre une petite somme de côté ; et, la soixantaine venue, il décida de construire une petite maison pour ses vieux jours.

Campagnard d'origine et de goûts, il avait l'amour des Malais pour les arbres et les cours d'eau. Il trouva un terrain dans un kampung à l'extérieur de la capitale, à environ une demi-heure de Kuala Lumpur dans sa pétaradante petite voiture rouge, même par les nouvelles voies rapides percées à travers les collines dénudées. En quittant l'autoroute, une route sinueuse descendant parmi de jolis bois mouchetés de soleil menait au kampung d'un vert luxuriant. Au pied du petit lopin de Séid Alwi courait un ruisseau d'un mètre ou deux de large et profond de quelques centimètres.

L'instinct malais qui l'avait mené à cet endroit l'avait poussé à confier la construction de sa maison à un parent, jeune homme qui débutait dans la profession. Ce fut une catastrophe. L'argent épuisé, la maison n'était pas achevée et le constructeur avait disparu. Dans son ambition, Séid avait rêvé d'équiper sa maison d'un studio où il pourrait faire répéter ses pièces. Mais l'essentiel de ce qui avait été réalisé n'était qu'une périlleuse esquisse, sans murs ni planchers (et l'ambition l'avait conduit à commander une maison bâtie en partie au-dessus du ru), légère structure bancale de poutres inclinées et affaissées, trop minces pour supporter le moindre poids.

À l'encontre de ses instincts malais, Séid s'était plaint au père du constructeur. Et ses instincts ne le trompaient pas. Furieux, le père s'était écrié qu'il n'était aucunement responsable de la compétence ou de l'incompétence professionnelle de son fils. C'était à Séid d'en juger par lui-même (quoi qu'il pensât de la solidarité familiale ou malaise).

Séid Alwi et sa femme vivaient donc dans un coin de cette étrange structure (sans téléphone), où ils recevaient des gens, travaillaient à des pièces et essayaient de se débrouiller. Le coteau dominant le ruisseau avait été excavé et arasé pour accueillir la maison. Des serpents, attirés par le cours d'eau, avaient creusé de grands trous dans le mur de terre sèche qui formait un côté de la bâtisse. Séid et sa femme apercevaient

374

parfois les serpents ; ni l'un ni l'autre n'en avaient cure. Belle et sereine, la femme de Séid goûtait tout ce qui subsistait de beauté dans cet endroit : le ruisseau, les arbres, la verdure.

Une mésaventure semblable était arrivée au père de Séid Alwi dans les années trente. Parent éloigné de la famille royale du Pérak, il avait souffert enfant de cette parenté qui, pour une raison ou pour une autre, s'était avérée néfaste. Il était néanmoins parvenu, très jeune, à commencer une belle carrière de fonctionnaire. Les tensions — sociales, intellectuelles, coloniales — se révélèrent apparemment trop fortes : à vingt-deux ans il sombra dans la schizophrénie. Dans l'autre monde, dans son autre personnalité, il avait des obsessions religieuses et pouvait se montrer violent. Mais il connaissait aussi des périodes de lucidité. En 1930, la huitième année de sa schizophrénie, pendant l'une de ces périodes de lucidité, il entreprit de construire dans le kampung une maison à un étage pour sa famille. Projet trop ambitieux : il ne disposait que de sa pension de fonctionnaire et l'argent lui manqua pour achever la maison, qui resta sans étage.

Séid Alwi était né à cette époque, peut-être dans la maison inachevée ; en tout cas, il y grandit. C'était là que la famille vécut les privations et les horreurs de l'occupation japonaise du début de 1942 à 1945. Et c'est là que, quelques jours après la fin de la guerre dans le Pacifique, le père de Séid mourut.

Expérience inimaginable, qui fit sans doute de Séid un auteur dramatique ; mais il n'est pas toujours facile pour un écrivain de trouver d'emblée les thèmes de son œuvre. Parfois il faut de la distance ; parfois une expérience est si difficile qu'il est impossible de la traduire directement. Séid Alwi commença par aborder indirectement, symboliquement, ce qu'il avait vécu. C'est l'une des manières dont l'imagination créatrice peut affronter une souffrance extraordinaire. Sa première pièce mit du temps à mûrir : plus de quatre ans.

Elle naquit d'une histoire qu'il avait composée à dix-neuf ans, quand il suivait les cours du collège Clifford de Kuala Kangsar (il avait manqué quatre ans d'école à cause de la guerre). En ce temps-là, il y avait à Kuala Kangsar un pieux musulman du nom de Cheikh Tahir. Cet homme instruit, et qui avait voyagé, connaissait suffisamment d'astronomie pour déterminer lui-même le début du mois de jeûne. C'était une célébrité locale. Il venait en ville à bicyclette et les gens l'arrêtaient pour lui parler. Séid admirait Cheikh Tahir, il voulait lui ressembler. Il écrivit, sous un angle curieux, une nouvelle à propos du cheikh pour la revue du collège Clifford. C'était l'histoire d'une rencontre imaginaire dans un train entre le cheikh et un garçon comme lui. Le garçon se vante et se vante ; le vieil homme ne dit presque rien ; et le garçon comprend plus tard, avec honte et amertume, qu'il était en présence du grand homme et qu'il n'a pas su le voir.

Séid Alwi conserva l'idée de la rencontre dans le train. Le garçon devint un étudiant ; la figure paternelle du cheikh un esprit, visible et néanmoins absent. L'arrière-plan est développé : c'est l'Urgence, une période de délitement, de décadence générale, où la mort frappe brusquement dans des décors familiers.

Quatre ans plus tard, Séid obtenait une bourse Fullbright pour étudier le journalisme à l'université du Minnesota. Après une longue période de désœuvrement, il se mit un jour à écrire, et la pièce, sa première pièce, fut composée en moins de deux semaines.

On y retrouve la rencontre dans le train. L'étudiant, qui prend le vieil homme pour un paysan, lui parle philosophie en essayant de se moquer de lui intellectuellement. Le vieil homme finit par poser une question à l'étudiant : « Si vous saviez que quelqu'un allait mourir, le lui diriez-vous ? » L'étudiant de bredouiller ; il comprend qu'il n'a pas affaire à un paysan, il est incapable de répondre. Le vieillard, comme pour l'apaiser, explique : « J'ai ce problème. Ma fille va bientôt mourir. » Puis il disparaît. C'est un fantôme ; peut-être n'existait-il que dans l'esprit du jeune homme. Le train entre en gare — c'est l'époque de l'insurrection communiste après la guerre, lorsque des gares étaient attaquées — et une mort inattendue survient au hasard, qui lie le jeune homme au fantôme.

La pièce parut sans doute fantaisiste dans le Minnesota, mais tout — la mort de l'enfant, la ruine universelle, et jusqu'au fantôme religieux — rappelait des épisodes de la vie de Séid Alwi. Il arrive que la première œuvre d'imagination d'un auteur, fût-elle inachevée ou artificielle, contienne, parfois d'une manière codée, les pulsions et les émotions qui le gouverneront toujours.

« Les légendes sont plus vraies que l'histoire », me dit Séid à propos de son ascendance. La légende familiale prétendait que son grand-père paternel était un séid, un descendant du Prophète. Cela signifiait, en Malaysia, que l'ancêtre fondateur était un marchand arabe ou indien ; et Alwi était un nom de clan arabe. Pourtant, en dépit de tous ses instincts et de tous ses goûts malais, Séid Alwi avait l'air plus européen qu'arabe ou malais ; et les médecins lui affirmaient, disait-il, que l'inflammation cutanée au bout de son nez était une affection européenne et non arabe. Il y avait donc, comme il le disait, un mystère.

Mais la légende était la légende. Un séid était un séid et un Alwi un Alwi. Et la légende racontait que le grand-père de Séid Alwi, parent éloigné de la famille royale du Pérak, s'étant rebellé d'une manière ou d'une autre, avait rejeté la vie de l'enclave royale pour traverser le fleuve et épouser une roturière sur l'autre rive. La légende ne donnait pas de dates ; mais l'épisode dut avoir lieu dans les années 1880. A l'époque, les gens étaient enfermés dans des usages rituels et claniques, et il avait fallu une raison très grave — le grand-père de Séid n'était pas instruit — pour risquer une initiative aussi désespérée que la rébellion et la fuite. Séid Alwi n'avait pu trouver aucune explication par-delà la légende.

Le fils du rebelle, le père de Séid, ne laisserait pas d'en souffrir. Il avait été adopté par la maison royale et envoyé au Collège malais de Kuala Kangsar, l'école fondée pour les fils des familles régnantes. Le garçon étant de sang royal, la famille était obligée d'agir ainsi en public. En privé, néanmoins, elle le traitait mal, ne lui permettait pas de manger à sa table, l'obligeait à des tâches ménagères et le traitait en domestique.

Le garçon fit pourtant de bonnes études au Collège malais. A seize ans, il fut engagé comme fonctionnaire par le cadastre pour aider les villageois à obtenir des terres dans les régions nouvellement colonisées ; il faisait ensuite des recommandations à l'Administration. C'était un poste important pour un Malais dans le système colonial de 1916, et une réussite remarquable pour quelqu'un d'aussi jeune.

La famille royale choisit alors une épouse pour le jeune fonctionnaire. On raconte que c'était une *sherifa*, une femme séid, et riche de surcroît. La légende n'en disait pas plus, qui devait laisser bien des détails dans l'ombre. Parce que le jeune homme ne voulut pas épouser la jeune fille qu'on lui avait choisie ; et, la veille du mariage, comme son père avant lui, il s'enfuit. Il dut exaspérer bien des gens, qui se sentirent insultés dans leur honneur. Le jeune homme savait qu'on allait le poursuivre ; il lui fallait trouver des protections.

Il avait travaillé pour le cadastre dans le nord du Pérak, et c'est là qu'il décida de se réfugier. Il se rendit dans un kampung qu'il connaissait très bien et il demanda au chef du village de lui trouver une épouse. C'était une requête parfaitement acceptable selon la coutume malaise. On s'adressait normalement à un parent mais on pouvait, par une extension de cette pratique, avoir recours au chef.

Il y avait des « radjahs » dans le kampung, des gens d'origine princière. Familles mariables par conséquent. Le chef choisit deux jeunes femmes. La première était divorcée mais non radjah. Son privilège de femme divorcée était de pouvoir refuser ; et elle refusa le fonctionnaire du cadastre de dix-sept ans. La seconde était obligée d'accepter.

Elle était de famille radjah. Ses ancêtres avaient fondé le kampung. C'étaient des Bouguis de Sulawesi (les Célèbes de l'époque coloniale) qui, à une date indéterminée, avaient émigré dans l'État du Kedah, dans le nord de la Malaisie. Là ils s'étaient mariés avec des Malais de l'endroit et avaient fini par acquérir le rang de radjahs. L'archipel connut au dix-neuvième siècle d'innombrables mouvements de ce genre ; les Européens et les Chinois n'étaient pas les seuls à faire intrusion dans le territoire des autres. Un jour, les Siamois voisins attaquèrent le Kedah, dont les radjahs se réfugièrent au sud, dans l'État du Pérak. Ils s'établirent sur un promontoire au détour du fleuve. Ils y défrichèrent la terre, et l'endroit devint un kampung baptisé Pondoktanjung, « hutte sur le promontoire ».

L'épouse radjah de Pondoktanjung avait treize ans, quatre ans de moins que son mari. Une femme avait le devoir de suivre son époux ; c'était à quoi les filles se préparaient. Mais la vie de celle-ci allait être bouleversée au-delà de tout ce qu'on eût pu imaginer. Des sacrifices, des souffrances et des moments de pures ténèbres l'attendaient.

Au début, néanmoins, peut-être même pendant quatre ans, tout alla bien. La jeune épouse eut son premier enfant, un garçon, l'année suivant son mariage ; ce fut la première de quinze conceptions. Elle donna le jour à deux autres enfants les quatre années suivantes, les bonnes années ; et, pendant ce temps, son mari faisait une rapide ascension dans la fonction publique. Les gens de Pandoktanjung finirent par le considérer comme l'un des leurs ; il n'était donc plus un homme sans clan.

En 1921, à vingt et un an, il fut nommé magistrat. Accéder à cette position exigeait de solides connaissances juridiques. Il lui avait donc fallu beaucoup étudier ; en plus de ses déplacements et de son travail pour le cadastre. Sa vie devait ressembler à une continuation de ses années au Collège malais : cours pendant la journée, devoirs le soir. Ces études s'accompagnèrent d'une agitation mentale croissante. A mesure qu'il s'installait plus solidement dans le monde, il s'en éloignait. La philosophie, la religion, la nature de Dieu le fascinaient toujours davantage.

Il avait souvent des discussions à ce propos avec un ami, professeur à l'école normale d'instituteurs. On dit qu'ils se rencontraient tous les soirs. Personne d'autre n'était au courant de l'effervescence qui régnait dans l'esprit du magistrat. Aux yeux des villageois et de la famille de sa femme il vivait simplement à la manière musulmane, comme tout le monde, selon les rites. Il prenait soin, semble-t-il, de ne pas inquiéter ou offenser les gens ; il gardait son agitation pour lui-même. Il n'en parlait pas davantage aux fonctionnaires britanniques. C'eût été étonnant de sa part. Il n'aimait pas à parler anglais et se faisait un point d'honneur de ne pas vivre dans le style colonial. Il était donc très seul.

En 1922, à vingt-deux ans, il s'effondra. D'une manière presque physique. Il se trouvait au Pérak, dans une ville appelée Tapah, lorsque cela se produisit. Il parvint à regagner Pondoktanjung, à moins qu'on ne l'y ait ramené, et jamais il ne se rétablit. Il passa les vingt-trois années qui lui restaient à vivre à aller et venir entre ses deux univers. Sa femme avait dix-huit ans lorsqu'il craqua. Elle demeura sa femme à tous égards jusqu'à la fin.

L'Administration le mit en congé médical, avec une pension de soixante-quinze dollars malais par mois, quelque dix-huit livres au cours d'aujourd'hui, mais en 1922 une assez coquette somme. La pension fut versée jusqu'à l'occupation japonaise. Puis plus rien.

Il menait deux vies distinctes, l'une dans ce monde, l'autre dans son univers intime.

Dans sa vie normale, si l'on peut dire, il ne parlait anglais que lorsqu'il y était obligé. Dans son autre vie, il ne s'exprimait qu'en anglais. Dans sa vie normale, il n'écrivait guère ; dans l'autre, il passait une bonne partie de son temps à écrire. La famille lui achetait des tas de cahiers et de crayons, et il noircissait des pages et des pages. Lorsqu'il sortait de son monde, tout ce qu'il avait écrit était brûlé. Séid Alwi ne savait pas trop si c'était son père, dans sa personnalité normale, qui voulait le brûler, ou si c'était la famille.

Dans le monde normal, il ne fumait pas, dans l'autre, il fumait quatre ou cinq cigarettes à la fois, qu'il tenait entre ses doigts.

Dans le monde normal, il ne supportait pas de voir quelqu'un souffrir physiquement. Si sa femme battait l'un des enfants, il s'enfuyait de la maison. Il pouvait s'absenter des semaines durant ; et parfois la famille n'arrivait pas à découvrir où il avait disparu. Mais dans l'autre univers il était violent. Bien que dans cet univers-là il ne reconnût pas sa famille comme telle, il ne se montrait jamais brutal avec les siens. Sa violence était réservée aux étrangers. Le frère de sa femme l'emmenait par exemple chercher sa pension, et en chemin il rencontrait quelqu'un qu'il giflait sans raison. Il fut un temps où il se montrait si brutal qu'il fallut lui construire une cage dans la maison. La huitième année de sa maladie, sa violence commença à diminuer, et lorsque Séid naquit, en 1930, elle avait pratiquement cessé.

Dans la vie normale, il aimait faire la cuisine et manger. Dans l'autre, la nourriture le laissait indifférent : il n'avait là que deux passions : écrire et parler.

En 1953, par un hasard extraordinaire, Séid rencontra l'ami, le professeur à l'école normale, avec qui son père discutait tous les soirs juste avant sa crise, trente et un an auparavant.

Séid se rendait aux États-Unis, à l'université du Minnesota, grâce à la bourse Fullbright qu'il avait obtenue. L'homme monta dans l'avion à Manille, pour l'étape Manille-Hawaii du voyage ; et le hasard voulut qu'il s'assît à côté de Séid. Au cours de ce long vol, il lui raconta ce qu'il se rappelait du bouillonnement mental et de la dépression de son père. Et pour la première fois Séid comprit que, tandis qu'il faisait son travail de magistrat auprès du cadastre, une tâche très prenante, son père se débattait dans une horreur spirituelle. Il défaisait son univers. Il ne pouvait accepter le Dieu de l'islam ; il voulait connaître Dieu plus personnellement, plus intimement ; et il lisait les livres des autres religions pour tenter de trouver un Dieu qu'il pût admettre.

À un moment donné, croyait Séid, son père avait dû transiger, ou se résigner à ne pouvoir trouver le Dieu qu'il recherchait. Mais ce n'était qu'une conjecture, et pour Séid une conjecture douloureuse. J'avais le sentiment, d'après ce qu'il disait, que cinquante ans après sa mort, il tenait encore énormément — par chagrin, amour et besoin de partager la souffrance — à comprendre l'autre univers de son père. Ce monde était perdu, et pour cette raison même toujours une cause de douleur. Il n'avait que des bribes dépareillées à chérir et à examiner, comme les souvenirs de cet ami de 1921.

(Et cette rencontre avec l'ami de son père, à ce moment précis, alors que ses pensées étaient polarisées sur les États-Unis et l'écriture, dut être l'un des épisodes critiques de sa propre carrière. Peut-être déboucha-t-elle, quelques mois plus tard, sur cette explosion créatrice au cours de laquelle il écrivit sa première pièce, avec ses références codées au mystère paternel.)

« Pour moi, dit Séid, ce n'était pas Dieu, à strictement parler, qu'il cherchait, mais le sens de la vie. Cela s'est traduit par la quête de Dieu à cause de son éducation islamique, selon laquelle Allah est la réalité ultime. La recherche d'Allah ou de Dieu était la constante de ses deux univers, et probablement la seule chose qui pût y coexister pour lui. Bien que cela n'explique pas sa violence ni un comportement aussi diamétralement opposé. Je me demande souvent : Quel était pour lui le monde réel ? Le monde créé pour lui ou celui qu'il s'était créé ? »

Et il se pouvait, comme le suggérait Séid, que son père n'ait pu faire face à l'univers dans lequel il s'était retrouvé. Dans ce que disait Séid du comportement de son père dans son autre monde, on discernait des indices et des échos de ses épreuves dans ce monde-ci. Il avait souffert enfant, et peut-être été maltraité. Son moi normal ne pouvait supporter la douleur, alors que dans son autre monde il l'infligeait : il giflait des gens sans raison. Puisqu'il était socialement une sorte de paria, il avait dû faire ses preuves au Collège malais ; de même que dans le monde colonial il avait dû faire ses preuves en tant que Malais. Ainsi, dans son autre monde, par une parodie de l'école et de l'Administration, il écrivait tout le temps, et en anglais ; pareillement, à la mode coloniale, il fumait des cigarettes, les meilleures cigarettes, quatre ou cinq à la fois.

« Les Malais, dit Séid, sont toujours contraints de faire leurs preuves. Et l'une des choses dont ils étaient censés être incapables, c'était de penser par eux-mêmes. Ils passaient pour des gens d'habitude, ou de simples sujets des sultans ou des Anglais. Il fallait que d'autres pensent pour eux, les dirigent ; et ils étaient fidèles aux sultans et aux Anglais, qui en échange les protégeaient par des lois interdisant aux non-Malais d'aller contre leurs coutumes et leurs usages. »

Quand les parents de sa femme comprirent que quelque chose n'allait pas du tout avec leur gendre, ils le conduisirent au sanatorium. Ce n'était guère plus qu'un asile de fous, et les responsables de l'endroit étaient bien incapables de guérir quiconque. Ils diagnostiquaient la folie à l'aide de certains examens. Par exemple, le patient était arrosé avec un tuyau d'incendie. Ou encore on lui faisait manger du riz mêlé de sable. S'il ne se plaignait pas, il était fou. On fit subir ces épreuves au père de Séid. D'autres, dit Séid, étaient soumis à de pires traitements.

La famille l'emmena ensuite consulter des bomohs, l'un après l'autre ; et là encore examens et traitements se succédèrent. Le bomoh regardait dans un bol d'eau pour voir ce qui était arrivé à l'homme qui se tenait devant lui ; il discernait l'hérédité, ou des esprits ou l'éducation.

Un jour, le père et l'oncle de Séid étaient assis côte à côte devant un bomoh. De l'encens brûlait, qui remplissait la pièce — Séid tenait l'histoire de son oncle —, et le bomoh finit par déclarer que quelqu'un essayait de détruire le père de Séid. Ce méchant avait enfoui autour de la maison des choses malfaisantes, qu'il fallait enlever pour rompre le maléfice. Le bomoh dit qu'il allait le faire, sur-le-champ, sans quitter la pièce. Il commença son numéro de bomoh, en faisant de grands gestes mystiques dans la fumée d'encens, et en parlant sans cesse pour expliquer ce qu'il faisait. La fumée n'était pas suffisamment épaisse, pourtant, parce que l'oncle de Séid vit le bomoh prendre sous son genou un petit paquet enveloppé dans un tissu jaune, qu'il jeta dans un coin. Puis le bomoh déclara : « L'homme est maintenant guéri. » Et, malgré ce que l'oncle avait vu, le bomoh reçut son salaire.

Il y eut d'autres traitements de ce genre. La famille alla voir des bomohs des années durant. Puis on cessa d'espérer une guérison et on laissa l'invalide en paix.

Un jour — Séid ignorait à quelle date précise ; personne ne voulait trop parler de cet épisode —, son père s'enfuit de la maison. Il gagna l'État du Kelantan, et là son mal redoubla. Lorsque la famille alla le rechercher il était en train de traduire le Coran, d'anglais en malais. Ce qu'il avait écrit fut brûlé.

« Cette traduction est importante, dit Séid, parce qu'elle montre que même dans l'autre monde il essayait aussi de trouver Dieu. Mais je ne sais pas si ce travail avait été fait dans l'autre monde, dans ce monde-ci ou dans les deux. Il acceptait tout naturellement qu'on brûlât ses écrits, parce que cela correspondait aux croyances de la famille. De même qu'il acceptait les usages du kampung. »

Ainsi tous les écrits de son père, avant sa naissance, furent perdus pour Séid. Bien des années après, il trouva quelques-uns des cahiers paternels.

« L'écriture n'était guère lisible. La déchiffrer était difficile, presque impossible. Mais pratiquement chaque phrase se concluait par le mot "toujours". »

Nul doute que ce mot obséda Séid.

Il y avait des périodes de lucidité. C'est pendant l'une de celles-ci, avant 1930, qu'il commença à construire une nouvelle maison dans le kampung. Mais l'argent manqua et il ne put bâtir l'étage. En faisant ce récit dans sa propre maison inachevée, entre les trous de serpents creusés dans le coteau, d'un côté, et le ruisseau de l'autre, Séid me dit : « Alors quand cette histoire m'est arrivée chez moi, l'image de la maison inachevée de mon père m'est venue à l'esprit. »

Lorsque le père de Séid tomba malade en 1922, il avait trois enfants. Puis six autres enfants naquirent et sa femme fit six fausses couches. Sur les six enfants qui virent le jour, deux étaient mort-nés.

« Ma mère a donc conçu quinze fois », dit Séid.

Et douze de ces conceptions s'étaient produites après que son mari s'était effondré mentalement.

« Cela paraît monstrueux », commentai-je. Ce fut le mot qui me vint.

Il eut une expression très soucieuse. Puis il dit, mélancoliquement : « Je ne sais pas. » Des larmes embuèrent ses yeux.

Son père voulait que ses enfants fissent des études. Il n'avait que sa pension, mais une Indienne du kampung vint à son aide. Elle avait beaucoup d'estime pour la famille et elle adorait les enfants. Elle avait des bijoux en or massif, et chaque fois qu'il fallait de l'argent pour l'éducation des enfants ou pour leurs livres, elle confiait tous ses bijoux au père de Séid pour qu'il les mît en gages. Elle n'engageait ainsi ses bijoux que pour l'éducation des enfants. Lorsque l'un des garçons revint de Singapour dans l'uniforme du collège Raffles, une célèbre école coloniale, elle fut aussi fière de lui que s'il était son propre fils. Son fils unique était cheminot.

Elle était tamoule, et pas riche du tout. En dehors de ses bijoux elle ne possédait rien. Elle gagnait sa vie en préparant de menus en-cas et de petits entremets pour la buvette du gouvernement qui débitait du vin de palme dans le village. Son père avait dû venir d'Inde du Sud pour travailler sur les plantations comme ouvrier agricole. Son mari aussi sans doute ; et lorsque ce dernier était mort, elle avait quitté la plantation pour se mettre à son compte. Elle était ainsi arrivée au kampung et avait bâti une maison non loin de celle des Alwi.

Cette femme devint la bonne fée de Séid lorsqu'il commença à aller à l'école primaire malaise en 1936. Elle avait alors près de quarante ans : sèche, l'air rébarbatif mais pas laide. Tous les matins, sur le chemin de l'école, il s'arrêtait chez elle. Une cruche de lait chaud l'attendait dans l'âtre de terre. On buvait rarement du lait chez les Alwi, les Malais n'en consommant pas, en dehors de quelques gouttes de lait condensé dans le café. Pour les gâteaux, les curries et la viande, ils n'utilisaient que du lait de coco, fait à partir de la chair blanche de la noix mûre.

En 1940, au bout de quatre ans d'études primaires à l'école malaise, qui enseignait principalement la géographie et la littérature, Séid et l'un de ses frères aînés furent envoyés au lycée Édouard-VII dans la ville de Taiping. Le père de Séid, au prix de grands sacrifices, et cette fois encore avec l'aide de l'Indienne, y loua une maison pour ses fils. Séid comprit plus tard que son père, du fond de ses ténèbres, le préparait à devenir le haut fonctionnaire qu'il avait été lui-même autrefois.

Tout le monde au village connaissait l'état de santé de son père ; et on ne l'ignorait pas non plus au lycée de Taiping. Nul n'y voyait d'opprobre. Les gens éprouvaient plutôt une sorte de crainte révérentielle. Les Malais croyaient en effet que le surmenage pouvait briser les grandes intelligences, et le père de Séid, qu'on savait très brillant dans sa prime jeunesse, passait pour l'un de ces grands esprits. Il y avait un mot malais pour ce genre de rupture : *gila-isin*, devenir fou à force de se surmener, d'étudier trop, de croire trop fort.

« Mon père était considéré comme gila-isin parce qu'il était en quête de Dieu ou de quelque chose de ce genre. Bien que sa quête de Dieu ne fût connue que de quelques parents. On n'en parlait pas, pour éviter que les gens ne l'interprètent mal et ne croient que ce gila-isin était une sorte de châtiment. »

En 1941, le frère de Séid s'enfuit pour s'engager dans la Royal Navy à Singapour. C'était un villageois, en fait ; il aimait la vie, la camaraderie du kampung. Ce qui lui plaisait, c'était de travailler dans les rizières avec la famille. Aller au lycée à Taiping ne lui disait rien ; c'était l'idée de son père. Aussi — avec la complicité de certains villageois : il y eut une sorte de complot dans le kampung — il s'enfuit à Singapour et s'engagea dans la marine britannique en trichant sur son âge. Le père de Séid, outre qu'il voulait que son fils termine ses études secondaires, était pacifiste ; il abominait l'idée de faire souffrir et de tuer. Il alla trouver le résident britannique au Pérak et, après maintes démarches, il versa soixante-quinze dollars, un mois de pension, pour arracher son fils à la marine. C'est alors que la guerre éclata. Le 7 décembre 1941, les Japonais bombardèrent la base navale de Singapour, et personne dans la famille ne sut jamais ce qu'il était advenu de ce frère-là.

« Les Japonais arrivèrent à la fin de décembre 1941. En janvier, à la fin des vacances scolaires, comme je m'apprêtais à retourner au lycée, on me dit qu'il n'y avait plus d'écoles anglaises. »

Une rumeur affirmait aussi que les Japonais puniraient les gens qui avaient des livres anglais chez eux. Il y en avait beaucoup chez les Alwi, rapportés par les deux garçons qui avaient étudié au collège Raffles de Singapour. Presque tous ces livres furent détruits ; certains enterrés, d'autres brûlés, comme les écrits du père de Séid. Un seul ouvrage important fut épargné : un dictionnaire. Séid espérait lire un jour les écrits de son père et il se disait qu'il aurait besoin du dictionnaire pour comprendre les grands mots. Ce jour vint en effet ; mais il ne put déchiffrer l'écriture des cahiers paternels ; à part le mot « toujours ».

Les Anglais avaient fait sauter un pont routier à l'extérieur du kampung et il fallut quelques semaines aux Japonais pour construire un nouveau pont. Des soldats japonais rôdaient donc aux alentours, en quête de nourriture. Un après-midi, un soldat japonais se présenta chez les Alwi, une épée à la main. Les enfants s'enfuirent. Le père resta, et au bout d'une demi-heure il leur cria de revenir. Ils virent alors le soldat japonais sortir de la maison avec un poulet et un ananas. Personne ne sut ce qui s'était passé entre les deux hommes, et le père n'en parla jamais.

« Il n'avait pas peur, dit Séid. Il n'était pas particulièrement courageux mais il n'avait pas peur. »

Les Japonais restèrent en Malaisie trois ans et huit mois. Avant leur arrivée, Séid n'avait jamais vu de morts violentes. Depuis, près du marché de Taiping, où se trouvait son ancienne école anglaise, il voyait des têtes fichées sur des piquets. C'étaient, lui dit-on, les têtes de rebelles chinois.

« Après la première année la situation se dégrada. La nourriture se fit très rare — les produits de base, le riz, le sucre, manquaient. La vie au kampung commença à devenir difficile lorsque les maladies devinrent endémiques. Nous n'avions pas grand-chose à manger, nous attrapions donc des ulcères, des maladies de peau. Nous avions perdu notre science des simples locaux en prenant l'habitude des hôpitaux et de la médecine occidentale. Nous n'avons pas pu faire face à l'effondrement de la société.

« En outre, les Japonais avaient promis que tout irait bien et qu'il y aurait de tout en abondance. Ils disaient en particulier que beaucoup de riz allait arriver, parce qu'ils faisaient pousser des quantités de riz au Japon. Chaque fois qu'ils nous prenaient quelque chose, ils nous assuraient qu'ils nous le rembourseraient avec usure : « Je prends ta bicyclette, mais je t'en rendrai cinq ou davantage." Et ils ajoutaient : "Pas seulement des bicyclettes mais d'autres choses aussi." Ils parlaient de soie. Et pendant des mois et des mois, la communauté attendit. Les Japonais entretenaient cette promesse en faisant circuler des rumeurs : des cargaisons de riz étaient arrivées, plusieurs kampungs avaient déjà reçu leur part.

« Au début des actualités, dans les cinémas ambulants et les salles, ils disaient en japonais, en malais et en anglais : « Grâce au Ciel l'Asie a été rendue aux Asiatiques. » Suivaient des images de la grandeur du Japon : des ballots et des ballots de soie et d'autres marchandises de luxe. Ça faisait son effet : le premier Hari Raya, la fête concluant le mois de jeûne, nous parlions tous du moment où nous nous habillerions de soies japonaises. »

Mais les choses allaient de mal en pis. C'est à cette époque que mourut l'oncle de Séid, l'oncle qui figurait dans tant de ses histoires à propos de son père, l'oncle qui accompagnait le père de Séid quand il allait chercher sa pension, l'oncle qui consultait les bomohs avec lui, lorsqu'ils allaient encore voir les bomohs. Séid débordait de chagrin. Un jour qu'il coupait du bois avec son père — malgré toute sa peine, ce fut un précieux moment de camaraderie, et Séid ne l'oublia jamais —, il parla de son oncle et son père dit : « Ton oncle n'est pas mort.

— Que veux-tu dire par là ?

— Plus tard, tu comprendras ce que je veux dire. »

Ces mots firent grande impression sur Séid. Il se dit qu'il devrait demander à son père de s'expliquer. Mais il ne le fit pas ; l'occasion, le moment de camaraderie, ne se représenta pas. Parce que son père entra dans son autre monde et y resta pendant près de trois ans, jusqu'à la fin de la guerre. Il n'en sortit que pour mourir.

Séid était persuadé que son père allait toujours délibérément dans l'autre monde, pour se couper des choses qui ne lui plaisaient pas. Et dans le monde normal, le monde extérieur, tout s'était désormais effondré.

« Un nouveau mode de vie, un mode de vie dégradé, commença à s'installer, dit Séid. Le bien et le mal n'étaient plus fonction d'aucune valeur morale, religieuse ou spirituelle, mais de ce qui permettait l'affirmation de soi et la survie. Si l'on appliquait les valeurs morales on ne pouvait pas survivre. Qu'était alors la vie normale ? La douleur, la souffrance, la famine, les privations et la maladie. Si telle était la vie normale, comment la morale pouvait-elle être le facteur de décision ? N'avait de valeur que ce qui permettait de soulager ses souffrances. Ou de conserver un certain respect de soi-même. La normalité, c'était de voir des soldats japonais rouer les gens de coups, se saisir d'eux de toutes sortes de manières. On voyait des gens détruits par la torture, ou échapper à la torture ou pire en sautant dans la rivière. »

Des jeunes gens — de toutes races, malais, chinois, indiens — maltraitaient les filles, sans avoir jamais le sentiment de se mal conduire.

« Je me rappellerai toujours cette belle Indienne, d'une vingtaine ou d'une trentaine d'années. Elle venait d'un autre domaine, où son mari récoltait le caoutchouc. Il avait disparu, et elle le recherchait de plantation en plantation. Elle passa par mon kampung. Il y avait un certain nombre de jeunes gens qui ne faisaient pratiquement rien, ils passaient la journée à traîner. Ils ont vu cette femme et se sont regardés, et j'ai compris — j'étais avec eux — qu'ils allaient s'amuser avec elle.

« Ils l'ont suivie par-delà le quartier commerçant et l'ont violée. Quand mon tour est venu, ils ont dit non — j'étais trop jeune. J'avais alors une douzaine d'années. Il y avait donc une sorte de morale. Deux d'entre nous furent considérés comme trop jeunes. Sinon, sans cette sorte de morale, j'aurais été l'un des violeurs.

« Puis ils l'ont laissée et elle a poursuivi sa route. Je l'ai revue lors-qu'elle a retraversé le centre du village, pour se rendre dans un autre kampung. Elle n'était pas moins jolie pour avoir ainsi servi. Peut-être s'était-elle déjà fait violer. C'était quelque chose qui arrivait. Ça ne l'em-pêchait pas de chercher son mari. Pour les jeunes du village, c'était juste une activité comme une autre. Ils n'ont jamais reparlé de la fille. Si. Pour dire qu'elle était vraiment très belle. »

C'est à cette époque-là que Séid, à ses propres yeux, devint un homme. Il commença à travailler et put enfin participer à l'entretien de la famille.

Les Japonais montèrent une fabrique de charbon de bois. Ils vinrent au kampung recruter des travailleurs ; ainsi Séid, qui avait treize ans, devint-il l'un des charbonniers. L'usine se trouvait à quatre kilomètres de là, une assez longue marche le matin et l'après-midi à travers la jungle et une plantation d'hévéas. Il était payé huit dollars et une mesure de riz par jour ; le plus intéressant, c'était le riz. Par la suite, les Japonais donnèrent aussi des cigarettes. Le travail était facile : veiller à ce que les fissures de la meule soient bouchées. Il fit cela pendant envi-ron un an.

Il y avait double salaire pour une tâche plus dure : briser la porte du four le moment venu et sortir le charbon de bois. Séid essaya une fois. La chaleur était presque insupportable et il respirait la poussière du charbon brûlant. Quand il alla se laver, il cracha un flegme noir. Il continua un certain temps de cracher noir et cela lui fit si peur qu'il ne refit jamais ce travail.

À la fin de 1944, il devint bûcheron pour la charbonnière. C'était mieux payé : vingt dollars par jour, une plus grande mesure de riz et des cigarettes. Les cigarettes était généralement locales, et très ordinaires, mais de temps à autre on leur donnait des cigarettes japonaises — il se rappelait encore la marque, « Koa » —, qui étaient bien meilleures.

Les cigarettes avaient un intérêt particulier, parce que dans l'autre monde, où il vivait désormais, son père fumait. Sans doute existait-il des cigarettes rustiques, roulées dans un bout de feuille de palmier nipa ; mais le père de Séid ne voulait pas en entendre parler. Il exigeait des « vraies cigarettes », et quand ils n'en avaient pas à lui donner, il devenait furieux et violent ; il ne frappait personne mais jetait les objets par terre.

Il dépérissait maintenant. Il n'y avait pas grand-chose à manger et il était cloué au lit. Il semblait peu à peu comprendre qu'il y avait une calamité dans le monde extérieur et que les cigarettes étaient rares. D'ailleurs, il était tellement faible qu'il ne pouvait fumer qu'une cigarette par jour. Bien qu'il n'y eût pas pénurie de cahiers, il écrivait de moins en moins. Il cessa pratiquement d'écrire pendant les six derniers mois de sa vie, mais — et c'était comme un vestige de sa passion d'écrire — il devint très pointilleux à propos de ses crayons. Il les usait presque jusqu'au bout mais ne les jetait jamais, et personne n'avait le droit d'y toucher.

Un jour que Séid et l'équipe de bûcherons étaient allés couper du bois dans la jungle pour la fabrique de charbon, ils tombèrent — à quelque deux kilomètres de la route — sur une clairière inattendue : un champ de riz de plus de deux hectares.

C'est ainsi que Séid découvrit l'existence des communistes — principalement chinois — de l'Armée antijaponaise du peuple malais, la MPAJA[1]. La rizière leur appartenait ; et le kampung était déjà dans une certaine mesure sous leur protection.

Les hommes ne voulurent pas haler les troncs à travers le champ de riz. Mais le chef d'équipe — qui n'était pas japonais : il n'y avait pas de chefs d'équipe japonais dans le kampung — devait faire son travail. Séid se souvenait de l'avoir entendu dire : « Allez, traînez les billes dans la rizière. » « Mais c'est un péché de détruire du riz », protestèrent plusieurs de ses hommes. Et Séid comprit que certains des bûcherons connaissaient les villageois qui cultivaient ce champ de riz.

Ainsi, en devenant un homme qui gagnait de l'argent et participait à la vie active, Séid prit-il conscience de réalités du kampung qui lui avaient été cachées jusque-là. Voilà qui expliquait aussi les têtes de Chinois plantées sur des piquets près du marché de Taiping.

Son travail était dur ; il n'avait pas grand-chose à manger ; il n'y avait

1. Malayan People's Anti-Japanese Army.

pas de médicaments. Il souffrait de quatorze ulcères. Puis un jour, un tronc heurta sa cheville. La plaie ne guérit pas et se transforma en gros ulcère. Elle le faisait souffrir jour et nuit et l'empêchait de dormir. Il lui fallait secouer la jambe ulcéreuse pour apaiser la douleur et pouvoir dormir une heure. De temps à autre il drainait l'ulcère, il en extrayait une demi-tasse de pus. La chair se dissolvait en pourrissant : après le drainage de la plaie son mollet était tout flasque. Il sautillait sur un pied.

D'autres villageois étaient encore en plus piteux état. Une femme d'une quarantaine d'années avait des ulcères sur tout le corps. Ils s'étendirent au point que son corps devint un seul ulcère. Vers, asticots et mouches vivaient dans sa chair. Elle dégageait une odeur effroyable — même à des mètres de distance, même à l'extérieur de sa maison. Les dernières semaines de sa vie, elle n'était qu'une masse de sang en putréfaction. Elle ne cessait de gémir et de hurler. Il n'y avait pas le moindre analgésique. Personne ne voulait approcher d'elle. Elle était complètement abandonnée. Cela aggravait sa souffrance et donnait un ton particulier à ses cris.

Quelques jours après la capitulation des Japonais — de la nourriture commençait déjà à arriver au kampung de l'extérieur — le père de Séid sortit de son autre monde. Il y vivait depuis près de trois ans. Dans la famille, on sut qu'il était sorti de l'autre monde parce qu'il avait cessé de se parler à lui-même et ne demandait plus de cigarettes. Grabataire depuis longtemps déjà, il était très sous-alimenté, faible et malade.

Il voulut regarder dehors. Séid et sa mère l'aidèrent à se lever et l'amenèrent près d'une fenêtre. Il regarda pendant une minute ou deux sans rien dire. Puis — Séid sautillant sur sa bonne jambe — ils le ramenèrent à son lit.

Le monde qu'il avait voulu voir était un peu plus décrépit encore que du temps des Japonais. La MPAJA s'était en effet emparée du pouvoir pendant les deux semaines entre la reddition des Japonais et l'arrivée des troupes britanniques. Elle avait de nombreux comptes à régler et elle punissait les traîtres, les déserteurs, les collaborateurs.

Le monde réel s'était effondré, mais Séid et sa mère étaient contents que le père fût sorti de son autre monde. Il n'y était jamais resté si longtemps ; et Séid et sa mère se dirent qu'il en avait assez et ne voudrait plus y retourner. A présent qu'il y avait de nouveau de la nourriture et des médicaments, peut-être allait-il se rétablir. Séid, en adulte qu'il était devenu, espérait parler à son père de ses écrits ; lui demander ce qu'il avait voulu dire trois ans auparavant quand ils coupaient du bois ensemble et qu'il avait affirmé que la mort n'existait pas ; et découvrir l'autre monde où il allait.

Rien de tout cela ne s'accomplit. Une semaine environ après qu'ils l'avaient amené à la fenêtre, il mourut. Comme si, au terme de sa vie, il n'avait pas voulu mourir seul dans l'autre monde.

« Elle était sa communauté », dit Séid de sa mère, la femme qui avait épousé à treize ans le fonctionnaire du cadastre de dix-sept ans. « Grâce à son éducation malaise et musulmane, elle lui a apporté le soutien qui lui a permis de disposer de ses deux univers. Sans elle, il aurait été expédié à l'asile de fous [jets d'eau et riz mêlé de sable], où il n'aurait pas tenu deux ans. Alors qu'il a vécu dans ses deux mondes pendant vingt-trois ans. »

Juillet 1995-mai 1997

Remerciements

En Indonésie : John H. McGlynn, Navreka Sharma, Eugene Galbraith.
Au Pakistan : Ahmed Rashid.
En Malaysia : Karim Raslan.

TABLE

QUATRIÈME PARTIE
POST-SCRIPTUM MALAYSIEN
SOULEVER LA COQUILLE DE NOIX DE COCO

DANS LA MÊME COLLECTION

Svetlana Alexievitch, *Ensorcelés par la mort*. Traduit du russe par Sophie Benech.

Vladimir Arsenijević, *A fond de cale*. Traduit du serbo-croate par Mireille Robin.

Saul Bellow, *En souvenir de moi*. Traduit de l'anglais (États-Unis) par Pierre Grandjouan.

Saul Bellow, *Tout compte fait. Du passé indistinct à l'avenir incertain*. Traduit de l'anglais (États-Unis) par Philippe Delamare.

Joan Brady, *L'Enfant loué*. Traduit de l'anglais par Pierre Alien. Prix du Meilleur Livre Étranger 1995.

Joan Brady, *Peter Pan est mort*. Traduit de l'anglais par Marc Cholodenko.

Peter Carey, *Oscar et Lucinda*. Traduit de l'anglais (Australie) par Michel Courtois-Fourcy.

Peter Carey, *L'Inspectrice*. Traduit de l'anglais (Australie) par Marc Cholodenko.

Peter Carey, *Un écornifleur* (Illywhacker). Traduit de l'anglais (Australie) par Jean Guiloineau.

Fred D'Aguiar, *La Mémoire la plus longue*. Traduit de l'anglais par Gilles Lergen.

Junot Díaz, *Comment sortir une Latina, une Black, une blonde ou une métisse*. Traduit de l'anglais par Rémy Lambrechts.

Albert Drach, *Voyage non sentimental*. Traduit de l'allemand par Colette Kowalski.

Stanley Elkin, *Le Royaume enchanté*. Traduit de l'anglais (États-Unis) par Claire Maniez et Marc Chénetier.

Jeffrey Eugenides, *Les Vierges suicidées*. Traduit de l'anglais (États-Unis) par Marc Cholodenko.

Erik Fosnes-Hansen, *Cantique pour la fin du voyage*. Traduit du norvégien par Alain Gnaedig.

William Gaddis, *JR*. Traduit de l'anglais (États-Unis) par Marc Cholodenko.

William Gaddis, *Le Dernier Acte*. Traduit de l'anglais (États-Unis) par Marc Cholodenko.

Eduardo Galeano, *Mémoire du feu*, tome I, *Les Naissances*. Traduit de l'espagnol par Claude Couffon.

Eduardo Galeano, *Mémoire du feu*, tome II, *Les Visages et les Masques*. Traduit de l'espagnol par Véra Binard.

Natalia Ginzburg, *Nos années d'hier*. Traduit de l'italien par Adrienne Verdière Le Peletier. Nouvelle édition établie par Nathalie Bauer.

Nadine Gordimer, *Le Safari de votre vie*. Nouvelles traduites de l'anglais par Pierre Boyer, Julie Damour, Gabrielle Rolin, Antoinette Roubichou-Stretz et Claude Wauthier.

Nadine Gordimer, *Feu le monde bourgeois*. Traduit de l'anglais par Pierre Boyer.

Nadine Gordimer, *Personne pour m'accompagner*. Traduit de l'anglais par Claude Wauthier.

Nadine Gordimer, *L'Écriture et l'existence*. Traduit de l'anglais par Claude Wauthier et Fabienne Teisseire.

Nadine Gordimer, *L'Arme domestique*. Traduit de l'anglais par Claude Wauthier et Fabienne Teisseire.

Allan Gurganus, *Bénie soit l'assurance*. Traduit de l'anglais (États-Unis) par Simone Manceau.

Allan Gurganus, *Lucy Marsden raconte tout*. Traduit de l'anglais (États-Unis) par Élisabeth Peellaert.

Oscar Hijuelos, *Les Mambo Kings*. Traduit de l'anglais (États-Unis) par Pierre Alien et Jean Clem.

Nick Hornby, *Haute Fidélité*. Traduit de l'anglais par Gilles Lergen.

Neil Jordan, *Lignes de fond*. Traduit de l'anglais (Irlande) par Gabrielle Rolin.

Nicholas Jose, *Pour l'amour d'une rose noire*. Traduit de l'anglais par Anne Rabinovitch.

Ryszard Kapuściński, *Imperium*. Traduit du polonais par Véronique Patte.

Jerzy Kosinski, *L'Ermite de la 69ᵉ Rue*. Traduit de l'anglais (États-Unis) par Fortunato Israël.

Barry Lopez, *Les Dunes de Sonora*. Traduit de l'anglais (États-Unis) par Suzanne V. Mayoux.

James Lord, *Cinq femmes exceptionnelles*. Traduit de l'anglais (États-Unis) par Pierre Leyris et Edmonde Blanc.

Patrick McCabe, *Le Garçon boucher*. Traduit de l'anglais (Irlande) par Édith Soonkindt-Bielok.

Norman Mailer, *Oswald. Un mystère américain*. Traduit de l'anglais (États-Unis) par Pierre Grandjouan.

Norman Mailer, *L'Évangile selon le Fils*. Traduit de l'anglais (États-Unis) par Rémy Lambrechts.

Salvatore Mannuzzu, *La Procédure*. Traduit de l'italien par André Maugé.

Salvatore Mannuzzu, *La Fille perdue*. Traduit de l'italien par Nathalie Bauer.

Valerie Martin, *Mary Reilly*. Traduit de l'anglais (États-Unis) par Annie Saumont.

Paolo Maurensig, *Le Violoniste*. Traduit de l'italien par Nathalie Bauer.

Jess Mowry, *Hypercool*. Traduit de l'anglais (États-Unis) par Pierre Alien.

Péter Nádas, *La Fin d'un roman de famille*. Traduit du hongrois par Georges Kassai.

V. S. Naipaul, *La Traversée du milieu*. Traduit de l'anglais par Marc Cholodenko.

V. S. Naipaul, *Un chemin dans le monde*. Traduit de l'anglais par Suzanne V. Mayoux.

V. S. Naipaul, *La Perte de l'Eldorado*. Traduit de l'anglais par Philippe Delamare.

Tim O'Brien, *A la poursuite de Cacciato*. Traduit de l'anglais (États-Unis) par Yvon Bouin.

Tim O'Brien, *A propos de courage*. Traduit de l'anglais (États-Unis) par Jean-Yves Prate. Prix du Meilleur Livre Étranger 1993.

Tim O'Brien, *Au lac des Bois*. Traduit de l'anglais (États-Unis) par Rémy Lambrechts.

Jayne Anne Phillips, *Camp d'été*. Traduit de l'anglais (États-Unis) par André Zavriew.

Salman Rushdie, *Le Dernier Soupir du Maure*. Traduit de l'anglais par Danielle Marais.

Salman Rushdie, *Est, Ouest*. Traduit de l'anglais par François et Danielle Marais.

Salman Rushdie, *La Honte*. Traduit de l'anglais par Jean Guiloineau.

Salman Rushdie, *Le Sourire du jaguar*. Traduit de l'anglais par Anne Rabinovitch.

Salman Rushdie, *Les Enfants de minuit*. Traduit de l'anglais par Jean Guiloineau.

Paul Sayer, *Le Confort de la folie*. Traduit de l'anglais par Bernard Hoepffner.

Donna Tartt, *Le Maître des illusions*. Traduit de l'anglais (États-Unis) par Pierre Alien.

Pramoedya Ananta Toer, *Le Fugitif*. Traduit de l'indonésien par François-René Daillie.

Dubravka Ugrešić, *L'Offensive du roman-fleuve*. Traduit du serbo-croate par Mireille Robin.

Dubravka Ugrešić, *Dans la gueule de la vie*. Traduit du serbo-croate par Mireille Robin.

Serena Vitale, *Le Bouton de Pouchkine*. Traduit de l'italien par Jacques Michaut-Paternò.

Edith Wharton, *Les Boucanières*. Traduit de l'anglais (États-Unis) par Gabrielle Rolin.

Edmund White, *Écorché vif*. Traduit de l'anglais (États-Unis) par Élisabeth Peellaert et Marc Cholodenko.

Edmund White, *La bibliothèque qui brûle*. Traduit de l'anglais (États-Unis) par Philippe Delamare.

Jeanette Winterson, *Écrit sur le corps*. Traduit de l'anglais par Suzanne V. Mayoux.

Jeanette Winterson, *Le Sexe des cerises*. Traduit de l'anglais par Isabelle Delors-Philippe.

Tobias Wolff, *Un mauvais sujet*. Traduit de l'anglais (États-Unis) par Anouk Neuhoff.

Tobias Wolff, *Dans l'armée de Pharaon*. Traduit de l'anglais (États-Unis) par Rémy Lambrechts.

Cet ouvrage a été composé par
Nord Compo (Villeneuve-d'Ascq)
et imprimé sur presse Cameron
par **Bussière Camedan Imprimeries**
à Saint-Amand-Montrond (Cher)
pour le compte de la Librairie Plon

Achevé d'imprimer le 16 octobre 2001.

N° d'édition : 12929. — N° d'impression : 014693/1.
Dépôt légal : mai 1998.

Imprimé en France